FARFALLE

Stieg Larsson

Uomini che odiano le donne

traduzione di Carmen Giorgetti Cima

Marsilio

Editor Francesca Varotto

Titolo originale: *Män som hatar kvinnor*
© Stieg Larsson 2005
First published by Norstedts, Sweden, 2005
Published by agreement with Pan Agency

© 2007 by Marsilio Editori® s.p.a. in Venezia

Prima edizione: novembre 2007
Decima edizione: settembre 2008

ISBN 978-88-317-9332

www.marsilioeditori.it

Realizzazione editoriale: Silvia Voltolina

UOMINI CHE ODIANO LE DONNE

Prologo
Venerdì 1 novembre

Era diventato un rito che si ripeteva ogni anno. Il destinatario del fiore ne compiva stavolta ottantadue. Quando il fiore arrivò, aprì il pacchetto e lo liberò della carta da regalo in cui era avvolto. Quindi sollevò il ricevitore e compose il numero di un ex commissario di pubblica sicurezza che dopo il pensionamento era andato a stabilirsi sulle rive del lago Siljan. I due uomini non erano solo coetanei, ma erano anche nati nello stesso giorno – fatto che in quel contesto poteva essere considerato come una sorta d'ironia. Il commissario, che sapeva che la telefonata sarebbe arrivata dopo la distribuzione della posta delle undici, nell'attesa stava bevendo un caffè. Quest'anno il telefono squillò già alle dieci e trenta. Lui alzò la cornetta e disse ciao senza nemmeno presentarsi.

«È arrivato.»

«Cos'è, questa volta?»

«Non so che genere di fiore sia. Lo farò identificare. È bianco.»

«Nessuna lettera, suppongo?»

«No. Nient'altro che il fiore. La cornice è la stessa dell'anno scorso. Una di quelle cornici da poco che uno si monta da solo.»

«Timbro postale?»

«Stoccolma.»

«Calligrafia?»

«Come al solito, stampatello, tutte maiuscole. Lettere dritte e ordinate.»

Con ciò l'argomento era stato esaurito e i due rimasero seduti qualche minuto in silenzio, ognuno dalla sua parte della linea telefonica. Il commissario in pensione si lasciò andare contro lo schienale della sedia davanti al tavolo della cucina, succhiando la pipa. Sapeva comunque che non ci si aspettava più che ponesse qualche domanda risolutiva oppure iperintelligente, in grado di gettare nuova luce sulla faccenda. Quel tempo era passato da un pezzo, e la conversazione fra i due anziani conoscenti aveva piuttosto il carattere di un rituale intorno a un mistero che nessun altro essere umano al mondo aveva il benché minimo interesse a risolvere.

Il suo nome latino era *Leptospermum (Myrtaceae) Rubinette*. Si trattava di un arbusto piuttosto anonimo dotato di piccole foglie simili a quelle dell'erica, che produceva un fiore di due centimetri con una corolla di cinque petali. Era alto grossomodo dodici centimetri.

La pianta era originaria delle regioni montuose e del *bush* australiani, dove cresceva in robusti agglomerati. In Australia la chiamavano *Desert Snow*. Più avanti, un'esperta del giardino botanico di Uppsala avrebbe constatato che si trattava di una pianta insolita, raramente coltivata in Svezia. Nella sua perizia, la studiosa scriveva che l'arbusto era imparentato con il *Leptospermum Flavescens*, e che sovente era confuso con il ben più comune cugino *Leptospermum Scoparium*, che cresceva abbondante in Nuova Zelanda. La differenza, a detta dell'esperta, consisteva nel fatto che il *Rubinette* presentava un piccolo numero di microscopici puntini rosa sulle punte dei petali, che conferivano al fiore una vaga sfumatura rosata.

Il *Rubinette* era, in definitiva, un fiore sorprendentemente modesto. Era privo di valore commerciale. Non possedeva proprietà medicamentose note né effetti allucinogeni. Non si poteva mangiare, era inutilizzabile come spezia e senza utilità nella fabbricazione di coloranti vegetali. Per contro aveva una certa importanza per gli abitanti originari dell'Australia, gli aborigeni, che tradizionalmente consideravano la zona intorno ad Ayers Rock e la relativa flora come sacre. L'unico scopo della pianta sulla terra sembrava di conseguenza essere quello di fare omaggio della sua capricciosa bellezza all'ambiente circostante.

Nella sua perizia, la botanica di Uppsala constatava che se quel piccolo arbusto era poco comune in Australia, in Scandinavia era addirittura raro. Personalmente non ne aveva mai visto un esemplare, ma dopo un'indagine fra i colleghi era venuta a sapere che erano stati fatti dei tentativi di introdurre la pianta in un giardino di Göteborg, e che si immaginava venisse coltivata privatamente in luoghi diversi, da appassionati di giardinaggio e botanici dilettanti dotati di piccole serre. Era difficile da coltivare in Svezia perché esigeva un clima mite e secco, e doveva essere ricoverata al chiuso durante i mesi invernali. Non tollerava il terreno calcareo ed esigeva annaffiature dal basso, direttamente sulla radice. Era una pianta per coltivatori esperti.

Questo fatto che si trattasse di un fiore raro in Svezia avrebbe dovuto, in teoria, rendere più facile rintracciare l'origine di quello specifico esemplare, ma in pratica era un'impresa impossibile. Non esistevano registri da consultare o licenze da esaminare. Non c'era nessuno che sapesse quanti coltivatori privati si fossero cimentati in generale nell'impresa di cercare di ottenere un fiore così difficile. Poteva trattarsi di tutto, da qualche singolo entusiasta a diverse centinaia di appassionati di giardinaggio con a disposizione semi oppure piante. Che potevano essere stati acquistati privatamente oppure tramite ordine postale da qualche altro coltivatore o giardino botanico di qualsiasi parte d'Europa. La pianta poteva perfino essere stata procurata direttamente durante qualche viaggio in Australia. Cercare di identificare proprio quel coltivatore specifico fra i milioni di svedesi che hanno una piccola serra oppure un vaso alla finestra del soggiorno sarebbe stata, in altre parole, un'impresa disperata.

Il fiore era solamente l'ultimo di una lunga serie di sconcertanti omaggi che arrivavano regolarmente dentro una busta imbottita il primo di novembre. Il genere variava ogni anno, ma si trattava sempre di fiori belli e relativamente rari. Al solito, il fiore era stato essiccato, montato con cura su carta da acquerello e messo sotto vetro in una cornice di tipo semplice nel formato 29×16 centimetri.

Il mistero dei fiori non era mai stato reso pubblico, era noto solo a una cerchia ristretta di persone. Tre decenni prima, l'arrivo annuale del fiore era diventato oggetto di analisi – presso il laboratorio della scientifica, fra esperti di impronte digitali e grafologi, fra investigatori della polizia, e in un gruppo di parenti e amici del destinatario. Attualmente gli attori del dramma si erano ridotti a tre: l'anziano festeggiato, il poliziotto in pensione e ovviamente la persona sconosciuta che inviava il regalo. Siccome almeno i primi due avevano raggiunto un'età così avanzata che ormai per loro era tempo di prepararsi all'inevitabile, la cerchia degli interessati si sarebbe presto ulteriormente ridotta.

Il poliziotto in pensione era un temprato veterano. Non avrebbe mai dimenticato il suo primissimo intervento, che era consistito nell'arrestare un addetto alla cabina di comando dei segnali delle ferrovie, violento e ubriaco marcio, prima che questi causasse qualche guaio a se stesso o ad altri. Durante la sua carriera aveva messo dentro bracconieri, uomini che maltrattavano le mogli, imbroglioni, ladri d'auto e gente che guidava in stato d'ubriachezza. Aveva incontrato ladri, rapinatori, spacciatori, stupratori e almeno un dinamitardo più o meno pazzo. Aveva partecipato a nove inchieste per omicidio di varia natura. Cinque di queste erano state del genere in cui il colpevole stesso telefona alla polizia e, pieno di rimorsi, confessa di aver ammazzato la moglie o il fratello o qualche altro congiunto. Tre avevano richiesto un'indagine; due dei casi erano stati risolti nell'arco di qualche giorno, e uno dopo due anni con l'aiuto della polizia di stato.

Il nono caso era stato risolto da un punto di vista poliziesco, ossia gli inquirenti sapevano chi era l'assassino, ma le prove erano così deboli che il procuratore aveva deciso di sospendere provvisoriamente le indagini. Col tempo e con grande indignazione del commissario, il reato era caduto in prescrizione. Però in generale poteva dirsi soddisfatto della sua lunga e felice carriera, e di ciò che era riuscito a realizzare.

Invece era tutt'altro che soddisfatto.

Per il commissario, *il caso dei fiori essiccati* era una spina nel fianco – il caso frustrante e ancora irrisolto cui senza paragone aveva dedicato più tempo.

La situazione era doppiamente paradossale dal momento che, dopo essersi scervellato per migliaia di ore – in senso letterale – sia in servizio che dopo, ancora non era in grado di stabilire con sicurezza se si potesse davvero parlare di crimine.

Entrambi i vecchi sapevano che la persona che aveva incorniciato il fiore si era servita dei guanti, e che non si sarebbe trovata nessuna impronta né sulla cornice né sul vetro. Sapevano che sarebbe stato impossibile rintracciare il mittente. Sapevano che una cornice così poteva essere acquistata nei negozi di materiale fotografico o nelle cartolerie in ogni angolo del pianeta. Non c'era semplicemente nessun piano d'indagine da poter seguire. E il timbro postale non era sempre lo stesso; il più delle volte i pacchetti venivano da Stoccolma, ma tre volte erano arrivati da Londra, due da Copenaghen, una da Madrid, una da Bonn e una volta, la più sconcertante, da Pensacola, Usa. Mentre tutte le altre città erano capitali ben note, Pensacola era così poco nota che il commissario aveva dovuto cercarla sull'atlante.

Quando si furono congedati, l'ottantaduenne festeggiato rimase seduto immobile un lungo momento a osservare il fiore, grazioso ma insignificante, del quale ancora non conosceva il nome. Poi alzò lo sguardo sulla parete sopra la scrivania. C'erano appesi quarantatré fiori essiccati sotto vetro e in cornice, in quattro file di dieci fiori ciascuna, più una fila incompleta con quattro quadretti. Nella fila più in alto mancava un quadro. Il posto numero nove era vuoto. *Desert Snow* sarebbe diventato il quadro numero quarantaquattro.

Per la prima volta accadde tuttavia qualcosa che ruppe lo schema di tutti quegli anni. D'un tratto e senza preavviso, il vecchio cominciò a piangere. Rimase egli stesso sorpreso di quello sfogo improvviso dopo quasi quarant'anni.

Parte prima

Incentivi
20 dicembre - 3 gennaio

In Svezia il 18% delle donne al di sopra dei quindici anni
è stato minacciato almeno una volta da un uomo.

1.
Venerdì 20 dicembre

Il processo era ineluttabilmente finito, e tutto ciò che si era potuto dire era già stato detto. Nemmeno per un secondo aveva dubitato che sarebbe stato condannato. La sentenza scritta era stata emessa alle dieci del venerdì mattina e adesso rimaneva soltanto il riassunto conclusivo dei reporter che erano in attesa nel corridoio del tribunale.

Mikael Blomkvist li intravide attraverso il vano della porta e indugiò qualche secondo. Non voleva discutere la sentenza che aveva appena ritirato, ma le domande erano inevitabili e nessuno meglio di lui poteva sapere che andavano poste e che bisognava rispondere. Ecco cosa si prova a essere un criminale, pensò. A stare dalla parte sbagliata del microfono. Si stiracchiò imbarazzato e cercò di tirare fuori un sorriso. I reporter glielo ricambiarono e assentirono nella sua direzione con aria amichevole, quasi impacciata.

«Vediamo... *Aftonbladet*, *Expressen*, TT, Tv4 e... di che giornale sei tu... ah, *Dagens Industri*. Devo essere diventato famoso» constatò Mikael Blomkvist.

«Rilasciaci una dichiarazione, *Kalle Blomkvist*» disse il reporter di uno dei giornali della sera.

Mikael Blomkvist, il cui nome completo era in realtà Carl Mikael Blomkvist, si costrinse come sempre a non alzare gli occhi al cielo nel sentire il nomignolo. Una volta, vent'anni addietro, quando aveva ventitré anni e aveva appena cominciato a lavorare come giornalista nella sua prima sostituzione estiva, senza volerlo aveva smascherato per caso una banda di rapinatori di banche che nel giro di due anni avevano messo a segno cinque colpi di una certa importanza. Che in tutte le occasioni si fosse trattato della stessa banda non c'era alcun dubbio; la loro specialità era di piombare in piccoli centri e rapinare con precisione militaresca una o due banche alla volta. Avevano sempre il volto coperto da maschere di lattice che riproducevano personaggi di Walt Disney, e con una logica poliziesca non del tutto incomprensibile erano stati perciò battezzati la Banda di Paperino. I giornali tuttavia li avevano ribattezzati la Banda degli Orsi, il che suonava un po' più serio, considerato che in due circostanze, brutalmente e senza alcuna considerazione per il prossimo, avevano sparato colpi di avvertimento e minacciato i passanti o chi aveva manifestato troppa curiosità.

Il sesto colpo aveva preso di mira una banca dell'Östergötland in piena estate. Un reporter della locale emittente radiofonica si era trovato per caso nella banca proprio mentre avveniva la rapina e aveva reagito secondo il manuale di servizio. Non appena i rapinatori se n'erano andati, si era precipitato in una cabina telefonica e aveva diramato la notizia in diretta.

Mikael Blomkvist stava trascorrendo qualche giorno in compagnia di un'amica nella casa estiva dei genitori di lei nei pressi di Katrineholm. Il motivo esatto che lo portò a fare il collegamento non lo seppe spiegare nemmeno alla polizia, ma nell'attimo stesso in cui sentì la notizia alla radio gli venne in mente un gruppetto di quattro ragazzi che stavano in uno chalet a qualche centinaio di metri dal loro. Li aveva visti alcuni giorni prima giocare a badminton in giardino, mentre passava lì davanti con la sua amica, diretto a un chiosco dei gelati.

Tutto ciò che aveva visto erano quattro giovanotti biondi e bene allenati, in calzoncini corti e a torso nudo. Erano evidentemente dei culturisti, e c'era stato qualcosa in quei giovani giocatori di badminton che l'aveva indotto a guardarli una volta in più – forse perché la partita si stava svolgendo sotto un sole rovente, e con qualcosa che gli era parso un'energia violentemente focalizzata. Non aveva affatto l'aria di un passatempo, ecco che cosa aveva indotto Mikael a notarli.

Non c'era nessun motivo razionale per sospettarli di essere rapinatori di banche, ma lui aveva voluto fare lo stesso una passeggiata ed era andato a piazzarsi su un'altura dalla quale si vedeva lo chalet, e da dove aveva potuto constatare che al momento in casa non sembrava esserci nessuno. Trascorsero circa quaranta minuti prima che i giovanotti arrivassero a bordo di una Volvo che parcheggiarono davanti allo chalet. Il gruppo sembrava avere una certa fretta, e ognuno era sceso trascinandosi dietro un borsone sportivo, il che di per sé non doveva necessariamente significare che avevano fatto qualcosa di diverso dall'essere andati da qualche parte a fare il bagno. Ma uno di loro era tornato alla macchina a prendere un oggetto che aveva rapidamente coperto con una giacca sportiva, e perfino dalla sua postazione relativamente lontana Mikael Blomkvist aveva potuto constatare che si trattava di un vecchio buon Ak4 uguale identico a quello cui era stato sposato lui durante l'anno di servizio militare. Di conseguenza aveva telefonato alla polizia e raccontato le sue osservazioni. Era stato l'inizio di un assedio allo chalet durato tre giorni sotto l'occhio vigile dei media, con Mikael in prima fila e un sostanzioso compenso da free-lance da uno dei quotidiani della sera. La polizia aveva sistemato il suo quartier generale in una roulotte nel giardino della casa dell'amica di Mikael.

Il caso della Banda degli Orsi aveva dato a Mikael esattamente il lustro di cui, come giovane giornalista, aveva bisogno. Il rovescio della medaglia fu che l'altro quotidiano della sera non poté astenersi dall'uscire con il titolo *Kalle Blomkvist risolve il caso*. Il testo canzonatorio era stato scritto da una columnist di vecchia data e conteneva una dozzina di riferimenti al giovane detective creato da Astrid Lindgren. Come se non bastasse, il giornale aveva illustrato l'articolo con un'immagine sgranata in cui Mikael, con la bocca semiaperta e l'indice alzato, sembrava dare istruzioni di qualche genere a un poliziotto in divisa. In realtà gli aveva solo indicato dove trovare la latrina.

Non aveva nessuna importanza che Mikael Blomkvist in vita sua non avesse mai utilizzato il primo nome Carl o firmato un testo con il nome di Carl Blomkvist. Da quel momento, con sua grande disperazione, era stato conosciuto fra i colleghi giornalisti come *Kalle Blomkvist* – pronunciato in tono canzonatorio, non sgarbato ma nemmeno mai del tutto amichevole. Con tutto il rispetto per Astrid Lindgren, adorava i suoi libri, ma detestava il nomignolo. Gli ci vollero parecchi anni e meriti giornalistici molto più consistenti prima che cominciasse a indebolirsi, ma ancora trasaliva ogni volta che quel nome veniva usato in sua presenza.

Perciò sorrise tranquillo e guardò il giornalista del quotidiano della sera dritto negli occhi: «Uff, inventati qualcosa. Visto che tanto ci sei abituato, a lavorare di fantasia.»

Il tono non era antipatico. Si conoscevano più o meno tutti, e i peggiori critici di Mikael avevano rinunciato a farsi vedere. Con uno dei giornalisti presenti aveva lavorato in passato, e a una festa qualche anno prima era quasi riuscito a rimorchiarne un'altra – la giornalista di Tv4.

«Ti hanno bastonato per bene, là dentro» constatò *Dagens Industri*, che evidentemente aveva mandato un giovane praticante.

«Eh sì» riconobbe Mikael. Non poteva certo affermare qualcosa di diverso.

«Come ci si sente?»

Nonostante la serietà della situazione, né Mikael né i giornalisti più anziani riuscirono a fare a meno di sorridere a fior di labbra alla domanda. Mikael scambiò un'occhiata con Tv4. Come ci si sente, la domanda che i Giornalisti Seri hanno sempre sostenuto essere l'unica che gli Sciocchi Reporter Sportivi siano mai riusciti a porre all'Atleta Ansimante che ha appena tagliato il traguardo. Ma poi tornò subito serio.

«Naturalmente posso solo deplorare che il giudice non sia arrivato a un'altra conclusione» rispose in termini un po' formali.

«Tre mesi di galera e centocinquantamila corone di risarcimento. È una bella botta» disse *la famosa* di Tv4.

«Sopravviverò.»

«Hai intenzione di scusarti con Wennerström? Di stringergli la mano?»

«No, non credo proprio. La mia opinione sull'etica affaristica del signor Wennerström non è cambiata di molto.»

«Perciò sei ancora convinto che sia un farabutto?» domandò lesto il giornalista del *Dagens Industri*.

Dietro la domanda c'era una dichiarazione con un titolo potenzialmente devastante, e Mikael avrebbe potuto scivolare sulla buccia di banana se il reporter non avesse segnalato il pericolo allungando il microfono con un po' troppa foga. Rifletté qualche secondo su come rispondere.

Il tribunale aveva appena stabilito che Mikael Blomkvist aveva calunniato il finanziere Hans-Erik Wennerström. E l'aveva condannato per diffamazione. Il processo era finito e lui non aveva in progetto di fare ricorso. Ma che cosa sarebbe successo se avesse incautamente ripetuto le sue affermazioni già sulle scale del tribunale? Mikael decise che non voleva scoprire la risposta.

«Ritenevo di avere buoni motivi per rendere pubblici i dati in mio possesso. Il tribunale l'ha pensata diversamente e io, com'è ovvio, devo accettare che la legge abbia seguito il suo corso. Adesso in redazione discuteremo la sentenza in maniera approfondita prima di decidere sul da farsi. Non ho altro da aggiungere.»

«Però hai dimenticato che, come giornalisti, in effetti si deve sempre essere in grado di provare ciò che si dice» interloquì *la famosa* di Tv4 con una punta di asprezza nella voce. Un'affermazione che difficilmente si poteva contestare. Erano stati buoni amici. Il volto di lei era atteggiato a un'espressione neutrale ma Mikael credette di poter scorgere nei suoi occhi un accenno di delusa disapprovazione.

Si fermò a rispondere alle domande dei colleghi ancora per qualche tormentoso minuto. La domanda che stava sospesa inespressa nell'aria ma che nessun reporter si decideva a porre – forse perché la cosa era inspiegabile fino all'imbarazzo – era come Mikael avesse potuto scrivere un testo così totalmente privo di sostanza. I reporter presenti, a eccezione del praticante del *Dagens Industri*, erano tutti veterani con un ampio background professionale. Per loro, la risposta alla domanda inespressa stava oltre il confine del comprensibile.

La giornalista di Tv4 lo piazzò fuori del tribunale e gli pose le sue domande separatamente di fronte alla telecamera. Era più gentile di quanto lui meritasse e ci furono dichiarazioni a sufficienza perché tutti i reporter rimanessero soddisfatti. La storia si sarebbe trasformata in titoli – era inevitabile – ma lui si costrinse a ricordare che in effetti non si trattava esattamente del più grande evento mediatico del giorno. I reporter avevano avuto ciò che volevano avere e si ritirarono verso le rispettive redazioni.

Aveva pensato di fare quattro passi, ma era una ventosa giornata di dicembre ed era già congelato dopo l'incontro con i giornalisti. E mentre se ne stava lì ritto, solo, sulle scale del tribunale alzò lo sguardo e vide William Borg scendere dalla sua auto, dove era rimasto seduto mentre si svolgeva l'intervista. I loro occhi si incontrarono, poi William Borg sorrise.

«Valeva la pena di venire qui solo per vederti con in mano quel foglio.»

Mikael non rispose. Si conoscevano da quindici anni. Una volta avevano lavorato insieme come sostituti alle pagine economiche di un giornale del mattino. Forse dipendeva da un fattore di chimica personale, ma già allora erano state gettate le basi di una durevole inimicizia. Agli occhi di Mikael, Borg era stato uno squallido reporter e una persona pesante, meschina e vendicativa che infastidiva chi gli stava intorno con scherzi di cattivo gusto e parlava in termini spregiativi di altri reporter più anziani e di conseguenza più competenti. Sembrava detestare in particolare le giornaliste di una certa età. Avevano avuto un primo scontro verbale che era stato seguito da altre scaramucce, finché l'antagonismo era diventato un fatto personale.

Nel corso degli anni, Mikael e William Borg si erano imbattuti l'uno nell'altro a intervalli regolari, ma era stato solo sul finire degli anni novanta che erano diventati veramente nemici. Mikael aveva scritto un libro sul giornalismo economico, dove citava abbondantemente una quantità di articoli spazzatura che portavano la firma di Borg. Nella versione di Mikael, Borg era apparso come un presuntuoso che quasi sempre aveva preso delle cantonate, acclamando nei suoi articoli società dot.com sul punto di affondare. Borg non aveva apprezzato l'analisi di Mikael e durante un incontro casuale in un locale di Södermalm erano quasi venuti alle mani. Nello stesso periodo Borg aveva abbandonato il giornalismo e adesso, per uno stipendio sostanziosamente superiore, lavorava come informatore presso una società che per giunta faceva parte della sfera di interessi dell'industriale Hans-Erik Wennerström.

Si squadrarono un lungo momento prima che Mikael girasse i tacchi e se ne andasse. Era così tipico di Borg andare fino al tribunale solo per piazzarsi lì a sghignazzare.

Mentre si stava incamminando, l'autobus 40 arrivò giusto alla fermata e Mikael balzò a bordo più che altro per allontanarsi in fretta da quel luogo. Scese in Fridhemsplan e rimase un momento incerto alla fermata, ancora con in mano la sentenza. Alla fine decise di raggiungere a piedi il Caffè Anna di fianco all'ingresso del garage della sede centrale della polizia.

Meno di mezzo minuto dopo che aveva ordinato un caffè macchiato e un tramezzino, cominciò il notiziario di mezzogiorno alla radio. La sua vicenda veniva al terzo posto, dopo un attentato kamikaze a Gerusalemme e la notizia che il governo aveva istituito una commissione per investigare su un supposto cartello all'interno dell'industria delle costruzioni.

Il giornalista Mikael Blomkvist della rivista Millennium *è stato condannato nella mattinata di venerdì a 3 mesi di reclusione per diffamazione ai danni dell'industriale Hans-Erik Wennerström. In un discusso articolo sul caso Minos comparso qualche mese fa, Blomkvist affermava che Wennerström aveva utilizzato fondi statali, destinati agli investimenti industriali in Polonia, per un traffico d'armi.*
Mikael Blomkvist è stato altresì condannato a versare 150.000 corone a titolo di risarcimento. Commentando la vicenda, l'avvocato di Wennerström, Bertil Camnermarker, ha detto che il suo cliente è soddisfatto della sentenza. Si tratta di un caso di diffamazione particolarmente grave, ha dichiarato.

La sentenza era lunga ventisei pagine, e illustrava le ragioni per cui Mikael era stato ritenuto cinque volte colpevole di diffamazione ai danni dell'uomo d'affari Hans-Erik Wennerström. Mikael constatò che ognuno dei capi d'accusa per cui era stato condannato gli sarebbe costato diecimila corone e sei giorni di reclusione. Escluse le spese processuali e l'onorario del suo avvocato. Non aveva nemmeno la forza di cominciare a pensare a dove sarebbe finito il conto, ma constatò anche che sarebbe potuta andare peggio; il tribunale aveva deciso di assolverlo su sette punti.

A mano a mano che leggeva le formulazioni nella sentenza, gli nasceva una sensazione sempre più pesante e più sgradevole dalle parti dello stomaco. Ne rimase sorpreso. Già all'inizio del processo era stato consapevole che, a meno di un miracolo, l'avrebbero condannato. Non c'era stato nessun dubbio sulla questione, e aveva dunque accettato l'idea. Nei due giorni del processo aveva mantenuto un atteggiamento abbastanza sereno, e per undici giorni aveva anche atteso, senza provare nulla di particolare, che il giudice finisse di pensare e formulasse quel testo che ora teneva fra le mani. Era soltanto adesso, a processo concluso, che si sentiva sopraffare dal disagio.

Quando prese un boccone, ebbe l'impressione che il pane gli si gonfiasse in bocca. Ebbe difficoltà a deglutire e spinse da parte il tramezzino.

Era la prima volta che Mikael Blomkvist veniva condannato per qualcosa – la prima volta che in generale veniva sospettato o accusato. In fondo, la sentenza era una bagattella. Un reato di poco conto. Nonostante tutto, non si trattava di rapina a mano armata, omicidio oppure stupro. Da un punto di vista economico però la condanna era ben percettibile. *Millennium* non era l'ammiraglia del mondo dell'informazione dalle illimitate risorse – la rivista viveva sugli utili – ma la pena pecuniaria non rappresentava nemmeno una catastrofe. Il problema era che Mikael era uno dei comproprietari di *Millennium* al tempo stesso in cui, stupidamente, era anche giornalista e direttore responsabile della testata. L'importo del risarcimento, centocinquantamila corone, intendeva pagarlo di tasca sua, il che a grandi linee avrebbe azzerato i suoi risparmi. Anche se il giornale si sarebbe accollato le spese processuali e, facendo un po' di saggia economia, le cose si sarebbero sistemate.

Rifletté sulla possibilità di rivendere il suo diritto di abitazione, soluzione che gli sarebbe alquanto bruciata. Alla fine degli allegri anni ottanta, in un periodo in cui effettivamente aveva avuto un impiego fisso e un reddito relativamente buono, si era guardato intorno per cercarsi un domicilio permanente. Aveva visionato una quantità di appartamenti scartandone la maggior parte prima di inciampare in una mansarda di sessantacinque metri quadrati proprio all'inizio di Bellmansgatan. Il precedente proprietario aveva cominciato a farne un posto abitabile ma d'improvviso aveva trovato lavoro in qualche società dot.com all'estero, e Mikael aveva potuto comperarlo in corso di restauro a un prezzo conveniente.

Aveva scartato i disegni degli architetti d'interni e terminato il lavoro da sé. Investì del denaro per rinnovare bagno e cucina e lasciò perdere il resto. Invece di mettere il parquet ed erigere le pareti interne per ottenere il progettato bilocale, pulì i tavolati, intonacò di bianco i grezzi muri originari e coprì le imperfezioni più grossolane con un paio di acquerelli di Emanuel Bernstone. Il risultato fu un ampio spazio aperto, con un angolo-letto dietro una libreria e una zona pranzo e soggiorno a fianco di un angolo-cottura. L'appartamento aveva due finestre ad abbaino e una finestra sul lato corto della casa con vista sui tetti verso Riddarfjärden e Gamla Stan, la città vecchia. Riusciva a scorgere un angolo d'acqua giù a Slussen e aveva una panoramica verso il municipio. Oggi non si sarebbe potuto permettere un appartamento del genere, e ci teneva a conservarlo.

Ma il rischio di perderlo era niente in confronto al fatto che sotto il profilo professionale aveva preso una bella batosta, ai cui effetti negativi non sarebbe stato facile porre rimedio in tempi brevi. Sempre che in generale fosse possibile.

Era una questione di fiducia. Nel prossimo futuro, molti redattori avrebbero esitato a pubblicare una storia con la sua firma. Aveva ancora abbastanza amici nel settore disposti ad accettare il fatto che era caduto vittima di una sfortunata casualità, ma non si poteva più permettere il minimo passo falso.

Ciò che più gli bruciava era comunque l'umiliazione.

Aveva avuto in mano tutte le carte giuste eppure aveva ugualmente perduto contro un mezzo gangster in completo Armani. Un farabutto molto abile a giocare in Borsa. Uno yuppie con un celebre avvocato, che aveva sogghignato fra sé per tutto il processo.

Come diavolo era potuta andare così storta?

L'affare Wennerström era cominciato in maniera assai promettente, nel pozzetto di un Mälar-30 giallo la sera della festa di mezza estate di un anno e mezzo prima. Era stato un caso, che aveva la sua origine nel fatto che un ex collega giornalista addetto alle pubbliche relazioni presso il consiglio regionale, spinto dal desiderio di far colpo sulla sua nuova fiamma, aveva noleggiato avventatamente uno Scampi per qualche giorno di romantica crociera senza meta nell'arcipelago. L'amica, appena trasferitasi da Hallstahammar per studiare a Stoccolma, dopo una certa resistenza si era lasciata convincere, a patto di potersi portare anche la sorella e il relativo boyfriend. Nessuno del trio di Hallstahammar aveva mai messo piede prima su una barca a vela. Il problema era che anche l'ex giornalista aveva più passione che esperienza, come velista. Tre giorni prima della partenza aveva quindi telefonato a Mikael, disperato, e l'aveva convinto a unirsi alla compagnia, come quinto membro dell'equipaggio e unico esperto di navigazione.

In prima battuta Mikael aveva accolto la proposta un po' freddamente, ma poi aveva ceduto di fronte alla promessa di qualche giorno di svago nell'arcipelago, con buon cibo e buona compagnia, come si usa dire. Queste prospettive tuttavia si erano rivelate alquanto false, e la gita in barca aveva assunto i contorni di una catastrofe assai peggiore di quanto si sarebbe potuto immaginare. Avevano fatto rotta da Bullandö, bella ma poco emozionante, risalendo attraverso il Furusundsleden con un vento di neanche cinque nodi, eppure la nuova fiamma dell'ex giornalista aveva subito sofferto di mal di mare. La sorella aveva cominciato a litigare con il suo ragazzo, e nessuno dei tre aveva mostrato alcun interesse a voler imparare la benché minima nozione di velismo. Ben presto fu chiaro che ci si aspettava che fosse Mikael a occuparsi della barca, mentre gli altri si limitavano a dare suggerimenti volonterosi ma quasi sempre senza senso. Dopo il primo pernottamento in una caletta di Ängsö, lui era pronto ad approdare a Furusund e a prendere l'autobus per tornarsene a casa. Furono solo le disperate preghiere dell'ex collega a convincerlo a rimanere a bordo.

Verso le dodici del giorno dopo, abbastanza presto perché si potesse ancora trovare qualche posto libero, avevano ormeggiato al molo di Arholma. Fecero provviste e, appena finito di pranzare, Mikael notò un M-30 giallo in plastica scivolare nell'insenatura con la sola vela maestra. La barca fece una silenziosa bordata mentre lo skipper esplorava il molo alla ricerca di un posto. Mikael gettò un'occhiata intorno e constatò che lo spazio fra il loro Scampi e un H-Boot a tribordo era probabilmente l'unico buco disponibile, e che sarebbe giusto bastato per lo smilzo M-30. Si alzò sulla poppa e indicò; lo skipper dell'M-30 sollevò la mano in un gesto di ringraziamento e virò verso il molo. Un navigatore solitario che non si dava l'incomodo di accendere il motore, osservò Mikael. Sentì lo strepito della catena dell'ancora e qualche secondo dopo la vela veniva ammainata, mentre lo skipper si muoveva come un fulmine per sistemare la barra del timone e al tempo stesso occuparsi della cima a prua.

Mikael si sporse dalla barca e tese una mano per far capire che era pronto a ricevere. Il nuovo arrivato fece un'ultima virata e scivolò alla perfezione fino alla poppa dello Scampi, quasi senza spinta. Fu solo nell'attimo in cui gli lanciò la cima che si riconobbero e si aprirono in sorrisi di piacere.

«Ehilà Robi» disse Mikael. «Perché non usi il motore, così risparmi di grattare via la vernice a tutte le barche del porto?»

«Salve, Micke. Mi sembrava che ci fosse qualcosa di noto, in te. Il motore lo userei volentieri, se solo riuscissi a farlo partire. Il disgraziato è defunto là fuori, vicino a Rödlöga, due giorni fa.»

Si strinsero la mano sopra la battagliola.

Un'eternità prima, negli anni settanta al liceo di Kungsholmen, Mikael Blomkvist e Robert Lindberg erano stati amici, perfino ottimi amici. Ma come così spesso succede fra vecchi compagni di scuola, dopo la maturità l'amicizia si era interrotta. Avevano preso strade diverse e nei vent'anni successivi si erano incontrati forse una dozzina di volte. Al momento di quell'incontro inatteso al molo di Arholma, non si vedevano da almeno sette o otto anni. Adesso si squadrarono con reciproca curiosità. Robert era abbronzato, aveva i capelli tutti arruffati e la barba lunga di due settimane.

Mikael si sentì subito di umore considerevolmente migliore. Quando l'ex collega e la sua stupida compagnia se ne furono andati a danzare intorno al palo fiorito della festa di mezza estate vicino all'emporio dall'altra parte dell'isola, lui rimase seduto nel pozzetto dell'M-30 a chiacchierare con il vecchio compagno di scuola, mangiando aringhe e bevendo acquavite.

A un certo punto della serata, dopo che avevano rinunciato a lottare contro le famigerate zanzare di Arholma e si erano trasferiti sotto coperta, e dopo un considerevole numero di cicchetti, la conversazione si era trasformata in un'amichevole discussione su etica e morale nel mondo degli affari. Tutti e due avevano scelto una carriera che in qualche modo si focalizzava sulle finanze del regno. Dal liceo, Robert Lindberg era passato alla facoltà di Economia e commercio e poi al mondo delle banche. Mikael Blomkvist era approdato alla scuola di giornalismo e aveva dedicato una gran parte della sua vita professionale a smascherare loschi traffici proprio all'interno del mondo delle banche e degli affari. Il discorso cominciò a concentrarsi intorno all'etica di certe clausole paracadute in contratti attivati durante gli anni novanta. Dopo aver difeso coraggiosamente alcuni dei casi più chiacchierati, Lindberg aveva messo giù il bicchiere e constatato che probabilmente nel mondo degli affari si nascondeva anche qualche mascalzone corrotto, nonostante tutto. Aveva guardato Mikael con occhi improvvisamente seri.

«Tu che sei un giornalista che indaga reati di natura economica, perché non scrivi nulla su Hans-Erik Wennerström?»

«Non sapevo che ci fosse qualcosa da scrivere, su di lui.»

«Scava. Scava, perdio. Quanto sai del programma SIB?»

«Bah, se non sbaglio era una sorta di programma di assistenza creato negli anni novanta per aiutare l'industria negli stati dell'ex blocco orientale a rimettersi in piedi. Fu abbandonato un paio d'anni fa. Non è mai stato materia di qualche mio articolo.»

«Il SIB era il programma per il sostegno all'industria, un progetto finanziato dal governo e guidato dai rappresentanti di una decina di grandi imprese svedesi. Ottenne garanzie statali per una serie di progetti decisi di comune accordo con i governi della Polonia e delle Repubbliche Baltiche. La federazione dei sindacati era anch'essa coinvolta marginalmente, in qualità di garante perché nell'est anche il movimento dei lavoratori si rafforzasse attraverso il modello svedese. Sotto il profilo formale si trattava di un progetto di assistenza costruito sul principio di aiutare a fare da sé, che avrebbe offerto ai regimi dell'est una possibilità di sanare la propria economia. In pratica però succedeva che le imprese svedesi ottenevano sovvenzioni statali per entrare come comproprietarie in aziende degli stati dell'est. Quel dannatissimo ministro cristiano-democratico era un convinto sostenitore del SIB. Si trattava di avviare una cartiera a Cracovia, rimettere a nuovo un'industria metallurgica a Riga, un cementificio a Tallinn, e via dicendo. I fondi furono ripartiti dalla direzione del SIB, che era composta unicamente da pezzi grossi del mondo delle banche e dell'industria.»

«Dunque si trattava di fondi pubblici?»

«Il cinquanta per cento circa erano contributi statali, il resto lo mettevano a disposizione le banche e le industrie. Ma non si trattava certo di un'attività di tipo assistenziale. Banche e industrie facevano conto di guadagnarci un bel po' di quattrini. Altrimenti se ne sarebbero altamente fregate.»

«Di che ordine di grandezza si trattava?»

«Aspetta, e sta' a sentire. Principalmente, il SIB si occupava di solide aziende svedesi che volevano entrare nel mercato dell'est. Nomi importanti come Abb e Skanska e così via. Niente speculazione, in altre parole.»

«Vorresti dire che la Skanska non fa speculazioni? Non era il loro direttore generale che fu licenziato per aver permesso a uno dei suoi ragazzi di bruciare un mezzo miliardo in operazioni di day trading? E come la mettiamo con i loro affari immobiliari a Londra e a Oslo?»

«Sì, certo, gli idioti ci sono in tutte le aziende del mondo, ma tu sai che cosa intendevo. Sono aziende che in ogni caso producono qualcosa. La spina dorsale dell'industria svedese e via dicendo.»

«E Wennerström cosa c'entra?»

«Wennerström è il jolly della faccenda. È un ragazzo che viene dal nulla, non ha mai avuto a che fare con l'industria pesante né con questo mondo in generale. Ma ha messo insieme una fortuna colossale in Borsa e investito in imprese solide. È entrato, per così dire, dalla porta di servizio.»

Mikael si riempì il bicchiere di acquavite Reimersholm e si lasciò andare contro lo schienale, riflettendo su cosa sapeva di Wennerström. In effetti, non molto. Era nato da qualche parte nel Norrland dove aveva fondato una società di investimenti negli anni settanta. Aveva guadagnato un gruzzoletto e si era trasferito a Stoccolma, dove aveva fatto una carriera fulminante negli allegri anni ottanta. Aveva creato il Gruppo Wennerström, che era stato ribattezzato Wennerstroem Group quando aveva aperto gli uffici di Londra e New York e la società cominciava a essere menzionata negli stessi articoli che parlavano della Beijer. Si occupava di azioni e opzioni e day trading, e compariva sulle riviste scandalistiche come «uno dei nostri tanti nuovi miliardari con attico sulla Strandvägen, sontuosa villa estiva a Värmdö e yacht di ventitré metri» che aveva acquistato da una ex stella del tennis caduta in rovina. Un calcolatore, certo, ma tutti gli anni ottanta erano stati il decennio dei calcolatori e degli speculatori immobiliari, e Wennerström non si era distinto più di qualunque altro. Piuttosto, era vero il contrario; era rimasto in ombra. Aveva messo da parte gli immobili e faceva invece massicci investimenti nell'ex blocco orientale. Quando la bolla si era sgonfiata negli anni novanta e uno dopo l'altro i direttori erano stati costretti a ricorrere ai loro contratti paracadute, la società di Wennerström se l'era cavata sorprendentemente bene. Neppure la minima traccia di scandalo. *Storia di un successo svedese* aveva riassunto niente meno che il *Financial Times*.

«Era il 1992. Wennerström si fece vivo all'improvviso con il SIB per avere una sovvenzione. Presentò un progetto, palesemente con agganci a interessi locali in Polonia, che prevedeva di impiantare una fabbrica per la produzione di imballaggi destinati all'industria alimentare.»

«Un'industria di scatole da conserva, dunque.»

«Non esattamente, ma qualcosa in quella direzione. Non ho la minima idea di chi conoscesse all'interno del SIB, ma fatto sta che poté andarsene senza problemi con in tasca sessanta milioni di corone.»

«Questa storia comincia a farsi interessante. Lasciami indovinare: da allora quei soldi non li vide più nessuno.»

«Sbagliato» disse Robert Lindberg. Sorrise con l'aria di uno che la sa lunga prima di corroborarsi con qualche goccia di acquavite.

«Ciò che accadde in seguito è un pezzo da classico rendiconto economico. Wennerström impiantò veramente una fabbrica di imballaggi in Polonia, più precisamente a Lodz. La società si chiamava Minos. Nel corso del 1993 il SIB ricevette alcuni rapporti entusiastici, dopo di che silenzio. Nel 1994 la Minos crollò all'improvviso.»

Robert Lindberg posò il bicchierino dell'acquavite con un colpo secco per sottolineare come la società fosse crollata.

«Il problema del SIB è che non era stata stabilita alcuna regola per la verifica dei progetti. Ti ricordi com'era lo spirito del tempo. Tutti erano così ottimisti, quando cadde il muro di Berlino. Sarebbe arrivata la democrazia, la minaccia di una guerra nucleare era superata e i bolscevichi sarebbero diventati dei veri capitalisti nel giro di una notte. Il governo voleva far radicare la democrazia nell'est. Ogni singolo capitalista voleva essere su quel treno e aiutare a costruire la nuova Europa.»

«Non sapevo che i capitalisti fossero così pronti a fare della beneficenza.»

«Credimi, era il loro sogno. La Russia e gli stati dell'est erano forse il più grande mercato rimanente al mondo, dopo la Cina. L'industria non aveva nessun problema ad aiutare il governo, soprattutto perché le imprese non dovevano accollarsi che una frazione dei costi. Complessivamente, il SIB divorò circa trenta miliardi dei contribuenti. Il denaro sarebbe rientrato in forma di profitti futuri. Sotto il profilo formale il SIB era un'iniziativa del governo, ma l'influenza dell'industria era così forte che la direzione del SIB in pratica lavorava in maniera autonoma.»

«Capisco. C'è qualche trama anche in questo?»

«Un po' di pazienza. Quando il progetto partì non c'erano problemi con il finanziamento. La Svezia non era stata ancora colpita dallo choc degli interessi. Il governo era contento di poter mettere in mostra, con il SIB, i grandi interventi svedesi a favore della democrazia all'est.»

«Questo succedeva durante il governo centrista.»

«Non mescolare la politica in questa storia. Si tratta di soldi e fa lo stesso se sono i socialdemocratici o i conservatori a nominare i ministri. Dunque, avanti a tutta birra. Poi arrivarono i problemi valutari e quindi alcuni neodemocratici fuori di testa – te lo ricordi Nuova democrazia, quel partito populista? – cominciarono a lagnarsi che mancava un controllo sulle attività del SIB. Uno dei loro cervelloni credeva che si trattasse di qualche dannato progetto di cooperazione e sviluppo, come quelli per la Tanzania. Nella primavera del 1994 fu nominata una commissione che avrebbe tenuto sotto controllo il SIB. A quel punto c'erano critiche intorno a diversi progetti, ma uno dei primi a essere esaminato fu quello della Minos.»

«E Wennerström non fu in grado di dimostrare per cosa fossero stati utilizzati i fondi.»

«Al contrario. Wennerström presentò un rendiconto assolutamente perfetto, che spiegava come nella Minos fossero stati investiti circa cinquantaquattro milioni di corone, ma anche che nell'arretrata Polonia si erano poi rivelati problemi strutturali troppo grandi perché una moderna industria degli imballaggi potesse funzionare, e che la loro azienda in pratica era stata messa fuori concorrenza da un analogo progetto tedesco. In quel momento i tedeschi si stavano comprando tutto il blocco orientale.»

«Avevi detto che aveva ricevuto sessanta milioni di corone.»

«Esatto. I fondi del SIB funzionavano come prestito senza interessi. L'idea era ovviamente che le imprese restituissero una parte del denaro nell'arco di un certo numero di anni. Ma la Minos era andata a gambe all'aria e il progetto era fallito, un fatto per cui Wennerström non poteva essere biasimato. Qui entrarono in campo le garanzie statali e lui fu risarcito. In pratica, fu esonerato dal restituire i soldi perduti con il fallimento della Minos, e poté dimostrare di aver perduto una somma equivalente di soldi suoi.»

«Vediamo se ho capito bene. Il governo metteva a disposizione miliardi prelevati dalle tasse e diplomatici che aprivano le porte. L'industria riceveva il denaro e lo utilizzava per investire in joint venture sulle quali poi si portava a casa profitti eccezionali. Più o meno come succede sempre, in altre parole..Alcuni guadagnano e alcuni pagano i conti, e sappiamo bene come siano distribuiti i ruoli.»

«Tu sei un cinico. I prestiti dovevano essere restituiti allo stato.»

«Hai detto tu stesso che erano senza interessi. Significa perciò che i contribuenti non ricevevano il benché minimo dividendo per aver messo a disposizione i quattrini. Wennerström ricevette sessanta milioni, dei quali cinquantaquattro furono investiti. Che ne fu dei restanti sei milioni?»

«Nell'attimo stesso in cui fu chiaro che i progetti sostenuti dal SIB sarebbero stati sottoposti a un controllo, Wennerström mandò un assegno di sei milioni come copertura della differenza. Con ciò, la questione da un punto di vista puramente giuridico era risolta.»

Robert Lindberg tacque e lanciò a Mikael uno sguardo di esortazione.

«Suona come se Wennerström avesse maneggiato in modo maldestro e quindi sprecato i fondi del SIB, ma in confronto al mezzo miliardo che scomparve dalla Skanska o alla storia della liquidazione da circa un miliardo di quel famoso direttore della Abb – questo sì che mandò in bestia la gente – su questo non sembra che ci sia da scrivere granché» aveva constatato Mikael. «I lettori di oggi sono ormai sazi di testi su affaristi incompetenti, anche se si tratta di denaro pubblico. C'è dell'altro nella storia?»

«Diventa sempre più succosa.»

«Come fai a sapere tutte queste cose sugli affari di Wennerström in Polonia?»

«Nel 1999 lavoravo alla Handelsbanken. Indovina chi fece le analisi per il rappresentante della nostra banca nel SIB?»

«Aha. Racconta.»

«Dunque... per farla breve. Il SIB ricevette una spiegazione da Wennerström. Furono redatti dei documenti. I soldi avanzati furono restituiti. Proprio questo fatto dei sei milioni tornati indietro fu una mossa molto intelligente. Se qualcuno si presenta alla tua porta con una borsa piena di soldi che ti vuole dare, è ovvio che credi che sia una persona onesta.»

«Vieni al nocciolo.»

«Ma mio caro Blomkvist, è proprio questo il nocciolo. Il SIB era soddisfatto del rapporto di Wennerström. Si era trattato di un investimento andato male, ma non c'erano obiezioni su come era stato gestito. Esaminammo fatture e trasferimenti e tutte le carte. Era tutto esposto con molta cura e chiarezza. Io ci ho creduto. Il mio capo anche. Il SIB pure e il governo non ha avuto nulla da aggiungere.»

«Dove sta l'inghippo?»

«È adesso che la storia comincia a farsi delicata» disse Lindberg, che tutto d'un tratto sembrava tornato sorprendentemente sobrio. «Siccome tu sei un giornalista, questo è *off the record*.»

«Piantala. Non puoi stare qui a raccontarmi delle cose e dopo venirmi a dire che non posso ritrasmetterle.»

«Certo che posso. Ciò che ti ho raccontato finora è di dominio pubblico. Puoi andare a guardarti il rapporto, se vuoi. Sul resto della storia – quello che non ti ho raccontato – puoi benissimo scriverci su, ma devi trattarmi come una fonte anonima.»

«Sì, ma secondo la terminologia corrente *off the record* significa che io sono venuto a sapere qualcosa in confidenza ma non posso farne oggetto di un articolo.»

«Me ne infischio della terminologia. Scrivi quel cazzo che ti pare, ma io sono la tua fonte anonima. Siamo d'accordo?»

«Ovvio» rispose Mikael.

Vista col senno di poi, la sua risposta naturalmente era stata un errore.

«Bene. Questa storia della Minos si svolgeva un decennio or sono, dopo che il muro era caduto e quando i bolscevichi cominciavano a diventare onesti capitalisti. Io fui una delle persone che esaminò il caso Wennerström, ed ebbi sempre l'impressione che ci fosse qualcosa di losco in quella storia.»

«Perché non dicesti nulla all'epoca dell'esame?»

«Ne discussi con il mio capo. Ma il fatto era che non c'era nulla a cui attaccarsi. Tutte le carte erano a posto. Io potei solo mettere la mia firma in calce al resoconto. Ma ogni volta che più tardi mi sono imbattuto nel nome di Wennerström sui giornali, ho pensato alla Minos.»

«Aha.»

«Il fatto è che qualche anno dopo, a metà degli anni novanta, la mia banca fece qualche affare con Wennerström. Grossi affari, in effetti. Ma non andò molto bene.»

«Vi fregò dei soldi?»

«No, niente di così grave. Ci guadagnammo entrambi. Era piuttosto che... non so esattamente come spiegarlo. Adesso sto parlando del mio stesso datore di lavoro e non lo vorrei fare. Ma ciò che mi colpì – l'impressione durevole e complessiva, come si usa dire – non era positivo. Wennerström viene presentato dai media come una sorta di oracolo economico. È di quello che campa. È il suo capitale di fiducia.»

«So cosa intendi.»

«La mia impressione era che quell'uomo fosse semplicemente un bluff. Non era affatto dotato in maniera particolare per l'economia. Al contrario, su alcune questioni mi sembrò inconcepibilmente superficiale. Aveva come consiglieri alcuni giovani davvero acuti, ma lui personalmente non mi piaceva affatto.»

«Okay.»

«Qualche anno dopo dovetti recarmi in Polonia per tutt'altro motivo. Noi del gruppo organizzammo una cena con alcuni investitori a Lodz e io capitai al tavolo del sindaco. Parlammo di quanto fosse difficile rimettere in piedi l'economia polacca e via dicendo, e non ricordo come, ma finii per menzionare il progetto Minos. Per un attimo il sindaco ebbe l'aria di non capire affatto – come se non avesse mai sentito parlare della Minos – ma poi gli tornò in mente che si era trattato di qualche piccolo affare del cavolo che era finito in nulla. Chiuse il discorso con una risata e disse – cito letteralmente – che, se era tutto quello che erano capaci di creare gli investitori svedesi, allora il nostro paese sarebbe andato presto a catafascio. Mi segui?»

«La dichiarazione fa capire che il sindaco di Lodz è un tipo intelligente, ma va' avanti.»

«Quella frase continuava a ronzarmi in testa. Il giorno dopo avevo un incontro al mattino, ma il resto della giornata libero. Per pura curiosità volli andare a dare un'occhiata alla fabbrica chiusa della Minos in un paesino appena fuori Lodz, con un'osteria ospitata dentro un fienile e la latrina in cortile. La grande fabbrica della Minos era una catapecchia in rovina. Un vecchio deposito in lamiera ondulata costruito negli anni cinquanta dall'Armata Rossa. Incontrai un guardiano che parlava un po' di tedesco e venni a sapere che uno dei suoi cugini aveva lavorato alla Minos. Questo cugino abitava dietro l'angolo e andammo insieme a casa sua. Il guardiano mi fece da interprete. Sei interessato a sapere cosa mi disse?»

«Non sto quasi nella pelle.»

«La Minos iniziò l'attività nell'autunno del 1992. Aveva al massimo quindici dipendenti, la maggior parte dei quali erano donne anziane. Il salario era di circa centocinquanta corone al mese. All'inizio non c'erano macchinari, per cui i dipendenti dovevano solo pulire e riordinare l'interno della baracca. Ai primi d'ottobre arrivarono tre macchine per fare le scatole che erano state acquistate in Portogallo. Erano malandate e assolutamente antiquate. Il loro valore come rottami non poteva essere stato superiore a qualche biglietto da mille. Le macchine funzionavano ancora, è vero, ma si guastavano in continuazione. I pezzi di ricambio ovviamente erano introvabili, per cui la produzione veniva continuamente interrotta. Il più delle volte era qualche dipendente che interveniva a riparare la macchina in maniera provvisoria.»

«Tutto questo comincia a somigliare a una storia» riconobbe Mikael. «Che cosa si fabbricava esattamente alla Minos?»

«Durante il 1992 e parte del 1993 si produssero normalissimi contenitori di cartone per detersivi, uova e cose del genere. Poi si passò a produrre sacchetti di carta. Ma la fabbrica soffriva sempre di penuria di materia prima e il livello produttivo non fu mai granché elevato.»

«Non sembrerebbe proprio un investimento di vasta portata.»

«Ho fatto quattro conti. I costi complessivi di affitto ammontavano a circa quindicimila corone, per due anni. I salari saranno arrivati al massimo a cinquantamila corone – e qui voglio essere generoso. Acquisto di macchinari e trasporti... un furgone che consegnava i cartoni delle uova... a spanne, duecentocinquantamila. Aggiungi spese di ufficio, qualche viaggio avanti e indietro – c'era solo una persona che dalla Svezia ogni tanto andava al villaggio. Mah, diciamo che l'intera operazione venne a costare meno di un milione. Un giorno nell'estate del 1993 giunse al capannone il caposquadra e comunicò che la fabbrica era stata chiusa, e poco tempo dopo arrivò un camion ungherese a ritirare il parco macchine. Fine della Minos.»

Durante il processo Mikael aveva ripensato spesso a quella festa di mezza estate. Per gran parte della serata il tono della conversazione era stato leggero e amichevolmente litigioso, proprio come durante gli anni di scuola. Da ragazzi avevano condiviso i fardelli che si portano a quell'età. Da adulti erano in realtà due estranei, due persone sostanzialmente molto diverse da un tempo. Nel corso della serata Mikael aveva riflettuto sul fatto di non riuscire a ricordare proprio del tutto cos'era stato a renderli buoni amici durante gli anni del liceo. Ricordava Robert come un ragazzo taciturno e riservato, di una timidezza esagerata con le ragazze. Adesso era un... be', un ambizioso che era riuscito a farsi strada all'interno del mondo bancario. Mikael non dubitò neanche un momento che il suo vecchio compagno di scuola avesse dei punti di vista diametralmente opposti ai suoi per quanto riguardava la visione del mondo.

Mikael si ubriacava di rado, ma l'incontro casuale aveva mutato una sventurata crociera in una serata piacevole, in cui il livello dell'acquavite nella bottiglia si era lentamente avvicinato al fondo. Proprio perché la conversazione si era mantenuta su un tono adolescenziale, da principio non aveva preso sul serio il racconto su Wennerström, ma alla fine il suo istinto giornalistico si era ridestato. Tutto d'un tratto si era ritrovato ad ascoltare con attenzione le parole di Robert, ed erano nate le logiche obiezioni.

«Aspetta un secondo» aveva detto Mikael, «Wennerström è un nome di spicco fra gli operatori di Borsa. Se non mi sbaglio proprio del tutto, dovrebbe essere miliardario...»

«A una stima approssimativa, il Wennerstroem Group si colloca intorno ai duecento miliardi. E tu ti chiedi perché un miliardario si dovrebbe prendere la briga di mettersi in tasca in maniera truffaldina cinquanta miseri milioni.»

«Non proprio, piuttosto perché dovrebbe rischiare tutto attraverso una frode evidente.»

«Non so se si possa dire che la frode sia proprio evidente, quando direzione del SIB, banche, governo e revisori del parlamento hanno approvato all'unanimità la relazione.»

«Si trattava in ogni caso di una somma irrisoria.»

«È vero. Ma rifletti: il Wennerstroem Group è una società di investimenti che si occupa di tutto quello su cui sia possibile fare affari rapidi – immobili, titoli, opzioni, valuta... Wennerström prese contatto con il SIB nel 1992, proprio quando il mercato stava per risalire dal fondo. Te lo ricordi, l'autunno del 1992?»

«Se me lo ricordo. Avevo un prestito a tasso variabile sull'appartamento quando gli interessi della banca centrale salirono del cinquecento per cento in ottobre. Per un anno mi trattennero il diciannove per cento di interessi.»

«Mmm, quelli sì erano tempi» sorrise Robert. «Personalmente, andai maledettamente indietro quell'anno. E Hans-Erik Wennerström – proprio come tutti gli altri attori sul mercato – lottava con gli stessi problemi. Le imprese avevano miliardi legati a titoli di diverso genere, ma pochissimi contanti. D'un tratto non potevano più prendere a prestito nuove somme esorbitanti. La soluzione abituale in una situazione del genere è che si vende qualche immobile e ci si lecca le ferite per la perdita – ma nel 1992 all'improvviso nessuno voleva più acquistare immobili.»

«Problemi di cash-flow.»

«Esatto. E Wennerström non era l'unico ad averne. Ogni singolo uomo d'affari...»

«Non parlare di uomini d'affari. Chiamali come ti pare, ma definirli uomini d'affari è offendere una seria categoria professionale.»

«... operatore di Borsa, allora, aveva problemi di cash-flow... Vedila così: Wennerström ottenne sessanta milioni di corone. Sei milioni li restituì, ma solo dopo tre anni. I costi che sostenne per la Minos non possono essere ammontati a più di un milione circa. Solo gli interessi su sessanta milioni per tre anni costituiscono una bella somma. A seconda di come li ha investiti, può aver raddoppiato o decuplicato i soldi del SIB. Allora non possiamo più parlare di bazzecole. Salute, a proposito.»

2.
Venerdì 20 dicembre

Dragan Armanskij aveva cinquantasei anni ed era nato in Croazia. Suo padre era un ebreo armeno che veniva dalla Bielorussia. Sua madre una musulmana bosniaca di origini greche. Si era occupata lei della sua educazione e di conseguenza in età adulta si era ritrovato a far parte del grande gruppo eterogeneo che i mass-media definivano «musulmani». L'ufficio immigrazione lo registrò curiosamente come serbo. Il suo passaporto asseriva che era cittadino svedese e la fototessera mostrava un viso squadrato dalla mascella robusta, carnagione scura e tempie grigie. Lo chiamavano spesso l'arabo, benché non avesse il minimo elemento arabico nel suo albero genealogico. Piuttosto, era un incrocio genetico del genere che i balordi seguaci dell'eugenetica avrebbero descritto come materia umana inferiore.

Il suo aspetto ricordava vagamente lo stereotipo del piccolo boss locale in qualche film di gangster americano. In realtà non era né un trafficante di droga né un brutale esattore della mafia. Era un abile economista aziendale, che aveva cominciato a lavorare come assistente finanziario alla società di sicurezza Milton Security agli inizi degli anni settanta, e che tre decenni più tardi era arrivato a diventare direttore generale e capo operativo della società.

L'interesse per le questioni relative alla sicurezza era gradualmente cresciuto e si era trasformato in fascino. Era come un gioco di strategia – identificare minacce, sviluppare contromisure ed essere continuamente un passo avanti nei riguardi di spie industriali, ricattatori e ladri. Tutto aveva avuto inizio quando Armanskij scoprì che, con l'aiuto di una contabilità creativa, era stata commessa un'abile truffa ai danni di un cliente. Riuscì a dimostrare chi, in un gruppo di una dozzina di persone, stava dietro la pensata, e ancora trent'anni dopo ricordava il proprio stupore quando si era reso conto che l'intera frode era stata resa possibile dal fatto che l'azienda in questione aveva mancato di tappare qualche semplice buco nelle procedure di sicurezza. Quanto a lui, si era trasformato da contabile ad attore nello sviluppo della società, ed esperto in frodi economiche. Dopo cinque anni era entrato a far parte del gruppo dirigente della società e dopo altri dieci – non senza opposizioni – ne era diventato il direttore generale. Ormai l'opposizione era da tempo cessata. Durante i suoi anni nella società, aveva trasformato la Milton Security in una delle società svedesi di sicurezza più competenti e più gettonate.

La Milton Security aveva trecentottanta dipendenti a tempo pieno, più circa trecento altri affidabili collaboratori, che venivano utilizzati secondo necessità. Di conseguenza era un'azienda piccola, in confronto a giganti come la Falck o il Servizio di sorveglianza svedese. Quando Armanskij era stato assunto, si chiamava ancora Sorveglianza Johan Fredrik Milton s.p.a., e aveva un giro di clienti costituito per lo più da centri commerciali che avevano bisogno di persone che sorvegliassero i negozi e di guardiani muscolosi. Sotto la sua direzione, la società aveva cambiato nome assumendo il più internazionale Milton Security e puntando sulla tecnologia avanzata. Il personale aveva cambiato genere, e guardie notturne che avevano fatto il loro tempo, feticisti delle uniformi e liceali in cerca di lavoretti erano stati sosti-

44

tuiti da gente dotata di solide competenze. Armanskij assunse ex poliziotti di una certa età come capi operativi, politologi con nozioni di terrorismo internazionale, esperti di protezione personale e di spionaggio industriale e soprattutto tecnici delle telecomunicazioni ed esperti informatici. La sede era stata trasferita da Solna a locali più adeguati al nuovo rango nelle vicinanze di Slussen, nel cuore di Stoccolma.

Agli inizi degli anni novanta, la Milton Security era equipaggiata per offrire un genere del tutto nuovo di tranquillità a una schiera esclusiva di clienti, che consisteva principalmente di aziende di media grandezza con altissimo giro d'affari e di persone fisiche agiate – stelle del rock neoricche, operatori di Borsa e direttori di società dot.com. Una gran parte dell'attività puntava a offrire guardie del corpo e soluzioni di sicurezza ad aziende svedesi all'estero, soprattutto in Medio Oriente. Questo settore copriva al momento quasi il settanta per cento del fatturato della società. Sotto la guida di Armanskij, il fatturato era cresciuto da circa quaranta milioni di corone annui a quasi due miliardi. Vendere sicurezza era un affare estremamente lucrativo.

L'attività era suddivisa in tre aree principali: *consulenze di sicurezza*, che erano mirate a identificare pericoli possibili o immaginari; *contromisure*, che di solito consistevano nell'installazione di costose telecamere di sorveglianza, allarmi contro furti o incendi, sistemi di chiusura ed equipaggiamenti elettronici; e infine *protezione personale* di persone fisiche o aziende che avvertivano qualche forma di minaccia reale o immaginaria. Nell'arco di un decennio quest'ultimo mercato era diventato oltre quaranta volte più grande, e negli ultimi anni era venuto a crearsi un nuovo gruppo di clienti, donne agiate che cercavano protezione da ex boyfriend o mariti oppure da sconosciuti malintenzionati che le avevano viste alla tv e si erano fissati sulle loro magliette attillate o sul colore del loro rossetto. La Milton Security collaborava inoltre con rinomate aziende del settore in altri paesi europei e negli Usa, e si occupava della sicurezza di diversi ospiti internazionali in visita in Svezia; per esempio, una nota attrice americana che per un periodo di due mesi era stata impegnata nelle riprese di un film a Trollhättan, e il cui agente riteneva che il suo status fosse tale da necessitare di guardie del corpo nelle sue rare passeggiate intorno all'hotel.

Una quarta area, considerevolmente più piccola e che impiegava solo qualche collaboratore, si occupava di quelle che in gergo erano dette i-per, investigazioni sugli antecedenti personali.

Armanskij non era del tutto entusiasta di quella parte della loro attività. Era meno lucrativa sul piano finanziario e per giunta una materia rognosa, che si basava più sul giudizio e la competenza dei collaboratori che su nozioni di teletecnica o sull'installazione di discrete apparecchiature di sorveglianza. Le investigazioni personali erano accettabili quando si trattava di semplici informazioni di solvibilità o controlli sui precedenti in vista di un'assunzione, oppure per verificare il sospetto che qualche dipendente divulgasse informazioni interne o si dedicasse a occupazioni criminose. In questi casi le i-per erano parte dell'attività operativa.

Ma troppo spesso i clienti delle società arrivavano con problemi privati che avevano la tendenza a creare storie sgradite. *Voglio sapere che razza di depravato è quello che esce con mia figlia... Credo che mia moglie mi faccia le corna... Il ragazzo è in gamba ma è finito in cattive compagnie... Mi stanno ricattando...* Il più delle volte, Armanskij opponeva un netto rifiuto. Se la figlia era maggiorenne, aveva tutti i diritti di frequentare chi le pareva, ed era dell'opinione che l'infedeltà fosse qualcosa che i coniugi avrebbero dovuto scoprire da soli. Nascoste in tutto questo genere di richieste c'erano trappole che potenzialmente potevano condurre a scandali e creare complicazioni giudiziarie alla Milton Security. Perciò Dragan Armanskij teneva sotto stretto controllo questi incarichi, benché generassero solo spiccioli nel giro d'affari complessivo della società.

Il tema di quel mattino era purtroppo proprio un'indagine sulla persona, e Dragan Armanskij si sistemò la piega dei pantaloni prima di lasciarsi andare contro lo schienale della sua comoda poltrona da ufficio. Osservò sospettoso la sua collaboratrice di trentadue anni più giovane, Lisbeth Salander, e constatò per la millesima volta che in una prestigiosa società di sicurezza difficilmente qualcuno sarebbe potuto sembrare più fuori posto di quella ragazza. La sua diffidenza era al tempo stesso saggia e irrazionale. Agli occhi di Armanskij, Lisbeth era senza paragone la ricercatrice più competente che avesse incontrato in tutti i suoi anni nel ramo. Nei quattro anni che aveva lavorato per lui, non aveva trascurato un solo incarico né presentato un solo rapporto mediocre.

Al contrario, le sue ricerche erano di una classe a sé stante. Armanskij era convinto che possedesse una dote unica. Chiunque era in grado di raccogliere informazioni di solvibilità o effettuare un controllo presso l'ufficiale giudiziario, ma Lisbeth aveva fantasia e faceva sempre ritorno con qualcosa di completamente diverso da ciò che ci si aspettava. Come si muovesse esattamente non l'aveva mai capito, e certe volte la sua capacità di scovare informazioni sembrava magia pura e semplice. La ragazza aveva un'eccellente conoscenza degli archivi burocratici ed era in grado di rintracciare le persone meno note. Soprattutto aveva la capacità di infilarsi sotto la pelle della persona su cui stava indagando. Se c'era del marcio da scovare, ci zoomava come un missile da crociera programmato.

E quella dote la dimostrava sempre.

Le sue relazioni potevano costituire una catastrofe devastante per la persona che finiva nel raggio del suo radar. Armanskij sudava ancora al ricordo della volta in cui le aveva affidato l'incarico di fare un controllo di routine su un ricercatore nel ramo farmaceutico, nell'ambito dell'acquisizione di un'azienda. Nelle previsioni il lavoro si sarebbe dovuto svolgere in una settimana, ma andava per le lunghe. Dopo quattro settimane di silenzio e diversi solleciti che lei aveva ignorato, era comparsa con una relazione che documentava che l'oggetto dell'indagine era un pedofilo e che almeno in due occasioni aveva comperato prestazioni sessuali da una piccola prostituta tredicenne a Tallinn, oltre al fatto che certi segnali lasciavano intendere che nutrisse un interesse morboso per la figlia della sua attuale convivente.

Lisbeth possedeva qualità che talvolta portavano Armanskij sull'orlo della disperazione. Quando aveva scoperto che l'uomo era un pedofilo, non aveva alzato il telefono per avvisarlo né si era precipitata nel suo ufficio chiedendo di potergli parlare. Al contrario, senza accennare minimamente che la relazione conteneva materiale esplosivo di proporzioni quasi atomiche, l'aveva depositata sulla sua scrivania una sera, proprio nell'attimo in cui Armanskij stava per spegnere la lampada e andarsene a casa. Lui aveva preso con sé il fascicolo e solo a tarda sera l'aveva aperto, quando, rilassato, si stava bevendo una bottiglia di vino in compagnia della moglie davanti alla tv nel soggiorno della loro villa a Lidingö.

Come sempre, la relazione era di un'accuratezza quasi scientifica, con tanto di note a piè di pagina, citazioni e precisi riferimenti alle fonti. Le prime pagine contenevano informazioni sul passato del soggetto – formazione, carriera e situazione economica. Solo a pagina 24, in un sottoparagrafo, Lisbeth aveva sganciato la bomba delle escursioni a Tallinn, nello stesso tono obiettivo che aveva usato per descrivere che il soggetto abitava in una villa a Sollentuna e guidava una Volvo blu scuro. Per sostenere le sue affermazioni rimandava alla documentazione contenuta in un vasto allegato, comprendente fotografie della tredicenne in compagnia dell'oggetto. Una foto era stata scattata nel corridoio di un albergo di Tallinn, e l'uomo aveva una mano infilata sotto la maglietta della ragazzina. In qualche modo, Lisbeth Salander era anche riuscita a rintracciare la minorenne in questione, inducendola a rilasciare un resoconto dettagliato, inciso su nastro.

Il rapporto aveva creato esattamente il caos che Armanskij voleva evitare. Come prima cosa era stato costretto a ingollare un paio di compresse del medicinale per l'ulcera che gli aveva prescritto il suo medico. Quindi aveva chiamato il committente per una cupa conversazione lampo. Infine – nonostante la prevedibile riluttanza del committente – era stato costretto a passare immediatamente tutto il materiale alla polizia. Quest'ultimo gesto comportava il rischio che la Milton Security fosse trascinata in un ginepraio di accuse e controaccuse. Se la documentazione non teneva oppure se l'uomo veniva scagionato, la società correva il rischio potenziale di essere chiamata in causa per diffamazione. Era un bel disastro.

Tuttavia non era la rimarchevole mancanza di emozioni di Lisbeth Salander a disturbarlo maggiormente. Fin lì si trattava di immagine. L'immagine della Milton era stabilità conservativa e la signorina Salander era altrettanto credibile in quel contesto come una ruspa a una fiera nautica.

Armanskij aveva difficoltà ad accettare che la sua ricercatrice migliore fosse una ragazza pallida, di una magrezza da anoressica, con i capelli cortissimi e il piercing a naso e sopracciglia. Sul collo aveva tatuata una vespa lunga due centimetri e intorno al bicipite del braccio sinistro una serpentina. Nelle occasioni in cui aveva indossato indumenti leggeri, Armanskij aveva anche potuto constatare che aveva un grande tatuaggio raffigurante un drago sulla schiena. Per natura aveva i capelli rossi, ma li tingeva di un nero corvino. Sembrava sempre che si fosse appena svegliata dopo un'orgia durata una settimana in compagnia di un gruppo hard rock.

La ragazza – di questo Armanskij era pienamente convinto – non soffriva di nessun disturbo alimentare vero e proprio; al contrario, sembrava consumare ogni genere di porcheria. Semplicemente era magra di costituzione, con un'ossatura minuta che le dava un'aria da eterna adolescente, mani piccole, caviglie sottili e seni che si distinguevano appena sotto i vestiti. Aveva ventiquattro anni ma pareva una quattordicenne.

Aveva bocca larga, naso piccolo e zigomi alti che le conferivano un che di orientale. Si muoveva rapida e leggera come un ragno, e quando lavorava al computer le sue dita volavano furiose sui tasti. Il suo corpo sarebbe stato del tutto inadatto a una carriera da modella, ma con il makeup adatto un primo piano del suo viso avrebbe potuto benissimo comparire in qualsiasi cartellone pubblicitario. Sotto il trucco – certe volte si metteva perfino un ripugnante rossetto nero – e i tatuaggi e il naso e le sopracciglia col piercing, era... mm... attraente. In un modo affatto incomprensibile.

Che Lisbeth Salander in generale lavorasse per Dragan Armanskij era di per sé stupefacente. Non era il genere di donna con cui Armanskij venisse abitualmente in contatto, e ancor meno a cui valutasse se offrire un lavoro.

Era stata assunta come una sorta di tuttofare in ufficio quando Holger Palmgren, un avvocato quasi in pensione che curava gli affari personali del vecchio J.F. Milton, aveva confidato a titolo informativo che Lisbeth Salander era *una ragazza acuta ancorché un po' problematica.* Palmgren aveva chiesto insistentemente ad Armanskij di offrirle una possibilità, e Armanskij, pur controvoglia, aveva promesso. Palmgren era uno di quegli individui che avrebbero preso un no come un incitamento a raddoppiare i propri sforzi, perciò era più semplice dire direttamente di sì. Armanskij sapeva che Palmgren si occupava di giovani problematici e altre sciocchezze sociali, ma anche che nonostante tutto sapeva giudicare le persone.

Si era pentito nell'attimo stesso in cui l'aveva incontrata.

La ragazza non sembrava solo problematica – ai suoi occhi era l'incarnazione stessa del concetto. Aveva trascurato le ultime classi delle medie, non aveva mai messo piede al liceo e mancava di qualsiasi forma di istruzione superiore.

I primi mesi aveva lavorato a tempo pieno, be', quasi a tempo pieno; a ogni modo, era comparsa di quando in quando sul posto di lavoro. Preparava il caffè, ritirava la posta e si occupava delle fotocopie. Il problema era che non gliene importava un fico secco dei normali orari d'ufficio o delle normali procedure di lavoro.

Ma possedeva un grande talento per irritare i collaboratori della società. Presto fu nota a tutti come la ragazza con due cellule cerebrali, una per respirare e una per stare eretta. Non parlava mai di se stessa. I collaboratori che cercavano di parlare con lei ricevevano raramente una risposta e ben presto si arrendevano. I tentativi di scherzare non cadevano mai su un terreno fertile – o ti guardava con grandi occhi privi di espressione, oppure reagiva con palese irritazione.

Inoltre si era fatta la nomea di essere capace di improvvisi quanto drastici cambiamenti d'umore se si metteva in testa che qualcuno la stava prendendo in giro, il che non era un elemento del tutto sconosciuto nel gergo generale del posto di lavoro. Il suo atteggiamento non stimolava né la confidenza né l'amicizia, e Lisbeth divenne presto un bizzarro fenomeno che si aggirava come un gatto randagio per i corridoi della Milton. Ormai la consideravano un caso senza speranza.

Dopo un mese di questo andazzo, Armanskij l'aveva convocata nel suo ufficio con tutte le intenzioni di metterla alla porta. Lei aveva ascoltato passivamente l'elenco delle sue pecche, senza sollevare obiezioni e senza battere ciglio. Solo quando lui aveva finito di spiegare che lei non aveva l'atteggiamento giusto e stava per suggerire che probabilmente sarebbe stata una buona idea se si fosse cercata un posto presso qualche altra azienda che sapesse meglio sfruttare la sua competenza, Lisbeth l'aveva interrotto nel bel mezzo di una frase. Per la prima volta, aveva parlato usando più che singole parole.

«Senti, se vuoi un usciere puoi andartelo a prendere all'ufficio di collocamento. Io sono capace di raccogliere qualsiasi genere d'informazione su chiunque, e se tu non mi sai sfruttare in altro modo che per smistare la posta, allora sei un perfetto idiota.»

Armanskij ricordava ancora come fosse rimasto ammutolito di stupore e rabbia, mentre lei senza scomporsi aveva continuato: «Hai qui un tizio che ha impiegato tre settimane per scrivere una relazione totalmente priva di valore su quello yuppie che pensano di reclutare come presidente del consiglio d'amministrazione di quella società dot.com. Ho fotocopiato quel suo schifo di rapporto ieri sera e vedo che ce l'hai lì davanti a te sulla scrivania.»

Lo sguardo di Armanskij aveva cercato la relazione ma contrariamente alle sue abitudini il direttore aveva alzato la voce.

«Tu non dovresti leggere i rapporti confidenziali.»

«Probabilmente no, ma le procedure di sicurezza nella

tua azienda hanno delle lacune. Secondo le tue direttive lui dovrebbe fotocopiarsi queste cose da solo, ma invece mi ha gettato lì la relazione prima di andarsene al bar ieri sera. E fra parentesi il suo precedente rapporto l'avevo trovato in sala mensa qualche settimana fa.»

«Tu hai trovato cosa?» aveva esclamato Armanskij sotto choc.

«Tranquillo. L'ho messo subito nella sua cassaforte.»

«Lui ti ha dato la combinazione del suo casellario privato?» aveva ansimato Armanskij.

«No, non proprio. Ma l'ha segnata su un foglietto che tiene sotto il sottomano della scrivania, insieme con la password del suo computer. Ma il punto è che quella tua caricatura di detective privato ha fatto un'indagine personale che non vale un fico secco. Gli è sfuggito che il ragazzo ha pesanti debiti di gioco e che sniffa coca come un aspirapolvere e inoltre che la sua fidanzata ha cercato rifugio presso il servizio di assistenza per donne maltrattate dopo che lui l'aveva massacrata di botte.»

Poi aveva taciuto. Armanskij era rimasto seduto in silenzio un paio di minuti, a sfogliare il rapporto incriminato. Era strutturato in maniera competente, scritto in una prosa comprensibile e ricco di riferimenti e dichiarazioni di amici e conoscenti sull'oggetto in questione. Alla fine aveva alzato lo sguardo e detto solo una parola: «Dimostralo.»

«Quanto tempo mi dai?»

«Tre giorni. Se non riesci a documentare le tue affermazioni entro venerdì pomeriggio, sei licenziata.»

Tre giorni più tardi, senza una parola, Lisbeth aveva consegnato una relazione che con la stessa abbondanza di riferimenti aveva trasformato il simpatico yuppie in un inaffidabile farabutto. Armanskij aveva letto il suo rapporto diverse volte durante il fine settimana e trascorso parte del lunedì a controllare controvoglia alcune delle sue affermazioni. Già prima di cominciare aveva capito che le sue informazioni si sarebbero rivelate corrette.

Era confuso e irritato con se stesso perché evidentemente aveva sbagliato a giudicarla. L'aveva creduta un po' tonta, forse addirittura ritardata. Non si era aspettato che una ragazza che aveva marinato la scuola dell'obbligo con tanta pervicacia da non arrivare nemmeno a ottenere il diploma potesse scrivere una relazione che non soltanto era corretta da un punto di vista formale, ma conteneva per di più osservazioni e informazioni che lui semplicemente non riusciva a capire come fosse riuscita a procurarsi.

Era convinto che nessun altro alla Milton Security sarebbe riuscito a ottenere un estratto di una cartella clinica confidenziale compilata da un medico del servizio di assistenza per donne maltrattate. Quando le domandò come si fosse mossa, ricevette una risposta evasiva. Non intendeva bruciarsi le sue fonti d'informazione, a quanto affermava. A poco a poco Armanskij aveva capito che Lisbeth Salander in generale non intendeva discutere i propri metodi di lavoro, né con lui né con nessun altro. La cosa lo inquietava – ma non abbastanza da poter resistere alla tentazione di metterla alla prova.

Ci pensò su qualche giorno.

Gli tornarono in mente le parole di Holger Palmgren quando gliel'aveva mandata. Tutti hanno diritto a un'opportunità. Rifletté sulla propria educazione musulmana, che gli aveva insegnato che era suo dovere di fronte a Dio aiutare le persone in difficoltà. Lui non credeva in Dio, è vero, e non aveva più messo piede in una moschea da quand'era un ragazzino, ma vedeva Lisbeth come una persona che aveva bisogno di un aiuto energico e di sostegno. A dire la verità, nei passati decenni non ne aveva fatti molti, di interventi di quella specie.

Invece di licenziarla, l'aveva convocata per un colloquio privato, durante il quale aveva cercato di scoprire come fosse realmente fatta quella strana creatura. Si rafforzò nella sua convinzione che Lisbeth Salander soffrisse di qualche serio disturbo della personalità, ma scoprì anche che dietro la sua immagine bizzarra si nascondeva una persona intelligente. La vedeva come un essere fragile e irritante ma – con suo stesso enorme stupore – la ragazza cominciava anche a piacergli.

Nei mesi che seguirono, Armanskij prese Lisbeth sotto la sua ala protettrice. Se doveva essere del tutto onesto con se stesso, si prendeva cura di lei come se si trattasse di un piccolo progetto sociale. Le affidava semplici incarichi di ricerca e provava a darle dei suggerimenti su come procedere. Lei ascoltava paziente, dopo di che se ne andava ed eseguiva il suo compito tutto di testa sua. Chiese al capo tecnico della Milton di darle qualche nozione basilare di informatica; Lisbeth rimase seduta diligentemente al computer un intero pomeriggio, prima che il capo tecnico riferisse un po' turbato che sembrava già possedere una conoscenza di base migliore della maggior parte degli altri collaboratori della società.

Armanskij si accorse ben presto che Lisbeth Salander, nonostante colloqui di sviluppo, offerte di formazione interna e altri tentativi di persuasione, non era minimamente intenzionata ad adattarsi alle normali procedure della Milton. Ciò lo poneva di fronte a uno spinoso dilemma.

La ragazza continuava a rappresentare un motivo di irritazione per i collaboratori della società. Armanskij era conscio del fatto che non avrebbe accettato che nessun altro dipendente andasse e venisse a proprio piacimento, e che in casi normali avrebbe posto un ultimatum esigendo un cambio di atteggiamento. Intuiva altresì che se avesse messo Lisbeth di fronte a un ultimatum o a una minaccia di licenziamento lei avrebbe fatto spallucce. Di conseguenza era costretto o a liberarsi di lei o ad accettare che non funzionasse come le persone normali.

Un problema ancora più grande per Armanskij era che non riusciva a spiegarsi i propri stessi sentimenti per quella giovane donna. Era come uno sgradevole prurito, ripugnante e al tempo stesso attraente. Non si trattava di un'attrazione sessuale, o almeno Armanskij non lo credeva. Le donne che gli piaceva guardare con la coda dell'occhio erano bionde e formose, con labbra piene che risvegliavano la sua fantasia, e inoltre da vent'anni era sposato con una finlandese di nome Ritva che ancora nell'età matura soddisfaceva più che egregiamente tutti questi requisiti. Non era mai stato infedele, ossia, c'era stato qualche raro episodio che sua moglie avrebbe frainteso se ne fosse venuta a conoscenza, ma il matrimonio era felice e lui aveva due figlie dell'età di Lisbeth. In ogni caso, non era interessato a ragazze piatte che da lontano potevano essere scambiate per ragazzi mingherlini. Non erano il suo genere.

Eppure aveva incominciato a sorprendersi a fare sconvenienti fantasticherie su di lei, e doveva riconoscere che la sua vicinanza non gli era del tutto indifferente. Ma l'attrazione, gli pareva di capire, stava nel fatto che Lisbeth era per lui come un'entità sconosciuta. Avrebbe potuto innamorarsi altrettanto di un dipinto raffigurante una ninfa della mitologia greca. Lisbeth Salander rappresentava una vita irreale, che lo affascinava ma che non poteva condividere – e che lei in ogni caso gli proibiva di condividere.

Un giorno, Armanskij era seduto a un tavolino all'aperto di un caffè nella piazzetta principale della città vecchia, quando lei era arrivata bighellonando, andandosi a sedere a un tavolino dalla parte opposta. Era in compagnia di tre ragazze e un ragazzo, tutti vestiti in modo quasi identico. Armanskij era stato a osservarla curioso. Sembrava altrettanto riservata come sul lavoro, ma una volta aveva quasi sorriso a qualcosa che una ragazza dai capelli tinti di porpora stava raccontando.

Armanskij si domandava come avrebbe reagito Lisbeth se lui un giorno fosse arrivato in ufficio con i capelli verdi, i jeans strappati e una giacca di pelle con le borchie. L'avrebbe accettato come un suo pari? Forse – sembrava accettare tutto ciò che la circondava con un atteggiamento di *not my business*, non mi riguarda. Ma più probabilmente l'avrebbe semplicemente guardato con un sogghigno.

Lei era rimasta seduta voltandogli la schiena, e all'apparenza era del tutto ignara che lui fosse lì. Lui si sentiva stranamente turbato dalla sua presenza, e quando dopo un momento si era alzato per sgattaiolare via senza farsi notare lei aveva improvvisamente girato la testa e l'aveva fissato, proprio come se fosse stata tutto il tempo consapevole che era lì e l'avesse avuto nel suo radar. La sua occhiata era giunta così improvvisa che gli era sembrata un attacco, così aveva finto di non vederla e aveva lasciato il caffè a passo spedito. Lei non l'aveva salutato ma l'aveva seguito con gli occhi, e solo dopo che aveva svoltato l'angolo quello sguardo aveva smesso di bruciargli sulla schiena.

Lisbeth rideva di rado oppure mai. Armanskij credeva tuttavia di aver notato col tempo un atteggiamento più morbido da parte sua. La ragazza aveva, a essere gentili, un umorismo pungente, che di tanto in tanto poteva dare origine a un sorriso storto, ironico.

Talvolta Armanskij si sentiva così provocato dalla sua mancanza di reazione emotiva, che avrebbe voluto afferrarla e scuoterla e penetrare sotto quella sua corazza per conquistarsi la sua amicizia o almeno il suo rispetto.

In un'unica occasione, quando lavorava per lui da ormai nove mesi, aveva cercato di discutere queste sensazioni con lei. Era successo durante la festa di Natale della Milton Security, una sera di dicembre, e lui diversamente dal solito aveva bevuto un po'. Non era successo nulla di sconveniente – aveva solo cercato di spiegarle che in effetti lei gli piaceva. Più che altro aveva voluto spiegarle che provava un istinto di protezione, e che se lei avesse avuto bisogno di aiuto per qualsiasi cosa avrebbe potuto rivolgersi a lui con fiducia. Aveva perfino tentato di abbracciarla. In tutta amicizia, naturalmente.

Lei si era liberata dal suo goffo abbraccio e aveva lasciato la festa. Dopo di che non era più comparsa al lavoro né aveva risposto al cellulare. Dragan Armanskij aveva percepito la sua assenza come una tortura – quasi una punizione personale. Non aveva nessuno con cui discutere i propri sentimenti, e per la prima volta si era reso conto con chiarezza e con terrore di quale devastante potere quella ragazza avesse acquisito su di lui.

Tre settimane più tardi, quando Armanskij una sera di gennaio si era trattenuto in ufficio per esaminare il bilancio conclusivo dell'anno, Lisbeth aveva fatto ritorno. Era entrata nella sua stanza senza farsi notare, come un fantasma, e lui d'improvviso era divenuto consapevole che era in piedi nel buio subito dentro la porta e lo stava osservando. Non aveva idea di quanto tempo fosse stata lì.

«Vuoi del caffè?» gli aveva domandato. Poi aveva chiuso la porta e gli aveva teso un bicchiere dalla macchina dell'espresso che c'era in sala mensa. Lui l'aveva preso senza parlare e aveva provato un senso di sollievo misto a paura quando lei era sprofondata nella poltroncina dei visitatori e l'aveva guardato dritto negli occhi. A quel punto gli aveva posto la domanda proibita in un modo tale, che non era possibile né evitarla né eluderla con una battuta.

«Dragan, io ti eccito?»

Armanskij era rimasto seduto, paralizzato, mentre pensava disperatamente a cosa rispondere. Il suo primo impulso era stato di negare tutto, a costo di offenderla. Poi aveva visto il suo sguardo, e si era reso conto che era la prima volta in assoluto che gli faceva una domanda personale. Era una domanda seria, e se avesse cercato di eluderla con una battuta lei avrebbe potuto prenderla come un'offesa personale. Era evidente che voleva parlargli, e si domandò quanto coraggio avesse messo in campo per porre quella domanda. Così aveva deposto lentamente la penna e si era appoggiato contro lo schienale della poltrona. Infine si era rilassato.

«Che cosa te lo fa credere?» aveva domandato.

«Il modo in cui mi guardi, e il modo in cui non mi guardi. E le volte in cui sei stato sul punto di allungare la mano per toccarmi ma ti sei trattenuto.»

D'un tratto le aveva sorriso.

«Ho la sensazione che mi staccheresti la mano con un morso, se ti sfiorassi anche solo con un dito.»

Lei non ricambiò il sorriso. Aspettava.

«Lisbeth, io sono il tuo capo e anche se provassi attrazione per te, non ne farei mai niente.»

Lei continuava ad aspettare.

«Detto fra noi, sì, ci sono state occasioni in cui mi sono sentito attratto da te. Non riesco a spiegarmelo, ma è così. Per qualche ragione che io stesso non capisco, tu mi piaci davvero molto. Però non mi ecciti.»

«Bene. Perché comunque non porterebbe mai da nessuna parte.»

Armanskij era scoppiato in una risata improvvisa. Per la prima volta, gli aveva detto qualcosa di personale, anche se era la risposta più negativa che un uomo potesse mai ricevere. Cercò di trovare le parole adatte.

«Lisbeth, posso capire che tu non sia interessata a un vecchietto di cinquant'anni e passa.»

«Io non sono interessata a un vecchietto di cinquant'anni e passa che è il mio capo.» Poi aveva alzato una mano. «Aspetta, lasciami finire. Certe volte tu sei stupido e burocratico in una maniera irritante, ma in effetti sei anche un uomo che ha il suo fascino e... io posso anche sentirmi... Ma sei il mio capo e ho conosciuto tua moglie e voglio conservare il mio lavoro e la cosa più idiota che potrei fare è incasinarmi con te.»

Armanskij sedeva in silenzio e quasi non osava respirare.

«Non ignoro quello che hai fatto per me e non sono un'ingrata. Ho apprezzato che tu in effetti ti sia dimostrato superiore ai tuoi pregiudizi e mi abbia offerto una possibilità qui dentro. Ma non ti voglio come amante e non sei mio padre.»

Tacque.

Dopo un momento, Armanskij sospirò platealmente. «Che cosa vuoi da me, allora?»

«Voglio continuare a lavorare per te. Se per te è okay.»

Lui aveva annuito e poi le aveva risposto più onestamente che aveva potuto. «Io desidero veramente che tu lavori per me. Ma voglio anche che tu abbia una qualche amicizia e fiducia e confidenza nei miei confronti.»

Lei annuì.

«Tu non sei una persona che incoraggia le amicizie» aveva buttato lì lui di botto. Lei si era un po' rabbuiata ma lui aveva continuato implacabile. «Ho capito che non vuoi che qualcuno si intrometta nella tua vita e io cercherò di non farlo. Ma è okay se continui a piacermi?»

Lisbeth aveva riflettuto un lungo momento. Poi aveva risposto alzandosi, girando intorno alla scrivania e stringendolo in un abbraccio. Lui era stato preso del tutto alla sprovvista. Solo quando lei si era staccata, le aveva preso la mano.

«Possiamo essere amici?» aveva chiesto.

Lei aveva fatto cenno di sì.

Era stata l'unica volta che gli aveva dimostrato un qualche affetto, e l'unica volta che in generale l'aveva toccato. Era un attimo che Armanskij ricordava con calore.

Ancora dopo quattro anni lei non gli aveva svelato quasi nulla sulla sua vita privata o sul suo passato. Una volta, lui aveva impiegato le sue stesse cognizioni nell'arte dell'indagine personale su di lei. Aveva anche avuto un lungo colloquio con l'avvocato Holger Palmgren – che non sembrava stupito nel vederlo – e ciò che infine aveva saputo non contribuiva ad accrescere la sua fiducia nei confronti della ragazza. Non aveva mai fatto il minimo accenno a discuterne con lei, né le aveva lasciato capire di essere andato a ficcare il naso nella sua vita privata. Invece, aveva nascosto la sua inquietudine e alzato il livello di guardia.

Prima che quella straordinaria serata finisse, Lisbeth Salander e Armanskij avevano raggiunto un accordo. In futuro lei avrebbe svolto i suoi incarichi di ricerca per lui su base indipendente. Avrebbe ricevuto un piccolo reddito mensile garantito, che svolgesse degli incarichi oppure no; i veri guadagni stavano in ciò che poteva addebitare per ogni compito svolto. Avrebbe potuto organizzarsi il lavoro a modo suo, ma in cambio si impegnava a non fare mai nulla che potesse metterlo in imbarazzo o ledere il buon nome della Milton Security.

Per Armanskij si trattava di una soluzione pratica che andava a vantaggio suo, della società e della ragazza stessa. Gli consentiva infatti di ridurre la scomoda sezione i-per a un unico dipendente fisso, un collaboratore di una certa età che svolgeva un onesto lavoro di routine e si occupava delle informazioni sulla solvibilità. Tutti gli incarichi un po' più intricati li lasciava a Lisbeth e a qualche altro free-lance, che – in caso di complicazioni – in pratica erano liberi professionisti estranei all'azienda, e nei confronti dei quali la Milton Security non aveva nessuna reale responsabilità. Siccome molto spesso si serviva di lei, la ragazza poteva contare su un reddito decente. Che avrebbe potuto essere anche molto più elevato, ma lei lavorava solo quando ne aveva voglia e il suo atteggiamento era che se non gli andava bene poteva anche licenziarla.

Armanskij accettava Lisbeth Salander così com'era, però non doveva incontrare i clienti. Le eccezioni alla regola erano assai rare, e la questione di quel giorno era purtroppo una di quelle eccezioni.

Lisbeth si presentò vestita di una maglietta nera con su stampata un'immagine di E.T. con i canini affilati e la scritta *I am also an alien*. Aveva una gonna nera con l'orlo stracciato, un consumato giacchino di pelle nera, cintura borchiata, robusti anfibi Doc Marten's e calzettoni al ginocchio a righe rosse e verdi. Si era fatta un makeup in una scala cromatica che faceva sospettare che fosse daltonica. In altre parole, era di un'eleganza davvero insolita.

Armanskij sospirò e trasferì lo sguardo sulla terza persona presente nella stanza – l'ospite in abiti tradizionali e con gli occhiali spessi. L'avvocato Dirch Frode aveva sessantotto anni e aveva chiesto con insistenza di poter incontrare di persona il collaboratore che aveva compilato il rapporto e di potergli porre qualche domanda. Armanskij aveva cercato di impedire l'incontro accampando pretesti, del tipo che era raffreddata, in viaggio o troppo impegnata con altri lavori. Frode aveva risposto tranquillo che non importava – non si trattava di una faccenda urgente e non aveva nessun problema ad aspettare qualche giorno. Armanskij aveva imprecato fra sé ma alla fine non c'era stata altra via d'uscita che farli incontrare, e adesso l'avvocato Frode fissava Lisbeth Salander a occhi socchiusi, evidentemente affascinato.

Lei ricambiò l'occhiata con un'espressione che non prometteva nulla di buono.

Armanskij sospirò ancora una volta e spostò lo sguardo sulla cartelletta che la ragazza aveva deposto sulla sua scrivania, e che recava l'intestazione «Carl Mikael Blomkvist». Il nome era seguito da un codice fiscale, elegantemente scritto in stampatello sulla copertina. Pronunciò il nome ad alta voce. L'avvocato Frode fu risvegliato dal suo incantesimo e girò gli occhi verso Armanskij.

«Allora, che cosa mi potete raccontare di Mikael Blomkvist?» domandò.

«Questa è la signorina Salander, che ha scritto il rapporto.» Armanskij esitò un attimo e poi continuò con un sorriso che nelle intenzioni doveva essere confidenziale ma che sembrò piuttosto un sorriso di scusa. «Non si lasci ingannare dalla sua giovane età. La signorina è in assoluto la nostra ricercatrice migliore.»

«Ne sono convinto» rispose Frode con una voce asciutta che lasciava intendere il contrario. «Mi illustri a quali conclusioni è arrivata.»

Era evidente che l'avvocato Frode non aveva la benché minima idea di come avrebbe dovuto comportarsi con Lisbeth Salander, e cercava di muoversi su un terreno più noto rivolgendo la domanda ad Armanskij, proprio come se lei non fosse stata presente nella stanza. Lisbeth prese la palla al balzo e fece una grossa bolla con la sua gomma da masticare. Prima che Armanskij facesse in tempo a rispondere, si rivolse al suo capo come se Frode non esistesse.

«Puoi sentire con il cliente se desidera una versione lunga oppure abbreviata?»

L'avvocato Frode si rese conto immediatamente di aver messo un piede in fallo. Ci fu un breve silenzio imbarazzato, poi si voltò verso Lisbeth Salander e cercò di riparare il danno parlandole in un amichevole tono paterno.

«Le sarei molto grato se volesse farmi un breve riassunto di ciò che ha scoperto.»

Lisbeth aveva l'aria di un malvagio rapace nubiano che stava valutando se assaggiare Dirch Frode per pranzo. Il suo sguardo era così carico d'odio che Frode si sentì percorrere da un brivido lungo la schiena. In modo altrettanto rapido però il viso della ragazza si addolcì. Frode si chiese se lo sguardo di prima non fosse solo frutto della sua immaginazione. Quando cominciò a parlare, la ragazza pareva un severo funzionario statale.

«Consentitemi anzitutto di dire che questo non è stato un incarico particolarmente complicato, a prescindere dal fatto che la descrizione stessa dell'incarico era piuttosto vaga. Volevate sapere tutto ciò che si poteva scoprire su di lui, ma senza nessun accenno che ci fosse qualcosa di particolare che stavate cercando. Per questo il risultato è un po' un campionario della sua vita. La relazione comprende centotrentanove pagine, delle quali circa centoventi sono però costituite in effetti solo da copie di articoli che l'oggetto ha scritto, o da ritagli di giornale dove lui stesso figura nelle notizie. Blomkvist è un personaggio pubblico con pochi segreti e non molto da nascondere.»

«Ma segreti dunque ne ha» puntualizzò Frode.

«Tutti gli esseri umani hanno dei segreti» rispose lei in tono piatto. «Si tratta solo di scoprire quali siano.»

«Sentiamo.»

«Mikael Blomkvist è nato il 18 gennaio 1960 e di conseguenza ha quasi quarantatré anni. La sua città natale è Borlänge ma non vi ha mai abitato. I suoi genitori, Kurt e Anita Blomkvist, avevano trentacinque anni all'epoca della sua nascita e oggi sono entrambi defunti. Il padre era installatore di macchinari e soggetto a molti trasferimenti. La madre, per quanto ho potuto scoprire, non ha mai fatto altro che la casalinga. La famiglia si trasferì a Stoccolma quando Mikael iniziò ad andare a scuola. Ha una sorella di tre anni più giovane che si chiama Annika e fa l'avvocato. Ci sono anche degli zii per parte materna e dei cugini. Hai intenzione di offrirci del caffè?»

L'ultima battuta era rivolta ad Armanskij, che si affrettò ad aprire la caraffa termica che aveva ordinato in vista della riunione. Fece un gesto a Lisbeth perché continuasse.

«Nel 1966 la famiglia si trasferì a Stoccolma. Abitavano a Lilla Essingen. Blomkvist frequentò la scuola dell'obbligo a Bromma, e poi le superiori a Kungsholmen. Si diplomò con un ottimo punteggio, nella cartelletta ci sono tutte le copie del suo curriculum scolastico. Negli anni del liceo si dedicò alla musica, suonando il basso in un gruppo rock che si chiamava Bootstrap e che in effetti incise anche un singolo che fu trasmesso alla radio nell'estate del 1979. Dopo il liceo lavorò come bigliettaio nella metropolitana, racimolando un po' di quattrini per un viaggio all'estero. Restò via un anno, durante il quale vagabondò soprattutto per l'Asia, India, Tailandia, con una puntata in Australia. A ventuno anni cominciò a frequentare la scuola di giornalismo a Stoccolma ma interruppe gli studi dopo il primo anno per fare il servizio militare nei reparti speciali a Kiruna. Era una sorta di unità per macho e lui uscì con 10-9-9, il che è un buon punteggio. Dopo la naia terminò gli studi di giornalismo e da allora ha sempre lavorato nel ramo. Quanto desidera che entri nei dettagli?»

«Mi racconti ciò che lei stessa giudica essenziale.»

«Okay. Ha fama di essere un tipo in gamba. Fino a oggi è stato un giornalista di successo. Negli anni ottanta ha fatto un sacco di sostituzioni, prima nei giornali di provincia e poi a Stoccolma. C'è l'elenco. Si è fatto un nome con la storia della Banda degli Orsi, quella famosa banda di rapinatori che riuscì a smascherare.»

«*Kalle Blomkvist.*»

«Lui odia quel soprannome, e lo si può anche capire. Qualcuno si ritroverebbe col labbro gonfio, se venissi chiamata Pippi Calzelunghe in qualche titolo.»

Lisbeth gettò un'occhiata cupa ad Armanskij, che deglutì. In più di un'occasione aveva pensato a lei proprio come a una Pippi Calzelunghe, e adesso ringraziava il proprio giudizio per non aver mai cercato di scherzarci sopra. Frullò nell'aria con l'indice per farle capire di andare avanti.

«Secondo una fonte, fino a quel momento aveva desiderato diventare cronista di nera – e aveva fatto sostituzioni come tale presso un quotidiano della sera –, ma ciò che lo ha reso famoso è il suo lavoro come reporter di politica e di economia. È stato quasi sempre free-lance e ha avuto un unico impiego fisso presso un giornale della sera alla fine degli anni ottanta. Nel 1990 ha dato le dimissioni per diventare uno dei fondatori della rivista mensile *Millennium*. Il giornale ha cominciato come outsider, senza un forte editore che potesse sostenerlo. La tiratura però ha continuato a crescere e attualmente è intorno alle ventunomila copie. La redazione è in Götgatan, a qualche isolato soltanto da qui.»

«Un giornale di sinistra.»

«Dipende da cosa si intende per sinistra. *Millennium* è considerato in termini generali una rivista critica nei confronti della società, ma probabilmente gli anarchici lo giudicano uno schifoso giornale borghese del genere di *Arena* o *Ordfront*, mentre la Lega degli studenti moderati probabilmente è convinta che la redazione pulluli di bolscevichi. Non c'è nulla che indichi che Blomkvist sia mai stato politicamente attivo, nemmeno negli anni di gloria della sinistra, quando frequentava il liceo. Mentre era alla scuola di giornalismo conviveva con una ragazza che all'epoca era attiva all'interno del movimento sindacale, e che oggi siede in parlamento nelle file della sinistra. A quanto sembra di capire, l'etichetta di sinistrorso deriva soprattutto dal fatto che come giornalista economico si è specializzato in reportage di denuncia sulla corruzione e gli affari loschi del mondo imprenditoriale. È autore di ritratti devastanti di direttori e politici – che di sicuro se lo meritavano – ed è stato causa di diverse dimissioni e conseguenze giudiziarie. Il più noto è stato l'affare Arboga, conclusosi con le dimissioni di un politico del partito conservatore e con la condanna di un ex amministratore comunale a un anno di galera per appropriazione indebita. Attirare l'attenzione sui reati però non mi sembra si possa considerare un'espressione di appartenenza alla sinistra.»

«Capisco che cosa intende. Altro?»

«Ha scritto due libri. Uno sull'affare Arboga e uno sul giornalismo economico che si intitola *I cavalieri del tempio*, uscito tre anni fa. Non ho letto il libro, ma a giudicare dalle recensioni sembra aver suscitato delle controversie. Ha dato origine a un acceso dibattito all'interno dei media.»

«Finanze?» domandò Frode.

«Non è ricco ma non muore di fame. La sua dichiarazione dei redditi è allegata al rapporto. In banca ha circa duecentocinquantamila corone, investite parte in pensioni volontarie, parte in fondi. Ha un conto corrente con circa centomila corone che utilizza per contanti, spese correnti, viaggi e così via. È titolare di un diritto d'abitazione interamente pagato – sessantacinque metri quadrati in Bellmansgatan – e non ha prestiti o debiti.»

Lisbeth alzò un dito in aria.

«Inoltre ha un'altra proprietà, un immobile a Sandhamn. Si tratta di una ex bottega di venticinque metri quadrati riadattata ad abitazione e situata a bordo d'acqua, nel cuore della zona di maggior pregio della località balneare. L'aveva acquistata uno zio negli anni quaranta, al tempo in cui i comuni mortali potevano ancora fare cose del genere, e poi è finita nelle mani di Blomkvist. Lui e la sorella si sono spartiti l'eredità in modo che alla sorella è andato l'appartamento dei genitori a Lilla Essingen, e a Blomkvist la casetta. Non so quanto possa valere al giorno d'oggi – di sicuro qualche milione –, ma d'altro canto lui non sembra affatto interessato a vendere, e va a Sandhamn abbastanza spesso.»

«Redditi?»

«Come si è detto, è comproprietario di *Millennium* ma si prende solo circa dodicimila corone al mese a mo' di stipendio. Il resto lo mette insieme lavorando come free-lance – il reddito complessivo può variare. Tre anni fa ha raggiunto il livello massimo quando è stato ingaggiato da una serie di media, e ha portato a casa circa quattrocentocinquantamila corone. L'anno scorso ha racimolato solo centoventimila corone con i lavori da free-lance.»

«Adesso deve pagare centocinquantamila corone di risarcimento e in più gli onorari degli avvocati e via dicendo» constatò Frode. «Possiamo immaginare che la somma finale sarà piuttosto elevata, e inoltre perderà degli introiti quando dovrà scontare la pena detentiva.»

«Significa che finirà piuttosto al verde» osservò Lisbeth.

«È un tipo onesto?» domandò Dirch Frode.

«L'onestà è per così dire il suo capitale morale. La sua immagine vuole essere quella di un convinto guardiano della morale nei confronti del mondo imprenditoriale, e lo invitano piuttosto di frequente a commentare svariate faccende alla tv.»

«Non sarà rimasto granché di quel capitale, dopo la sentenza di oggi» disse Dirch Frode pensieroso.

«Non voglio affermare di sapere con esattezza che cosa si pretenda da un giornalista, ma dopo questa batosta credo che dovrà passare del tempo prima che il Superdetective Blomkvist riceva il Gran Premio del Giornalismo. Ha fatto una figura abbastanza magra» constatò lei lucidamente. «Se posso fare una riflessione personale...»

Armanskij spalancò gli occhi. Da quando Lisbeth Salander lavorava per lui, era la prima volta che faceva una riflessione sua in un'indagine personale. Di solito, per lei valevano solo i fatti nudi e crudi.

«Non rientrava nel mio incarico di esaminare i fatti riguardanti l'affare Wennerström, ma ho seguito il processo e devo riconoscere che in effetti sono rimasta piuttosto stupefatta. L'intera storia ha un che di sbagliato e per Mikael Blomkvist è totalmente... non è da lui pubblicare qualcosa che sembra essere così... così campato in aria.»

Lisbeth si grattò sul collo. Frode aveva assunto un'aria paziente. Armanskij si domandò se si stesse sbagliando, oppure se la ragazza davvero non sapesse esattamente come continuare. La Lisbeth che conosceva non era mai incerta o dubbiosa. Alla fine lei parve decidersi.

«Parlando in via del tutto ufficiosa, per così dire... io non mi sono messa veramente addentro all'affare Wennerström, ma sono convinta che *Kalle Blomkvist...* scusate, Mikael Blomkvist, si sia fatto fregare. Credo che in quella storia ci sia dentro qualcosa di completamente diverso da quello che lascia intendere la sentenza.»

Questa volta toccò a Dirch Frode raddrizzarsi nella poltroncina dei visitatori. L'avvocato fissò Lisbeth con sguardo indagatore e Armanskij notò che per la prima volta da quando era iniziata l'esposizione del caso il committente mostrava qualcosa di più di una cortese attenzione. Annotò mentalmente che l'affare Wennerström doveva avere un certo interesse per Dirch Frode. *Correzione* si disse però subito dopo. *Frode non era interessato all'affare Wennerström – è stato quando Lisbeth ha insinuato che Blomkvist si è fatto fregare che Frode ha reagito.*

«Che cosa vuole dire, esattamente?» domandò Frode con voce animata.

«Sono solo speculazioni da parte mia, ma sono decisamente convinta che qualcuno l'abbia imbrogliato.»

«E che cosa glielo fa credere?»

«Nel passato di Blomkvist tutto dimostra che è un reporter molto guardingo. Tutte le rivelazioni esplosive che ha fatto in precedenza erano molto ben documentate. Un giorno sono andata ad assistere a un'udienza del processo. Lui non contrattaccava mai e sembrava essersi arreso senza neanche provare a combattere. Non quadra affatto con il suo carattere. Se dobbiamo credere ai giudici, si è inventato una storia su Wennerström senza uno straccio di prova e l'ha pubblicata come una specie di kamikaze giornalistico – e questo semplicemente non è nello stile di Blomkvist.»

«Perciò lei che cosa crede che sia successo?»

«Posso solo fare una congettura. Blomkvist nella sua storia ci credeva, ma poi è successo qualcosa e l'informazione si è dimostrata falsa. Ciò significa a sua volta che la fonte era qualcuno di cui si fidava, oppure che qualcuno gli aveva passato intenzionalmente delle informazioni false – il che suona un po' troppo complicato. L'alternativa è che sia stato oggetto di una minaccia così seria da indurlo a gettare la spugna e a passare per un idiota incompetente piuttosto che accettare la sfida. Ma come ho detto sono solo mie speculazioni.»

Quando Lisbeth accennò a voler continuare il suo resoconto, Dirch Frode la bloccò alzando la mano. Rimase seduto un momento in silenzio tamburellando pensieroso con le dita contro il bracciolo, quindi si rivolse di nuovo alla ragazza, esitante.

«Se volessimo servirci di lei per arrivare alla verità sull'affare Wennerström... quante probabilità ci sono che riesca a scoprire qualcosa?»

«A questo non posso rispondere. Magari non c'è niente da scoprire.»

«Ma sarebbe disposta ad assumersi il compito di fare un tentativo?»

Lei alzò le spalle. «Non sta a me decidere. Io lavoro per Dragan Armanskij ed è lui a stabilire quali incarichi mi vuole affidare. Poi dipende da quale genere di informazioni ha in mente.»

«Diciamo così, allora... Do per scontato che questa conversazione sia confidenziale?»

Armanskij annuì.

«Io non so niente di questo affare, ma so senza ombra di dubbio che Wennerström in altre circostanze non si è comportato onestamente. L'affare Wennerström ha influenzato ad altissimo grado la vita di Mikael Blomkvist e io sono interessato a sapere se nelle sue considerazioni può esserci del vero.»

La conversazione aveva preso una piega inattesa e Armanskij fu subito all'erta. Ciò che Dirch Frode richiedeva era che la Milton Security andasse a frugare in una causa penale già chiusa, nella quale forse c'era stata qualche forma di minaccia contro Mikael Blomkvist, e in cui la Milton potenzialmente rischiava di entrare in collisione con lo stuolo di avvocati di Wennerström. Ad Armanskij il pensiero di lasciare libera Lisbeth Salander come un missile da crociera incontrollato in un contesto del genere non piaceva neanche un po'.

E non c'entrava solo la premura nei confronti della società. Lisbeth aveva tenuto a sottolineare che non voleva avere Armanskij come una qualche sorta di preoccupato patrigno, e dopo il loro accordo lui era stato molto attento a non comportarsi come tale, ma dentro di sé non avrebbe mai smesso di preoccuparsi per lei. Certe volte si sorprendeva a confrontarla con le sue stesse figlie. Si considerava un buon padre che non si intrometteva inopportunamente nella loro vita privata, ma sapeva che non avrebbe mai accettato che si comportassero come Lisbeth Salander o vivessero una vita come la sua.

Nel profondo del suo cuore croato – o forse bosniaco oppure armeno – non era mai riuscito a liberarsi della convinzione che la vita di Lisbeth fosse un viaggio verso la catastrofe. Ai suoi occhi la ragazza era un invito a qualche malintenzionato a farne la vittima perfetta, e aspettava con terrore il mattino in cui sarebbe stato svegliato dalla notizia che qualcuno le aveva fatto del male.

«Un'indagine del genere può venire a costare» disse Armanskij cercando cautamente di scoraggiare l'avvocato, per saggiare quanto fosse stata seria la sua richiesta.

«Potremmo sempre stabilire un tetto» replicò Frode senza scomporsi. «Non pretendo l'impossibile, ma è evidente che la sua collaboratrice, proprio come mi aveva detto, è competente.»

«Lisbeth?» domandò Armanskij con un sopracciglio sollevato.

«Non ho altri incarichi in corso.»

«Okay. Ma voglio che siamo d'accordo sulle forme del lavoro. Sentiamo il resto del tuo resoconto.»

«Non c'è molto altro che qualche dettaglio sulla sua vita privata. Nel 1986 si è sposato con una donna che si chiama Monica Abrahamsson e lo stesso anno hanno avuto una figlia di nome Pernilla, che oggi ha sedici anni. Il matrimonio non è durato a lungo; si sono separati nel 1991. Monica Abrahamsson si è risposata, ma chiaramente sono ancora in buoni rapporti. La figlia abita con la madre e non incontra Blomkvist molto di frequente.»

Frode chiese dell'altro caffè e poi si rivolse di nuovo a Lisbeth.

«All'inizio aveva accennato al fatto che tutti hanno dei segreti. Ne ha scoperto qualcuno?»

«Volevo dire che tutte le persone hanno cose che giudicano private e che non mettono esattamente in piazza.

Blomkvist frequenta molte donne. Ha avuto diverse storie d'amore e moltissime relazioni occasionali. In poche parole, ha una vita sessuale molto intensa. C'è però una persona che da molti anni ricorre nella sua vita, e con la quale ha un rapporto alquanto insolito.»

«In che senso?»

«Blomkvist ha una relazione con Erika Berger, caporedattore di *Millennium*; figlia dell'alta borghesia, madre svedese, padre belga residente in Svezia. I due si conoscono fin dai tempi della scuola di giornalismo e da allora di tanto in tanto si frequentano.»

«Forse non è poi così insolito» constatò Frode.

«No, per carità. Ma Erika Berger è anche sposata con Greger Beckman, l'artista – quello che ha fatto un sacco di cose orripilanti in luoghi pubblici.»

«Perciò lei in altre parole è infedele.»

«No. Beckman è al corrente della loro relazione. Si tratta di un *ménage à trois* che chiaramente sta bene a tutte le parti in causa. Certe volte lei passa la notte con Blomkvist e certe volte con suo marito. Come funzioni esattamente non lo so, ma probabilmente è stato uno dei motivi che hanno fatto fallire il matrimonio con Monica Abrahamsson.»

3.
Venerdì 20 dicembre - sabato 21 dicembre

Erika Berger sollevò le sopracciglia quando un Mikael Blomkvist palesemente intirizzito fece il suo ingresso in redazione nel tardo pomeriggio. La redazione di *Millennium* si trovava proprio sulla sommità di Götgatan, in un palazzo di uffici sopra i locali di Greenpeace. L'affitto in realtà era un po' troppo elevato per il giornale, ma Erika, Mikael e Christer erano comunque d'accordo di continuare a tenere i locali.

La donna gettò un'occhiata furtiva all'orologio. Erano le cinque e dieci e il buio era sceso da tempo su Stoccolma. Si era aspettata di vederlo comparire verso l'ora di pranzo.

«Scusami» esordì lui, prima che lei facesse in tempo a dire qualcosa. «Mi hanno consegnato la sentenza e non avevo nessuna voglia di parlare. Ho fatto una lunga passeggiata, per riflettere.»

«Ho sentito della sentenza alla radio. Quella tale di Tv4 ha telefonato per avere un commento da me.»

«E tu cos'hai detto?»

«Più o meno quello che avevamo concordato, che esamineremo la sentenza con cura prima di fare dichiarazioni. Quindi in pratica non ho detto niente. E il mio punto di vista è sempre lo stesso – credo che sia la strategia sbagliata. Appariamo deboli e perdiamo appoggi fra i media.

Dobbiamo aspettarci che dicano qualcosa alla tv stasera.»

Blomkvist annuì, con aria cupa.

«Tu come stai?»

Mikael Blomkvist alzò le spalle e andò a sedersi nella sua poltrona preferita, vicino alla finestra nella stanza di Erika. Era arredata in modo spartano con scrivania, funzionali librerie e mobili da ufficio di tipo economico. Tutto l'arredamento veniva dall'Ikea, tranne le due comode e stravaganti poltrone e un piccolo buffet – una concessione alle mie origini, usava scherzare Erika. Il più delle volte si sedeva a leggere in una delle poltrone con i piedi sollevati, quando voleva allontanarsi dalla scrivania. Mikael guardò giù in Götgatan, dove la gente passava veloce nel buio con aria stressata. Lo shopping natalizio era arrivato allo sprint finale.

«Suppongo che passerà» disse. «Ma in questo preciso momento mi sembra di aver beccato un bel sacco di legnate.»

«Sì, lo puoi ben dire. E ci riguarda tutti. Janne Dahlman è andato a casa presto oggi.»

«Presumo che non fosse molto soddisfatto della sentenza.»

«Non è certo la persona più positiva del mondo.»

Mikael scosse la testa. Janne Dahlman era da nove mesi il segretario di redazione di *Millennium*. Aveva cominciato proprio quando l'affare Wennerström si era messo in moto e si era ritrovato in una redazione in crisi. Mikael cercò di ricordare come avessero ragionato lui ed Erika quando avevano deciso di assumerlo. In effetti era un soggetto competente che aveva lavorato come sostituto sia all'agenzia di stampa TT che ai giornali della sera e a Ekot, la radio di Stoccolma. Ma evidentemente non era un individuo che amasse veleggiare col vento contrario. Nell'anno trascorso, Mikael si era spesso pentito fra sé di avere assunto Dahlman, che possedeva la snervante capacità di vedere tutto nei termini più negativi possibile.

«Hai notizie da Christer?» domandò Mikael senza abbandonare la strada con gli occhi.

Christer Malm curava il lay-out di *Millennium* e insieme a Erika e Mikael era comproprietario del giornale, ma al momento si trovava all'estero con il suo boyfriend.

«Ha chiamato. Ti saluta.»

«Devi essere tu a prendere il mio posto di direttore responsabile.»

«Piantala, Micke, come direttore responsabile devi tenere in conto di ricevere qualche batosta. Fa parte del gioco.»

«Sì, è vero. Ma stavolta sono stato io a scrivere quel testo che è stato pubblicato da un giornale di cui sono anche il direttore responsabile. Allora tutto cambia prospettiva. Allora si tratta di cattivo discernimento.»

Erika Berger avvertiva che l'inquietudine che aveva portato dentro per tutto il giorno stava per esplodere in una piena fioritura. Nelle ultime settimane, in vista del processo, Mikael Blomkvist si era aggirato quasi avvolto in una nuvola scura, ma non l'aveva mai visto così cupo e rassegnato come sembrava adesso nell'ora della sconfitta. Fece il giro della scrivania e gli si sedette sopra a cavalcioni cingendogli il collo con le braccia.

«Mikael, adesso ascoltami. Sia tu che io sappiamo esattamente com'è andata. Io sono responsabile tanto quanto lo sei tu. Dobbiamo uscire dalla tempesta.»

«Non c'è nessuna tempesta da cui uscire. La sentenza comporta che io ho ricevuto un colpo mediatico alla nuca. Non posso rimanere direttore responsabile di *Millennium*. È in gioco la credibilità del giornale. Si tratta di limitare i danni. Lo capisci bene quanto me.»

«Se credi che abbia intenzione di lasciarti prendere la colpa tutto da solo, allora non hai imparato un emerito fico secco su di me in tutti questi anni.»

«Io so esattamente come funzioni, Ricky. Tu sei stupidamente leale verso i tuoi collaboratori. Se potessi scegliere, ti batteresti contro gli avvocati di Wennerström fino a mettere in gioco la tua stessa credibilità. Dobbiamo essere più scaltri.»

«E tu pensi che sia un piano astuto lasciare *Millennium* e far sembrare che sia stata io a licenziarti?»

«Di questo abbiamo già parlato centinaia di volte. Che *Millennium* sopravviva, adesso dipende da te. Christer è in gamba, ma è un buon diavolo che sa tutto di immagini e lay-out e niente di conflitti con i miliardari. Non è il suo campo. Per un po' di tempo dovrò sparire da *Millennium*, come direttore responsabile, reporter e membro del consiglio d'amministrazione; tu prenderai il mio posto. Wennerström sa che io so quello che ha fatto, e sono convinto che fin quando sarò nelle vicinanze cercherà di schiacciare il giornale. E noi non ce lo possiamo permettere.»

«Ma perché non uscire con quello che è successo veramente – o la va o la spacca!»

«Perché non possiamo dimostrare un bel niente, e perché in questo momento io non ho nessuna credibilità. Wennerström ha vinto questo round. Chiuso. Lascia perdere.»

«Okay, ti licenzieremo. E cosa farai anziché lavorare qui?»

«Ho bisogno di una pausa, semplicemente. Mi sento distrutto, sul punto di andare in palla, come si usa dire adesso. Mi dedicherò a me stesso per un po'. Dopo si vedrà.»

Erika lo cinse con le braccia e gli attirò la testa sul suo petto. Lo strinse forte. Rimasero seduti in silenzio per diversi minuti.

«Vuoi compagnia stasera?» domandò lei.

Mikael Blomkvist annuì.

«Bene. Ho già telefonato a Greger per dirgli che stanotte dormo da te.»

L'unica fonte di luce nella stanza era quella dei lampioni che si rifletteva nel vano della finestra. Quando Erika si addormentò intorno alle due, Mikael restò sveglio a studiare il suo profilo nella penombra. La coperta le arrivava alla vita e lui guardava il suo petto che si alzava e si abbassava. Era rilassato, il nodo d'angoscia all'altezza del diaframma si era allentato. Erika aveva quell'effetto su di lui. L'aveva sempre avuto. E lui sapeva di avere esattamente lo stesso effetto su di lei.

Vent'anni, pensò. Tanti erano quelli della sua relazione con Erika. Per quanto lo concerneva, avrebbero continuato ad andare a letto insieme per altri venti. Come minimo. Non avevano mai cercato seriamente di tenere nascosta la loro relazione, anche quando aveva dato origine a situazioni estremamente complicate rispetto ai loro rapporti verso terzi. Sapeva che si parlava di loro nella cerchia delle conoscenze comuni, e che la gente si domandava che razza di rapporto fosse realmente il loro; tanto lui quanto Erika davano risposte enigmatiche e ignoravano i commenti.

Si erano conosciuti a una festa in casa di amici comuni. Erano al secondo anno della scuola di giornalismo e avevano entrambi una relazione fissa. Nel corso della serata avevano cominciato a provocarsi più di quanto fosse lecito. Forse il flirt era iniziato come un gioco – lui non ne era sicuro – ma prima di separarsi si erano scambiati i numeri di telefono. Sapevano entrambi che sarebbero finiti a letto insieme, e nel giro di una settimana realizzarono i loro piani alle spalle dei rispettivi partner.

Mikael era sicuro che non si trattasse di amore – almeno, non di amore del tipo tradizionale che porta a coabitazione, mutui per la casa, alberi di Natale e figliolanza. In qualche occasione nel corso degli anni ottanta, quando non c'erano state altre relazioni di cui avere riguardo, avevano parlato di andare a vivere insieme. Lui avrebbe voluto. Ma

Erika all'ultimo momento si era sempre tirata indietro. Sosteneva che non avrebbe funzionato e che non dovevano rischiare di rovinare la loro relazione andando anche a innamorarsi.

Erano d'accordo sul fatto che il loro era un rapporto di sesso o di ossessione erotica, e Mikael si era spesso domandato se fosse possibile provare per una donna un'attrazione più folle di quella che provava lui per Erika. Molto semplicemente, loro due insieme funzionavano. Avevano una relazione altrettanto assuefacente dell'eroina.

Certe volte si incontravano così spesso che parevano proprio una coppia, altre potevano passare settimane e mesi fra un incontro e l'altro. Ma come gli alcolisti dopo un periodo di astinenza sono attirati dagli spacci di alcolici, loro due ritornavano sempre l'uno dall'altra per averne ancora.

Naturalmente non funzionava. Un rapporto del genere sembrava fatto per creare sofferenza. Sia lui che Erika si erano lasciati alle spalle senza riguardi promesse tradite e altre relazioni – il matrimonio stesso di Mikael era andato a catafascio proprio perché lui non era capace di stare lontano da Erika. Non aveva mai mentito a sua moglie Monica a proposito del suo rapporto con Erika, ma lei aveva creduto che la storia sarebbe finita con il loro matrimonio e la nascita della figlia e il matrimonio quasi contemporaneo di Erika con Greger Beckman. Anche lui l'aveva creduto, e nei primi anni di matrimonio aveva incontrato Erika solo in ambito professionale. Poi avevano fondato insieme *Millennium* e nel giro di una settimana o giù di lì tutti i buoni propositi erano andati a gambe all'aria, e una sera sul tardi avevano fatto sesso come due indemoniati sulla scrivania di lei. La cosa aveva dato inizio a un periodo doloroso, in cui Mikael voleva vivere con la sua famiglia e veder crescere la figlia ma al tempo stesso era attratto da Erika come se non fosse in grado di controllare le proprie azioni. Il che naturalmente sarebbe stato possibile, se solo l'avesse voluto. Proprio come Lisbeth Salander aveva indovinato, era stata la sua costante infedeltà a spingere Monica a troncare.

Curiosamente, invece, Greger Beckman sembrava accettare in tutto e per tutto la loro relazione. Erika era sempre stata aperta al riguardo e quando lei e Mikael avevano ripreso a frequentarsi l'aveva subito raccontato al marito. Forse era necessario un animo d'artista per sopportare una situazione del genere, una persona che fosse così presa dalla propria creatività, o forse semplicemente da se stessa, da non reagire quando la moglie rimaneva a dormire a casa di un altro – e organizzava perfino le ferie in modo da poter trascorrere una settimana o due con l'amante nella sua casetta al mare a Sandhamn. A Mikael, Greger non piaceva granché e non aveva mai capito l'amore di Erika per quell'uomo. Ma era contento che accettasse che lei potesse amare due uomini contemporaneamente.

Inoltre sospettava che Greger considerasse la relazione della moglie con Mikael una sorta di spezia in più nel loro stesso legame. Ma non avevano mai discusso la cosa.

Mikael non riuscì ad addormentarsi, e alle quattro si arrese. Andò in cucina e si sedette a leggere ancora una volta la sentenza da cima a fondo. Con i risultati alla mano, gli pareva quasi che ci fosse stato qualcosa di prestabilito nell'incontro di Arholma. Non era mai riuscito a capire se Robert Lindberg avesse svelato la truffa di Wennerström solo per raccontare una storia succosa fra un brindisi e l'altro in una serata fra amici in barca, oppure se veramente avesse voluto che diventasse di dominio pubblico.

A livello spontaneo, Mikael propendeva per la prima alternativa, ma poteva essere altrettanto probabile che Robert, per motivi assolutamente privati oppure professionali, volesse danneggiare Wennerström e avesse colto al volo l'occasione quando si era ritrovato a bordo un docile giornalista. Robert non era stato troppo ubriaco da non riuscire, nell'attimo culminante del racconto, a fissare Mikael negli occhi e a fargli pronunciare le magiche parole che lo trasformavano da chiacchierone in fonte anonima. Con ciò, per parte di Robert non aveva più avuto nessuna importanza ciò che raccontava; Mikael non avrebbe mai potuto svelare la sua identità come fonte delle notizie.

Di una cosa tuttavia Mikael era totalmente sicuro. Se l'incontro ad Arholma era stato combinato da un cospiratore allo scopo di catturare la sua attenzione, allora Robert non avrebbe potuto dare un contributo migliore. Ma l'incontro di Arholma era stato un puro caso.

Robert era inconsapevole dell'estensione del disprezzo di Mikael per personaggi come Hans-Erik Wennerström. Dopo studi pluriennali sulla materia, Mikael era convinto che non esistesse un solo direttore di banca o noto dirigente d'azienda che non fosse anche un farabutto.

Mikael non aveva mai sentito parlare di Lisbeth Salander ed era felicemente ignaro di quanto aveva riferito su di lui quella stessa giornata, ma se avesse potuto ascoltare avrebbe annuito di approvazione quando lei aveva affermato che il suo dichiarato disprezzo per i faccendieri non era espressione di alcun radicalismo politico di sinistra. Mikael non era disinteressato alla politica, ma guardava tutti gli -ismi politici con grande sospetto. Nelle uniche elezioni politiche in cui aveva votato – nel 1982 – aveva scelto con scarsa convinzione i socialdemocratici, per il semplice fatto che nulla ai suoi occhi poteva essere peggio di altri tre anni con Gösta Bohman come ministro delle Finanze e Thorbjörn Fälldin, o forse Ola Ullsten, come primo ministro. Di conseguenza aveva votato senza grande entusiasmo per Olof Palme, e invece si era ritrovato con un primo ministro assassinato e con la Bofors ed Ebbe Carlsson.

La scarsa stima di Mikael per i giornalisti economici dipendeva da qualcosa di così sciocco, ai suoi stessi occhi, come la morale. L'equazione era semplice. Un direttore di banca che perde cento milioni in speculazioni insensate non dovrebbe mantenere il suo posto. Un dirigente d'azienda che maneggia società fittizie deve finire in galera. Un proprietario di immobili che costringe dei giovani a pagare in nero per un monolocale con cesso deve essere messo alla gogna.

Secondo Mikael Blomkvist, era compito del giornalista economico studiare e smascherare gli squali della finanza che creano le crisi economiche e mandano in fumo il capitale dei piccoli risparmiatori in folli speculazioni. Riteneva che il giornalista economico dovesse controllare i dirigenti delle imprese con lo stesso zelo impietoso con cui i reporter politici sorvegliano il minimo passo falso di ministri e parlamentari. A nessun reporter politico sarebbe mai venuto in mente di dare a un leader di partito lo status di icona, e Mikael non riusciva proprio a capire perché così tanti reporter economici dei mezzi d'informazione più importanti del paese trattassero mediocri finanzieri come se fossero star del rock.

Questo atteggiamento un po' intransigente nel mondo dei reporter di economia l'aveva portato a rumorosi conflitti con i colleghi dell'informazione, fra i quali William Borg in modo particolare era diventato un nemico implacabile. Mikael era uscito allo scoperto, criticando i suoi colleghi e accusandoli di tradire il loro compito ed essere i galoppini dei faccendieri. Il ruolo di critico della società gli aveva conferito uno status, è vero, trasformandolo in ospite scomodo nei salotti televisivi – era lui che veniva invitato a commentare quando qualche direttore era sorpreso con liquidazioni miliardarie –, ma regalandogli anche una schiera fedele di nemici incalliti.

Mikael non aveva nessuna difficoltà a figurarsi che durante la serata fossero state stappate diverse bottiglie di champagne presso talune redazioni.

Sul ruolo del giornalista, Erika aveva il suo stesso atteggiamento e insieme si erano divertiti a immaginare un giornale con quel profilo già durante gli anni della scuola.

Erika era il capo migliore che Mikael potesse desiderare. Era un'organizzatrice capace di trattare i collaboratori con calore e confidenza ma al tempo stesso non temeva il confronto e all'occorrenza sapeva essere molto dura. Soprattutto aveva una gelida sensibilità epidermica quando si trattava di prendere decisioni sul contenuto di un numero. Spesso lei e Mikael avevano punti di vista non coincidenti ed erano capaci di sane litigate, ma avevano anche una fiducia incrollabile l'uno nell'altra e insieme avevano costituito un team imbattibile. Lui era il braccio che tirava fuori la storia, lei la confezionava e la commercializzava.

Millennium era la loro comune creatura ma non sarebbe mai divenuta realtà senza la capacità di Erika di scovare finanziamenti. Erano il figlio della classe lavoratrice e la figlia dell'alta borghesia in ottimo connubio. Erika era il capitale. Aveva personalmente contribuito con la base economica e convinto sia il padre sia alcuni conoscenti a investire somme considerevoli nel progetto.

Mikael si era domandato spesso perché mai Erika avesse puntato su *Millennium*. È vero che era socia – e perfino con quota di maggioranza – e caporedattore del suo stesso giornale, il che le dava prestigio e una libertà pubblicistica che difficilmente avrebbe potuto avere in un altro posto di lavoro. A differenza di Mikael, dopo la scuola di giornalismo si era indirizzata verso la tv. Era in gamba, aveva un'ottima presenza sullo schermo e sapeva farsi valere. Inoltre aveva buoni contatti nel mondo della burocrazia. Se avesse continuato, avrebbe avuto senza dubbio una carica dirigenziale molto meglio remunerata in qualche canale televisivo. Invece aveva scelto deliberatamente di abbandonare il mondo della tv e di puntare su *Millennium*, un progetto ad alto rischio che era iniziato in un angusto scantinato di Midsommarkransen, ma che aveva avuto sufficiente successo da permettere il trasferimento, verso la metà degli anni novanta, nel locali più ampi e più accoglienti di Götgatsbacken nel quartiere di Södermalm.

Erika aveva anche convinto Christer Malm a diventare comproprietario del giornale; una celebrità gay che di tanto in tanto si concedeva al pubblico insieme al suo boyfriend in reportage del genere «a casa di...» e che compariva spesso sulle pagine di cronaca mondana. L'interesse per i mezzi d'informazione gli era nato quando era andato a vivere con Arnold Magnusson, detto Arn, un attore con un passato al Teatro drammatico che aveva sfondato solo quando si era messo a recitare se stesso in un reality show. Christer e Arn erano diventati da allora un feuilleton mediatico.

A trentasei anni, Christer Malm era un apprezzato fotografo e designer che sapeva dare a *Millennium* una forma grafica moderna e accattivante. Aveva la sua società personale con sede sullo stesso piano della redazione di *Millennium* e si dedicava alla grafica del giornale per una settimana al mese.

Per il resto, *Millennium* contava due collaboratori a tempo pieno, un praticante fisso e tre praticanti part-time. Era uno di quei giornali in cui il bilancio non quadrava mai, ma che godeva di molto prestigio e aveva dei collaboratori che adoravano lavorare.

Non era un affare lucrativo, ma era riuscito a coprire le sue spese e sia la tiratura sia i proventi delle inserzioni erano in crescita costante. Fino al momento attuale, il giornale aveva avuto la nomea di impavido e affidabile paladino della verità.

Adesso la situazione molto probabilmente sarebbe cambiata. Mikael rilesse il breve comunicato stampa che lui ed Erika avevano formulato durante la serata e che presto si era trasformato in un comunicato TT che campeggiava già sulla pagina in rete dell'*Aftonbladet*.

Reporter condannato lascia Millennium

Stoccolma (TT). Il giornalista Mikael Blomkvist lascia l'incarico di direttore responsabile della rivista Millennium, *come ha comunicato il caporedattore e socio di maggioranza, Erika Berger.*

Mikael Blomkvist lascia Millennium *per suo desiderio. È molto provato dopo gli eventi drammatici degli ultimi tempi e ha bisogno di un time out, dice Erika Berger, che assumerà personalmente il ruolo di direttore responsabile.*

Mikael Blomkvist è stato uno dei fondatori della rivista Millennium, *nata nel 1990. Erika Berger non crede che il così detto affare Wennerström potrà influenzare il futuro del giornale.*

Millennium *uscirà come di consueto il prossimo mese. Mikael Blomkvist ha avuto grande importanza per lo sviluppo del giornale, ma adesso si volta pagina.*

Erika Berger dichiara di considerare l'affare Wennerström come il risultato di una serie di sfortunate circostanze. Le rincresce per i disagi cui Hans-Erik Wennerström è stato esposto. Non è stato possibile raggiungere Mikael Blomkvist per un commento.

«A me sembra spaventoso» aveva detto Erika quando il comunicato stampa era stato spedito via e-mail. «I più ne trarranno la conclusione che tu sei un idiota incompetente e io una gelida bastarda che approfitta dell'occasione per tirarti un colpo alla nuca.»

«Considerate tutte le voci che già girano su di noi, la nostra cerchia di amicizie avrà se non altro qualcosa di nuovo su cui spettegolare» aveva cercato di scherzare Mikael. Lei non l'aveva trovato affatto divertente.

«Io non ho nessun piano di riserva, ma credo che stiamo facendo un errore.»

«È l'unica soluzione» aveva replicato Mikael. «Se il giornale crolla, tutta la nostra fatica è stata inutile. Tu lo sai che già adesso abbiamo perso grossi introiti. Come è andata fra parentesi con quella grande azienda informatica?»

Lei aveva sospirato. «Ecco, stamattina ci hanno fatto sapere che non vogliono fare inserzioni sul numero di gennaio.»

«E Wennerström ha un considerevole pacchetto azionario nella società. Non è certo un caso.»

«No, ma possiamo cercarci nuovi inserzionisti. Wennerström potrà anche essere il gran mogol della finanza, ma mica tutto a questo mondo è suo, e anche noi abbiamo i nostri contatti.»

Mikael l'aveva cinta con le braccia attirandola a sé.

«Un giorno inchioderemo Hans-Erik Wennerström da far tremare anche Wall Street. Ma non oggi. Bisogna allontanare *Millennium* dal centro dell'attenzione. Non possiamo rischiare che la fiducia verso il giornale venga meno.»

«Io tutte queste cose le so, ma faccio lo stesso la figura della gran puttana e tu vieni messo in una situazione detestabile se fingiamo che fra te e me ci sia uno scisma.»

«Ricky, finché tu e io ci fidiamo l'una dell'altro, abbiamo ancora una possibilità. Dobbiamo adattarci a suonare a orecchio e adesso è l'ora della ritirata.»

Ed Erika aveva riconosciuto controvoglia che c'era una logica amara nelle sue conclusioni.

4.
Lunedì 23 dicembre - giovedì 26 dicembre

Erika si era fermata a casa di Mikael Blomkvist per tutto il fine settimana. Nel complesso, avevano lasciato il letto solo per andare in bagno o preparare da mangiare, ma non avevano solo fatto l'amore; erano anche stati ore a discutere del futuro, valutando conseguenze, possibilità e previsioni. All'alba del lunedì mattina, l'antivigilia di Natale, Erika gli aveva dato il bacio di arrivederci – *alla prossima* – ed era tornata a casa dal marito.

Mikael trascorse il lunedì prima lavando i piatti e facendo ordine nell'appartamento, e poi andando a piedi in redazione per ripulire la sua stanza. Non aveva pensato nemmeno per un secondo di rompere con il giornale, ma alla fine aveva convinto Erika che per un certo periodo sarebbe stato importante separare Mikael Blomkvist dalla rivista *Millennium*. Per il momento aveva intenzione di lavorare da casa, dal suo appartamento in Bellmansgatan.

Era solo in redazione. Gli uffici erano chiusi per Natale e i collaboratori avevano preso il volo. Stava sistemando libri e scartoffie dentro uno scatolone quando suonò il telefono.

«Vorrei parlare con Mikael Blomkvist» disse una voce speranzosa ma sconosciuta dall'altra parte del filo.

«Sono io.»

«Mi perdoni se la disturbo il giorno dell'antivigilia. Mi chiamo Dirch Frode.» Mikael annotò automaticamente il nome e l'ora. «Sono un avvocato e rappresento un cliente che sarebbe molto felice di poter avere un colloquio con lei.»

«Be', dica pure al suo cliente di telefonarmi.»

«Intendevo dire che desidererebbe incontrarla di persona.»

«Okay, fissiamo un appuntamento e me lo mandi su in ufficio. Ma cerchi di fare in fretta, perché sto giusto sgombrando la scrivania.»

«Il mio cliente le sarebbe molto grato se fosse lei ad andare da lui. Abita a Hedestad – col treno ci vogliono solo tre ore.»

Mikael smise di sistemare le sue scartoffie. I mass-media hanno la strana capacità di attirare la gente più squinternata che telefona per dire le cose più assurde. Ogni singola redazione di giornale al mondo riceve chiamate da ufologi, grafologi, scientologi, paranoici e teorici della cospirazione di tutti i tipi.

Una volta, Mikael aveva ascoltato una conferenza in relazione all'anniversario dell'omicidio del primo ministro Olof Palme. La conferenza era assolutamente seria e fra il pubblico c'erano alcuni vecchi amici di Palme. Ma anche un numero stupefacente di detective privati. Uno di loro era una donna sulla quarantina che al momento delle obbligatorie domande aveva afferrato il microfono e poi abbassato la voce in un bisbiglio appena percettibile. Già questo lasciava presagire un interessante sviluppo e nessuno rimase particolarmente sorpreso quando la donna esordì affermando: «Io so chi ha ucciso Olof Palme.» Dalla platea le fu suggerito con una certa ironia che, se davvero era in possesso di questa informazione esplosiva, sarebbe stato di un certo interesse comunicarla a chi si occupava dell'inchiesta. Lei aveva subito replicato in un sussurro: «Non posso – è troppo pericoloso!»

Mikael si domandò se Dirch Frode non fosse un altro ancora nella schiera dei convinti paladini della verità che pensavano di svelare l'ubicazione della clinica psichiatrica segreta dove i Servizi di sicurezza conducevano esperimenti sul controllo del cervello.

«Non faccio visite a domicilio» rispose tagliando corto.

«In tal caso spero di riuscire a convincerla a fare un'eccezione. Il mio cliente è ultraottantenne e per lui venire a Stoccolma costituisce un'impresa faticosa. Se lei insiste possiamo certamente organizzare qualcosa, ma a essere sinceri sarebbe preferibile se lei potesse avere la gentilezza di...»

«Chi è il suo cliente?»

«Una persona di cui sospetto abbia già sentito parlare nell'ambito della sua professione. Henrik Vanger.»

Mikael si lasciò andare contro lo schienale, stupefatto. Henrik Vanger – altroché se aveva sentito parlare di lui. Capitano d'industria ed ex amministratore delegato del Gruppo Vanger, che un tempo era stato sinonimo di segherie, foreste, miniere, acciaio, industria metallurgica e tessile, produzione ed esportazione. Henrik Vanger era stato uno degli autentici grandi industriali della sua epoca, con fama di essere un uomo integro, un patriarca all'antica che non si piegava nel vento pungente. Apparteneva all'abc della vita economica svedese, uno della vecchia scuola, la spina dorsale dell'industria dello stato sociale e via dicendo.

Ma il Gruppo Vanger, tuttora un'impresa di famiglia, negli ultimi venticinque anni era stato devastato da razionalizzazioni strutturali, crisi di Borsa, crisi dei tassi, concorrenza dall'Asia, calo nell'export e altre seccature che nell'insieme avevano spostato il nome Vanger in acque stagnanti. La società era attualmente guidata da Martin Vanger, nome che Mikael associava a un tipo grassoccio dalla folta capigliatura che qualche volta era passato sullo schermo televisivo ma che lui non conosceva granché bene. Henrik Vanger era lontano dalla ribalta da almeno vent'anni, e Mikael non sapeva nemmeno che fosse ancora vivo.

«Perché Henrik Vanger mi vorrebbe incontrare?» fu la domanda naturalmente conseguente.

«Sono spiacente. Io sono l'avvocato di Henrik Vanger da molti anni ma tocca a lui spiegare che cosa vuole. Però posso almeno anticiparle che desidera discutere con lei di un eventuale lavoro.»

«Lavoro? Io non ho la minima intenzione di cominciare a lavorare per il Gruppo Vanger. Avete bisogno di un addetto stampa?»

«Non è esattamente quel genere di lavoro. Non saprei come esprimermi oltre che dire che Henrik Vanger è particolarmente ansioso di poterla incontrare per consultarla su una questione privata.»

«Lei è ambiguo più di quanto sia lecito.»

«Le chiedo scusa per questo. Ma c'è qualche possibilità di riuscire a convincerla a fare una piccola visita a Hedestad? Naturalmente paghiamo noi il viaggio oltre a un ragionevole compenso.»

«Forse non è il momento più opportuno. Ho parecchio da fare e... suppongo che abbia visto i titoli dei giornali su di me in questi ultimi giorni.»

«L'affare Wennerström?» Dirch Frode scoppiò in una risata chioccia dall'altra parte del filo. «Sì, ha avuto un certo valore di intrattenimento. Ma per dire la verità è stata proprio l'attenzione intorno al processo a far sì che Henrik Vanger si accorgesse di lei.»

«Ah sì? E quando vorrebbe ricevere la mia visita il signor Vanger?» volle sapere Mikael.

«Il più presto possibile. Domani è la vigilia e suppongo che lei voglia tenersi libero. Che ne dice del giorno di Santo Stefano? Oppure in qualche momento fra Natale e Capodanno?»

«C'è fretta, dunque. Mi spiace, ma se non mi viene fornita una ragionevole indicazione di quale sia lo scopo della visita, allora...»

«Senta, le assicuro che l'invito è assolutamente serio. Il mio cliente desidera consultare proprio lei e nessun altro. Vuole offrirle un incarico free-lance, se le può interessare. Io sono solo un messaggero. Di che cosa si tratti in concreto, deve spiegarglielo lui.»

«Questa è una delle conversazioni più assurde che ho avuto da tempo. Mi ci lasci riflettere. Come posso contattarla?»

Dopo aver posato il ricevitore, Mikael rimase seduto a fissare la confusione sulla scrivania. Non riusciva assolutamente a capire perché mai Henrik Vanger volesse incontrarlo. Mikael in realtà non era particolarmente interessato a recarsi a Hedestad, ma l'avvocato Frode era riuscito a stimolare la sua curiosità.

Accese il computer, andò su Google e fece una ricerca sul Gruppo Vanger. Ottenne centinaia di risultati – il gruppo poteva anche essere in acque stagnanti, ma era citato più o meno quotidianamente dai media. Salvò una dozzina di articoli che analizzavano la società e quindi cercò nell'ordine Dirch Frode, Henrik Vanger e Martin Vanger.

Martin Vanger compariva regolarmente in qualità di attuale amministratore delegato del gruppo. L'avvocato Dirch Frode manteneva un profilo basso, era membro del consiglio d'amministrazione del golf club di Hedestad e menzionato anche in relazione al Rotary. Henrik Vanger compariva – con una sola eccezione – unicamente in relazione a testi che parlavano di com'era nato il Gruppo Vanger. Il quotidiano locale *Hedestads-Kuriren* tuttavia aveva dato rilievo due anni prima all'ottantesimo compleanno dell'industriale, e il reporter ne aveva tracciato un veloce profilo. Mikael stampò alcuni dei testi che sembravano contenere della sostanza e mise insieme un fascicolo di una cinquantina di pagine. Quindi finì di ripulire la scrivania, chiuse gli scatoloni e se ne andò a casa. Non sapeva quando o se sarebbe tornato.

Lisbeth Salander trascorse la vigilia di Natale alla casa di cura di Äppelviken a Upplands-Väsby. Aveva portato con sé dei regali, un'eau de toilette di Dior e un dolce natalizio inglese acquistato da Åhléns. Mentre beveva il caffè, osservava la donna di quarantasei anni che con dita maldestre cercava di disfare il nodo del nastro legato intorno a uno dei regali. Nello sguardo di Lisbeth c'era tenerezza, ma non cessava mai di stupirsi per il fatto che la donna di fronte a lei fosse sua madre. Per quanto ci provasse, non riusciva a trovare traccia della minima somiglianza, né nell'aspetto fisico né nella personalità.

Alla fine la madre abbandonò i suoi sforzi e guardò disarmata il pacchetto. Non era una delle sue giornate migliori. Lisbeth Salander spinse verso di lei le forbici che erano state tutto il tempo bene in vista sul tavolo, e la madre d'improvviso si illuminò, rianimandosi.

«Devi proprio pensare che sono una stupida.»

«No, mamma. Tu non sei stupida. Ma la vita è ingiusta.»

«Hai visto tua sorella?»

«No, è da tanto che non la vedo.»

«Non viene mai a trovarmi.»

«Lo so, mamma. Non viene mai neanche da me.»

«Tu stai lavorando?»

«Sì, mamma. Me la cavo bene.»

«Dove abiti adesso? Non so nemmeno dove abiti.»

«Sto nel tuo vecchio appartamento di Lundagatan. Sono anni che ci abito. Ho potuto rilevare il contratto.»

«Magari ora di quest'estate potrò venire a trovarti.»

«Certo. Quest'estate.»

La madre alla fine riuscì ad aprire il regalo e annusò deliziata il profumo. «Grazie, Camilla» disse.

«Lisbeth. Io sono Lisbeth. Camilla è mia sorella.»

La madre assunse un'aria imbarazzata. Lisbeth Salander propose di andare nella sala tv.

Mikael Blomkvist trascorse il tardo pomeriggio della vigilia facendo visita alla figlia Pernilla che stava con la ex moglie Monica e il suo nuovo marito nella villa di Sollentuna. Aveva portato i regali di Natale per Pernilla; dopo averne discusso con Monica, si erano messi d'accordo di regalare alla figlia un iPod, un lettore mp3 non più grande di una scatola da fiammiferi ma capace di ospitare tutta la raccolta di dischi di Pernilla. Che era piuttosto vasta. Era stato un acquisto non poco costoso.

Padre e figlia trascorsero un'oretta in compagnia nella stanza della ragazza al piano di sopra. Mikael e la mamma di Pernilla si erano separati quando lei aveva solo cinque anni, e a sette aveva trovato un nuovo papà. Non che Mikael avesse evitato i contatti; Pernilla andava da lui qualche volta al mese e trascorreva vacanze di una settimana nella casetta di Sandhamn. Non era nemmeno vero che Monica cercasse di ostacolare i contatti o che Pernilla non si trovasse a suo agio in compagnia del padre – al contrario, nel tempo che passavano insieme andavano il più delle volte d'amore e d'accordo. Ma Mikael aveva essenzialmente lasciato decidere alla figlia con quale intensità volesse avere contatti con lui, in particolare dopo che Monica si era risposata. C'erano stati alcuni anni all'inizio dell'adolescenza in cui il contatto si era quasi interrotto, e solo negli ultimi due anni lei aveva manifestato il desiderio di vederlo più spesso.

La figlia aveva seguito il processo con la ferma convinzione che le cose stessero come Mikael continuava a ribadire; che era innocente ma non lo poteva dimostrare.

Gli raccontò di un possibile filarino con un ragazzo che frequentava la sua stessa classe al liceo ma in un'altra sezione, e lo sorprese rivelandogli di essere entrata a far parte di una chiesa locale e di considerarsi credente. Mikael si astenne da qualsiasi commento.

Fu invitato a fermarsi a cena ma rifiutò cortesemente; era già d'accordo con la sorella che avrebbe trascorso la sera della vigilia con lei e la sua famiglia nella villa della riserva yuppie di Stäket.

Al mattino aveva anche ricevuto un invito a trascorrere il Natale con Erika e suo marito a Saltsjöbaden. Ma lo aveva declinato nella convinzione che dovesse esserci un limite al benevolo atteggiamento di Greger Beckman verso i triangoli sentimentali, non avendo alcun desiderio di andare a scoprire dove passasse quella linea di confine. Erika aveva obiettato che in effetti era stato proprio il marito a proporre l'invito, e l'aveva punzecchiato accusandolo di non avere il coraggio di prestarsi a un vero e proprio triangolo. Mikael aveva riso – Erika sapeva che era solo banalmente eterosessuale e che l'invito non era da intendere sul serio – ma la decisione di non trascorrere la sera della vigilia in compagnia del consorte della sua amante era stata irremovibile.

Di conseguenza aveva bussato alla porta di sua sorella Annika Blomkvist, coniugata Giannini, dove il marito di origine italiana, i due figli e un plotone di parenti del marito stavano giusto per tagliare il prosciutto di Natale. Durante la cena rispose a domande sul processo e ricevette svariati consigli dispensati a fin di bene ma del tutto inutili.

L'unica che non commentò la sentenza fu la sorella di Mikael – la quale d'altra parte era l'unico avvocato presente. Annika aveva compiuto brillantemente gli studi giuridici e lavorato alcuni anni come uditore e pubblico ministero aggiunto prima di aprire, insieme ad alcuni amici, un proprio studio legale a Kungsholmen. Si era specializzata in diritto di famiglia e, senza che Mikael si fosse realmente accorto di come fosse successo, la sorella minore aveva cominciato a comparire sulle pagine dei giornali e in tavole rotonde alla tv in qualità di nota avvocatessa femminista che difendeva i diritti delle donne. In effetti rappresentava spesso donne minacciate o perseguitate da mariti o ex fidanzati.

Mentre Mikael l'aiutava a preparare il caffè, gli mise la mano sul braccio e gli domandò come stava. Lui rispose che si sentiva come un sacco di merda.

«Rivolgiti a un avvocato vero, la prossima volta» disse lei.

«In questo caso non avrebbe fatto differenza.»

«Che cosa è successo realmente?»

«Ne parliamo un'altra volta, sorellina.»

Lei lo abbracciò e gli stampò un bacio sulla guancia prima di tornare dagli altri con dolce natalizio e tazze di caffè.

Verso le sette Mikael si scusò e chiese di poter usare il telefono in cucina. Chiamò Dirch Frode e poté sentire un brusio di voci sullo sfondo.

«Buon Natale» gli augurò Frode. «Ha preso una decisione?»

«Non ho particolari impegni e lei è riuscito a risvegliare la mia curiosità. Vengo su a Santo Stefano, se vi va bene.»

«Magnifico, magnifico. Se sapesse quanto mi fa immensamente piacere la sua risposta. Voglia scusare, ma ho qui figli e nipoti in visita e non riesco quasi a sentire una parola. Mi permette di chiamarla domattina per prendere accordi sull'ora?»

Mikael Blomkvist si pentì della sua decisione già prima che la serata si concludesse, ma a quel punto gli sembrava troppo complicato telefonare per disdire, e così la mattina del giorno dopo Natale si ritrovò seduto sul treno che portava a nord. Mikael aveva la patente ma non aveva mai pensato di procurarsi un'automobile.

Frode aveva ragione nel dire che non si trattava di un viaggio lungo. Superarono Uppsala e poi cominciò la rada collana di piccole città industriali lungo la costa del Baltico. Hedestad era una delle più piccole, poco più di un'ora a nord di Gävle.

La notte prima era nevicato abbondantemente, ma il cielo si era rischiarato e l'aria era gelida quando Mikael scese dal treno alla stazione. Si rese subito conto di avere l'abbigliamento sbagliato per il clima invernale di quella regione, ma Dirch Frode non ebbe difficoltà a riconoscerlo, lo catturò amabilmente sulla pensilina e lo guidò rapido fino al caldo di una Mercedes. In città le operazioni di sgombero della neve erano in pieno svolgimento, e Frode zigzagava con cautela fra gli spazzaneve. La neve creava un contrasto esotico con Stoccolma, come se quello fosse un mondo sconosciuto. Eppure era solo a poco più di tre ore dal centro della capitale. Mikael guardava con la coda dell'occhio l'avvocato; un viso spigoloso, capelli bianchi cortissimi e occhiali spessi appoggiati su un naso importante.

«Prima volta a Hedestad?» domandò Frode.

Mikael annuì.

«Vecchia cittadina industriale con porto. Non grande, solo ventiquattromila abitanti. Ma la gente si trova bene, qui. Henrik abita a Hedeby – proprio all'ingresso meridionale della città.»

«Anche lei abita qui?» s'informò Mikael.

«È stata quasi una scelta obbligata. Sono nato nella Scania, ma ho cominciato a lavorare per Vanger subito dopo la laurea nel 1962. Sono avvocato d'affari e con gli anni io e Henrik siamo diventati amici. Oggi in realtà sono in pensione, con Henrik come unico cliente. Anche lui ovviamente è in pensione, e non ha bisogno granché spesso dei miei servigi.»

«Solo per raccattare giornalisti di dubbia fama.»

«Non si sottovaluti. Lei non è l'unico ad aver perduto un match contro Hans-Erik Wennerström.»

Mikael guardò Frode con la coda dell'occhio, incerto su come dovesse interpretare la battuta.

«Questo invito ha qualcosa a che fare con Wennerström?» domandò.

«No» rispose Frode. «Ma Henrik Vanger non fa esattamente parte della cerchia degli amici di Wennerström, e ha seguito il processo con molto interesse. Ma la vuole incontrare per tutt'altra questione.»

«Che lei non mi vuole raccontare.»

«Che non sta a me raccontarle. Abbiamo predisposto in modo che possa pernottare a casa di Henrik Vanger. Se però preferisce, possiamo prenotarle una stanza al Grand Hotel in città.»

«Mah, forse tornerò direttamente a Stoccolma stasera col treno.»

All'ingresso di Hedeby gli spazzaneve non erano ancora passati e Frode riuscì ad avanzare tenendo l'automobile nei solchi gelati tracciati da altri pneumatici. C'era un cuore di edifici in legno da vecchia località industriale lungo le rive del Baltico. Nei dintorni c'erano ville più moderne e più grandi. Il villaggio cominciava sulla terraferma per poi espandersi attraverso un ponte su un'isola collinosa. All'estremità del ponte dalla parte della terraferma sorgeva una chiesetta bianca di pietra, e di fronte brillava un'antiquata insegna luminosa che recitava «Caffè del Ponte e Fornaio da Susanne». Frode proseguì dritto per circa cento metri e svoltò a sinistra in un cortile appena liberato dalla neve, davanti a un edificio di pietra. La dimora era troppo piccola per essere definita un maniero, ma considerevolmente più grande del resto delle costruzioni, e segnalava chiaramente che quella era la residenza del padrone del posto.

«Ecco la proprietà Vanger» disse Dirch Frode. «Un tempo qui c'erano vita e movimento, ma oggi nella casa ci abitano soltanto Henrik e una governante. C'è posto in abbondanza per gli ospiti.»

Scesero dalla macchina. Frode indicò verso nord.

«Tradizionalmente, colui che guida il gruppo Vanger usa risiedere qui, ma Martin voleva qualcosa di più moderno, e si è costruito la villa là fuori sul promontorio.»

Mikael si guardò intorno e si chiese quale folle impulso avesse soddisfatto, quando aveva accettato l'invito dell'avvocato Frode. Decise che, se fosse stato possibile, sarebbe tornato a Stoccolma già quella sera stessa. Una scala di pietra conduceva all'ingresso, ma prima ancora che ci arrivassero la porta si aprì. Mikael riconobbe subito Henrik Vanger dalle immagini su Internet.

Nelle foto era più giovane, ma aveva ancora un'aria sorprendentemente vigorosa per i suoi ottantadue anni; un corpo robusto con un viso severo segnato dal sole e dalle intemperie e una capigliatura grigia folta, pettinata all'indietro, che lasciava intendere che i suoi geni non incoraggiavano la calvizie. Indossava pantaloni scuri stirati alla perfezione, camicia bianca e un comodo cardigan da casa marrone. Aveva baffi sottili e occhiali dalla leggera montatura metallica.

«Sono Henrik Vanger» salutò. «Grazie per essersi preso il disturbo di venirmi a trovare.»

«Salve. È stato un invito inatteso.»

«Venite dentro al caldo. Ho fatto preparare una camera degli ospiti; vuole darsi una rinfrescata? Ceneremo un po' più tardi. Questa è Anna Nygren, che si prende cura di me.»

Mikael strinse la mano a una donna bassa sulla sessantina che prese in consegna il suo cappotto e andò ad appenderlo in un guardaroba. Offrì a Mikael delle pantofole per proteggere i piedi dagli spifferi del pavimento.

Mikael ringraziò e quindi si rivolse a Henrik Vanger: «Non sono sicuro di fermarmi fino a cena. Dipende un po' da qual è lo scopo di questo gioco.»

Henrik Vanger scambiò un'occhiata con Dirch Frode. C'era un'intesa fra i due uomini che Mikael non riusciva a interpretare.

«Credo che approfitterò dell'occasione per lasciarvi soli» disse l'avvocato. «Devo andare a casa a mettere in riga i miei nipotini prima che me la distruggano.»

Si girò verso Mikael.

«Abito a destra dall'altra parte del ponte. Può arrivarci a piedi in cinque minuti; è dopo la pasticceria, la terza casa verso l'acqua. E se avete bisogno di me, non c'è che da telefonare.»

Mikael ne approfittò per infilare una mano in tasca e accendere un registratore. Paranoico, io? Non aveva idea di che cosa volesse Henrik Vanger, ma dopo il casino con Hans-Erik Wennerström dell'anno appena trascorso voleva avere una documentazione esatta di tutti gli avvenimenti insoliti che gli succedevano intorno, e un invito improvviso a Hedestad apparteneva sicuramente a quella categoria.

L'ex industriale batté la mano sulla spalla a Dirch Frode in un gesto di congedo e richiuse la porta d'ingresso prima di concentrare il suo interesse su Mikael.

«In tal caso andrò dritto al sodo. Non si tratta affatto di un gioco. Io voglio parlare con lei, ma ciò che ho da dirle richiede una lunga conversazione. La prego di stare ad ascoltarmi e di prendere una decisione solo dopo. Lei è giornalista e io vorrei affidarle un incarico free-lance. Anna ha preparato il caffè nel mio studio al piano di sopra.»

Henrik Vanger fece strada e Mikael lo seguì. Entrarono in uno studio rettangolare, di circa quaranta metri quadrati, sul lato corto della casa. La parete lunga era interamente coperta da una libreria che andava da terra al soffitto, carica di un'impareggiabile mescolanza di narrativa, biografie, libri di storia, libri sull'industria e il commercio e raccoglitori in formato A4. I volumi erano disposti senza un ordine apparente. Aveva l'aria di una libreria che veniva usata, e Mikael ne trasse la conclusione che Henrik Vanger era un uomo che amava leggere. Il lato opposto della stanza era dominato da una scrivania di quercia scura, messa in modo che chi vi sedeva fosse rivolto verso la stanza. La parete comprendeva una grande raccolta di quadri con fiori essiccati disposti con pedanteria in file ordinate.

Attraverso la finestra sul lato corto della casa, si aveva una panoramica del ponte e della chiesa. In fondo alla stanza c'era un salotto con un tavolino sul quale Anna aveva preparato tazzine, caffè e dolcetti fatti in casa.

Henrik Vanger fece un gesto a Mikael per invitarlo ad accomodarsi ma lui finse di non coglierlo, e invece si mise a girare curioso per lo studio, esaminando prima la libreria e poi la parete con i quadri. La scrivania era molto ordinata, con solo poche carte impilate una sull'altra. Verso il bordo c'era una fotografia in cornice di una ragazza dai capelli scuri, bella ma dallo sguardo malizioso; *una giovane signora avviata a diventare pericolosa* pensò Mikael. L'immagine era un ritratto della cresima ormai un po' ingiallito, e dava l'impressione di essere lì da parecchi anni. D'un tratto Mikael divenne consapevole che Henrik lo stava osservando.

«Te la ricordi, Mikael?» domandò il vecchio in tono improvvisamente confidenziale.

«Ricordarmela?» disse Mikael alzando le sopracciglia.

«Sì, tu l'hai conosciuta. In effetti, sei già stato una volta in questa stanza.»

Mikael si guardò intorno e scosse la testa.

«No, come potresti. Conoscevo tuo padre. Negli anni cinquanta e sessanta affidai diversi incarichi a Kurt Blomkvist come installatore e tecnico. Era un uomo in gamba. Cercai di convincerlo a continuare a studiare per diventare ingegnere. Tu trascorresti qui tutta l'estate del 1963, quando sostituimmo l'intero parco macchine della cartiera qui a Hedestad. Era difficile trovare un alloggio per la tua famiglia e così risolvemmo la questione sistemandovi nel piccolo chalet dall'altra parte della strada. Puoi vederlo dalla finestra.»

Si avvicinò alla scrivania e sollevò il ritratto.

«Questa è Harriet Vanger, la nipote di mio fratello Richard. Si occupò di te diverse volte quell'estate. Tu avevi due anni, andavi per i tre. O forse ne avevi già tre – non ricordo. Lei ne aveva dodici.»

«Mi deve scusare, ma io non ho il benché minimo ricordo di quello che mi sta raccontando.» Mikael non era nemmeno convinto che Henrik Vanger dicesse la verità.

«Lo capisco. Ma io invece mi ricordo di te. Correvi in giro dappertutto qui intorno, con Harriet alle calcagna. Potevo sentire i tuoi strilli non appena inciampavi da qualche parte. Ricordo che ti diedi un giocattolo in un'occasione, un trattore giallo di latta con il quale io stesso avevo giocato da bambino e che ti piacque immensamente. Diventavi matto. Credo che fosse per via del colore.»

Mikael si sentì improvvisamente raggelare. In effetti ricordava il trattore giallo. Quando era diventato più grande era stato in bella mostra su una mensola nella sua cameretta.

«Ti ricordi? Ti ricordi quel giocattolo?»

«Sì, me lo ricordo. Forse può farle piacere sapere che quel trattore esiste ancora, al Museo del giocattolo in Mariatorget a Stoccolma. L'ho donato quando stavano cercando vecchi pezzi originali, dieci anni fa.»

«Veramente?» Henrik ridacchiò deliziato. «Lascia che ti mostri...»

Il vecchio si avvicinò alla libreria e prese un album di fotografie da uno dei ripiani più bassi. Mikael notò che aveva un'evidente difficoltà a chinarsi ed era costretto ad appoggiarsi per rimettersi dritto. Henrik Vanger fece cenno a Mikael di accomodarsi sul divano mentre lui sfogliava le pagine. Sapeva che cosa stava cercando e ben presto mise l'album aperto sul tavolino. Indicò una foto amatoriale in bianco e nero, dove nell'angolo in basso si vedeva l'ombra del fotografo. In primo piano c'era un bambino biondo in calzoncini corti che con espressione confusa e un po' ansiosa guardava dentro l'obiettivo.

«Questo sei tu quell'estate. I tuoi genitori sono seduti in giardino sullo sfondo. Harriet è un po' nascosta da tua madre e il ragazzo alla sinistra di tuo padre è il fratello di Harriet, Martin, che oggi è alla guida del Gruppo Vanger.»

Mikael non ebbe nessuna difficoltà a riconoscere i suoi genitori. Sua madre era evidentemente incinta – dunque sua sorella era in arrivo. Osservò l'immagine con sentimenti contrastanti mentre Henrik Vanger versava il caffè e spingeva verso di lui il piattino dei dolci.

«So che tuo padre è morto. Tua madre è ancora viva?»

«No» rispose Mikael. «È mancata tre anni fa.»

«Era una donna simpatica. La ricordo molto bene.»

«Ma qualcosa mi dice che non mi ha fatto venire qui per parlare di vecchi ricordi dei miei genitori.»

«Su questo hai perfettamente ragione. Ho pensato per giorni e giorni a che cosa ti avrei detto ma adesso che finalmente ti ho qui davanti a me non so esattamente da che parte cominciare. Suppongo che tu ti sia informato un po' su di me prima di venire quassù. Allora sai che un tempo avevo una grande influenza sull'industria svedese e sul mercato del lavoro. Oggi sono soltanto un vecchio che probabilmente morirà presto, e la morte è forse un ottimo punto di partenza per questa conversazione.»

Mikael prese un sorso di caffè nero – preparato alla maniera tradizionale – e si domandò dove avrebbe condotto quella storia.

«Ho male alle anche e mi è difficile fare lunghe passeggiate. Un giorno scoprirai anche tu come le forze vengano a mancare, quando si è vecchi, ma non sono né squilibrato né senile. Dunque non sono ossessionato dalla morte, ma mi trovo in un'età in cui devo accettare il fatto che il mio tempo sta per finire. Arriva un momento in cui si desidera chiudere i conti e sistemare le faccende ancora in sospeso. Capisci quello che voglio dire?»

Mikael annuì. Henrik Vanger parlava con voce chiara e ferma, e Mikael aveva già tratto da sé la conclusione che il vecchio non era né senile né irrazionale. «Sono soprattutto curioso di sapere perché sono qui» ripeté.

«Ti ho chiesto di venire perché voglio pregarti di aiutarmi con questo bilancio conclusivo di cui ti ho parlato. Ho alcune cose in sospeso.»

«Perché proprio io? Voglio dire... che cosa le fa credere che io potrei aiutarla?»

«Perché proprio quando stavo cominciando a pensare di affidarmi a qualcuno, il tuo nome è venuto alla ribalta in relazione all'affare Wennerström. Ovviamente sapevo chi fossi. E forse anche perché ti avevo tenuto sulle ginocchia quando eri bambino.» Fece un gesto come per fermarlo. «No, non mi fraintendere. Non sto facendo conto che tu mi aiuterai per ragioni sentimentali. Ti sto solo spiegando perché ho avuto l'impulso di contattare proprio te.»

Mikael fece una risata cordiale. «Be', in ogni caso sono ginocchia di cui non ho il minimo ricordo. Ma come poteva sapere chi fossi? Voglio dire, queste cose succedevano all'inizio degli anni sessanta.»

«Scusa, devi avermi frainteso. Voi vi trasferiste a Stoccolma quando tuo padre fu assunto come capo officina alla Za-

rinders Mekaniska. Era una delle tante aziende che facevano parte del Gruppo Vanger, e fui io a procurargli quel posto. Non aveva un'istruzione superiore, ma io naturalmente
sapevo quanto valesse. Incontrai tuo padre diverse volte nel
corso degli anni, quando dovevo andare alla Zarinders. Non
eravamo amici intimi, ma ci fermavamo sempre a scambiare quattro chiacchiere. L'ultima volta che lo vidi era l'anno
prima che morisse, e in quell'occasione mi raccontò che eri
entrato alla scuola di giornalismo. Era molto orgoglioso. Poi
naturalmente il tuo nome divenne noto in relazione a quella
famosa banda di rapinatori – *Kalle Blomkvist* e via dicendo.
Nel corso degli anni ti ho seguito e ho letto molti dei tuoi
articoli. In effetti, leggo *Millennium* abbastanza spesso.»

«Okay, capisco. Ma esattamente che cosa vorrebbe che facessi?»

Henrik Vanger abbassò lo sguardo sulle mani per un breve attimo, e quindi sorseggiò un po' di caffè, come se avesse bisogno di una piccola pausa prima di poter finalmente
cominciare ad avvicinarsi al punto.

«Mikael, prima di entrare in argomento vorrei fare un
patto con te. Voglio che tu faccia due cose per me. Una è
un pretesto e l'altra è il mio vero motivo.»

«Che genere di patto?»

«Io ti racconterò una storia in due parti. Una tratta della
famiglia Vanger. E questo è il pretesto. È una storia lunga e
cupa, ma cercherò di attenermi alla verità nuda e cruda. L'altra parte della storia tratta del vero motivo per cui ti ho voluto qui. Credo che tu finirai per prendere un po' il mio racconto per... pazzia. Ciò che desidero è che ascolti la mia storia fino in fondo – compreso ciò che vorrei che facessi e anche che cosa ti offro in cambio – prima di decidere se vorrai accettare l'incarico oppure no.»

Mikael sospirò. Era evidente che Henrik Vanger non era

intenzionato a esporre la sua richiesta in maniera breve e concisa. Aveva la netta sensazione che, se avesse telefonato a Frode pregandolo di dargli un passaggio per la stazione, l'automobile si sarebbe rifiutata di partire a causa del gelo.

Il vecchio doveva aver dedicato diverso tempo a studiare come agganciarlo. Mikael ebbe la sensazione che tutto ciò che era successo da quando aveva messo piede in quella stanza fosse frutto di un'abile regia; la sorpresa introduttiva sul fatto che aveva già incontrato Henrik Vanger da bambino, l'immagine dei genitori nell'album delle fotografie e quel sottolineare che il papà di Mikael e Henrik Vanger erano stati amici, l'adulazione nascosta nel fatto che il vecchio sapeva chi fosse Mikael Blomkvist e da lontano aveva seguito la sua carriera negli anni... tutto l'insieme aveva probabilmente un solido nocciolo di verità ma era anche un esercizio di psicologia abbastanza elementare. In altre parole, Henrik Vanger era un abile manipolatore che aveva raccolto un'esperienza pluriennale su persone considerevolmente più scafate nelle stanze chiuse dei consigli d'amministrazione. Non era certo diventato uno dei magnati dell'industria svedese per caso.

La conclusione di Mikael fu che Henrik Vanger voleva che facesse qualcosa che lui probabilmente non aveva la minima voglia di fare. L'unica cosa che rimaneva era scoprire in che cosa consistesse questa cosa, e quindi declinare cortesemente. E, se possibile, fare in tempo a prendere il treno del tardo pomeriggio.

«Mi spiace, ma niente patti» rispose Mikael. Guardò l'ora. «Sono qui da venti minuti. Gliene concedo esattamente trenta per raccontarmi ciò che vuole. Dopo di che chiamo un taxi e me ne torno a casa.»

Per un attimo Henrik Vanger abbandonò il suo ruolo di benevolo patriarca e Mikael poté indovinare l'industriale senza scrupoli nei suoi giorni migliori quando è colpito da un rovescio o è costretto a occuparsi di qualche giovane dirigente ribelle. La sua bocca si piegò in un sorriso storto.

«Capisco.»

«È tutto molto semplice. Non c'è bisogno che la prenda troppo alla larga. Mi dica che cosa vuole che faccia, in modo che possa giudicare se voglio farlo oppure no.»

«Se non riesco a convincerti in trenta minuti, non ci riuscirò nemmeno in trenta giorni, è questo che vuoi dire.»

«Qualcosa del genere.»

«Ma la mia storia è effettivamente lunga e complicata.»

«Cerchi di abbreviare e semplificare. Noi giornalisti lo facciamo. Ventinove minuti.»

Henrik Vanger alzò una mano. «Basta così. Ho capito il tuo punto di vista. Ma non è mai buona psicologia esagerare. Io ho bisogno di una persona che sia in grado di indagare e di pensare in modo critico, ma che abbia anche un'integrità. Sono convinto che tu l'abbia, e non è un complimento. Un buon giornalista dovrebbe possibilmente possedere queste qualità e io ho letto il tuo libro, *I cavalieri del tempio*, con grande interesse. È perfettamente vero che ti ho scelto perché conoscevo tuo padre e perché so chi sei. Se ho capito bene, sei stato licenziato dal tuo giornale in seguito all'affare Wennerström – o quanto meno hai lasciato il posto di tua iniziativa. Questo significa che al momento attuale non hai un lavoro e non occorre un genio per capire che probabilmente ti trovi in ristrettezze economiche.»

«E allora lei può approfittarne per sfruttare la mia condizione, è questo che vuol dire?»

«Forse è così. Ma, Mikael – ti posso chiamare per nome? –, non ho nessuna intenzione di dirti delle bugie o di andare a pescare pretesti non veri. Sono troppo vecchio per queste cose. Se non ti piace quello che dico puoi tranquillamente mandarmi a quel paese. E allora cercherò qualcun altro che voglia lavorare per me.»

«Okay, in che cosa consiste il lavoro che vorrebbe offrirmi?»

«Quanto sai della famiglia Vanger?»

Mikael aprì le braccia. «Be', più o meno quello che sono riuscito a leggere su Internet dopo che Frode mi ha chiamato lunedì. A suo tempo il Gruppo Vanger era uno dei gruppi industriali più importanti della Svezia, oggi si è considerevolmente ridimensionato. Martin è l'amministratore delegato. Okay, so anche un bel po' di altre cose, ma dove vuole arrivare?»

«Martin è... è una brava persona, ma nella sostanza uno che prende le cose alla leggera. È del tutto inadeguato come amministratore delegato di un gruppo industriale in crisi. Vuole modernizzare e specializzare – pensiero più che corretto – ma ha difficoltà a portare avanti le sue idee e ancor più a risolvere la parte economica. Venticinque anni fa, il Gruppo Vanger era un serio concorrente della sfera Wallenberg. Avevamo circa quarantamila dipendenti in Svezia. Davamo occupazione, occasioni di lavoro e introiti a tutto il paese. Oggi la maggior parte di queste occasioni di lavoro è in Corea o in Brasile. I dipendenti sono diventati circa diecimila e fra uno o due anni – se Martin non riesce a spiccare il volo – scenderemo a forse cinquemila, distribuiti principalmente in piccole fabbriche. In altre parole, le società del Gruppo Vanger stanno per finire nella discarica della storia.»

Mikael annuì. Ciò che Henrik Vanger raccontava era grossomodo la conclusione cui era giunto lui stesso dopo un momento davanti allo schermo del computer.

«Il Gruppo Vanger è ancora una delle poche aziende familiari rimaste in Svezia, con una trentina circa di membri della famiglia come comproprietari di minoranza in misura diversa. Questa è sempre stata la forza del gruppo ma anche la nostra più grande debolezza.»

Fece una pausa a effetto e poi riprese a parlare con voce accalorata. «Mikael, più tardi potrai farmi tutte le domande che vuoi, ma ti prego di credermi sulla parola quando ti dico che disprezzo la maggior parte dei membri della famiglia Vanger. La mia famiglia è composta quasi interamente di ladri, avari, prepotenti e incapaci. Io ho guidato l'azienda per trentacinque anni – quasi tutto il tempo coinvolto in scontri implacabili con altri membri della famiglia. Loro, e non le aziende concorrenti o lo stato, erano i miei peggiori nemici.»

Fece una pausa.

«Ho detto che volevo servirmi di te per fare due cose. Vorrei che tu scrivessi una storia oppure una biografia della famiglia Vanger. Per semplicità possiamo definirla la mia biografia. Non ne risulterà un libro di chiesa, ma una storia di odio e liti familiari e di smodata avarizia. Ti metto a disposizione tutti i miei diari e archivi. Avrai libero accesso ai miei pensieri più riposti e potrai pubblicare esattamente tutto il marciume che troverai, senza riserve. Credo che questa storia farà apparire Shakespeare come un gaio intrattenimento per tutta la famiglia.»

«Perché?»

«Perché voglio pubblicare una storia scandalistica della famiglia Vanger? Oppure quale motivo ho per chiederti di scrivere la storia?»

«Tutte e due le domande, suppongo.»

«A essere onesti non mi interessa se il libro sarà pubblicato oppure no. Ma in effetti ritengo che la storia meriti di essere messa nero su bianco, anche solo in un'unica copia che tu consegnerai direttamente alla Biblioteca reale. Voglio che la mia storia sia a disposizione del resto del mondo quando morirò. Il motivo che mi spinge è il più semplice che si possa immaginare – la vendetta.»

«Di chi si vuole vendicare?»

«Non è necessario che tu mi creda, ma ho cercato di essere una persona onesta, anche come capitalista e capitano d'industria. Sono orgoglioso del fatto che il mio nome sia sinonimo di un uomo che ha tenuto fede alla sua parola e mantenuto le sue promesse. Non ho mai partecipato al gioco politico. Non ho mai avuto problemi a trattare con i sindacati. Perfino Tage Erlander aveva rispetto per me, a suo tempo. La vedevo come una questione di etica; io ero responsabile del pane quotidiano di migliaia di persone, e mi preoccupavo dei miei dipendenti. Stranamente, anche Martin ha la stessa propensione, pur essendo una persona molto diversa da me. Anche lui ha cercato di fare quello che è giusto. Forse non sempre ci siamo riusciti, ma nel complesso sono poche le cose di cui mi vergogno.»

«Purtroppo, io e Martin costituiamo probabilmente due rare eccezioni nella nostra famiglia» continuò Henrik. «Ci sono molte ragioni del perché il Gruppo Vanger oggi sia sull'orlo della rovina, ma una delle più importanti è la miope avidità che molti dei miei parenti coltivano. Se deciderai di accettare l'incarico ti spiegherò esattamente come si è comportata la mia famiglia quando hanno sparato addosso all'azienda mandandola a picco.»

Mikael rifletté un attimo.

«Okay. Anch'io non mentirò a lei. Scrivere un libro del genere richiederà diversi mesi. Io non ho né la voglia né l'energia di farlo.»

«Credo di poterti convincere.»

«Ne dubito. Ma ha detto che desiderava che io facessi due cose. Questo era il pretesto. Qual è il suo scopo reale?»

Henrik Vanger si alzò, di nuovo a fatica, e andò a prendere la fotografia di Harriet dalla scrivania. La mise di fronte a Mikael.

«Il motivo del mio desiderio che tu scriva una biografia della famiglia Vanger è che voglio che tracci una mappa dei suoi componenti con l'occhio di un giornalista. Questo ti fornisce anche l'alibi per frugare nella storia della famiglia. Quello che in realtà desidero è che tu risolva un mistero. Ecco qual è il tuo incarico.»

«Un mistero?»

«Harriet era la nipote di mio fratello Richard, figlia di suo figlio. Eravamo cinque fratelli. Richard era il maggiore, nato nel 1907. Io ero il più piccolo, nato nel 1920. Non capisco come Dio abbia potuto mettere insieme questa schiera di bambini che...»

Per qualche secondo perse il filo e parve sprofondare nei suoi pensieri. Poi tornò a rivolgersi a Mikael con rinnovata determinazione nella voce.

«Lascia che ti racconti di mio fratello Richard. Anche questo è un assaggio della cronaca familiare che voglio che tu scriva.»

Si versò del caffè e ne offrì anche a Mikael.

«Nel 1924, a diciassette anni, Richard era un fanatico nazionalista e antisemita che aderì alla Lega nazionalsocialista per la libertà, uno dei primissimi gruppi nazisti svedesi. Non è affascinante che i nazisti riescano sempre a piazzare la parola libertà nella loro propaganda?»

Henrik tirò fuori un altro album di fotografie e andò a cercare la pagina giusta.

«Questo è Richard in compagnia del veterinario Berger Furugård, che presto divenne il leader del così detto Movimento Furugård, che fu il grande movimento nazista dei primi anni trenta. Ma Richard non rimase con lui. Solo pochi anni più tardi divenne membro della Sfko, l'organizzazione fascista svedese. Lì conobbe Per Engdahl e altri individui che con il passare degli anni sarebbero diventati la vergogna politica della nazione.»

Andò avanti di una pagina nell'album. Richard Vanger in uniforme.

«Nel 1927 si arruolò nell'esercito – contro la volontà di nostro padre – e nel corso degli anni trenta frequentò una buona parte dei gruppi nazisti del paese. Se esisteva un'associazione cospiratoria e malata, puoi scommettere che il suo nome compariva nell'elenco degli iscritti. Nel 1933 fu creato il Movimento Lindholm, vale a dire il Partito nazionalsocialista dei lavoratori. Quanto ne sai della storia del nazismo svedese?»

«Non sono uno storico, ma qualche libro l'ho letto.»

«Nel 1939 iniziò la seconda guerra mondiale e nel 1940 ci fu la guerra d'inverno in Finlandia. Un gran numero di attivisti del Movimento Lindholm aderirono come volontari. Richard era uno di loro; a quell'epoca era già capitano dell'esercito svedese. Cadde nel febbraio del 1940, poco prima del trattato di pace con l'Unione Sovietica. Diventò dunque un martire del movimento nazista ed ebbe un gruppo di lotta intitolato al suo nome. Ancor oggi un certo numero di svitati si raduna in un cimitero di Stoccolma il giorno dell'anniversario della morte di Richard Vanger, per celebrarne la memoria.»

«Capisco.»

«Nel 1926, quando aveva diciannove anni, Richard frequentò una donna di nome Margareta, figlia di un insegnante di Falun. Si erano conosciuti in ambito politico, e nel 1927 dalla loro relazione nacque un figlio, Gottfried. Richard si sposò con Margareta alla nascita del figlio. Nella prima metà degli anni trenta mio fratello aveva sistemato moglie e figlio qui a Hedestad, mentre lui era di stanza presso il reggimento a Gävle. Nel tempo libero andava in giro a fare propaganda per il nazismo. Nel 1936 ebbe uno scontro durissimo con mio padre, il cui esito fu che mio padre privò Richard di qualsiasi sostegno economico. Da quel momento in poi doveva cavarsela con le proprie forze. Così si trasferì con la famiglia a Stoccolma dove vissero in relativa indigenza.»

«Non aveva del denaro suo?»

«La sua parte dell'azienda di famiglia era vincolata. Non poteva vendere al di fuori della famiglia. C'è anche da aggiungere che Richard in casa era un brutale tiranno con pochi aspetti concilianti. Picchiava sua moglie e maltrattava il figlio. Gottfried era un bambino sottomesso e umiliato. Quando il padre morì aveva tredici anni; credo che sia stato il giorno più felice della sua vita. Mio padre ebbe compassione della vedova e del ragazzo e li riportò qui a Hedestad, dove li sistemò in un appartamento e provvide affinché Margareta potesse condurre un'esistenza dignitosa.

«Se Richard aveva rappresentato il lato oscuro e fanatico della famiglia, Gottfried ne rappresentò quello pigro. Quando arrivò ai diciott'anni me ne feci carico io – nonostante tutto, era il figlio del mio defunto fratello – ma devi tenere a mente che la differenza di età fra noi due non era poi così grande. Io avevo solo sette anni più di lui. Già allora sedevo nel consiglio d'amministrazione del Gruppo Vanger ed era chiaro che ero quello che avrebbe preso il posto di papà, mentre Gottfried in famiglia era visto quasi come un estraneo.»

Henrik rifletté un momento.

«Mio padre non sapeva esattamente come comportarsi verso il nipote e fui io a insistere che si doveva fare qualcosa. Gli diedi un impiego all'interno dell'azienda. Era dopo la guerra. Lui cercava di fare un lavoro decente, ma aveva molta difficoltà a concentrarsi. Era pasticcione ma affascinante, ed era il re delle feste, gli piacevano le donne e c'erano periodi in cui beveva troppo. Mi è difficile descrivere i miei sentimenti per lui... non era un inetto, ma era tutt'altro che affidabile e spesso mi deludeva profondamente. Con gli anni diventò alcolizzato e nel 1965 morì in un incidente causato dall'ubriachezza. Successe qui, dall'altra parte dell'isola, dove si era fatto costruire un piccolo chalet per andare a rifugiarcisi quando voleva bere.»

«Lui è il padre di Harriet e di Martin?» domandò Mikael indicando il ritratto sul tavolino. Controvoglia dovette riconoscere che il racconto del vecchio era interessante.

«Esatto. Alla fine degli anni quaranta, Gottfried incontrò una donna di nome Isabella Koenig, figlia di tedeschi che erano venuti in Svezia dopo la guerra. Isabella era un'autentica bellezza – voglio dire, del genere di Greta Garbo o Ingrid Bergman. Harriet prese probabilmente i suoi geni più da Isabella che da Gottfried. Come puoi vedere dalla fotografia, già a quattordici anni era molto bella.»

Mikael e Henrik Vanger studiarono la fotografia.

«Ma lasciami continuare. Isabella era nata nel 1928 ed è tuttora in vita. Aveva undici anni quando cominciò la guerra e puoi immaginare com'era essere adolescente a Berlino mentre i bombardieri rovesciavano giù il loro carico. Quando sbarcò in Svezia forse le sembrò di essere arrivata nel paradiso in terra. Disgraziatamente condivideva un po' troppo dei vizi di Gottfried; era spendacciona e faceva sempre festa e talvolta lei e Gottfried parevano più due compagni di bevute che due coniugi. Lei viaggiava assiduamente per la Svezia e all'estero e in generale mancava di senso di responsabilità. Questo naturalmente si ripercuoteva sui figli. Martin nacque nel 1948 e Harriet nel 1950. La loro crescita fu caotica, con una madre che li abbandonava di continuo e un padre sull'orlo dell'alcolismo.

«Nel 1958 intervenni. Gottfried e Isabella all'epoca abitavano in centro a Hedestad – io li costrinsi a trasferirsi qui. Ne avevo avuto abbastanza e decisi di cercare di spezzare quel circolo vizioso. Martin e Harriet ormai venivano lasciati più o meno a se stessi.»

Henrik Vanger guardò l'ora.

«I miei trenta minuti sono quasi finiti ma comincio ad avvicinarmi alla fine del racconto. Mi concedi una proroga?»

Mikael annuì. «Continui.»

«Allora, per farla breve. Io non avevo figli – un contrasto drammatico con i miei fratelli e gli altri membri della famiglia, che sembravano ossessionati da una sciocca necessità di propagare la stirpe dei Vanger. Gottfried e Isabella si trasferirono qui ma il matrimonio era agli sgoccioli. Già dopo un anno Gottfried traslocò nel suo chalet. Vi abitava completamente solo per lunghi periodi, e tornava da Isabella quando laggiù cominciava a fare troppo freddo. Quanto a me, mi presi cura di Martin e Harriet e per molti versi diventarono per me i figli che non avevo mai avuto.

«Martin era... per essere sinceri ci fu un periodo nella sua giovinezza in cui temetti che avrebbe seguito le orme del padre. Era debole e chiuso e meditabondo, ma era anche capace di essere affascinante e pieno di entusiasmo. Ebbe qualche anno difficile, ma poi si raddrizzò quando cominciò l'università. Lui è... be', nonostante tutto è l'amministratore delegato di ciò che rimane del Gruppo Vanger, e questo può essere considerato un giudizio positivo.»

«E Harriet?» volle sapere Mikael.

«Harriet era la luce dei miei occhi. Cercai di darle sicurezza e fiducia in se stessa e fra noi c'era una grande intesa. Io la consideravo come figlia mia e lei finì per essere legata a me più di quanto lo fosse ai suoi genitori. Capisci, Harriet era molto speciale. Era chiusa – proprio come suo fratello – e da ragazzina aveva un debole per la religione, cosa che la distingueva da tutti gli altri della nostra famiglia. Ma era di un'intelligenza eccezionale. Aveva senso morale e al tempo stesso grande carattere. Quando aveva quattordici o quindici anni, ero fermamente convinto che lei – in confronto al fratello e a tutti gli altri mediocri cugini e nipoti intorno a me – fosse la persona destinata a guidare un giorno il Gruppo Vanger o almeno a rivestirvi un ruolo centrale.»

«E poi cosa accadde?»

«Ecco che siamo arrivati al vero motivo per cui ti ho chiamato. Voglio che tu scopra quale membro della famiglia abbia ucciso Harriet Vanger e abbia poi dedicato i successivi trentasei anni a cercare di mandarmi fuori di senno.»

5.
Giovedì 26 dicembre

Per la prima volta da quando aveva iniziato il suo monologo, Henrik Vanger era riuscito a sorprenderlo. Mikael fu costretto a pregarlo di ripetere ciò che aveva appena detto per essere sicuro di aver sentito bene. Niente, nei ritagli che aveva letto, lasciava intendere che nel cuore della famiglia Vanger fosse stato commesso un delitto.

«Era il 24 settembre 1966. Harriet aveva sedici anni e aveva appena iniziato il secondo anno delle superiori. Era un sabato, ed era destinato a diventare il giorno peggiore della mia vita. Ho esaminato passo dopo passo il corso degli eventi così tante volte che credo di poter rendere conto di ogni singolo minuto di ciò che accadde in quella giornata – tutto, tranne la cosa più importante.»

Fece un gesto con la mano.

«Qui in casa era radunata una buona parte della mia famiglia, per una di quelle detestabili cene annuali in cui i comproprietari del Gruppo Vanger si incontravano per discutere gli affari di famiglia. Era una tradizione introdotta a suo tempo da mio nonno, il cui risultato il più delle volte era una riunione più o meno odiosa. La tradizione si interruppe negli anni ottanta, quando Martin stabilì semplicemente che tutte le discussioni sull'azienda dovessero svolgersi durante regolari riunioni consiliari e assemblee. È la decisione migliore che abbia preso. Oggi sono vent'anni che la famiglia non si incontra più in occasioni del genere.»

«Ha detto che Harriet fu uccisa...»

«Aspetta. Lasciami raccontare ciò che successe. Era un sabato. Era anche un giorno di festa, con la sfilata della Giornata dei bambini organizzata in centro, a Hedestad, dall'associazione sportiva. Harriet era stata in città nel corso della giornata a guardare il corteo insieme ad alcune compagne di scuola. Ritornò qui all'isola di Hedeby dopo le due del pomeriggio; la cena sarebbe cominciata alle cinque e tutti si aspettavano che vi partecipasse insieme agli altri giovani della famiglia.»

Henrik Vanger si alzò e andò alla finestra. Fece segno a Mikael di seguirlo, e indicò: «Alle 14.15, qualche minuto dopo che Harriet aveva fatto ritorno a casa, accadde un drammatico incidente là fuori sul ponte. Un uomo di nome Gustav Aronsson, fratello di un contadino di Östergården – un fondo che si trova un po' più all'interno qui sull'isola – svoltò sul ponte e si scontrò frontalmente con un'autocisterna che stava venendo qui a consegnare una fornitura di combustibile. L'esatta dinamica dell'incidente non fu mai chiarita – c'è buona visibilità in entrambe le direzioni – ma tutti e due i veicoli stavano procedendo a velocità troppo elevata e quello che avrebbe potuto essere un incidente di poco conto si trasformò in una catastrofe. Il conducente dell'autocisterna cercò di evitare la collisione e probabilmente girò per istinto il volante. Finì addosso alla spalletta del ponte e si capovolse; l'autocisterna si dispose per traverso sul ponte con il rimorchio fuori oltre il bordo dall'altra parte... Un palo di metallo si conficcò come una lancia nel serbatoio che cominciò a zampillare olio combustibile altamente infiammabile. Nel contempo Gustav Aronsson era ancora imprigionato dentro la sua auto e gridava come un ossesso per il dolore. Anche il conducente dell'autocisterna era ferito, ma riuscì a tirarsi fuori da solo dal suo mezzo.»

Il vecchio fece una pausa di riflessione e tornò a sedersi.

«La disgrazia in realtà non aveva niente a che fare con Harriet. Ma fu importante in una maniera del tutto particolare. Quando la gente cominciò ad accorrere per dare una mano, venne a crearsi un caos totale. Il pericolo di incendio era incombente e l'agitazione enorme. Polizia, ambulanze, squadre di soccorso, vigili del fuoco, mass-media e curiosi arrivarono a ritmo serrato. Tutti naturalmente si radunarono sul lato della terraferma; qui sull'isola ci adoperammo in ogni modo per estrarre Aronsson dalla carcassa della sua automobile, impresa che si dimostrò diabolicamente complicata. L'uomo era incastrato per bene e ferito in modo grave.

«Cercammo di liberarlo facendo leva a forza di braccia, ma inutilmente. Bisognava estrarlo tagliando o segando la lamiera. Il problema era che non potevamo fare nulla che rischiasse di creare delle scintille; stavamo in mezzo a un lago di olio combustibile accanto a un'autocisterna rovesciata. Se fosse esplosa, saremmo morti tutti. Inoltre occorse un bel po' di tempo prima che potessimo ricevere aiuto dalla terraferma; il camion era coricato di traverso al ponte e arrampicarsi sulla cisterna sarebbe equivalso ad arrampicarsi sopra una bomba.»

Mikael aveva ancora la sensazione che il vecchio raccontasse una storia accuratamente ripetuta e ponderata allo scopo di catturare il suo interesse. Ma doveva altresì riconoscere che Henrik Vanger era un eccellente narratore, capace di affascinare chi lo ascoltava. Ma non aveva ancora la minima idea di dove sarebbe andata a parare la storia alla fine.

«Ciò che conta dell'incidente è che il ponte rimase chiuso per tutto il giorno seguente. Solo nella tarda serata della domenica si era riusciti a pompare fuori tutto il combustibile rimasto, e allora si poté rimuovere l'autocisterna e riaprire il ponte al traffico. In questo arco di tempo, l'isola di Hedeby rimase in pratica tagliata fuori dal mondo esterno. L'unico modo di raggiungere la terraferma era con una barca dei pompieri che fu messa a disposizione per trasportare la gente dal porticciolo turistico su questo lato al vecchio porto dei pescatori sotto la chiesa. Per diverse ore la barca fu utilizzata soltanto dal personale di soccorso – solo verso la tarda serata del sabato i privati poterono cominciare a usufruire del servizio di trasporto. Capisci il significato di tutto questo?»

Mikael annuì. «Suppongo che a Harriet accadde qualcosa qui sull'isola, e che il numero dei sospettati sia limitato alla schiera di persone che si trovavano qui. Una sorta di mistero della stanza chiusa a chiave in formato isola?»

Henrik Vanger sorrise ironico.

«Mikael, non immagini quanto tu abbia ragione. Anch'io ho letto la mia Dorothy Sayers. I fatti sono questi: Harriet arrivò qui sull'isola all'incirca dieci minuti dopo le due. Se includiamo anche i bambini e i giovani, durante la giornata erano arrivati circa una quarantina di ospiti. Insieme al personale e ai residenti c'erano sessantaquattro persone qui o comunque in giro per la proprietà. Alcuni – quelli che avrebbero pernottato qui – si stavano sistemando nelle stanze degli ospiti o nelle case qui intorno.

«Harriet abitava in precedenza in una casa dall'altra parte della strada ma, come ti ho già raccontato, né suo padre Gottfried né sua madre Isabella erano individui stabili e io vedevo quanto Harriet ne soffrisse. Non riusciva a concentrarsi negli studi e nel 1964, quando aveva quattordici anni, la feci trasferire qui in casa mia. Isabella probabilmente trovava gradevole non avere più la responsabilità della figlia. Le assegnai una stanza quassù e gli ultimi due anni abitò in questa casa. Fu perciò qui che venne, quel famoso giorno. Sappiamo che giù in cortile incontrò Harald Vanger – uno dei miei fratelli – e scambiò qualche parola con lui. Quindi salì le scale ed entrò in questa stanza, per venire a salutarmi. Disse che voleva parlare con me di qualcosa. Proprio in quel momento avevo qui alcuni altri membri della famiglia e non avevo tempo per lei. Ma sembrava così ansiosa che le promisi che l'avrei raggiunta entro breve nella sua stanza. Lei annuì e uscì da quella porta. Fu l'ultima volta che la vidi. Qualche minuto più tardi ci fu un botto sul ponte e il caos che scoppiò mandò a gambe all'aria tutti i programmi della giornata.»

«Come morì la ragazza?»

«Aspetta. È più complicato di quanto pensi e devo raccontare la storia in ordine cronologico. Quando avvenne la collisione, tutti abbandonarono ciò che stavano facendo e corsero sul luogo dell'incidente. Io ero... suppongo di aver preso il comando, e fui febbrilmente occupato nelle ore successive. Sappiamo che anche Harriet scese al ponte subito dopo lo scontro – diverse persone la videro – ma il rischio di un'esplosione mi indusse a ordinare che tutti quelli che non erano impegnati a cercare di estrarre Aronsson dalla carcassa della sua auto si ritirassero. Fummo in cinque a rimanere sul luogo dell'incidente. C'eravamo io e mio fratello Harald. C'era un tale, Magnus Nilsson, che faceva l'uomo di fatica per me. C'era un operaio di segheria, Sixten Norlander, che aveva una casa giù al porto dei pescatori. E c'era un ragazzo, Jerker Aronsson. Aveva solo sedici anni e in realtà avrei dovuto allontanare anche lui, ma era nipote dell'Aronsson intrappolato nella macchina ed era passato di lì in bicicletta diretto in città solo pochi attimi dopo l'incidente.

«All'incirca alle 14.40, Harriet si trovava nella cucina di questa casa. Bevve un bicchiere di latte e scambiò qualche parola con una donna di nome Astrid, che faceva la cuoca. Dalla finestra guardarono il tumulto fuori sul ponte.

«Alle 14.45 Harriet attraversò il cortile. Fu vista fra l'altro da sua madre Isabella, ma non si parlarono. Qualche minuto più tardi incontrò Otto Falk, che era pastore nella chiesa di Hedeby. All'epoca la canonica si trovava dove oggi c'è la casa di Martin, e il prete abitava da questa parte del ponte. Quando accadde l'incidente era a letto a dormire perché raffreddato; si era perso la scena ed era appena stato avvisato e quindi si stava dirigendo solo allora al ponte. Harriet lo fermò per scambiare qualche parola, ma lui la congedò con un gesto e proseguì per la sua strada. Otto Falk fu l'ultima persona a vederla in vita.»

«Come morì?» ripeté Mikael.

«Non lo so» rispose Henrik con aria afflitta. «Solo verso le cinque del pomeriggio eravamo riusciti a estrarre Aronsson dall'automobile – fra parentesi, l'uomo sopravvisse ancorché malridotto – e poco dopo le sei si ritenne che il pericolo di incendio fosse scongiurato. L'isola era ancora isolata ma le acque si stavano calmando. Fu solo quando ci sedemmo a tavola verso le otto per consumare una cena tardiva che scoprimmo che Harriet non c'era. Mandai una delle cugine in camera sua a chiamarla, ma quando tornò la ragazza disse che non era riuscita a trovarla. Non ci pensai sopra più di tanto; credevo che fosse andata a fare una passeggiata o che non fosse stata avvisata che la cena stava per cominciare. E nel corso della serata dovetti occuparmi di svariate baruffe all'interno della famiglia. Solo il mattino seguente, quando Isabella venne a cercarla, ci rendemmo conto che nessuno sapeva dove si trovasse, e che nessuno l'aveva più vista dal giorno prima.»

Allargò le braccia.

«Da quel giorno, Harriet Vanger è sparita nel nulla.»

«Sparita?» gli fece eco Mikael.

«In tutti questi anni, non siamo riusciti a trovare di lei nemmeno un frammento microscopico.»

«Ma se è sparita non può neppure essere sicuro che qualcuno l'abbia uccisa.»

«Capisco la tua obiezione. Ho fatto anch'io esattamente lo stesso pensiero. Quando una persona sparisce senza lasciare traccia, ci sono solo quattro possibilità. Può essere sparita volontariamente, e si tiene nascosta. Può esserle successa una disgrazia, ed è morta. Può essersi suicidata. E infine può essere stata vittima di un crimine. Ho valutato tutte queste possibilità.»

«Ma si è convinto che qualcuno l'abbia ammazzata. Perché?»

«Perché è l'unica conclusione ragionevole.» Henrik alzò un dito. «All'inizio speravo che fosse scappata. Ma con il passare dei giorni, tutti ci rendemmo conto che non doveva essere andata così. Voglio dire, una sedicenne cresciuta in un ambiente piuttosto protetto, per quanto sveglia fosse, come avrebbe potuto cavarsela, nascondersi e rimanere nascosta senza essere scoperta? Dove sarebbe andata a prendere i soldi? E anche se avesse trovato un lavoro da qualche parte, avrebbe comunque avuto bisogno di un documento e di un indirizzo.»

Alzò due dita.

«Il mio successivo pensiero fu naturalmente che fosse rimasta vittima di una qualche disgrazia. Mi puoi fare un favore? Va' alla scrivania e apri il primo cassetto. C'è dentro una cartina.»

Mikael fece come gli era stato chiesto e spiegò la carta sul tavolino. L'isola di Hedeby era un lembo di terra di forma irregolare lungo all'incirca tre chilometri e largo uno e mezzo nel punto di massima ampiezza. Una gran parte dell'isola era coperta da bosco. L'abitato si trovava nelle immediate vicinanze del ponte e intorno al porticciolo; dall'altra parte dell'isola c'era un fondo, Östergården, dal quale lo sventurato Aronsson era partito con la sua macchina.

«Non dimenticare che non può aver lasciato l'isola» sottolineò Henrik. «Ma qui nell'isola di Hedeby si può morire per una disgrazia esattamente come da qualsiasi altra parte. Si può essere colpiti dal fulmine – ma quel giorno non c'era il temporale. Si può essere calpestati da un cavallo, si può cadere in un pozzo o in una fenditura fra le rocce. Esistono sicuramente centinaia di modi di incorrere in una disgrazia, qui. Io devo averne pensati la maggior parte.»

Alzò un terzo dito: «C'è un ma, e questo vale anche per la terza possibilità – che la ragazza contro ogni aspettativa si sia tolta la vita. *Da qualche parte su questa superficie limitata si dovrebbe poter trovare il corpo.*»

Henrik Vanger calò la mano nel bel mezzo della cartina.

«Nei giorni successivi alla sua scomparsa facemmo una battuta, avanti e indietro per l'isola. Gli uomini esaminarono ogni singolo fosso, fazzoletto di terra, anfratto nella roc-

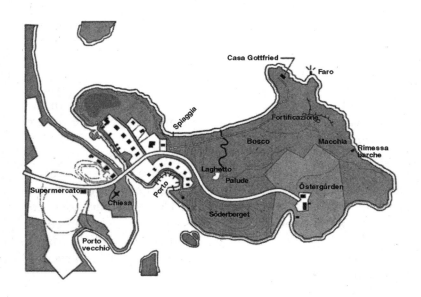

126

cia e ceppo con le radici all'aria. Passammo al setaccio ogni edificio, camino, pozzo, fienile e soffitta.»

Il vecchio staccò gli occhi da Mikael e guardò fuori della finestra nel buio. La sua voce assunse un tono più basso e più personale.

«Nel corso dell'autunno continuai a cercarla, anche dopo che le battute erano finite e la gente si era arresa. Quando non ero costretto a dedicarmi al mio lavoro, cominciai a fare lunghe passeggiate attraverso l'isola. Venne l'inverno senza che di lei si fosse trovata alcuna traccia. Con la primavera ricominciai, finché mi resi conto dell'assurdità del mio cercare. Quando venne l'estate chiamai tre esperti boscaioli che rifecero tutta la ricerca con l'aiuto dei cani. Passarono sistematicamente al setaccio ogni singolo metro quadrato dell'isola. A quel punto avevo cominciato a pensare che qualcuno le avesse fatto del male. Loro cercavano perciò una sepoltura dove qualcuno avesse occultato il cadavere. Andarono avanti per tre mesi. Non trovammo la minima traccia di Harriet. Era come se si fosse dissolta nel nulla.»

«Io posso figurarmi un certo numero di possibilità» obiettò Mikael.

«Sentiamo.»

«È annegata per disgrazia o perché l'ha voluto. Questa è un'isola, e l'acqua può nascondere di tutto.»

«È vero. Ma la probabilità non è molto alta. Pensaci bene: se Harriet è stata vittima di una disgrazia ed è annegata, a rigor di logica deve essere successo da qualche parte nelle immediate vicinanze del villaggio. Non dimenticare che l'incidente sul ponte era l'evento più drammatico avvenuto qui all'isola di Hedeby da diversi decenni, e difficilmente in un'occasione così una sedicenne curiosa come ogni ragazza della sua età sceglie di fare una passeggiata dall'altra parte dell'isola.

«Ma ancora più importante» continuò «è che in questa

zona non c'è molta corrente e che i venti in quel periodo dell'anno spirano da nord o da nord-ovest. Se qualcosa finisce in acqua, riemerge da qualche parte lungo la costa, e lì le rive sono a grandi linee tutte abitate. Non credere che non ci abbiamo pensato; abbiamo ovviamente dragato tutti i punti dove poteva essere caduta in acqua. Chiamai perfino dei ragazzi di un club di sommozzatori qui di Hedestad. Dedicarono l'estate a passare al setaccio il fondo dello stretto e le rive... non una traccia. Sono convinto che lei non sia in acqua; perché allora l'avremmo trovata.»

«Ma non può essere rimasta vittima di una disgrazia da qualche altra parte? Il ponte era chiuso, è vero, ma c'è un tratto molto breve per arrivare alla terraferma. Può averlo superato nuotando o remando.»

«Era fine settembre e l'acqua era talmente fredda che Harriet non si sarebbe di certo allontanata per fare il bagno nel bel mezzo del caos che c'era. Ma se le fosse venuta voglia di raggiungere a nuoto la terraferma, sarebbe stata notata e avrebbe suscitato grande scalpore. C'erano dozzine di occhi sul ponte, e sulla terraferma c'erano due o trecento persone assiepate lungo la riva a guardare lo spettacolo.»

«Barche a remi?»

«No. Quel giorno c'erano esattamente tredici barche all'isola di Hedeby. La maggior parte delle barche da diporto era già stata tirata in secca. Giù al vecchio porticciolo c'erano in acqua due Pettersson. E poi sette barchini, cinque dei quali sulla riva. Sotto la canonica c'erano una barca a remi sullo scivolo e una in acqua. A Östergården c'erano ancora una barca a motore e un barchino. Tutte queste barche sono inventariate ed erano ancora ai loro posti. Se avesse raggiunto la terraferma per poi allontanarsi, ovviamente sarebbe stata costretta ad abbandonare la barca sull'altra sponda.»

Henrik Vanger sollevò un quarto dito.

«Perciò resta soltanto un'unica possibilità ragionevole, vale a dire che Harriet sia scomparsa contro la sua volontà. Qualcuno le fece del male e la fece sparire.»

Lisbeth Salander trascorse la mattina del giorno di Natale leggendo il controverso libro di Mikael Blomkvist sul giornalismo economico. Il libro, di duecentodieci pagine, aveva per titolo *I cavalieri del tempio* e per sottotitolo *Ammonimento per reporter economici*. La copertina trendy recava la firma di Christer Malm e mostrava una fotografia della Borsa di Stoccolma. Christer Malm aveva lavorato in PhotoShop e occorreva un momento prima che l'osservatore si rendesse conto che l'edificio era sospeso in aria. Non c'era terreno sotto le fondamenta. Era difficile immaginare una copertina più adatta a rendere in maniera efficace il tono del contenuto.

Lisbeth constatò che Blomkvist aveva uno stile eccellente. Il libro era scritto in maniera chiara e accattivante, e anche persone ignare dei labirinti del giornalismo economico potevano leggerlo con profitto. Il tono era mordace e sarcastico, ma soprattutto convincente.

Il primo capitolo era una sorta di dichiarazione di guerra in cui Blomkvist si esprimeva senza peli sulla lingua. I giornalisti economici svedesi negli ultimi vent'anni erano diventati un gruppo di galoppini incompetenti che si davano un sacco di importanza e non erano capaci di pensiero critico. Quest'ultima conclusione la traeva dalla constatazione che diversi reporter economici si accontentavano il più delle volte di riportare in maniera pedissequa le dichiarazioni rilasciate da dirigenti industriali e speculatori di Borsa – anche quando i dati erano palesemente fuorvianti ed erronei. Tali reporter erano perciò o così ingenui e facili da ingannare da meritare di essere sollevati dai loro incarichi, oppure – cosa peggiore – erano persone che consapevolmente tradivano il loro compito di eseguire verifiche critiche e fornire al pubblico un'informazione corretta. Blomkvist asseriva che spesso si vergognava di essere chiamato reporter di economia, perché rischiava così di essere mescolato con persone che in generale non considerava dei reporter.

Metteva a confronto i contributi dei giornalisti economici con il modo di lavorare dei reporter giudiziari o dei corrispondenti esteri. Dipingeva un'immagine del grido d'indignazione che sarebbe seguito se il cronista giudiziario di un grande quotidiano avesse cominciato a riportare in maniera acritica i dati forniti dal pubblico ministero come automaticamente veri, per esempio in un processo per omicidio, senza assumere informazioni dalla difesa o intervistare la famiglia della vittima per farsi un'idea di ciò che fosse plausibile o non plausibile. La sua idea era che le stesse regole dovessero valere anche per i giornalisti economici.

Il resto del libro era costituito dalle prove a sostegno della tesi introduttiva. Un lungo capitolo esaminava il rapporto su una società dot.com in sei dei principali quotidiani economici oltre al programma televisivo *A-Ekonomi*. Citava e riassumeva ciò che avevano detto e scritto i reporter prima di confrontarlo con la realtà della situazione. Descrivendo l'evoluzione dell'impresa menzionava volta per volta le semplici domande che un reporter serio avrebbe dovuto porre, ma che la bella schiera di reporter economici aveva trascurato di porre. Era un approccio brillante.

Un altro capitolo trattava del lancio delle azioni della Telia – e costituiva la parte più canzonatoria e ironica del libro, dove alcuni giornalisti di economia menzionati con nome e cognome venivano biasimati senza mezzi termini, e fra loro anche un certo William Borg, verso il quale Mikael sembrava particolarmente irritato. Un altro capitolo ancora, alla fine del libro, metteva a confronto il livello di competenza dei reporter economici svedesi e stranieri. Blomkvist descriveva che cosa seri reporter di *Financial Times*, *The Economist* e di alcuni quotidiani di economia tedeschi avessero scritto su temi paragonabili. Il confronto non deponeva a favore dei giornalisti svedesi. Un capitolo conclusivo includeva l'abbozzo di una proposta su come affrontare quella deplorevole situazione. Le parole finali del libro si ricollegavano a quelle introduttive.

Se un reporter parlamentare svolgesse il suo compito in modo analogo, spezzando acriticamente una lancia in favore di ogni decisione approvata, per quanto assurda possa essere, oppure se un reporter politico difettasse di giudizio alla stessa maniera – ecco, quel reporter verrebbe licenziato o in ogni caso trasferito dove non possa fare così grande danno. Nel mondo dei reporter economici non vale il normale compito giornalistico di fare un esame critico e riportare i risultati ai lettori. Qui invece si acclama l'imbroglione di maggior successo. Qui si crea la Svezia del futuro e qui si seppellisce l'ultima fiducia nei giornalisti come categoria professionale.

Erano parole e non favole. Il tono era aspro e Lisbeth non aveva nessuna difficoltà a capire l'acceso dibattito che era seguito sia sull'organo del settore, *Journalisten*, sia su certi giornali economici e negli articoli di fondo e nelle pagine economiche dei quotidiani. Anche se nel libro si facevano solo pochissimi nomi, Lisbeth Salander supponeva che l'area fosse sufficientemente circoscritta perché tutti capissero esattamente a chi ci si riferiva quando venivano citati i diversi giornali. Blomkvist si era procurato nemici amareggiati, fatto che si rispecchiava nelle dozzine di commenti malevoli alla sentenza dell'affare Wennerström.

Chiuse il libro e guardò il ritratto dell'autore sul retro della copertina. Mikael Blomkvist era fotografato di lato. Il ciuffo biondo scuro ricadeva un po' noncurante sulla fronte, come se un soffio di vento fosse passato proprio un attimo prima che il fotografo scattasse o come se – cosa più probabile – il fotografo Christer Malm gli avesse fatto lo styling. Guardava dritto nell'obiettivo con un sorriso ironico e uno sguardo che probabilmente voleva essere affascinante e giovanile. Abbastanza un bell'uomo. Sul punto di farsi tre mesi di galera.

«Salve, *Kalle Blomkvist*» disse ad alta voce parlando da sola. «Sei alquanto arrogante, eh?»

All'ora di pranzo Lisbeth Salander avviò il suo iBook e aprì il programma di posta Eudora. Formulò il testo in un'unica riga sintetica.

Hai tempo?

Firmò *Wasp* e inviò la mail a plague-xyz-666@hotmail.com. Per sicurezza passò il semplice messaggio nel programma per criptare Pgp.

Quindi si infilò jeans neri, robuste scarpe invernali, una polo calda, una giacca scura da marinaio e guanti, berretto e sciarpa giallini. Si tolse i cerchietti dalle sopracciglia e dal naso, si passò un rossetto rosa pallido e si esaminò allo specchio del bagno. Sembrava una persona qualsiasi che esce a bighellonare la domenica e considerò il suo abbigliamento una ragionevole uniforme mimetica per una spedizione dietro le linee nemiche. Prese la metropolitana da Zinkensdamm a Östermalmstorg e si incamminò verso Strandvägen. Passeggiò nel viale centrale leggendo i numeri civici. Arrivata quasi al ponte sul Djurgårdsbrunn si fermò e osservò il portone che cercava. Attraversò la strada e si mise in attesa a qualche metro dall'entrata.

Constatò che la maggior parte delle persone che erano fuori a passeggio nel gelo camminava lungo il molo, mentre solo una minoranza si muoveva lungo il marciapiede davanti alle case.

Dovette aspettare pazientemente quasi mezz'ora prima che una donna anziana con il bastone si avvicinasse dalla direzione di Djurgården. La donna si fermò e scrutò con aria sospettosa Lisbeth, che le rivolse un sorriso gentile e salutò chinando cortesemente la testa. La donna con il bastone ricambiò il saluto, con l'aria di frugare nella memoria per cercare di collocare quella strana ragazza. Lisbeth si voltò e si allontanò di qualche passo dal portone, più o meno come se stesse aspettando impaziente qualcuno e passeggiasse avanti e indietro. Quando si girò, la signora con il bastone era arrivata al portone e stava componendo con cura il codice per aprirlo. Lisbeth non ebbe difficoltà ad afferrare la combinazione 1260.

Attese cinque minuti prima di avvicinarsi. Quando digitò il numero, la serratura scattò. Aprì e si guardò intorno nell'androne. Un po' all'interno c'era una telecamera di sorveglianza: le gettò un'occhiata e la ignorò; la telecamera era un modello commercializzato dalla Milton Security, che veniva attivato solo se nell'edificio scattava un allarme. Più all'interno, a sinistra del vetusto ascensore, c'era una porta anch'essa con apertura a codice; provò con 1260 e constatò che la stessa combinazione che valeva per il portone valeva anche per l'ingresso allo scantinato. *Negligente, negligente.* Dedicò esattamente tre minuti a esplorare lo scantinato, dove localizzò una lavanderia non chiusa a chiave e un locale per il deposito dei rifiuti. Quindi utilizzò un set di grimaldelli che aveva *preso in prestito* dagli esperti in serrature della Milton per aprire la porta chiusa a chiave di quello che sembrava essere un locale per le riunioni condominiali. In fondo allo scantinato c'era una stanza adibita a magazzino-laboratorio. Infine trovò ciò che cercava – un piccolo spazio che fungeva da centrale elettrica dell'edificio. Esaminò contatori, scatola dei fusibili e scatola dei collegamenti e quindi tirò fuori una macchina fotografica digitale Canon grande come un pacchetto di sigarette. Scattò tre fotografie di ciò che le interessava.

Uscendo gettò una rapidissima occhiata al quadro col nome degli inquilini a fianco dell'ascensore, e lesse il nome dell'occupante dell'ultimo piano. Wennerström.

Quindi lasciò l'edificio e si diresse a passo svelto verso il Museo nazionale, dove entrò nella caffetteria per scaldarsi con una tazza di caffè. Dopo una mezz'ora ritornò nel quartiere di Söder e salì nel suo appartamento.

Plague-xyz-666@hotmail.com le aveva dato una risposta. Quando la tradusse in Pgp scoprì che consisteva semplicemente nel numero 20.

6.
Giovedì 26 dicembre

Il limite temporale di trenta minuti fissato da Mikael Blomkvist era già stato superato con buon margine. Erano le quattro e mezza e ormai il treno del pomeriggio se lo poteva scordare. Però aveva ancora la possibilità di arrivare in tempo a prendere quello della sera, alle nove e mezza. Adesso era in piedi accanto alla finestra e si massaggiava la nuca mentre osservava la facciata illuminata della chiesa dall'altra parte del ponte. Henrik Vanger gli aveva mostrato un album di ritagli di giornale, con articoli sulla vicenda comparsi sul giornale locale e sui mezzi d'informazione nazionali. Per un certo periodo i media avevano mostrato un interesse abbastanza marcato – ragazza di una nota famiglia di industriali sparita senza lasciare traccia. Ma poiché non si trovava il corpo e non si arrivava a una svolta nelle indagini, l'interesse si era a mano a mano affievolito. Benché riguardasse una famiglia di industriali molto conosciuta, a trentasei anni di distanza il caso di Harriet Vanger era ormai una storia dimenticata. La teoria più accreditata negli articoli della fine degli anni sessanta sembrava essere che la ragazza era annegata e il cadavere era stato trascinato in mare aperto – una tragedia, ma del tipo che poteva colpire qualsiasi famiglia.

Contro ogni buon senso Mikael era rimasto affascinato

135

dal racconto del vecchio, ma quando Henrik aveva chiesto di fare una piccola pausa per andare alla toilette aveva ritrovato il proprio scetticismo. Però non era ancora arrivato alla conclusione, e Mikael alla fine aveva promesso che avrebbe ascoltato tutta la storia.

«Personalmente che cosa crede che le sia successo?» domandò Mikael quando Henrik fece ritorno.

«Di norma c'erano all'incirca venticinque persone che vivevano stabilmente qui, ma per via della riunione di famiglia quel giorno sull'isola ce n'erano circa una sessantina. Di queste, se ne può più o meno escludere un numero variabile fra le venti e le venticinque. Sono convinto che qualcuno dei rimanenti – e con ogni probabilità qualcuno della famiglia – uccise Harriet e ne occultò il corpo.»

«Avrei una dozzina di obiezioni.»

«Sentiamo.»

«Be', la prima ovviamente è che anche se qualcuno nascose il corpo, lo si sarebbe dovuto trovare se le ricerche sono state davvero così minuziose come sostiene.»

«A dire la verità, le ricerche sono state ancora più estese di quanto ti ho raccontato. Fu solo quando cominciai a pensare a Harriet come alla vittima di un omicidio che mi resi conto di tutte le altre possibilità relative alla sparizione del suo corpo. Non lo posso dimostrare, ma ti assicuro che rientra tutto nei limiti del possibile.»

«Okay, racconti.»

«Harriet scomparve intorno alle 15. Alle 14.55 circa fu vista dal pastore Otto Falk che si stava affrettando a raggiungere il luogo dell'incidente. Più o meno nello stesso momento arrivò un fotografo del giornale locale, che nel corso dell'ora successiva scattò numerose foto dell'incidente. Noi – voglio dire, la polizia – esaminammo le pellicole e potemmo constatare che Harriet non compariva in nessuna delle fotografie; per contro tutte le altre persone presenti al villaggio si potevano rintracciare in almeno una foto, a eccezione dei bambini più piccoli.»

Henrik Vanger andò a prendere un altro album ancora e lo mise sul tavolo di fronte a Mikael.

«Queste sono le immagini di quel giorno. La prima fotografia è stata scattata in centro a Hedestad durante la sfilata della Giornata dei bambini. Il fotografo è lo stesso. La foto fu scattata più o meno alle 13.15 e in essa compare effettivamente anche Harriet.»

La fotografia era stata fatta dal secondo piano di una casa e mostrava una strada dove la sfilata – carri con clown e ragazze in costume da bagno – stava passando proprio in quel momento. Sul marciapiede si affollavano gli spettatori. Henrik indicò una persona nella ressa.

«Questa è Harriet. Siamo circa due ore prima della sua scomparsa e lei si trova in città insieme ad alcune compagne di scuola. È l'ultima immagine della ragazza. Ma c'è un'altra fotografia piuttosto interessante.»

Henrik sfogliò in avanti. Il resto dell'album comprendeva circa centottanta foto – sei pellicole – dell'incidente sul ponte. Dopo aver sentito il racconto era quasi fastidioso vederlo d'improvviso in forma di nette immagini in bianco e nero. Il fotografo era un bravo artigiano che aveva colto il caos della situazione. Un gran numero di scatti erano stati dedicati all'attività intorno all'autocisterna rovesciata. Mikael non ebbe difficoltà a distinguere un Henrik Vanger quarantaseienne che gesticolava, inzuppato di olio combustibile.

«Questo è mio fratello Harald.» Il vecchio indicò un uomo in giacca che, chino in avanti, segnava col dito qualcosa dentro il rottame in cui era intrappolato Aronsson. «Mio fratello Harald è una persona sgradevole ma credo che si possa depennare dalla lista dei sospetti. A eccezione di un breve momento in cui fu costretto a correre qui a casa a cambiarsi le scarpe, rimase tutto il tempo sul ponte.»

Henrik Vanger fece scorrere altre pagine. Le immagini si succedevano le une alle altre. Obiettivo sull'autocisterna. Obiettivo sugli spettatori assiepati sulla riva opposta. Obiettivo sul rottame della macchina di Aronsson. Immagini d'insieme. Immagini ravvicinate col teleobiettivo.

«Ecco qui la fotografia interessante» disse Henrik. «Per quanto abbiamo potuto stabilire, fu scattata più o meno alle 15.40-15.45, dunque circa quarantacinque minuti dopo che Harriet incontrò il pastore Falk. Guarda la nostra casa, la finestra centrale al secondo piano. È la stanza di Harriet. Nell'immagine precedente la finestra è chiusa. Qui è aperta.»

«Qualcuno a quell'ora si trovava nella camera di Harriet.»

«Ho chiesto a tutti; nessuno ammette di aver aperto quella finestra.»

«Il che significa o che è stata Harriet stessa, e di conseguenza a quell'ora era viva, oppure che qualcuno mente. Ma perché un assassino avrebbe dovuto entrare nella sua stanza e aprire la finestra? E perché qualcuno dovrebbe mentire?»

Henrik scosse la testa. Non esistevano risposte.

«Harriet scomparve verso le tre, o poco dopo. Queste immagini danno una certa idea di dove si trovasse la gente a quell'ora. È per questo che posso cancellare un buon numero di persone dalla lista dei sospetti. Per le stesse ragioni posso sottolineare che un certo numero di persone che non si trovano nelle fotografie di quel momento devono essere incluse fra i sospetti.»

«Non ha risposto alla domanda su come crede che sia scomparso il cadavere. Mi sono appena reso conto che naturalmente esiste una risposta ovvia. Un comune, onesto trucco da illusionista.»

«Esistono in effetti diversi modi del tutto realistici per farlo. In un qualche momento intorno alle tre l'assassino colpisce. Probabilmente non si serve di un'arma – perché allora forse avremmo trovato delle tracce di sangue. Secondo me Harriet è stata strangolata e scommetterei che è avvenuto qui – dietro il muro del cortile. Un posto che il fotografo non vedeva e che si trova in un angolo morto della casa. C'è una scorciatoia se si vuole raggiungere a piedi la canonica abbreviando il percorso – e fu proprio verso la canonica che fu vista l'ultima volta. Oggi ci sono un piccolo giardino e un prato, ma negli anni sessanta era uno spiazzo di ghiaia che veniva utilizzato come parcheggio. Tutto ciò che l'assassino doveva fare era aprire il bagagliaio di una macchina e infilarci Harriet. Quando cominciammo con le battute il giorno dopo, nessuno immaginava che fosse stato commesso un crimine – ci concentrammo infatti sulle spiagge, le costruzioni e le porzioni di bosco più vicine all'abitato.»

«Perciò nessuno controllò i bagagliai delle macchine.»

«E la sera del giorno seguente l'assassino ebbe via libera per prendere la sua automobile e attraversare il ponte e nascondere il corpo da qualche altra parte.»

Mikael annuì. «Proprio sotto il naso di tutti quelli che partecipavano alla battuta. Se è andata così, si tratta di un bastardo dotato di grande sangue freddo.»

Henrik Vanger fece una risata amara. «Hai appena fatto una descrizione azzeccata di parecchi membri della famiglia Vanger.»

Continuarono la discussione durante la cena, che fu servita alle sei. Anna aveva preparato lepre arrosto con gelatina di ribes e patate. Henrik Vanger servì un vino rosso corposo. Mikael aveva ancora tutto il tempo per prendere l'ultimo treno. Pensò che fosse ora di tirare le somme.

«Ammetto che quella che mi ha raccontato è una storia affascinante. Ma non riesco esattamente a capire perché l'abbia raccontata proprio a me.»

«Te l'ho già detto, mi pare. Voglio scoprire quel farabutto che ha ucciso la nipote di mio fratello. Ed è questo il motivo per cui ti voglio ingaggiare.»

«In che senso?»

Henrik Vanger depose coltello e forchetta. «Mikael, per trentasei anni mi sono rotto la testa a pensare che cosa poteva essere successo a Harriet. Col passare degli anni ho dedicato una parte sempre più grande del mio tempo libero a cercarla.»

Tacque, si tolse gli occhiali e fissò qualche invisibile macchia di sporco sulla lente. Poi alzò gli occhi e guardò Mikael.

«Se devo essere veramente sincero, la scomparsa di Harriet fu il motivo per cui a poco a poco lasciai il comando nella direzione del gruppo. Avevo perso la voglia. Sapevo che c'era un assassino nelle mie vicinanze e il continuo rimuginare alla ricerca della verità diventò un peso per il mio lavoro. La cosa peggiore è che il fardello non si fece più leggero col passare del tempo – al contrario. Intorno al 1970 ebbi un periodo in cui volevo solo essere lasciato in pace. A quel punto Martin era già entrato nel consiglio d'amministrazione e dovette accollarsi una parte sempre più grande del mio carico di lavoro. Nel 1976 mi ritirai e Martin mi succedette come amministratore delegato. Occupo ancora un posto nel consiglio d'amministrazione, ma da quando ho compiuto cinquant'anni non ho più combinato granché. Negli ultimi trentasei anni non è passato un solo giorno senza che mi sia lambiccato il cervello sulla scomparsa di Harriet. Forse penserai che ne sono ossessionato – quasi tutti i miei parenti ne sono convinti. E probabilmente è anche vero.»

«È stato un evento terribile.»

«Peggio. Ha distrutto la mia vita. È un fatto di cui sono diventato sempre più consapevole con il passare del tempo. Pensi di conoscerti bene?»

«Be', credo di sì, naturalmente.»

«Anch'io. Non sono capace di staccarmi da quanto è accaduto. Ma con gli anni le mie motivazioni sono cambiate. All'inizio forse era dolore. Volevo trovarla e poterla almeno seppellire. In un certo senso, si trattava di riabilitare Harriet.»

«In che modo è cambiato?»

«Oggi si tratta piuttosto di trovare quel bastardo freddo e calcolatore. Ma la cosa strana è che più divento vecchio, più è diventato una specie di hobby che mi assorbe completamente.»

«Hobby?»

«Sì, voglio proprio usare questo termine. Quando l'indagine di polizia è finita in una bolla di sapone, sono andato avanti io. Ho cercato di procedere in maniera sistematica e scientifica. Ho radunato tutte le informazioni che è stato possibile trovare – le fotografie che hai visto di sopra, i rapporti dell'inchiesta –, ho annotato tutto quello che la gente mi ha raccontato su ciò che avevano fatto quel giorno. Dunque ho dedicato quasi metà della mia vita a raccogliere dati su un unico giorno.»

«Si rende conto, vero, che dopo trentasei anni l'assassino può essere morto e sepolto?»

«Non credo.»

Mikael alzò le sopracciglia davanti a quell'affermazione così decisa.

«Finiamo di cenare e torniamo di sopra. C'è ancora un dettaglio, prima che la mia storia sia completa. Ed è il più sconcertante.»

Lisbeth Salander parcheggiò la Corolla con cambio automatico alla stazione dei treni navetta di Sundbyberg. Aveva preso in prestito la Toyota dal parco auto della Milton Security. Non aveva esattamente chiesto il permesso, ma d'altro lato Armanskij non le aveva mai proibito espressamente di usare le macchine della Milton. Prima o poi, pensò, doveva procurarsi un mezzo proprio. Non aveva l'automobile, ma possedeva una motocicletta – una motoleggera usata, una Kawasaki 125, che utilizzava d'estate. D'inverno stava sotto chiave nella sua porzione di scantinato.

Camminò fino a Högklintavägen e suonò al citofono alle sei in punto. La serratura scattò dopo qualche secondo e lei salì due piani di scale e suonò alla porta sulla quale stava scritto il tranquillo cognome Svensson. Non aveva idea di chi fosse questo Svensson o se in generale nell'appartamento esistesse qualcuno chiamato così.

«Ciao, *Plague*» salutò.

«*Wasp*. Vieni a trovarmi solo quando ti serve qualcosa.»

L'uomo, che aveva tre anni più di Lisbeth Salander, era alto centottantanove centimetri e pesava centocinquantadue chili. Lei era un metro e cinquantaquattro per quarantadue chili, e si era sempre sentita un nano accanto a *Plague*. Come al solito c'era buio nell'appartamento; il chiarore di un'unica luce accesa filtrava nell'ingresso dalla camera da letto che lui utilizzava come studio. L'aria sapeva di chiuso e di muffa.

«*Plague*, non ti lavi mai, qua dentro c'è puzza di scimmia. Se ti capitasse di uscire ti suggerirei un sapone. Si trova al supermercato.»

Lui fece un pallido sorriso ma non rispose, e le accennò di seguirlo in cucina. Si sedette al tavolo senza accendere nessuna luce. L'illuminazione consisteva essenzialmente nel riverbero dei lampioni fuori della finestra.

«Voglio dire, nemmeno io sono esattamente una maga a fare le pulizie, però se sento puzza di marcio da un cartone del latte lo accartoccio e lo butto.»

«Io sono in pensione d'invalidità» replicò lui. «Sono socialmente incompetente.»

«Per questo lo stato ti ha dato un alloggio e ti ha dimenticato qui dentro. Non hai mai paura che i vicini si lamentino e i servizi sociali vengano a fare un'ispezione? Forse allora finiresti in un manicomio.»

«Hai qualcosa per me?»

Lisbeth Salander aprì la lampo della tasca del giaccone e tirò fuori cinquemila corone.

«È tutto quello che ti posso dare. Sono soldi miei e non posso certo detrarli come spese.»

«Cosa vuoi?»

«Il polsino di cui mi hai parlato due mesi fa. Sei riuscito a metterlo insieme?»

Lui sorrise e piazzò un oggetto sul tavolo di fronte a lei.

«Dimmi come funziona.»

Nel corso dell'ora successiva Lisbeth ascoltò con estrema attenzione. Quindi provò il polsino. Forse *Plague* poteva anche essere socialmente incompetente. Ma senza dubbio era un genio.

Henrik Vanger si fermò alla sua scrivania e aspettò di avere di nuovo tutta l'attenzione di Mikael. Questi gettò un'occhiata all'orologio. «Ha parlato di un dettaglio sconcertante?»

Henrik Vanger annuì. «Io sono nato il primo di novembre. Quando Harriet aveva otto anni mi fece un regalo di compleanno, un quadretto. Un fiore essiccato dentro una semplice cornice.»

Henrik Vanger girò intorno alla scrivania e indicò il primo fiore. *Campanula*. Era dilettantesco e incorniciato in maniera un po' goffa.

«Fu il primo quadro. Lo ricevetti nel 1958.»

Poi indicò il successivo.

«1959. *Ranuncolo*. 1960. *Margherita*. Diventò una tradizione. Lei preparava il quadretto durante l'estate e lo metteva da parte per il mio compleanno. Li appendevo sempre su questa parete. Nel 1966 lei scomparve e la tradizione si interruppe.»

Henrik Vanger tacque e indicò un vuoto nella fila di quadri. Mikael si sentì rizzare improvvisamente i peli sulla nuca. Tutta la parete era piena di fiori essiccati.

«Nel 1967, un anno dopo che era scomparsa, ricevetti questo fiore per il mio compleanno. È una viola.»

«Come le arrivò?» domandò Mikael con voce sommessa.

«Per posta, avvolto in carta da regalo e infilato dentro una busta imbottita. Era stato spedito da Stoccolma. Nessuna indicazione del mittente. Nessun messaggio.»

«Vuole dire che...» Mikael fece un gesto con la mano.

«Esatto. Al mio compleanno, ogni maledetto anno. Capisci come mi sento? È indirizzato contro di me, proprio come se l'assassino mi volesse torturare. Mi sono rotto la testa a furia di pensare che Harriet possa essere stata tolta di mezzo perché qualcuno voleva fare del male a me. Non era un segreto che Harriet e io avevamo un rapporto molto speciale e che la consideravo una figlia.»

«Che cos'è che vuole che faccia?» domandò Mikael con voce decisa.

Quando Lisbeth Salander riportò la Corolla nel garage sotto la Milton Security, approfittò per andare alla toilette di sopra in ufficio. Infilò il suo pass nella porta e salì direttamente al terzo piano per evitare di passare dall'entrata principale al secondo, dove lavorava il personale di turno. Andò alla toilette e si prese una tazza di caffè dal distributore automatico che Dragan Armanskij aveva acquistato quando infine si era reso conto che Lisbeth non avrebbe mai preparato il caffè solo perché qualcuno se lo aspettava da lei. Quindi andò nella sua stanza e appese la giacca di pelle alla spalliera di una sedia.

L'ufficio era un cubo di due metri quadrati per tre dietro

una parete di vetro. Conteneva una scrivania con un vecchio pc Dell fisso, una sedia da ufficio, un cestino della carta, un telefono e uno scaffale per i libri, che ospitava un set di guide del telefono e tre blocnotes nuovi. I due cassetti della scrivania contenevano alcune penne a sfera usate, graffette e un blocnotes. Sulla finestra c'era una pianta morta, con le foglie scure e rinsecchite. Lisbeth Salander la esaminò pensierosa, come se fosse la prima volta che la vedeva. Dopo un momento la trasferì con decisione nel cestino della carta straccia.

Raramente aveva motivo di stare nel suo ufficio e ci andava forse una dozzina di volte l'anno, quasi sempre se aveva bisogno di starsene un attimo da sola a rielaborare qualche relazione prima di consegnarla. Dragan Armanskij aveva insistito perché avesse a disposizione uno spazio proprio. La sua motivazione era che così avrebbe sentito di far parte dell'azienda anche se lavorava come free-lance. Personalmente sospettava che Armanskij sperasse in tal modo di avere la possibilità di tenerla d'occhio e di ficcare il naso nelle sue faccende personali. All'inizio l'aveva sistemata più giù lungo il corridoio in una stanza più grande che avrebbe dovuto dividere con un collega, ma siccome lei non ci andava mai alla fine l'aveva spostata nello sgabuzzino che era avanzato in quel corridoio.

Lisbeth Salander tirò fuori il polsino che aveva ritirato da *Plague*. Depose l'oggetto davanti a sé sul tavolo e lo osservò pensierosa mentre si mordeva il labbro inferiore e rifletteva.

Erano passate le undici di sera e lei era sola sul piano. Si sentiva improvvisamente annoiata.

Dopo un momento si alzò e andò in fondo al corridoio, dove provò ad aprire la porta dell'ufficio di Armanskij. Chiusa a chiave. Si guardò intorno. La probabilità che qualcuno comparisse in corridoio a mezzanotte il giorno dopo Natale era quasi nulla. Aprì la porta con una copia pirata della chiave maestra dell'azienda che aveva provveduto a procurarsi diversi anni prima.

La stanza di Armanskij era spaziosa, con scrivania, poltroncine per i visitatori e un piccolo tavolo da conferenza con posto per otto persone in un angolo. Era impeccabilmente ordinata. Era da tanto che non andava a curiosare nel suo ufficio e già che c'era... Passò un'ora alla sua scrivania e si aggiornò sulla caccia a una sospetta spia industriale, su quali persone erano state piazzate sotto copertura presso un'azienda dove imperversava una banda di ladri organizzata, e su quali misure erano state prese nella massima segretezza per proteggere una cliente che temeva che l'ex marito volesse rapirle il figlio.

Alla fine risistemò tutte le carte esattamente come le aveva trovate, chiuse la porta della stanza di Armanskij e se ne tornò a piedi in Lundagatan. Si sentiva soddisfatta della giornata.

Mikael Blomkvist scosse di nuovo la testa. Henrik Vanger si era seduto dietro la scrivania e lo guardava con espressione tranquilla, come se fosse già pronto ad accogliere tutte le sue obiezioni.

«Non so se verremo mai a conoscenza della verità, ma non voglio scendere nella fossa senza fare almeno un ultimo tentativo» disse il vecchio. «L'incarico che ti vorrei affidare è di esaminare tutto il materiale delle indagini un'ultima volta.»

«Tutta questa faccenda mi sembra una pazzia» constatò Mikael.

«Perché dovrebbe essere una pazzia?»

«Ho sentito abbastanza. Henrik, capisco il suo dolore, ma anch'io voglio essere franco. Ciò che mi sta chiedendo di fare è una perdita di tempo e di denaro. Pretende che tiri fuori per magia la soluzione a un mistero che la polizia e dei veri detective dotati di risorse ben maggiori non sono riusciti a dipanare in anni e anni. Mi chiede di risolvere un delitto quasi quattro decenni dopo che è stato commesso. Come potrei riuscirci?»

«Non abbiamo ancora discusso il tuo compenso» replicò Henrik Vanger.

«Non ce n'è bisogno.»

«Se mi dirai di no non ti potrò certo costringere. Ma ascolta ciò che ti offro. Dirch Frode ha già elaborato un contratto. Possiamo discutere sui dettagli, ma il contratto è semplice e tutto ciò che manca è la tua firma.»

«Henrik, tutto questo non ha senso. Io non sono in grado di risolvere il mistero della scomparsa di Harriet.»

«Il contratto non te lo impone. Tutto ciò che chiedo è che tu faccia il meglio che puoi. Se fallisci, allora è la volontà di Dio oppure – se non sei credente – il destino.»

Mikael sospirò. Aveva cominciato a sentirsi sempre più a disagio e voleva concludere la sua visita a Hedeby, ma si arrese.

«Sentiamo.»

«Voglio che tu per un anno abiti e lavori qui a Hedeby. Voglio che scorra tutto l'incartamento dell'indagine sulla sparizione di Harriet, foglio per foglio. Voglio che esamini tutto quanto con occhi nuovi, non condizionati. Voglio che metta in discussione tutte le vecchie conclusioni proprio come deve fare un reporter analista. Voglio che cerchi ciò che a me e alla polizia e ad altri investigatori può essere sfuggito.»

«Mi sta chiedendo di abbandonare la mia vita e la mia carriera per dedicare un anno intero a qualcosa che è tempo perso da cima a fondo.»

D'un tratto Henrik Vanger sorrise.

«Per quanto concerne la tua carriera possiamo sicuramente concordare che al momento è piuttosto stagnante.»

A questo Mikael non poté replicare.

«Voglio comperare un anno della tua vita. È un lavoro.

L'onorario è superiore a qualsiasi altra offerta che ti verrà mai fatta. Ti pago duecentomila corone al mese, quindi due milioni e quattrocentomila in totale, se accetti e ti fermi tutto l'anno.»

Mikael era ammutolito.

«Non mi faccio illusioni. So che la possibilità che tu riesca è minima. Ma se, contro tutte le previsioni, riuscissi a risolvere il mistero, ti offro un bonus – doppio compenso, dunque quattro milioni e otto di corone. Ma siamo generosi, e arrotondiamo a cinque milioni.»

Henrik Vanger si poggiò contro lo schienale e piegò la testa di lato.

«Posso versare il denaro su qualsiasi conto bancario tu voglia, in qualsiasi parte del mondo. Puoi anche averlo in contanti dentro una valigia, perciò starebbe a te decidere se dichiarare l'introito al fisco.»

«È... una pazzia?»

«Perché dovrebbe essere una pazzia?» domandò Henrik Vanger tranquillo. «Io ho passato gli ottanta e sono ancora pienamente in possesso delle mie facoltà mentali. Ho un patrimonio personale molto consistente di cui posso disporre come mi pare. Non ho figli e non ho la benché minima voglia di elargire denaro a parenti che detesto. Ho fatto testamento; la gran parte del mio denaro la devolverò al Fondo mondiale per la natura. Alcune persone che mi stanno vicine riceveranno delle somme consistenti – fra le altre, Anna.»

Mikael Blomkvist scosse la testa.

«Cerca di capirmi. Sono vecchio, e presto morirò. C'è un'unica cosa al mondo che voglio – una risposta alla domanda che mi tormenta da quasi quattro decenni. Non credo che arriverò mai a conoscerla, ma dispongo di sufficienti risorse private per fare un ultimo tentativo. Perché dovrebbe essere assurdo utilizzare una parte del mio patrimonio per un simile scopo? Credo di doverlo a Harriet. E anche a me stesso.»

«Lei è disposto a pagare diversi milioni di corone per niente. Tutto ciò che devo fare è dunque sottoscrivere il contratto e poi stare a girarmi i pollici per un anno.»

«Non sarà così. Al contrario, lavorerai più duramente di quanto tu abbia mai fatto in vita tua.»

«Come può esserne tanto sicuro?»

«Perché sono in grado di offrirti qualcosa che non puoi comperare col denaro ma che vuoi avere più di qualsiasi altra cosa al mondo.»

«E sarebbe?»

Gli occhi di Henrik Vanger si ridussero a fessure.

«Posso consegnarti Hans-Erik Wennerström. Posso dimostrare che è un truffatore. Ha cominciato la sua carriera da me trentacinque anni fa, e posso offrirti la sua testa su un piatto d'argento. Risolvi il mistero e potrai trasformare la tua sconfitta in tribunale nel reportage dell'anno.»

7.
Venerdì 3 gennaio

Erika posò la tazza del caffè sul tavolo e voltò la schiena a Mikael. Era in piedi accanto alla finestra dell'appartamento di lui e guardava il panorama verso la città vecchia. Era il 3 gennaio e l'orologio segnava le nove del mattino. Tutta la neve era stata sciolta dalla pioggia durante le feste di Capodanno.

«Mi è sempre piaciuta questa vista» disse. «È un appartamento come questo che potrebbe indurmi a lasciare Saltsjöbaden.»

«Hai le chiavi. Puoi trasferirti qui quando vuoi dalla tua riserva per ricchi» disse Mikael. Chiuse la valigia e la sistemò nell'ingresso. Erika si girò e lo guardò incredula.

«Non puoi fare sul serio. Siamo nel bel mezzo della peggior crisi e tu fai le valigie e vai a stabilirti a Vattelapesca» disse.

«Hedestad. A poche ore di treno. E non è mica per sempre.»

«Poteva anche essere Ulan Bator che faceva lo stesso. Non capisci che sembrerà che ti ritiri con la coda fra le gambe?»

«Ed è proprio quello che faccio. Inoltre quest'anno dovrò anche scontare una pena detentiva.»

Christer Malm era seduto sul divano di Mikael. Si sentiva a disagio. Era la prima volta da quando avevano fondato *Millennium* che vedeva Mikael ed Erika così totalmente in disaccordo. Nel corso degli anni quei due erano stati inseparabili. Potevano scontrarsi in litigi furiosi, ma si trattava sempre di questioni in cui i punti interrogativi venivano sistemati prima che loro due si abbracciassero e se ne andassero al ristorante. Oppure a letto. L'autunno passato non era stato allegro ma adesso era come se si fosse aperto un abisso. Christer Malm si domandò se stesse vedendo l'inizio della fine di *Millennium*.

«Non ho scelta» disse Mikael. «*Noi* non abbiamo scelta.»

Si versò del caffè e si sedette al tavolo della cucina. Erika scosse la testa e gli si sedette di fronte.

«Tu che ne pensi, Christer?» domandò.

Christer Malm aprì le braccia. Aveva aspettato la domanda e temuto il momento in cui sarebbe stato costretto a prendere posizione. Era il terzo comproprietario, ma tutti e tre sapevano che erano Mikael ed Erika a fare *Millennium*. Le uniche occasioni in cui chiedevano consiglio a lui erano quando si trovavano veramente in disaccordo.

«Detto onestamente» rispose Christer, «sapete tutti e due che non ha nessuna importanza quello che penso.»

Tacque. Lui amava creare immagini. Amava lavorare con la forma grafica. Non si era mai considerato un artista ma sapeva di essere un eccellente designer. Invece, non valeva niente negli intrighi e nelle decisioni di policy.

Erika e Mikael si guardarono. Lei gelidamente rabbiosa. Lui riflessivo.

Questo non è un litigio pensò Christer Malm. *Questo è un divorzio.* Fu Mikael a rompere il silenzio.

«Okay, fatemi spiegare un'ultima volta.» Fissò lo sguardo su Erika. «Questo non significa che ho mollato *Millennium*. Ci abbiamo lavorato troppo sodo.»

«Ma adesso in redazione non ci sarai più – saremo io e

Christer a dover tirare la carretta. Lo capisci che ti stai mandando in esilio da solo?»

«Questo è l'altro aspetto. Io devo prendermi una pausa, Erika. Non funziono più. Sono arrivato al capolinea. Una vacanza pagata a Hedestad forse è esattamente ciò di cui ho bisogno.»

«Tutta questa faccenda è una follia, Mikael. Tanto vale che ti metti a lavorare su un ufo.»

«Lo so. Ma mi danno due milioni e quattrocentomila corone per starmene lì tranquillo per un anno, e non rimarrò inattivo. E questo è il terzo aspetto. Il primo round contro Wennerström è finito e lui ha vinto per knock-out. Il secondo round è quello che è già in corso – lui cercherà di affondare *Millennium* in modo definitivo perché sa che, finché esisterà il giornale, ci sarà una redazione informata di quello che combina.»

«Lo so. L'ho visto nel rendiconto dei ricavi delle inserzioni mensili dell'ultimo semestre.»

«Proprio così. Perciò io devo andarmene dalla redazione. Per lui sono un drappo rosso. Va in paranoia quando si tratta di me. Finché sarò qui continuerà la campagna. Adesso dobbiamo prepararci al terzo round. Se vogliamo avere la minima possibilità contro Wennerström dobbiamo fare retromarcia e costruire una strategia completamente nuova. Dobbiamo trovare un martello. Questo sarà il mio lavoro nel corso del prossimo anno.»

«Tutto questo lo capisco» replicò Erika. «Prenditi una vacanza. Va' all'estero, stenditi su una spiaggia per un mese. Studia la vita amorosa delle donne spagnole. Stacca. Siediti fuori di casa a Sandhamn a guardare le onde.»

«E quando ritorno non è cambiato nulla. Wennerström finirà per schiacciare *Millennium*. E tu lo sai. Il solo modo di impedirlo è che riusciamo a scoprire qualcosa su di lui da poter utilizzare.»

«E tu credi di poter trovare questo qualcosa a Hedestad.»

«Ho controllato i ritagli. Wennerström ha lavorato per il Gruppo Vanger dal 1969 al 1972. Faceva parte dello staff dirigenziale e aveva la responsabilità dei collocamenti strategici. Smise dall'oggi al domani. Non possiamo escludere la possibilità che Henrik Vanger abbia effettivamente in mano qualcosa su di lui.»

«Ma se ha fatto un passo falso trent'anni fa, è difficile che lo si possa dimostrare oggi.»

«Henrik Vanger ha promesso di concedere un'intervista per raccontare quello che sa. È ossessionato dalla sparizione di quella sua parente – sembra l'unica cosa che lo interessi, e se ha come conseguenza che deve bruciare Wennerström sono convinto che ci siano buone probabilità che lo faccia. In ogni caso non possiamo perdere l'occasione – lui è stato il primo a dire di essere disposto a parlare male di Wennerström.»

«Nemmeno se torni con le prove che è stato Wennerström a strangolare la ragazza potremmo usarlo. Non dopo tutto questo tempo. Ci farebbe a pezzi, al processo.»

«Il pensiero mi ha colpito, ma *sorry*, lui studiava alla facoltà di Economia e commercio e non aveva nessun legame con il Gruppo Vanger all'epoca in cui lei scomparve.» Mikael fece una pausa. «Erika, io non lascerò *Millennium*, ma è importante che sembri che l'abbia fatto. Tu e Christer dovete continuare a mandare avanti il giornale. Se ci riuscite... se avete la possibilità di concludere un accordo di pace con Wennerström, siete autorizzati a farlo. E non potreste farlo se io fossi ancora in redazione.»

«Okay, la situazione è disastrosa ma credo che tu ti attacchi a un fuscello, andandotene a Hedestad.»

«Hai forse un'idea migliore?»

Erika alzò le spalle. «Ora dovremmo cominciare ad andare a caccia di fonti. Ricostruire la storia dall'inizio. E farlo nel modo giusto, stavolta.»

«Ricky, quella storia è morta e sepolta.»

Erika appoggiò i gomiti sul tavolo e mise la testa fra le mani, rassegnata. Quando parlò, all'inizio non volle incontrare lo sguardo di Mikael.

«Se sapessi quanto mi fai rabbia. Non perché la storia che hai scritto non fosse vera – anch'io ci sono cascata tanto quanto te. E non perché lasci il tuo posto di direttore responsabile – è una decisione saggia, in questa situazione. Posso accettare che lo facciamo sembrare uno scisma o una lotta di potere fra te e me – capisco la logica se si tratta di indurre Wennerström a credere che io sia un'innocua bamboccia e che sia tu la vera minaccia.»

Fece una pausa e poi lo guardò risolutamente negli occhi.

«Ma credo che ti sbagli. Wennerström non si lascerà ingannare dal bluff. Continuerà a cercare di affondare *Millennium*. L'unica differenza è che da questo momento in poi sarò io a dover combattere da sola contro di lui e tu sai che in redazione c'è bisogno di te più che mai. Okay, io faccio volentieri la guerra a Wennerström, ma quello che mi fa imbestialire è che tu abbandoni la nave come niente fosse. Ci pianti in asso nel momento più duro.»

Mikael tese la mano e l'accarezzò sui capelli.

«Tu non sei sola. Hai Christer e il resto della redazione dietro di te.»

«Non Janne Dahlman. Fra parentesi credo che sia stato un errore assumerlo. È competente ma fa più danno che bene. Non mi fido di lui. Ha mostrato una soddisfazione maligna per tutto l'autunno. Non so se speri di ereditare il tuo ruolo oppure se ci sia semplicemente un difetto di alchimia personale fra lui e il resto della redazione.»

«Ho paura che tu abbia ragione» rispose Mikael.

«Perciò che devo fare? Licenziarlo?»

«Erika, tu sei caporedattore e socio di maggioranza di *Millennium*. Se vuoi licenziarlo lo fai.»

«Non abbiamo mai licenziato nessuno, Micke. E adesso mi scarichi addosso anche questa decisione. Non è più un piacere andare in redazione al mattino.»

In quell'attimo Christer Malm si alzò di sorpresa.

«Se devi prendere il treno è meglio che ci muoviamo.» Erika cominciò a protestare ma lui alzò una mano. «Aspetta, Erika, mi hai chiesto che cosa ne pensavo. Io penso che la situazione sia disastrosa. Ma se è come dice Mikael – che non ce la fa più –, allora dico che deve andare, per il suo bene. Credo che glielo dobbiamo.»

Sia Mikael che Erika guardarono Christer esterrefatti mentre lui sbirciava Mikael imbarazzato.

«Sapete entrambi che siete voi due le colonne di *Millennium*. Io sono comproprietario e voi siete sempre stati corretti con me e io adoro il giornale e tutto questo genere di cose, ma potreste sostituirmi senza il minimo problema con qualsiasi altro art director. Però mi avete chiesto il mio parere. Ora l'avete avuto. Per quanto riguarda Janne Dahlman, sono d'accordo con voi. E se hai bisogno di licenziarlo, Erika, posso farlo io al tuo posto. Purché ci sia un valido motivo.»

Fece una pausa prima di continuare.

«Concordo con te che è una complicazione che Mikael sparisca proprio adesso. Ma non credo che abbiamo altra scelta.» Guardò Mikael. «Ti accompagno alla stazione. Io ed Erika terremo le posizioni finché non sarai tornato.»

Mikael annuì lentamente.

«Quello che temo è che Mikael non ritorni» disse Erika Berger con voce sommessa.

Dragan Armanskij svegliò Lisbeth Salander quando le telefonò all'una e mezza del pomeriggio.

«Che c'è?» domandò lei assonnata. Aveva in bocca un sapore di pece.

«Mikael Blomkvist. Ho appena parlato con il nostro committente, l'avvocato Frode.»

«Aha?»

«Ha chiamato e ha detto che possiamo lasciar perdere l'indagine su Wennerström.»

«Lasciar perdere? Ma io ho già cominciato a lavorarci.»

«Okay, ma Frode non è più interessato.»

«Ah, tutto qui?»

«È lui che decide. Se non vuole continuare non vuole, e chiuso.»

«Ci eravamo accordati su un certo compenso.»

«Quanto tempo ci hai dedicato?»

Lisbeth Salander calcolò.

«Circa tre giornate intere.»

«Avevamo parlato di un tetto di quarantamila corone. Farò una fattura per diecimila; tu ne riceverai la metà, il che è accettabile per tre giornate di tempo buttato via. È quanto dovrà pagare per aver messo in moto il tutto.»

«Che devo farne del materiale che ho già ricavato?»

«È qualcosa di sconvolgente?»

Lei ci pensò su. «No.»

«Frode non ha chiesto nessuna relazione. Accantonalo per un po', nel caso dovesse ripensarci. E poi buttalo. Ho un nuovo lavoro da affidarti per la settimana prossima.»

Lisbeth Salander rimase un momento seduta con il ricevitore in mano dopo che Armanskij ebbe chiuso la conversazione. Poi andò all'angolo-studio del suo soggiorno e guardò gli appunti che aveva fissato sulla parete e il mucchietto di carte che aveva radunato sulla scrivania. Quello che aveva fatto in tempo a raccogliere erano principalmente ritagli di giornali e testi scaricati da Internet. Prese i fogli e li lasciò cadere in un cassetto della scrivania.

Aggrottò le sopracciglia. Lo strano comportamento di Mikael Blomkvist nell'aula del tribunale le era apparso come una sfida interessante, e a Lisbeth Salander non piaceva interrompere qualcosa che aveva cominciato. La gente ha sempre dei segreti. Si tratta solo di scoprire quali.

Parte seconda

Analisi delle conseguenze
3 gennaio - 17 marzo

In Svezia il 46% delle donne al di sopra dei quindici anni è stato oggetto di violenza da parte di un uomo.

8.
Venerdì 3 gennaio - domenica 5 gennaio

Quando Mikael per la seconda volta scese dal treno a Hedestad, il cielo era blu pastello e l'aria ghiacciata. Un termometro sulla facciata esterna della stazione ferroviaria informava che c'erano diciotto gradi sotto zero. Lui calzava ancora leggere scarpe da passeggio del tutto inadatte. A differenza della volta precedente, non c'era ad aspettarlo nessun avvocato Frode con un'automobile riscaldata. Mikael aveva solo comunicato in quale giorno sarebbe arrivato, non con quale treno. Supponeva che ci fosse qualche autobus per Hedeby, ma non aveva nessuna voglia di trascinarsi appresso due pesanti valigie e una borsa a tracolla durante la caccia a una fermata. Così raggiunse la stazione dei taxi dall'altra parte della piazza.

Aveva nevicato furiosamente lungo la costa del Norrland nei giorni fra Natale e Capodanno, e a giudicare dai cumuli di neve gli spazzaneve dovevano aver lavorato allo sgombero delle strade di Hedestad a pieno ritmo. L'autista del taxi, che secondo la licenza sul cruscotto si chiamava Hussein, scosse la testa quando Mikael domandò se avevano avuto un tempo da lupi. Raccontò con perfetto accento del Norrland che era stata la bufera di neve peggiore da diversi decenni, e che si pentiva amaramente di non essersene andato in vacanza in Grecia nel periodo di Natale.

Mikael fece entrare il taxi nello spiazzo sgombro di neve davanti alla dimora di Henrik Vanger, scaricò le valigie sulla veranda e vide la macchina scomparire di nuovo in direzione di Hedestad. D'improvviso si sentì solo e smarrito. Forse Erika aveva ragione quando gli faceva notare che l'intero progetto era pazzesco.

Sentì la porta aprirsi alle sue spalle e si voltò. Henrik Vanger era avvolto in un pesante cappotto di pelle, e indossava robusti stivali e berretto con paraorecchie. Mikael era in jeans e giacca di pelle leggera.

«Se dovrai abitare qui, è meglio che impari a coprirti di più in questo periodo dell'anno.» Si strinsero la mano. «Sei sicuro che non vuoi stare nella casa grande? No? Allora direi di incominciare con l'installarti nel tuo nuovo alloggio.»

Mikael annuì. Una delle condizioni nelle trattative con Henrik Vanger e Dirch Frode era stata che Mikael avrebbe abitato da qualche parte dove avrebbe potuto arrangiarsi da sé e andare e venire come voleva. Henrik condusse Mikael di nuovo sulla strada in direzione del ponte, e svoltò attraverso un cancello in uno spiazzo appena liberato dalla neve davanti a una piccola casa di legno accanto al ponte. La porta non era chiusa a chiave e il vecchio la tenne aperta per Mikael. Entrarono in un piccolo ingresso dove Mikael con un sospiro di sollievo depositò a terra le valigie.

«Questa è quella che chiamiamo la casetta degli ospiti, dove di solito alloggiamo quelli che si fermano per periodi un po' più lunghi. È qui che hai abitato con i tuoi genitori nel 1963. In effetti è uno degli edifici più vecchi del villaggio, ma è stato ammodernato. Ho provveduto perché Gunnar Nilsson – il mio uomo di fatica – accendesse il riscaldamento stamattina.»

L'intera casa consisteva di una grande cucina e due stanze più piccole, in totale una cinquantina di metri quadrati. La cucina ne occupava la metà ed era arredata modernamente con un fornello elettrico e un piccolo frigorifero e acqua corrente, ma contro la parete della veranda c'era anche una vecchia stufa di ferro che era rimasta accesa tutto il giorno.

«Questa non hai bisogno di usarla se proprio non c'è un freddo umido. La cesta della legna è fuori nella veranda e c'è una legnaia sul retro della casa. Qui era vuoto dall'autunno scorso, perciò abbiamo acceso stamattina per scaldare le stanze. Ma per l'uso quotidiano bastano i termosifoni elettrici. Fai solo attenzione a non coprirli di vestiti, perché possono prendere fuoco.»

Mikael annuì e si guardò intorno. C'erano finestre su tre lati; dal tavolo della cucina aveva la vista sul ponte, distante circa una trentina di metri. Per il resto, il mobilio consisteva di alcuni capaci armadietti, sedie da cucina, una vecchia cassapanca e uno scaffale pieno di giornali. In cima c'era una vecchia rivista del 1967. Nell'angolo più vicino al tavolo c'era un tavolino che poteva essere utilizzato come scrivania.

La porta d'ingresso della cucina era a fianco della stufa. Sulla parete opposta c'erano due porte strette che conducevano nelle camere. Quella di destra, la più vicina al muro esterno, era piuttosto uno sgabuzzino ammobiliato con un piccolo scrittoio, una sedia e una mensola, tutti allineati lungo la parete principale, e fungeva da studiolo. L'altra stanza, fra la veranda e lo studiolo, era una camera da letto di dimensioni ridotte. L'arredamento consisteva di un letto matrimoniale, un comodino e un armadio guardaroba. Alla parete erano appesi alcuni quadri con motivi naturali. I mobili e le tappezzerie della casa erano vecchi e sbiaditi, ma ovunque c'era un gradevole profumo di pulito. Qualcuno aveva attaccato energicamente il pavimento con una buona dose di sapone nero. Nella stanza da letto c'era anche una porta che si apriva direttamente sulla veranda, dove un vecchio ripostiglio era stato trasformato in una toilette completa di una piccola doccia.

«L'acqua può rappresentare un problema» disse Henrik Vanger. «Abbiamo controllato che ci fosse stamattina, ma le tubature sono troppo in superficie e se il freddo intenso si protrae a lungo possono gelare. Fuori nella veranda c'è un secchio; naturalmente puoi venire su da noi a prendere acqua, in caso di necessità.»

«Mi occorrerà un telefono» disse Mikael.

«Ho già provveduto. Verranno a installarlo dopodomani. Allora, che te ne pare? Se dovessi cambiare idea, puoi sempre trasferirti nella casa grande.»

«Qui starò benissimo» rispose Mikael. Tuttavia, era ben lungi dall'essere convinto che la situazione in cui si era cacciato fosse sensata.

«Bene. Ci sarà luce ancora per un'oretta. Facciamo un giro, in modo che familiarizzi con il paese? E se permetti ti suggerisco di metterti stivali e calze pesanti. Li trovi nell'armadio fuori nella veranda.» Mikael fece come gli era stato detto e decise che già l'indomani avrebbe fatto shopping per procurarsi mutande lunghe di lana e buone calzature invernali.

Il vecchio cominciò il giro spiegandogli che il vicino dall'altra parte della strada era Gunnar Nilsson, il tuttofare che Henrik Vanger si ostinava a chiamare «il mio uomo di fatica», ma che, come Mikael si rese conto ben presto, fungeva piuttosto da portinaio per tutti i fabbricati dell'isola di Hedeby, e inoltre aveva la responsabilità amministrativa di parecchi edifici in centro a Hedestad.

«Suo padre era Magnus Nilsson, che era il mio uomo di fatica negli anni sessanta e che fu uno di quelli che diedero una mano in occasione dell'incidente sul ponte. Magnus è ancora vivo, ma è in pensione e abita a Hedestad. Qui nella casa ci abita Gunnar con la moglie; lei si chiama Helen. I figli ormai sono grandi e se ne sono andati.»

Henrik Vanger fece una pausa e rifletté un momento prima di prendere nuovamente la parola.

«Mikael, la spiegazione ufficiale della tua presenza qui è che mi darai una mano a scrivere la mia biografia. Questo ti offrirà il pretesto di andare a curiosare in tutti gli angoli bui e di fare domande alla gente. Il tuo vero compito è una cosa fra te, me e Dirch Frode. Noi tre siamo gli unici a saperlo.»

«Capisco. E le ripeto ciò che le ho già detto in precedenza: è una perdita di tempo. Io non riuscirò mai a risolvere il mistero.»

«Tutto ciò che chiedo è di fare un tentativo. Ma dobbiamo stare attenti a quello che diciamo quando c'è gente nelle vicinanze.»

«Okay.»

«Gunnar adesso ha cinquantasei anni e di conseguenza ne aveva diciannove quando Harriet scomparve. C'è una domanda alla quale non ho mai trovato risposta. Harriet e Gunnar erano buoni amici e io credo che fra i due ci fosse una qualche sorta di romantico romanzetto, lui almeno era molto interessato a lei. Il giorno in cui Harriet scomparve, Gunnar si trovava però a Hedestad e fu tra quelli che rimasero bloccati dalla parte della terraferma quando il ponte divenne intransitabile. A causa del loro rapporto, lui fu naturalmente oggetto di particolare attenzione. Fu piuttosto spiacevole, ma la polizia controllò il suo alibi e lo ritenne solido. Era rimasto tutto il giorno in compagnia di alcuni amici, e aveva fatto ritorno a casa solo in tarda serata.»

«Suppongo che abbia un elenco completo di tutti quelli che c'erano sull'isola e di che cosa fece ognuno durante la giornata.»

«Esatto. Proseguiamo?»

Si fermarono all'incrocio e Henrik Vanger indicò in basso, verso il vecchio porto dei pescatori.

«Tutta l'isola appartiene alla famiglia Vanger, o per essere più precisi a me. Fanno eccezione il fondo di Östergården e alcune singole case qui al villaggio. Le casette al porto dei pescatori laggiù sono riscattate, ma fungono da casa di vacanza e d'inverno restano disabitate. A parte l'ultima della fila – come vedi, esce fumo dal camino.»

Mikael annuì. Stava già congelando fin nel midollo.

«È una catapecchia piena di spifferi che è abitata per tutto l'arco dell'anno. Ci vive Eugen Norman. Ha settantasette anni ed è una specie di pittore. A me pare che la sua sia un po' un'arte da bancarelle del mercato, ma è piuttosto conosciuto come pittore di motivi naturali. È un po' lo stravagante obbligatorio del villaggio.»

Henrik Vanger condusse Mikael lungo la strada in direzione del promontorio, indicandogli casa dopo casa. Il villaggio era formato da sei edifici sul lato occidentale della strada e da quattro su quello orientale. La prima casa, quella più vicina all'alloggio di Mikael e alla residenza dei Vanger, apparteneva al fratello di Henrik, Harald. Era una costruzione di pietra, quadrata e a due piani, che al primo sguardo sembrava abbandonata; le persiane erano chiuse e il viottolo che conduceva alla porta d'entrata era coperto da mezzo metro di neve. A una seconda occhiata, delle impronte rivelavano che qualcuno era andato dalla strada alla porta, sprofondando nella neve.

«Harald è un eremita. Io e lui non siamo mai andati d'accordo. A parte i litigi sull'azienda – lui ovviamente è comproprietario – sono sessant'anni che non ci parliamo quasi. Lui è più vecchio di me, ha novantadue anni, ed è l'unico dei miei fratelli ancora in vita. Ti racconterò i dettagli più avanti, ha studiato Medicina e ha esercitato soprattutto a Uppsala. È ritornato qui a Hedeby dopo aver compiuto settant'anni.»

«Mi è sembrato di capire che non avete una gran simpatia l'uno per l'altro. Eppure abitate fianco a fianco.»

«Io lo trovo detestabile e probabilmente avrei preferito

che rimanesse a Uppsala, ma la casa è sua. Ti sembro un farabutto?»

«No, solo uno a cui non piace il proprio fratello.»

«Ho dedicato i primi venticinque o trent'anni della mia vita a giustificare quelli come Harald solo perché eravamo parenti. Poi ho capito che la parentela non è garanzia di affetto e che avevo ben pochi motivi per prendere le sue difese.»

La casa successiva apparteneva a Isabella, la madre di Harriet.

«Quest'anno ne farà settantacinque ed è ancora elegante e vanitosa. È anche l'unica qui al villaggio che parla con Harald e ogni tanto va a fargli visita, ma non hanno granché in comune.»

«Com'era la relazione fra lei e Harriet?»

«Giusto. Anche le donne devono entrare nella cerchia dei sospettati. Ti ho già raccontato che lasciava spesso i figli abbandonati a se stessi. Non so esattamente, credo che fosse animata dalle migliori intenzioni ma incapace di assumersi responsabilità. Lei e Harriet non erano molto legate, ma non sono mai state in disaccordo. Isabella può essere un osso duro ma certe volte non ci sta del tutto con la testa. Capirai cosa intendo quando la conoscerai.»

La vicina di Isabella era una certa Cecilia Vanger, figlia di Harald Vanger.

«Prima era sposata e abitava in città a Hedestad, ma si è separata una ventina di anni fa. La casa è mia, e le ho offerto di venirci ad abitare. Cecilia è insegnante e sotto molti aspetti è l'esatto opposto del padre. Posso anche aggiungere che nemmeno lei e suo padre si parlano più dello stretto indispensabile.»

«Quanti anni ha?»

«È nata nel 1946. Aveva quindi vent'anni quando Harriet scomparve. E sì, era fra gli ospiti presenti sull'isola quel giorno.»

Rifletté un attimo.

«Cecilia può sembrare priva di carattere, ma in realtà è acuta come pochi. Non sottovalutarla. Se qualcuno finirà per scoprire di che cosa ti stai occupando, sarà lei. Posso dire tranquillamente che è uno dei parenti che stimo di più.»

«Significa che non la sospetta?»

«Non voglio dire questo. Vorrei che tu riflettessi su questa storia senza riserve, indipendentemente da quello che penso o credo io.»

La casa a fianco a quella di Cecilia apparteneva a Henrik Vanger ma era affittata a una coppia di anziani che un tempo avevano lavorato nella dirigenza del Gruppo Vanger. Si erano trasferiti all'isola di Hedeby negli anni ottanta e perciò non avevano nulla a che fare con la sparizione di Harriet. La casa successiva apparteneva a Birger Vanger, fratello di Cecilia. Era vuota da diversi anni, poiché Birger si era trasferito in una villa moderna a Hedestad.

La maggior parte degli edifici lungo la strada era costituita da solide case di pietra degli inizi del Novecento. L'ultima invece si distingueva per il carattere; era infatti una villa moderna disegnata da un architetto, in mattoni bianchi e con grandi finestre dagli infissi scuri. Era situata in bella posizione e Mikael poté intuire che la vista dal piano di sopra doveva essere grandiosa, verso il mare a est e Hedestad a nord.

«Qui abita Martin Vanger, fratello di Harriet e amministratore delegato del Gruppo Vanger. Su questo terreno un tempo sorgeva la canonica, ma quell'edificio fu parzialmente distrutto da un incendio negli anni settanta e Martin costruì la villa nel 1978, quando prese il mio posto in azienda.»

In fondo sull'altro lato della strada abitavano Gerda Vanger, vedova del fratello di Henrik, Greger, e suo figlio Alexander.

«Gerda è cagionevole di salute, soffre di reumatismi.

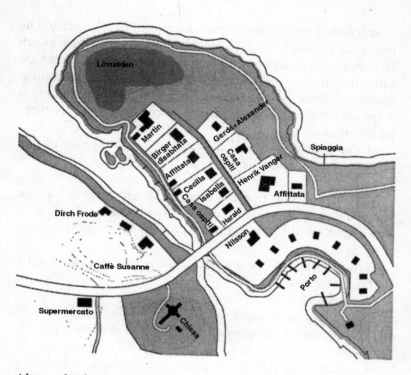

Alexander ha una piccola quota nel gruppo, ma gestisce una serie di aziende proprie, fra l'altro alcuni ristoranti. Di solito trascorre alcuni mesi l'anno a Barbados, nelle Antille, dove ha investito parecchio denaro nel turismo.»

Fra le dimore di Gerda e di Henrik c'era un terreno con una piccola costruzione che al momento era vuota e che era utilizzata come foresteria per ospitare membri della famiglia in visita. Dall'altro lato della casa di Henrik c'era una casa riscattata dove abitava un altro ex dipendente dell'azienda ora in pensione insieme alla moglie, ma d'inverno era vuota perché la coppia si trasferiva in Spagna.

Erano ritornati all'incrocio e il giro si era dunque concluso. Cominciava già a imbrunire. Mikael prese l'iniziativa.

«Henrik, posso solo ripetere che questo è un esercizio che non darà risultati, ma farò ciò che sono stato incaricato di fare. Scriverò la sua biografia e l'accontenterò leggendomi tutto il materiale su Harriet il più attentamente e criticamente possibile. Voglio solo che sia consapevole che io non sono un detective privato, in modo che non si faccia troppe illusioni.»

«Io non mi aspetto nulla. Voglio soltanto fare un ultimo tentativo per scoprire la verità.»

«Bene.»

«Io non sono un tipo mattiniero» spiegò Henrik Vanger. «Sarò a disposizione dall'ora di pranzo in avanti. Ti allestirò una stanza dove lavorare quassù, e ne potrai disporre a tuo piacimento.»

«No, grazie. Ho già uno studiolo nella mia casetta, ed è lì che lavorerò.»

«Come vuoi.»

«Quando avrò bisogno di parlare con lei verrò nel suo studio, ma non comincerò a tempestarla di domande già stasera.»

«Capisco.» Il vecchio sembrava perfidamente timido.

«Mi occorreranno un paio di settimane per leggere tutto il materiale. Lavoreremo su due fronti. Ci troveremo qualche ora ogni giorno e io la intervisterò per raccogliere materiale sulla sua biografia. Quando comincerò ad avere domande su Harriet che vorrò discutere, verrò a sottoporgliele.»

«Mi sembra ragionevole.»

«Lavorerò molto liberamente e senza orari fissi.»

«Organizzati come meglio credi.»

«Lo sa che dovrò scontare un paio di mesi di carcere, vero? Non so quando avverrà di preciso, ma non ho intenzione di fare ricorso. Significa che probabilmente sarà durante quest'anno.»

Henrik Vanger aggrottò le sopracciglia.

«Un bel problema. Lo risolveremo quando si presenterà. Puoi sempre chiedere una proroga.»

«Se la cosa funziona e ho materiale a sufficienza, posso lavorare al libro sulla sua famiglia anche in carcere. Ma ne riparleremo quando sarà ora. Ancora una cosa: io sono tuttora comproprietario di *Millennium*, e in questo momento è un giornale in crisi. Se succede qualcosa che esige la mia presenza a Stoccolma, sarò costretto a lasciar perdere qui e ad andarci.»

«Non ti ho assunto per essere un servo della gleba. Voglio che lavori in maniera coerente e costante all'incarico che ti ho affidato, ma ovviamente sei tu a stabilire i tuoi schemi di lavoro. Se hai bisogno di prenderti dei giorni fallo pure, ma se scopro che trascuri il tuo incarico lo considererò come una rottura di contratto.»

Mikael annuì. Henrik Vanger lasciò correre lo sguardo lontano, verso il ponte. Era magro, e Mikael pensò che sembrava un povero spaventapasseri.

«Per quanto riguarda *Millennium*, dovremo fare un discorso sui termini della sua crisi e vedere se posso intervenire in qualche modo per dare una mano.»

«Il modo migliore per darmi una mano è regalarmi la testa di Wennerström su un piatto d'argento già oggi.»

«Ah no, questo non ho intenzione di farlo.» Il vecchio guardò Mikael con durezza. «L'unico motivo per cui hai accettato questo lavoro è che ho promesso di smascherare Wennerström. Se lo faccio adesso, tu puoi concludere il lavoro quando ti fa comodo. Quell'informazione l'avrai fra un anno.»

«Henrik, mi perdoni se glielo dico, ma non posso nemmeno essere sicuro che lei sia ancora vivo fra un anno.»

Henrik Vanger sospirò e guardò pensieroso verso il porto dei pescatori.

«Capisco. Parlerò con Dirch Frode e vedremo di riuscire a inventarci qualcosa. Ma per quanto riguarda *Millennium* forse posso dare una mano in un altro modo. Mi è sembrato di capire che il problema sono gli inserzionisti che si tirano indietro.»

Mikael annuì lentamente.

«Gli inserzionisti sono un problema immediato, ma la crisi è più profonda. È un problema di credibilità. Non ha nessuna importanza quanti inserzionisti abbiamo, se la gente non vuole comperare il giornale.»

«Lo capisco. Ma io faccio ancora parte, ancorché passivamente, del consiglio d'amministrazione di un gruppo industriale abbastanza grande. Anche noi dobbiamo fare pubblicità da qualche parte. Ne discuteremo più avanti. Vuoi cenare...»

«No. Vorrei sistemarmi a dovere, fare la spesa e guardarmi intorno un po'. Domani andrò a Hedestad a procurarmi dei capi d'abbigliamento invernali.»

«Buona idea.»

«Vorrei che trasferisse l'archivio su Harriet da me.»

«Purché lo tratti...»

«Con la massima cautela – capisco.»

Mikael ritornò alla casetta degli ospiti e quando fu entrato si accorse che stava ancora battendo i denti. Gettò un'occhiata al termometro fuori della finestra. Segnava meno quindici e lui non ricordava di essersi mai sentito così intirizzito come qui dopo venti minuti di passeggiata.

Dedicò l'ora successiva a installarsi in quella che sarebbe stata la sua casa per un anno. Sistemò gli indumenti che aveva nella valigia nel guardaroba in camera da letto. Gli articoli da toeletta trovarono posto nell'armadietto del bagno. La seconda valigia era un bauletto squadrato con le rotelle. Ne estrasse libri, cd e relativo lettore, blocnotes, un piccolo registratore da reporter Sanyo, uno scanner Microtek, una stampante portatile, una macchina fotografica digitale Minolta e tutte le altre cose che aveva ritenuto indispensabili per un anno di esilio.

Allineò i libri e i cd sulla mensola dello studiolo, accanto a due raccoglitori con materiale su Hans-Erik Wennerström. Era roba senza valore ma non era stato capace di separarsene. I due raccoglitori dovevano trasformarsi in qualche modo nelle fondamenta della sua futura carriera.

Da ultimo aprì la borsa a tracolla e mise il portatile sulla scrivania dello studiolo. Quindi si fermò e si guardò intorno con espressione ebete. I vantaggi di vivere in campagna. D'un tratto si rese conto di non avere nemmeno una presa telefonica per collegare il suo vecchio modem.

Mikael ritornò in cucina e chiamò la Telia con il suo cellulare. Dopo qualche intoppo riuscì a convincere qualcuno a tirare fuori la richiesta presentata da Henrik Vanger per la casetta degli ospiti. Domandò se il cavo poteva portare anche l'adsl e gli fu risposto che era possibile tramite un relè a Hedeby. Ci sarebbe voluto qualche giorno.

Quando Mikael ebbe terminato di mettere in ordine, erano già le quattro del pomeriggio. Si infilò di nuovo i calzettoni pesanti e gli stivali e si mise un maglione in più. Sulla porta si fermò; non gli era stata data una chiave della casa e il suo istinto cittadino si rivoltava contro il principio di lasciare la porta d'ingresso aperta. Ritornò in cucina e cercò nei cassetti. Alla fine trovò la chiave appesa a un chiodo dentro la dispensa.

Il termometro era sceso a meno diciassette. Mikael attraversò il ponte a passo spedito e imboccò la salita che passava davanti alla chiesa. Il piccolo supermercato era ubicato comodamente a circa trecento metri di distanza. Riempì fino all'orlo due sacchetti di carta con merci di prima necessità, che trascinò a casa prima di ritornare ancora al di là del ponte. Questa volta si fermò al Caffè del Ponte da Susanne. La donna dietro il bancone era sulla cinquantina. Le domandò se fosse lei Susanne e si presentò a sua volta, spiegando che probabilmente da quel giorno in avanti sarebbe diventato un cliente abituale. Non c'erano altre persone nel locale e Susanne gli offrì il caffè quando ordinò un tramezzino e comperò del pane e un pain brioche. Poi Mikael prese l'*Hedestads-Kuriren* dall'espositore dei giornali e si sedette a un tavolino con vista sul ponte e sulla chiesa illuminata. Nel buio sembrava una cartolina natalizia. Gli occorsero circa quattro minuti per leggere il giornale. L'unica notizia di qualche interesse spiegava che un politico locale di nome Birger Vanger del Partito popolare voleva puntare sull'It TechCent – un centro per lo sviluppo delle tecnologie a Hedestad. Rimase seduto al caffè una mezz'ora, finché il locale chiuse i battenti, alle sei.

Alle sette e mezza di sera Mikael telefonò a Erika, ma gli rispose solo il messaggio che diceva che l'abbonato non era al momento raggiungibile. Si sedette sulla cassapanca in cucina e cercò di leggere un romanzo che secondo il risvolto di copertina era il sensazionale debutto di una femminista adolescente. Il romanzo parlava dei tentativi della scrittrice di mettere ordine nella propria vita sessuale durante un viaggio a Parigi, e Mikael si domandò se avrebbero definito femminista anche lui nel caso in cui avesse scritto in tono ginnasiale un romanzo sulla sua vita erotica. Probabilmente no. Uno dei motivi per cui aveva comperato il libro era che l'editore aveva acclamato la debuttante come «una nuova Carina Rydberg». Presto fu costretto a constatare che non era così, né stilisticamente né sotto il profilo del contenuto. Dopo un momento accantonò il libro e lesse invece un racconto western su Hopalong Cassidy in un numero del *Rekordmagasinet* degli anni cinquanta.

Ogni mezz'ora si sentiva il breve rintocco sommesso della campana della chiesa. Dall'altra parte della strada la finestra di Gunnar Nilsson era illuminata, ma Mikael non riusciva a distinguere nessun movimento dentro casa. La casa di Harald Vanger era al buio. Verso le nove una macchina attraversò il ponte e scomparve verso il promontorio. A mezzanotte l'illuminazione della facciata della chiesa si spense. Il movimento di un tipico venerdì sera d'inizio gennaio a Hedeby era evidentemente tutto lì. Il silenzio era stupefacente.

Fece un nuovo tentativo di telefonare a Erika e gli rispose la segreteria, che lo pregava di lasciare un messaggio. Lo fece e poi spense la lampada e andò a coricarsi. L'ultima cosa che pensò prima di addormentarsi fu che a Hedeby avrebbe corso il rischio di impazzire di solitudine.

Svegliarsi nel silenzio assoluto fu una sensazione stranissima. Mikael passò dal sonno profondo alla perfetta vigilanza in una frazione di secondo e poi rimase steso immobile, in ascolto. Nella stanza faceva freddo. Ruotò la testa e guardò l'orologio che aveva appoggiato su uno sgabello accanto al letto. Erano le sette e otto minuti. Non era mai stato particolarmente mattiniero e di solito gli era difficile svegliarsi senza l'aiuto di almeno due sveglie. Adesso si era svegliato da solo e in più si sentiva riposato.

Mise su l'acqua del caffè prima di infilarsi sotto la doccia, dove d'improvviso sperimentò la buffa sensazione di osservare se stesso. *Kalle Blomkvist, esploratore nelle terre selvagge.*

Il miscelatore passava dal bollente al gelido al minimo tocco. Sul tavolo della cucina non c'era il quotidiano del mattino. Il burro era surgelato. Nel cassetto delle posate mancava il coltello per tagliare il formaggio. Fuori era ancora buio pesto. Il termometro segnava meno ventuno. Era sabato.

La fermata dell'autobus per Hedestad era di fronte al supermercato Konsum e Mikael iniziò il suo esilio con un po' di shopping. Scese dall'autobus di fronte alla stazione ferroviaria e fece un giro in centro. Acquistò robusti stivali invernali, due paia di mutande lunghe, qualche camicia calda di flanella, un bel giaccone imbottito, un berretto caldo e dei guanti foderati. Al Teknikmagasinet trovò un piccolo televisore portatile con antenna telescopica. Il commesso gli assicurò che a Hedeby sarebbe riuscito a vedere almeno i canali nazionali e Mikael disse che in caso contrario avrebbe preteso un rimborso.

Fece una sosta alla biblioteca, si procurò la tessera per i prestiti e prese due romanzi polizieschi di Elizabeth George. Da un cartolaio comperò penne e blocnotes. Prese anche un borsone sportivo per trasportare i nuovi acquisti.

Infine comperò un pacchetto di sigarette; aveva smesso di fumare dieci anni prima, ma ogni tanto aveva delle ricadute e avvertiva un bisogno improvviso di nicotina. Infilò il pacchetto nella tasca della giacca senza aprirlo. L'ultimo negozio che visitò fu la bottega di un ottico dove comperò liquido per lenti a contatto e ordinò lenti nuove.

Verso le due era di ritorno a Hedeby e stava giusto staccando i cartellini del prezzo dagli indumenti quando sentì aprire la porta d'entrata. Una donna bionda sulla cinquantina bussò sullo stipite della porta della cucina al tempo stesso in cui faceva il suo ingresso. Portava un pan di Spagna su un piatto da torte.

«Salve, volevo solo darle il benvenuto. Mi chiamo Helen Nilsson e abito dall'altra parte della strada. Saremo vicini di casa.»

Mikael le strinse la mano e si presentò.

«Certo, l'ho vista in televisione. È bello vedere la luce accesa qui nello chalet degli ospiti di sera.»

Mikael si mise a preparare il caffè – la donna protestò ma

comunque si accomodò al tavolo della cucina. Sbirciò fuori della finestra: «Ecco che arriva Henrik con mio marito. A quanto pare, le stanno portando qualche scatolone.»

Henrik Vanger e Gunnar Nilsson si fermarono fuori della casetta con una carriola e Mikael si affrettò a uscire per salutarli e dare una mano a portare dentro quattro voluminosi cartoni. Li appoggiarono per terra vicino alla stufa. Mikael mise in tavola le tazze da caffè e tagliò la torta di Helen.

Gunnar e Helen Nilsson erano persone gradevoli. Non sembravano particolarmente interessati al perché Mikael si trovasse a Hedestad – il fatto che lavorasse per Henrik Vanger sembrava una spiegazione sufficiente. Mikael osservava l'interazione fra i Nilsson e Henrik e constatò che era molto spontanea e mancava di una divisione netta fra padrone e dipendenti. Chiacchieravano tranquilli del villaggio e di chi aveva costruito lo chalet in cui abitava Mikael. I coniugi Nilsson correggevano Vanger quando la memoria lo tradiva e lui in compenso raccontò una storia scherzosa su Gunnar Nilsson, che una sera era tornato a casa e aveva scoperto il genio locale dell'altra parte del ponte mentre stava per introdursi nello chalet attraverso la finestra. Gunnar aveva attraversato la strada e aveva chiesto al ritardato ladruncolo perché non utilizzasse la porta principale, che non era chiusa a chiave. Gunnar esaminò sospettoso il piccolo televisore e invitò Mikael a trasferirsi da loro se qualche sera c'era un programma che gli interessava vedere. Avevano la parabola.

Henrik Vanger si trattenne ancora un momento dopo che i Nilsson furono tornati a casa loro. Il vecchio spiegò che forse la cosa migliore era che Mikael si sistemasse l'archivio da solo, e che poteva andare su a chiedere se ci fosse stato qualche problema. Mikael ringraziò e disse che se la sarebbe cavata.

Quando fu nuovamente solo, portò gli scatoloni nello studiolo e cominciò a esaminarne il contenuto.

Le investigazioni private di Henrik Vanger sulla scomparsa della nipote di suo fratello si erano protratte per trentasette anni. Mikael aveva difficoltà a stabilire se l'interesse fosse un'ossessione maniacale o se con gli anni si fosse trasformato in gioco intellettuale. Era comunque evidente che il vecchio patriarca si era preso cura dell'oggetto con il metodo sistematico dell'archeologo – il materiale occupava quasi sette metri di scaffali.

La base erano i ventisei raccoglitori che contenevano l'indagine di polizia sulla scomparsa di Harriet Vanger. Mikael trovava difficile immaginare che una normale scomparsa avrebbe prodotto un materiale d'inchiesta così vasto. D'altro lato era assai probabile che Henrik Vanger avesse avuto tutta l'influenza che occorreva per indurre la polizia di Hedestad a seguire sia le tracce possibili sia quelle impensabili.

Oltre all'inchiesta della polizia c'erano raccolte di ritagli, album di fotografie, cartine, souvenir, scritti informativi su Hedestad e sul Gruppo Vanger, il diario di Harriet stessa – che tuttavia non comprendeva molte pagine –, testi scolastici, certificati sanitari e altro. C'erano anche non meno di sedici volumi formato A4 di cento pagine ciascuno, che si potevano forse definire il giornale di bordo di Henrik Vanger stesso sulle indagini. In questi blocnotes il patriarca aveva riportato in elegante calligrafia le sue considerazioni personali, le idee che gli passavano per la mente, le tracce che portavano a un vicolo cieco e le sue osservazioni. Mikael sfogliò un po' a casaccio. Il testo aveva un carattere letterario e Mikael ebbe l'impressione che i volumi fossero la bella copia di dozzine di blocnotes più vecchi. Infine c'erano una decina di raccoglitori contenenti materiale su diverse persone della famiglia Vanger; in questo caso i fogli erano dattiloscritti, ed evidentemente erano stati redatti in un arco di tempo piuttosto lungo.

Henrik Vanger aveva svolto indagini sui suoi stessi congiunti.

Verso le sette Mikael udì un miagolio deciso e aprì la porta d'ingresso. Un gatto rossiccio s'infilò rapido nel calduccio dello chalet.

«Ti capisco» disse Mikael.

Il gatto girò un attimo per la casa, annusando. Mikael versò un po' di latte in un piattino, e l'ospite lo leccò di gusto. Poi balzò sulla cassapanca e si acciambellò. Era evidente che non aveva intenzione di spostarsi di lì.

Erano già le dieci passate quando Mikael finì di prendere visione di tutto il materiale e di sistemarlo sugli scaffali in un ordine logico. Andò in cucina e si preparò una caraffa termica di caffè e due panini. Al gatto offrì un po' di salsiccia e di pâté di fegato. Non aveva fatto un solo pasto come si deve in tutta la giornata, ma si sentiva curiosamente disinteressato al cibo. Dopo che ebbe bevuto il caffè tirò fuori le sigarette dalla tasca della giacca e scartò il pacchetto.

Controllò il cellulare; Erika non aveva chiamato e cercò di telefonarle. Di nuovo arrivò solo alla sua segreteria.

Una delle prime mosse che Mikael fece nelle sue indagini private fu di passare allo scanner la carta dell'isola di Hedeby che aveva preso in prestito da Henrik Vanger. Mentre aveva ancora tutti i nomi freschi nella memoria dopo il giro con Henrik, annotò chi abitava nelle diverse case. Ben presto si rese conto che il clan Vanger contava una galleria di personaggi talmente vasta che ci sarebbe voluto del tempo per imparare chi era chi.

Prima di mezzanotte si infilò degli indumenti caldi e le scarpe nuove e uscì a fare una passeggiata. Attraversò il ponte e svoltò a sinistra proseguendo lungo la riva, ai piedi della chiesa. Nello stretto e all'interno del porto vecchio si era formato uno strato di ghiaccio, ma verso l'esterno si distingueva una fascia più scura di acque libere. Mentre era fermo a guardare il panorama, l'illuminazione della facciata della chiesa si spense, e si ritrovò immerso nel buio. Faceva freddo e il cielo era stellato.

Tutto d'un tratto avvertì un profondo senso di sconforto. Non riusciva a capacitarsi di come avesse potuto lasciarsi convincere ad accollarsi quell'incarico assurdo. Erika aveva perfettamente ragione a dire che era una totale perdita di tempo. Avrebbe dovuto essere a Stoccolma – ad esempio a letto con Erika – impegnato con tutte le sue forze a fare piani di guerra contro Hans-Erik Wennerström. Ma si sentiva svogliato anche a questo riguardo, e non aveva nemmeno la più pallida idea di come cominciare a studiare una controstrategia.

Se in quel momento fosse stato giorno, sarebbe andato da Henrik Vanger, avrebbe risolto il contratto e se ne sarebbe tornato a casa. Ma dall'altura della chiesa poté constatare che la residenza dei Vanger era già immersa nel buio e nel silenzio. Dalla chiesa si poteva abbracciare con lo sguardo tutto l'abitato dell'isola. Anche la casa di Harald era al buio, mentre le luci erano ancora accese da Cecilia come pure nella villa di Martin, fuori sul promontorio, e nella casa che era affittata. Nel porticciolo erano illuminate le finestre di Eugen Norman, il pittore, nella casupola tutta spifferi, dal cui camino uscivano anche vigorosi sbuffi di fumo e scintille. Anche al piano di sopra del caffè la luce era accesa, e Mikael si domandò se Susanne abitasse lì e se, in tal caso, fosse sola.

Mikael dormì a lungo la domenica mattina e si svegliò nel panico quando lo chalet si riempì di un frastuono irreale.

Gli ci volle un attimo a orientarsi e a rendersi conto che stava sentendo le campane che chiamavano alla messa solenne, e che di conseguenza dovevano già essere quasi le undici. Si sentiva apatico e rimase ancora un momento coricato. Quando udì un miagolio perentorio dalla soglia si alzò e fece uscire il gatto.

A mezzogiorno aveva fatto doccia e colazione. Entrò deciso nello studiolo e prese dallo scaffale il primo fascicolo dell'indagine di polizia. Poi esitò un attimo. Dalla finestra sul fianco della casa vide l'insegna del Caffè del Ponte e allora infilò il fascicolo nella borsa a tracolla e si mise giaccone e stivali. Quando arrivò al caffè scoprì che era pieno zeppo di gente e trovò improvvisamente la risposta a una domanda che aveva avuto in un angolo della mente, come poteva sopravvivere un caffè in un buco come Hedeby. Susanne si era specializzata in dopo-messa, dopo-funerali e altre attività del genere.

Decise che avrebbe fatto una passeggiata. Il supermercato di domenica era chiuso e allora continuò per qualche centinaio di metri lungo la strada per Hedestad, dove comperò i giornali in una stazione di servizio aperta. Dedicò un'ora a girare per Hedeby e a familiarizzare con i dintorni dalla parte della terraferma. La zona più vicina alla chiesa e intorno al supermercato era il cuore del paese con edifici di una certa età e case di pietra a due piani, che Mikael suppose risalissero agli anni dieci o venti e che insieme formavano una sorta di breve strada cittadina. A nord della via d'ingresso al paese c'erano condomini ben curati con appartamenti per famiglie. Lungo l'acqua e sul lato sud della chiesa c'erano principalmente ville. Hedeby era senza dubbio una prospera zona residenziale per funzionari e potentati di Hedestad.

Quando fece ritorno al ponte, l'assalto al caffè di Susanne si era diradato, ma Susanne era ancora impegnata a togliere tazze e piattini dai tavoli.

«Ressa domenicale?» disse lui salutandola.

La donna annuì e si fermò una ciocca di capelli dietro l'orecchio. «Salve, Mikael.»

«Dunque si ricorda come mi chiamo.»

«Difficile evitarlo» rispose lei. «L'ho vista alla tv al processo, prima di Natale.»

D'improvviso Mikael provò imbarazzo. «Devono pur riempire i notiziari con qualcosa» mormorò, e si avviò verso il tavolino d'angolo con vista sul ponte. Quando incontrò lo sguardo di Susanne, lei sorrise.

Alle tre del pomeriggio Susanne gli comunicò che stava per chiudere. Dopo l'affollamento seguito alla messa, c'era stato uno sporadico andirivieni di gente. Mikael era riuscito a leggere circa un quinto del primo fascicolo dell'indagine di polizia sulla scomparsa di Harriet Vanger. Chiuse il fascicolo, infilò il suo blocnotes nella borsa e tornò a casa attraversando il ponte a passo spedito.

Il gatto lo aspettava sulle scale e Mikael si guardò intorno domandandosi di chi fosse veramente. A ogni modo lo fece entrare, dal momento che costituiva comunque una qualche sorta di compagnia.

Fece un nuovo tentativo di telefonare a Erika ma ancora una volta arrivò solo alla sua segreteria. Palesemente, era furiosa con lui. Avrebbe potuto telefonare al suo numero diretto in redazione oppure al numero di casa, ma decise testardo di non farlo. Aveva già lasciato messaggi a sufficienza. Invece si preparò del caffè, spinse da parte il gatto sulla cassapanca e aprì il fascicolo sul tavolo della cucina.

Leggeva lentamente, concentrato, per non perdersi neanche un dettaglio. Quando a sera inoltrata chiuse il fascicolo, aveva riempito diverse pagine del suo blocnotes – sia di dati fondamentali sia di domande a cui sperava di trovare una risposta nei fascicoli successivi. Il materiale era in ordine cronologico; non era sicuro se fosse stato Henrik Vanger a sistemarlo così oppure se fosse il metodo proprio della polizia negli anni sessanta.

Il primissimo foglio era una fotocopia di un modulo del pronto intervento della polizia di Hedestad compilato a mano. L'agente che aveva risposto al telefono aveva firmato Udg Ryttinger, che Mikael interpretò come ufficiale di guardia. Come denunciante era indicato Henrik Vanger, di cui si riportavano indirizzo e numero di telefono. Il rapporto era datato domenica 25 settembre 1966, ore 11.14 del mattino. Il testo era secco e conciso: *Telef. da Hen. Vanger. Sostiene che la nipote (?) Harriet Ulrika VANGER, nata il 15 gennaio 1950 (16 anni) è scomparsa dalla sua abitazione su isola Hedeby da sabato pom. Il denunc. esprime grande preoccupazione.*

Alle 11.20 c'era un'annotazione secondo cui era stato dato ordine a P-014 di recarsi immediatamente sul posto.

Alle 11.35 un'altra mano, dalla calligrafia meno chiara di quella di Ryttinger, aveva aggiunto: *L'ag. Magnusson rif. che il ponte per Is. di Hedeby tuttora sbarrato. Trasp. con barche.* A margine, una firma illeggibile.

Alle 12.14 di nuovo Ryttinger: *Tel. agente Magnusson a H-by, rif. sedicenne Harriet Vanger manca da casa da sab. pom. Fam. molto preocc. Sembra non dormito n. suo letto durante notte. Non può aver lasciato isola causa incid. ponte. Nessun fam. sa dove H.V. possa trovarsi.*

Alle ore 12.19: *G.M. inf. per tel. sul caso.*

L'ultima annotazione era delle 13.42: *G.M. sul posto H-by; si assume il caso.*

Già il foglio successivo svelava che la misteriosa sigla G.M. alludeva a un certo ispettore Gustaf Morell, che era arrivato con una barca all'isola di Hedeby dove aveva assunto il comando delle operazioni e redatto una denuncia formale sulla scomparsa di Harriet Vanger. A differenza delle annotazioni introduttive con le loro abbreviazioni senza motivo, i rapporti di Morell erano scritti a macchina e in una prosa leggibile. Nelle pagine seguenti si illustrava quali mosse fossero state fatte con un'obiettività e una ricchezza di dettagli che stupirono Mikael.

Morell aveva proceduto in maniera sistematica. Come prima cosa aveva interrogato Henrik insieme a Isabella Vanger, la madre di Harriet. Quindi aveva parlato nell'ordine con una certa Ulrika Vanger, con Harald Vanger, con Greger Vanger, con il fratello di Harriet, Martin Vanger, e con una certa Anita Vanger. Mikael ne dedusse che queste persone erano state sentite secondo una sorta di ordine decrescente di importanza.

Ulrika Vanger era la madre di Henrik e aveva evidentemente uno status paragonabile a quello della regina madre. Risiedeva al maniero e non aveva nessuna informazione da dare. La sera prima era andata a coricarsi presto ed erano diversi giorni che non vedeva Harriet. A quanto pareva, aveva insistito per incontrare Morell all'unico scopo di esprimere la propria opinione, e cioè che la polizia doveva agire immediatamente.

Harald era fratello di Henrik ed era considerato il numero due nella lista dei membri influenti della famiglia. Spiegò di avere incrociato rapidamente Harriet mentre questa tornava dalla giornata di festa a Hedestad, ma di non averla più vista «dopo l'incidente sul ponte» e di non avere idea «di dove si trovasse al momento».

Greger Vanger, fratello di Henrik e Harald, dichiarò di aver incontrato la sedicenne scomparsa quando, tornata da Hedestad, era andata nello studio di Henrik chiedendo di potergli parlare. Greger aggiunse che personalmente non le aveva parlato, l'aveva solo salutata brevemente. Non aveva idea di dove si potesse trovare, ma esprimeva la convinzione che la ragazza fosse solo andata da qualche amica senza badare a informare la famiglia, e che di sicuro sarebbe presto ricomparsa. Alla domanda se in tal caso pensava che avesse lasciato l'isola non aveva saputo rispondere.

Martin era stato interrogato molto velocemente. Frequentava l'ultimo anno di liceo a Uppsala, dove era ospite in casa di Harald. Non aveva trovato posto sull'automobile di Harald e quindi aveva raggiunto Hedeby in treno, arrivando così tardi da rimanere bloccato dalla parte sbagliata del ponte; non era riuscito a raggiungere l'isola che in tarda serata, con una barca. Fu interrogato nella speranza che sua sorella si fosse messa in contatto con lui e gli avesse fatto accenno a un'intenzione di fuggire. La domanda fu accolta dalle proteste della madre di Harriet, ma Morell riteneva a quel punto che una fuga fosse piuttosto qualcosa da augurarsi. Martin però non aveva più parlato con la sorella dalle vacanze estive e non aveva da fornire nessuna informazione di valore.

Anita Vanger era figlia di Harald ma era stata indicata erroneamente come «cugina» di Harriet – in realtà Harriet era figlia di un suo cugino. Frequentava il primo anno di università a Stoccolma e aveva passato l'estate a Hedeby. Aveva solo qualche anno più di Harriet ed erano diventate molto amiche. Dichiarò di essere arrivata sull'isola il sabato in compagnia del padre, ansiosa di rivedere Harriet, ma di non avere fatto in tempo a incontrarla. Anita si era detta preoccupata, perché non era da Harriet scomparire così senza avvisare la famiglia. Questa conclusione ebbe l'appoggio sia di Henrik che di Isabella Vanger.

Mentre lui stesso interrogava i membri della famiglia, Morell aveva dato ordine agli agenti Magnusson e Bergman – pattuglia 014 – di organizzare una prima battuta fintantoché c'era luce. Siccome il ponte era ancora chiuso, era difficile chiamare rinforzi dalla terraferma; la prima squadra era dunque composta da un gruppo eterogeneo di persone, una trentina in tutto, che si erano offerte volontarie. Le zone che erano state setacciate nel corso del pomeriggio erano le case disabitate affacciate sul porto dei pescatori, le spiagge del promontorio e lungo lo stretto, la porzione di bosco più prossima al villaggio e il così detto Söderberget, l'altura che sovrastava il porticciolo. Quest'ultimo luogo fu esaminato dopo che qualcuno aveva espresso l'idea che Harriet potesse esserci salita per avere una buona panoramica del luogo dell'incidente sul ponte. Pattuglie erano state inviate anche a Östergården e alla casetta di Gottfried dall'altra parte dell'isola, dove Harriet ogni tanto si recava.

Le ricerche tuttavia furono senza risultato anche se vennero interrotte molto dopo che erano calate le tenebre, verso le dieci di sera. La temperatura durante la notte era scesa fino a zero.

Nel corso del pomeriggio Morell aveva stabilito il suo quartier generale in un salone che Henrik Vanger gli aveva messo a disposizione al pianterreno della sua casa e aveva fatto una serie di verifiche.

In compagnia di Isabella aveva ispezionato la camera di Harriet cercando di farsi un'idea se mancasse qualcosa, indumenti, qualche valigia o cose simili, che potessero lasciar intendere che Harriet fosse scappata di casa. Isabella non era stata molto d'aiuto e non sembrava avere un'idea precisa di cosa contenesse il guardaroba della figlia. Portava spesso i jeans, ma quelli sembrano tutti uguali. La borsetta di Harriet era stata ritrovata sulla sua scrivania. Conteneva carta d'identità, un borsello con nove corone e cinquanta centesimi, un pettine, uno specchietto e un fazzoletto. Dopo l'ispezione la stanza di Harriet era stata sigillata.

Morell aveva convocato diverse persone per interrogarle, sia membri della famiglia sia dipendenti. Tutti gli interrogatori erano stati riportati con precisione pedantesca.

Quando i partecipanti alla battuta tornarono senza notizie positive, Morell decise che era necessario effettuare una ricerca sistematica. Nel corso della serata e della notte chiamò rinforzi; contattò fra gli altri il presidente del club di orienteering di Hedestad e gli chiese di sentire telefonicamente i membri del club, esortandoli a partecipare alle battute di ricerca. A mezzanotte gli fu comunicato che cinquantatré sportivi, in gran parte della sezione giovanile, si sarebbero trovati alla tenuta dei Vanger alle sette del mattino seguente. Henrik Vanger contribuì convocando semplicemente una parte del turno del mattino, cinquanta uomini, dalla cartiera locale del gruppo. Fece preparare anche cibo e bevande.

Mikael Blomkvist poteva immaginarsi molto bene le scene che dovevano essersi svolte alla tenuta in quelle giornate ricche di eventi. Appariva chiaro che l'incidente sul ponte aveva contribuito alla confusione nel corso delle prime ore; sia perché aveva reso più difficile ottenere sostanziali rinforzi dalla terraferma, sia perché tutti ritenevano che due avvenimenti così drammatici nello stesso luogo e nello stesso momento dovessero essere in qualche modo collegati. Quando l'autocisterna fu rimossa, Morell scese perfino al ponte per assicurarsi che Harriet Vanger non fosse finita in qualche modo improbabile sotto le carcasse dei veicoli. Questa fu l'unica azione irrazionale che Mikael poté rilevare nel comportamento di Morell, dal momento che era comprovato che la ragazza scomparsa era presente sull'isola dopo che era avvenuto l'incidente. In ogni caso Morell, pur non sapendo dare una spiegazione plausibile, trovava difficile liberarsi dal pensiero che un avvenimento in qualche modo avesse causato l'altro.

Durante le prime, confuse ventiquattr'ore le speranze che il caso avesse presto una soluzione felice si affievolirono e gradualmente furono sostituite da due ipotesi.

Nonostante le difficoltà oggettive a lasciare l'isola senza farsi notare, Morell non voleva scartare la possibilità che la ragazza fosse scappata di casa. Decise quindi di diramare un avviso di ricerca e diede ordine ai poliziotti di pattuglia in centro a Hedestad di tenere gli occhi aperti. Affidò anche a un collega della polizia l'incarico di sentire conducenti di autobus e personale della stazione ferroviaria per appurare se qualcuno l'avesse vista.

Ma più arrivavano risposte negative, più aumentava la probabilità che Harriet Vanger fosse rimasta vittima di una disgrazia. Questa teoria venne a dominare l'impostazione delle indagini nei giorni che seguirono.

La grande battuta due giorni dopo la scomparsa della ragazza era stata effettuata – per quanto Mikael Blomkvist potesse giudicare – in modo particolarmente professionale. Poliziotti e vigili del fuoco con esperienza in materia curarono l'organizzazione delle ricerche. L'isola di Hedeby presentava alcune porzioni di terreno poco agevoli, è vero, ma l'estensione era, nonostante tutto, piuttosto limitata e l'intera isola fu passata al setaccio nell'arco della giornata. Una barca della polizia e due di volontari esaminarono come meglio poterono le acque intorno all'isola.

Il giorno seguente le ricerche proseguirono a squadre ridotte. Questa volta furono inviate pattuglie a effettuare un'altra battuta in porzioni di terreno particolarmente impervie, oltre che in una zona denominata Fortificazione – un sistema di bunker abbandonati che era stato fabbricato dalla difesa costiera durante la seconda guerra mondiale. Quel giorno furono perquisiti anche bugigattoli, pozzi, cantine interrate, casotti e solai nel villaggio.

Quando il terzo giorno dopo la scomparsa di Harriet le ricerche furono interrotte, nelle annotazioni di servizio si poteva leggere una certa frustrazione. Gustaf Morell naturalmente non ne era ancora consapevole, ma a quello stadio era arrivato al punto massimo che le sue indagini avrebbero mai raggiunto. Era sconcertato e aveva difficoltà a indicare un passo successivo naturale o un posto dove le ricerche avrebbero dovuto continuare. All'apparenza Harriet Vanger si era volatilizzata nel nulla, e il tormento, ormai quasi quarantennale, di Henrik Vanger era cominciato.

9.
Lunedì 6 gennaio - mercoledì 8 gennaio

Mikael aveva continuato a leggere fino alle ore piccole, e il giorno dell'Epifania si era alzato tardi. Una Volvo seminuova color blu marine era parcheggiata proprio fuori della casa di Henrik Vanger. Nello stesso istante in cui Mikael mise la mano sulla maniglia, la porta fu aperta da un uomo sulla cinquantina che stava uscendo. Entrarono quasi in collisione. L'uomo sembrava di fretta.

«Sì? Posso essere d'aiuto?»

«Sto andando da Henrik Vanger» rispose Mikael.

L'espressione negli occhi dell'uomo si rasserenò. Sorrise e tese la mano.

«Lei dev'essere Mikael Blomkvist, quello che dovrà aiutare Henrik con la cronaca familiare.»

Mikael annuì e gli strinse la mano. Era evidente che Henrik Vanger aveva cominciato a diffondere la *cover story* di Mikael, destinata a spiegare il perché della sua presenza a Hedestad. L'uomo era in sovrappeso – il risultato di molti anni di faticose trattative in uffici e sale riunioni – ma Mikael vide subito che i lineamenti ricordavano Harriet.

«Mi chiamo Martin Vanger» confermò l'uomo. «Benvenuto a Hedestad.»

«Grazie.»

«L'ho vista alla tv qualche tempo fa.»

«A quanto pare, mi hanno visto tutti.»

«Wennerström non è... molto popolare in questa casa.»

«Henrik me l'ha detto. Ora aspetto il resto della storia.»

«Mi ha raccontato qualche giorno fa che le ha affidato un incarico.» Martin scoppiò in una risata improvvisa. «Diceva che probabilmente era stato per via di Wennerström che aveva accettato di venire a lavorare quassù.»

Mikael esitò un secondo prima di decidere di dire la verità.

«Quello è un motivo importante. Ma a essere sincero avevo bisogno di allontanarmi da Stoccolma, e Hedestad è arrivata al momento giusto. Credo. Non posso fingere che il processo non ci sia mai stato. Devo anche andare in prigione.»

Martin annuì, improvvisamente serio.

«Può fare ricorso?»

«In questo caso è inutile.»

Martin guardò l'ora.

«Devo essere a Stoccolma stasera e devo scappare. Sarò di ritorno fra qualche giorno. Venga a cena da me una sera. Mi farebbe molto piacere sentire che cosa è successo esattamente nel corso di quel processo.»

Si strinsero di nuovo la mano prima che Martin Vanger gli passasse davanti e aprisse la portiera della Volvo. Poi si girò e disse forte a Mikael: «Henrik è di sopra. Entri pure.»

Henrik Vanger era seduto nel salotto del suo studio dove aveva *Hedestads-Kuriren*, *Dagens Industri*, *Svenska Dagbladet* e i due quotidiani della sera sul tavolino.

«Ho incontrato Martin qui fuori.»

«È scappato via di corsa per andare a salvare l'impero» rispose Henrik e alzò la caraffa termica. «Caffè?»

«Grazie, volentieri» rispose Mikael. Si accomodò e si chiese perché mai Henrik avesse un'aria così divertita.

«Vedo che parlano di te sul giornale.»

Spinse verso di lui uno dei quotidiani della sera, aperto su un articolo dal titolo *Corto circuito mediatico*. Il testo era scritto da un editorialista in giacca gessata che in precedenza aveva lavorato alla rivista economica *Monopol* e che si era fatto un nome come esperto nello screditare in tono burlesco tutti quelli che si impegnavano su qualche fronte o si erano messi in mostra – femministe, antirazzisti e ambientalisti potevano sempre contare di ricevere la loro parte. Adesso era passato evidentemente alla critica dei mezzi d'informazione; diverse settimane dopo il processo sull'affare Wennerström, aveva focalizzato la sua energia su Mikael Blomkvist, che era descritto apertamente come un completo idiota. Erika Berger a sua volta era presentata come una bamboccia.

Corre voce che Millennium *sia sul punto di naufragare, benché il caporedattore sia una femminista in minigonna che fa la boccuccia in tv. Il giornale è vissuto diversi anni sull'immagine che la redazione era riuscita a commercializzare – giovani giornalisti che praticano un giornalismo d'indagine e smascherano le canaglie del mondo delle imprese. Il trucco pubblicitario forse funziona con i giovani anarchici che amano sentire proprio questo genere di messaggi, ma non funziona con i giudici del tribunale. Come* Kalle Blomkvist *ha appena potuto constatare.*

Mikael accese il cellulare e controllò se ci fosse qualche chiamata da Erika. Non c'era nessun messaggio. Henrik Vanger aspettava senza dire nulla; Mikael si rese conto che il vecchio aveva intenzione di lasciare a lui il compito di rompere il silenzio.

«Questo tizio è un idiota» disse Mikael.

Henrik rise, ma commentò in tono obiettivo: «Può darsi. Ma non è lui che è stato condannato dal tribunale.»

«Vero. E nemmeno lo sarà mai. È uno che non esprime mai niente di originale ma si aggancia sempre a quel che dicono gli altri e scaglia l'ultima pietra nei termini più infamanti possibile.»

«Ne ho visti tanti di quel genere ai miei tempi. Un buon consiglio – se ne vuoi accettare da me – è di ignorarlo quando fa chiasso, non dimenticare nulla e rendere pan per focaccia quando ti capita l'occasione. Ma non adesso che è in posizione di vantaggio.»

Mikael lo guardò con aria interrogativa.

«Ho avuto molti nemici, negli anni. Una cosa ho imparato, ed è di non accettare uno scontro quando sai con certezza che perderai. Per contro non lasciare mai che qualcuno che ti ha offeso la passi liscia. Aspetta il tuo momento e colpisci quando sei tu in posizione di forza – anche se non hai più necessità di farlo.»

«Grazie per la lezione di filosofia. Adesso vorrei che mi raccontasse della sua famiglia.» Mikael mise un registratore sul tavolo fra loro e premette il tasto di avvio.

«Che cosa vuoi sapere?»

«Ho letto il primo fascicolo; sulla sparizione di Harriet e i primi giorni di ricerche. Ma nei testi compaiono così tanti Vanger che non riesco più a orientarmi.»

Lisbeth Salander restò ferma quasi un quarto d'ora sulle scale deserte, lo sguardo fisso sulla targa d'ottone con scritto «Avvocato N.E. Bjurman», prima di decidersi a suonare. La serratura scattò.

Era martedì. Era il secondo incontro e lei era piena di cattivi presentimenti.

Non aveva paura dell'avvocato Bjurman – raramente Lisbeth Salander aveva paura di qualcuno o di qualcosa. Ma avvertiva un acuto senso di disagio nei confronti del nuovo tutore. Il predecessore di Bjurman, l'avvocato Holger Palmgren, era di tutt'altra pasta, corretto, affabile e cordiale. La loro relazione si era interrotta tre mesi prima, quando Palmgren aveva avuto un ictus e Nils Erik Bjurman si era preso carico del suo caso secondo qualche ordine di beccata burocratico a lei ignoto.

Durante i circa dodici anni – due dei quali trascorsi in un istituto per l'infanzia – in cui Lisbeth Salander era stata oggetto di cura sociale e psichiatrica, la ragazza non aveva mai – non una sola volta – risposto nemmeno a una semplice domanda del tipo «allora, come stai oggi?»

Quando aveva compiuto tredici anni, il tribunale aveva stabilito, ai sensi della legge sulla tutela dei minori, che Lisbeth Salander dovesse essere curata presso la clinica psichiatrica infantile St. Stefan di Uppsala. La decisione poggiava principalmente sul fatto che era stata giudicata affetta da turbe psichiche e pericolosa per i suoi compagni di classe e forse anche per se stessa.

Questa supposizione si basava su valutazioni empiriche più che su un'analisi accuratamente ponderata. Qualsiasi tentativo da parte di medici o altre autorità di iniziare una conversazione sui suoi sentimenti, la sua vita interiore o il suo stato di salute era stato accolto, con loro grande frustrazione, da un silenzio compatto e corrucciato e da uno sguardo fisso sul pavimento, il soffitto o le pareti. Coerente, lei aveva incrociato le braccia e rifiutato di partecipare ai test psicologici. La sua totale opposizione a ogni tentativo di misurarla, pesarla, classificarla, analizzarla ed educarla si estendeva anche alla scuola – le autorità potevano portarla di peso in un'aula scolastica e incatenarla al banco, ma non potevano impedirle di chiudere le orecchie e rifiutare di prendere in mano la penna durante le prove scritte. Aveva lasciato la scuola senza attestato.

Di conseguenza c'erano state grandi difficoltà anche solo a diagnosticare le sue debolezze mentali. In breve, Lisbeth

Salander era un soggetto tutt'altro che facile da trattare.

Quando compì tredici anni fu anche deciso di nominare un tutore che curasse i suoi interessi e amministrasse le sue risorse fino a quando fosse diventata maggiorenne. La scelta cadde sull'avvocato Holger Palmgren, che nonostante un inizio un po' complicato era in effetti riuscito laddove psichiatri e medici specialisti avevano fallito. Col tempo aveva conquistato non solo una certa fiducia ma perfino una modesta quantità di affetto da parte della difficile ragazza.

A quindici anni, i medici erano stati più o meno concordi sul fatto che in ogni caso non era genericamente pericolosa per sé o per gli altri. Siccome la sua famiglia era stata definita disfunzionale e non aveva parenti che potessero garantire di occuparsene in maniera adeguata, si era deciso che Lisbeth Salander avrebbe compiuto il passaggio dalla clinica psichiatrica infantile di Uppsala alla società tramite una famiglia affiliante.

Non era stato un percorso facile. Dalla prima famiglia era scappata già dopo due settimane. Le famiglie numero due e tre erano state depennate in rapida successione. Poi Holger Palmgren aveva avuto un discorso serio con lei e le aveva detto apertamente che, se avesse continuato su quella strada, senza dubbio sarebbe finita di nuovo in istituto. La minaccia indiretta ebbe l'effetto di farle accettare la famiglia numero quattro – una coppia di una certa età che abitava a Midsommarkransen.

Questo non significò un cambiamento in meglio nel suo comportamento. A diciassette anni, Lisbeth Salander era già stata fermata dalla polizia quattro volte, due delle quali così ubriaca che era stato necessario trattarla d'urgenza, e una volta sotto palese effetto di stupefacenti. In una di queste occasioni era stata trovata ubriaca fradicia e con i vestiti in disordine sul sedile posteriore di una macchina parcheggiata lungo Söder Mälarstrand. Era in compagnia di un uomo altrettanto ubriaco e decisamente più vecchio.

L'ultimo fermo era avvenuto tre settimane prima che compisse diciotto anni, quando, del tutto sobria, aveva tirato un calcio in testa a un passeggero all'interno della stazione della metropolitana di Gamla Stan. L'incidente le aveva causato un arresto per lesioni. Lisbeth aveva giustificato il suo gesto dicendo che l'uomo l'aveva palpata, e siccome il suo aspetto la faceva sembrare più una bambina di dodici anni che una ragazza di diciotto aveva ritenuto che il molestatore avesse inclinazioni pedofile. La sua dichiarazione era stata confermata da testimoni, il che indusse il pm ad archiviare il caso.

Però il suo background complessivo era tale che il tribunale decise per una perizia psichiatrica. Siccome Lisbeth, fedele alle sue abitudini, rifiutò di rispondere alle domande e di partecipare attivamente all'indagine, i medici che erano stati consultati dalla direzione degli affari sociali presentarono alla fine una perizia basata su «osservazioni della paziente». Che cosa si potesse esattamente osservare quando si trattava di una giovane donna muta, seduta su una sedia con le braccia conserte e il labbro inferiore sporgente, era un po' oscuro. L'unica conclusione fu che soffriva di un disturbo psichico del genere che richiedeva necessariamente un intervento. La perizia lasciava intendere la necessità che fosse rinchiusa in un istituto psichiatrico, e un sostituto dirigente della commissione dei servizi sociali scrisse un giudizio in cui si accodava alle conclusioni della perizia psichiatrica.

Con riferimento ai suoi precedenti, il giudizio constatava che sussisteva *alto rischio di abuso di alcol o droghe*, e che la ragazza palesemente mancava di autocoscienza. La sua cartella clinica era piena zeppa di formulazioni aggravanti come *introversa*, *socialmente inibita*, *mancanza di empatia*, *ego-*

centrica, comportamento psicopatico e asociale, difficoltà di collaborazione e incapacità di assimilare insegnamenti. Chi avesse letto la sua cartella, avrebbe potuto facilmente essere indotto a trarre la conclusione che fosse gravemente ritardata. A suo discapito parlava anche il fatto che il servizio sociale di zona in diverse occasioni l'aveva osservata in compagnie maschili nel quartiere intorno a Mariatorget, e che in un'occasione era stata fermata nel parco di Tantolunden di nuovo in compagnia di un uomo molto più anziano. Si riteneva che Lisbeth Salander forse praticasse o rischiasse di cominciare a praticare qualche forma di prostituzione.

Quando il tribunale di prima istanza – l'istituzione che doveva decidere del suo futuro – si riunì per pronunciarsi sul suo caso, l'esito sembrava deciso in partenza. Era un soggetto evidentemente problematico, ed era improbabile che i giudici si sarebbero discostati dalle raccomandazioni che sia la perizia psichiatrica sia quella sociale avevano suggerito.

La mattina del giorno in cui doveva aver luogo la riunione, Lisbeth Salander fu prelevata dalla clinica psichiatrica dove era rimasta rinchiusa in seguito all'incidente nella metropolitana. Si sentiva come una prigioniera di un lager e non aveva nessuna speranza di sopravvivere a quella giornata. La prima persona che vide nell'aula del tribunale fu Holger Palmgren e le occorse un momento per capire che non era lì in veste di tutore, ma di suo avvocato e difensore. Un lato di lui che le era nuovo.

Palmgren si era messo in maniera inequivocabile dalla sua parte, e aveva energicamente avversato la proposta di istituzionalizzarla. Lei non aveva lasciato trasparire il suo stupore nemmeno con un'alzata di sopracciglia, ma aveva ascoltato con estrema attenzione ogni parola che veniva detta. Palmgren era stato brillante quando per due ore intere aveva controinterrogato il medico, certo dottor Jesper H. Löderman, che aveva messo la propria firma sotto la raccomandazione che Lisbeth Salander fosse rinchiusa in istituto. Ogni singolo dettaglio della perizia era stato esaminato minuziosamente, e il medico era stato invitato a spiegare il fondamento scientifico di ogni asserzione. A poco a poco era risultato evidente che, siccome la paziente si era rifiutata di sottoporsi a qualsiasi test, le conclusioni dei medici si basavano in effetti su congetture e non su fondamenti scientifici.

Al termine dell'udienza, Palmgren aveva lasciato intendere che l'istituzionalizzazione coatta non solo molto probabilmente contrastava con le decisioni del parlamento su analoghe questioni, ma nel caso specifico poteva essere oggetto di rappresaglie politiche e mediatiche. Sarebbe stato perciò nell'interesse di tutti trovare una soluzione alternativa adeguata. Era un linguaggio insolito nelle udienze per quel genere di casi, e i membri del collegio giudicante si erano agitati sulle sedie.

La soluzione fu un compromesso. Il tribunale stabilì che Lisbeth Salander era malata di mente, ma che la sua pazzia non richiedeva necessariamente l'internamento. Per contro si accoglieva la raccomandazione del dirigente dei servizi sociali di nominare un tutore. Dopo di che il presidente del collegio giudicante si era rivolto con un sorriso velenoso a Holger Palmgren, che fino a quel momento era stato il suo tutore, domandandogli se non fosse disposto ad accollarsi l'incarico. Era evidente che il giudice aveva creduto che Holger Palmgren si sarebbe tirato indietro e avrebbe cercato di scaricare la responsabilità su qualcun altro, ma l'avvocato al contrario si dichiarò ben felice di assumersi il compito di fungere da tutore della signorina Salander – a una condizione.

«Il presupposto è ovviamente che la signorina Salander abbia fiducia in me e che mi accetti come suo tutore.»

Si era rivolto direttamente a lei. Lisbeth Salander era un

po' confusa per gli scambi di pareri che nel corso della giornata si erano intrecciati sopra la sua testa. Fino a quel momento, nessuno aveva chiesto il suo, di parere. Guardò a lungo Holger Palmgren e quindi fece un unico cenno d'assenso col capo.

Palmgren era uno strano incrocio fra giurista e addetto ai servizi sociali della vecchia scuola. Ai tempi dei tempi era stato membro politico della commissione degli affari sociali e aveva dedicato quasi tutta la vita a trattare con giovani difficili. Un recalcitrante rispetto, quasi al limite dell'amicizia, era sorto col tempo fra l'avvocato e la più problematica dei suoi protetti.

La loro relazione era durata complessivamente undici anni, dal momento in cui lei aveva compiuto tredici anni all'anno precedente, quando qualche settimana prima di Natale era andata a casa di Palmgren dopo che lui aveva disertato uno dei loro incontri mensili programmati. Poiché l'avvocato non apriva, benché dall'interno dell'appartamento venissero dei rumori, Lisbeth era entrata arrampicandosi lungo una grondaia fino al balcone del terzo piano. L'aveva trovato sul pavimento dell'ingresso, cosciente ma incapace di parlare e muoversi in seguito a un ictus. Aveva solo sessantacinque anni. Lei aveva chiamato l'ambulanza e l'aveva accompagnato all'ospedale con un senso crescente di panico nello stomaco. Per tre giorni non si era quasi mossa dal corridoio fuori del reparto di terapia intensiva. Come un cane da guardia fedele, aveva sorvegliato ogni passo che medici e infermieri muovevano fuori o dentro la stanza. Aveva camminato avanti e indietro nel corridoio come un'anima in pena e fissato lo sguardo su ogni medico che passava nelle sue vicinanze. Alla fine un dottore, di cui non aveva mai saputo il nome, l'aveva condotta in una stanza e le aveva spiegato la gravità della situazione. Le condizioni di Holger Palmgren erano critiche, in conseguenza di una grave emorragia cerebrale. Le prospettive non erano favorevoli. Lei non aveva né pianto né battuto ciglio. Si era alzata, aveva lasciato l'ospedale e non era più ritornata.

Cinque settimane più tardi l'ufficio tutorio aveva mandato a chiamare Lisbeth Salander per un primo incontro con il suo nuovo tutore. Il suo primo impulso era stato di ignorare la convocazione, ma Holger Palmgren le aveva impresso bene in mente che ogni azione ha delle conseguenze. A quello stadio lei aveva imparato ad analizzare le conseguenze prima di agire, e dopo una più attenta riflessione era giunta alla conclusione che il modo più indolore di risolvere il dilemma era di accontentare l'ufficio tutorio, comportandosi come se effettivamente le importasse di quello che dicevano.

Di conseguenza in dicembre – prendendosi una breve pausa nella ricerca su Mikael Blomkvist – si era presentata docilmente nello studio di Bjurman in St. Eriksplan, dove una donna di una certa età che rappresentava l'ufficio tutorio aveva consegnato il corposo fascicolo riguardante Lisbeth Salander all'avvocato Bjurman. La signora le aveva chiesto gentilmente come stava, ed era sembrata soddisfatta della risposta contenuta nel suo pesante silenzio. Dopo una mezz'ora l'aveva lasciata alle cure dell'avvocato Bjurman.

Lisbeth Salander aveva detestato l'avvocato Bjurman nel giro di cinque secondi dopo che si erano stretti la mano.

L'aveva sbirciato mentre leggeva la sua cartella clinica. Età: cinquanta o poco più. Corporatura atletica; tennis ogni martedì e venerdì. Biondo. Capelli radi. Fossetta sul mento. Profumo: Boss. Completo blu. Cravatta rossa con fermacravatta d'oro e ridicoli gemelli con le iniziali N.E.B. Occhiali con la montatura metallica. Occhi grigi. A giudicare dalle riviste che c'erano su un tavolino, si interessava di caccia e tiro al bersaglio.

Durante il decennio in cui aveva avuto a che fare con Palmgren, questi aveva avuto l'abitudine di offrirle il caffè e scambiare quattro chiacchiere con lei. Nemmeno le sue peggiori fughe dalle famiglie che l'avevano in affido o il suo sistematico marinare la scuola gli avevano mai fatto perdere la pazienza. L'unica volta che Palmgren si era mostrato genuinamente indignato era stata quando l'avevano arrestata per lesioni ai danni del verme che l'aveva palpata nella metropolitana. *Capisci quello che hai fatto? Hai fatto del male a un altro essere umano, Lisbeth.* Si era comportato come un vecchio insegnante e lei aveva pazientemente ignorato ogni parola della sua reprimenda.

Bjurman non dava molto peso alle chiacchiere. Aveva subito constatato che esisteva una discrepanza fra i doveri di Holger Palmgren in base al regolamento sull'amministrazione e il fatto che evidentemente aveva permesso a Lisbeth Salander di gestire da sé la propria vita e la propria economia. Le aveva fatto una specie di interrogatorio. *Quanto guadagni? Voglio una copia della tua contabilità. Chi frequenti? Paghi puntualmente l'affitto? Palmgren ha dato la sua approvazione a quegli anelli che hai in faccia? Sei in grado di curare la tua igiene?*

Fuck you.

Palmgren era diventato il suo tutore subito dopo che era successo Tutto il Male. Aveva insistito per incontrarla almeno una volta al mese secondo uno schema prestabilito, talvolta anche più spesso. Da quando era tornata ad abitare nella casa di Lundagatan erano diventati inoltre quasi vicini; lui abitava in Hornsgatan, solo un paio di isolati più in là, e capitava che s'incontrassero per caso e andassero a bere un caffè insieme da Giffy o in qualche altro locale nelle vicinanze. Palmgren non si era mai imposto, ma qualche volta era andato a trovarla con un piccolo regalo per il suo compleanno. Lei aveva un invito aperto a fargli visita in qualsiasi momento, un privilegio che aveva raramente sfruttato, ma da quando si era trasferita nel quartiere di Söder aveva cominciato a festeggiare la vigilia di Natale con lui, dopo che era stata a trovare la madre. Mangiavano il prosciutto di Natale e giocavano a scacchi. Lei era del tutto disinteressata al gioco, ma da quando aveva imparato le regole non aveva più perso una partita. Lui era vedovo, e Lisbeth Salander considerava come proprio dovere fargli compagnia in quelle feste solitarie.

Riteneva di doverglielo ed era abituata a pagare sempre i propri debiti.

Era stato Palmgren a prendere in affitto l'appartamento della madre di Lisbeth nella casa di Lundagatan per lasciarglielo fino al momento in cui lei avesse avuto bisogno di un alloggio proprio. L'appartamento di quarantanove metri quadrati era vecchio e malandato, ma era un tetto sopra la testa.

Adesso Palmgren non c'era più e un altro legame ancora con la società organizzata era stato reciso. Nils Bjurman era un uomo di tutt'altra pasta. Lisbeth non aveva intenzione di passare nessuna vigilia di Natale a casa sua. La primissima misura presa dall'avvocato era stata di introdurre nuove regole riguardo alla gestione del suo conto presso la Handelsbanken. Palmgren aveva interpretato in maniera molto elastica la legge sull'amministrazione e aveva lasciato che Lisbeth gestisse la propria economia da sola. Si pagava i suoi conti e poteva disporre dei suoi risparmi come meglio credeva.

In vista dell'incontro con Bjurman, la settimana prima di Natale, si era preparata e una volta là aveva spiegato all'avvocato che il suo predecessore si era fidato di lei e non aveva avuto motivo di pentirsene. Che Palmgren le aveva consentito di arrangiarsi da sola senza intromettersi nella sua vita privata.

«Questo è uno dei problemi» aveva risposto Bjurman, picchiettando con il dito sulla sua cartella clinica. Poi si era lanciato in una lunga spiegazione delle regole e dei regolamenti statali in materia di amministrazione e quindi l'aveva avvertita che sarebbe stato introdotto un nuovo ordinamento.

«Lui ti lasciava libera, non è vero? Mi domando come abbia potuto passarla liscia.»

Perché era un pazzo socialdemocratico che si occupava di ragazzi difficili da quasi quarant'anni.

«Io non sono più una bambina» aveva detto Lisbeth Salander, come se fosse una spiegazione sufficiente.

«No, non sei una bambina. Ma io sono stato nominato tuo tutore e finché lo sarò sono responsabile di te giuridicamente ed economicamente.»

Il suo primo provvedimento era stato di aprire un nuovo conto a suo nome che lei avrebbe dovuto comunicare all'ufficio paghe della Milton Security e che avrebbe utilizzato in futuro. Lisbeth capì che i bei giorni erano finiti; da quel momento in poi l'avvocato Bjurman avrebbe pagato i suoi conti e lei avrebbe ricevuto ogni mese una somma di denaro prefissata per le piccole spese. L'avvocato si aspettava che gli esibisse quietanza delle sue uscite. Aveva stabilito di passarle millequattrocento corone la settimana – «per cibo, vestiti, cinema e via dicendo».

A seconda di quanto sceglieva di lavorare, Lisbeth Salander guadagnava fino a centosessantamila corone l'anno. Avrebbe potuto facilmente raddoppiare la somma lavorando a tempo pieno e accettando tutti gli incarichi che Dragan Armanskij le offriva. Ma aveva poche spese, e di poco conto. L'affitto le costava circa duemila corone al mese, e nonostante i modesti introiti aveva novantamila corone sul proprio conto. Delle quali adesso non poteva dunque più disporre.

«Devi capire che io sono responsabile del tuo denaro» aveva spiegato l'avvocato. «Devi risparmiare per il futuro. Ma non ti preoccupare; mi occuperò io di tutto.»

Io mi occupo di me stessa da quando ho dieci anni, maledetto bastardo!

«Tu stai andando così bene a livello sociale che non c'è bisogno di istituzionalizzarti, ma la società è responsabile nei tuoi confronti.»

L'aveva interrogata con pedanteria su quali fossero i suoi compiti alla Milton Security. Istintivamente lei aveva mentito sulla sua occupazione. La risposta che aveva dato era una descrizione delle sue primissime settimane alla Milton. L'avvocato Bjurman di conseguenza aveva avuto l'impressione che lei preparasse il caffè e smistasse la posta – un'occupazione adatta per una un po' ritardata.

Lisbeth non sapeva perché avesse mentito, ma era convinta che fosse stata una decisione saggia. Se l'avvocato Bjurman fosse stato in una lista di insetti minacciati d'estinzione, non avrebbe esitato granché a schiacciarlo sotto il tacco.

Mikael Blomkvist aveva trascorso cinque ore in compagnia di Henrik Vanger e dedicò gran parte della notte e tutto il martedì a trascrivere in bella copia i suoi appunti e a schematizzare la genealogia dei Vanger in un quadro riassuntivo comprensibile. La storia familiare che andava delineandosi nelle conversazioni con Henrik Vanger era una versione drammaticamente diversa da quella che risultava dall'immagine ufficiale della famiglia. Mikael era consapevole che ogni famiglia ha qualche scheletro nell'armadio. La famiglia Vanger aveva un intero cimitero.

A questo punto Mikael era stato costretto a rammentare a se stesso che il suo compito in realtà non consisteva nello scrivere la biografia della famiglia, ma nello scoprire che cosa fosse successo a Harriet Vanger. Aveva accettato quell'incarico fermamente convinto che in pratica avrebbe solo buttato via un anno, e che tutto il lavoro che avrebbe fatto per Henrik Vanger in realtà fosse un trucco per sviare l'attenzione. Dopo un anno avrebbe riscosso il suo assurdo compenso – il contratto preparato da Dirch Frode era firmato e sottoscritto. Il vero compenso, sperava, sarebbero state le informazioni su Hans-Erik Wennerström che Henrik Vanger sosteneva di possedere.

Dopo essere stato ad ascoltarlo, cominciava però a rendersi conto che l'anno non doveva essere necessariamente tempo sprecato. Un libro sulla famiglia Vanger aveva un valore in sé – sarebbe stato, molto semplicemente, una bella *story*.

La possibilità di arrivare a scoprire l'assassino di Harriet Vanger non gli balenò neanche per un secondo – se poi era stata veramente uccisa e non era rimasta vittima di qualche assurdo incidente o non era in altro modo scomparsa. Mikael concordava con Henrik che la probabilità che una ragazza di sedici anni fosse scomparsa volontariamente e fosse riuscita a tenersi nascosta a tutti i sistemi burocratici di sorveglianza per trentasette anni era nulla. Ma Mikael non voleva escludere che Harriet potesse essere scappata, magari per andare a Stoccolma, e che le fosse successo qualcosa lungo il cammino – droghe, prostituzione, aggressioni, o molto semplicemente una disgrazia.

Henrik Vanger d'altro canto era convinto che Harriet fosse stata assassinata, e che il responsabile fosse un membro della famiglia – magari aiutato da qualcun altro. La forza del suo ragionamento stava nel fatto che Harriet era scomparsa durante le ore drammatiche in cui la via d'accesso all'isola era bloccata e gli occhi di tutti erano puntati sull'incidente.

Erika aveva ragione a dire che il suo incarico andava contro ogni buon senso, se lo scopo era di risolvere un omicidio misterioso. Mikael Blomkvist cominciava tuttavia a rendersi conto che il destino di Harriet aveva giocato un ruolo centrale nella famiglia, soprattutto per Henrik Vanger. Che avesse ragione oppure torto, la sua accusa contro i suoi parenti era di grande importanza nella storia di famiglia. Egli l'aveva espressa apertamente per oltre trent'anni, cosa che aveva dato una certa impronta alle riunioni di famiglia e creato antagonismi infetti che avevano contribuito a destabilizzare l'intero gruppo. Uno studio sulla sparizione di Harriet avrebbe svolto di conseguenza la funzione di capitolo a sé stante e perfino di filo conduttore principale della storia familiare – e di materiale ce n'era in sovrabbondanza. Un punto di partenza ragionevole, sia che Harriet fosse il suo compito primario sia che si volesse accontentare di scrivere una cronaca familiare, poteva essere quello di classificare la galleria dei personaggi. Era proprio su questo che si era focalizzata la sua conversazione con Henrik quel giorno.

La famiglia Vanger era composta da un centinaio di persone, contando fino ai cugini di secondo e terzo grado. Il parentado era così vasto che Mikael fu costretto a creare un database nel suo iBook. Un documento per ogni membro della famiglia.

L'albero genealogico poteva essere ricostruito con sicurezza fino agli inizi del Cinquecento, quando il nome di famiglia era Vangeersad. Secondo Henrik, era possibile che il nome derivasse dall'olandese van Geerstat; se fosse stato così, le tracce della famiglia potevano essere seguite fino al XII secolo. In tempi più moderni, agli inizi dell'Ottocento, la famiglia si era mossa dalla Francia settentrionale ed era arrivata in Svezia al seguito di Jean Baptiste Bernadotte. Alexandre Vangeersad era stato un soldato e non conosceva personalmente il re, ma si era distinto come valente capo di guarnigione e nel 1818 aveva ricevuto la tenuta di Hedeby come ringraziamento per un lungo e fedele servizio. Alexandre Vangeersad aveva anche un patrimonio personale e l'aveva utilizzato per acquistare vaste aree boschive nel Norrland. Il figlio Adrian era nato in Francia ma si era trasferito per volere del padre in quell'angolo sperduto che era Hedeby, lontano dai saloni di Parigi, per curare l'amministrazione della tenuta. Esercitò l'agricoltura e l'industria forestale con nuovi metodi importati dal continente, e fondò la fabbrica di cellulosa intorno alla quale sarebbe cresciuta Hedestad.

Il nipote di Alexandre si chiamava Henrik e aveva abbreviato il cognome in Vanger. Sviluppò il commercio con la Russia e creò una piccola flotta mercantile con vascelli che a metà Ottocento solcavano il Baltico raggiungendo anche la Germania e l'Inghilterra delle acciaierie. Henrik Vanger diversificò anche l'azienda di famiglia e avviò un modesto sfruttamento minerario e alcune delle prime industrie metallurgiche del Norrland. Lasciò due figli, Birger e Gottfried, che gettarono le basi dell'impero finanziario dei Vanger.

«Conosci le vecchie regole ereditarie?» aveva domandato Henrik.

«Non è un argomento su cui mi sia specializzato.»

«Ti capisco. Anch'io mi confondo sempre. Birger e Gottfried erano, secondo la migliore tradizione di famiglia, come cane e gatto – concorrenti leggendari per il potere e l'influenza sull'azienda di famiglia. La lotta per il potere diventò sotto molti aspetti un peso che potenzialmente minacciava la sopravvivenza dell'azienda stessa. Per questo motivo il loro padre stabilì – poco prima di morire – di creare un sistema per cui ogni membro della famiglia avrebbe ricevuto una quota ereditaria in forma di quota della società. Di sicuro il pensiero era giusto, ma portò a una situazione in cui invece di poter far entrare nell'azienda persone competenti e possibili partner da fuori, ci ritrovavamo con un consiglio direttivo composto da membri della famiglia ognuno con qualche quota di voto.»

«È una regola che vale anche oggi?»

«Proprio così. Se qualche membro della famiglia vuole vendere la propria quota, deve farlo all'interno della famiglia. L'assemblea annuale raduna oggi una cinquantina di membri della famiglia. Martin ha circa il dieci per cento delle azioni; io ho il cinque per cento dal momento che ho venduto, fra l'altro a Martin. Mio fratello Harald possiede il sette, ma la maggior parte di quelli che partecipano all'assemblea hanno soltanto l'uno o lo zero cinquanta per cento.»

«In effetti non ne avevo la minima idea. Suona un po' medievale.»

«È del tutto folle. Significa che se Martin oggi vuole portare avanti una politica, deve dedicarsi a un vasto lavoro di lobby per assicurarsi l'appoggio di almeno il venti venticinque per cento dei soci. È un toppone di alleanze, frazioni e intrighi.»

Henrik Vanger continuò: «Gottfried Vanger morì senza eredi, nel 1901. Anzi no, scusa, in realtà aveva quattro figlie, ma a quei tempi le donne non contavano. Avevano delle quote, ma erano gli uomini a occuparsi degli affari. Fu solo con l'introduzione del diritto di voto, già in pieno Novecento, che le donne ottennero il diritto di partecipare all'assemblea.»

«Molto liberale.»

«Non essere ironico. Erano altri tempi. A ogni modo, il fratello di Gottfried, Birger Vanger, ebbe tre figli maschi – Johan, Fredrik e Gideon Vanger – tutti nati alla fine dell'Ottocento. Gideon possiamo scartarlo; vendette la propria quota ed emigrò in America, dove abbiamo tuttora un ramo della famiglia. Ma Johan e Fredrik trasformarono l'azienda nel moderno Gruppo Vanger.»

Henrik tirò fuori un album di fotografie e mentre raccontava illustrava la galleria dei personaggi. Le foto dell'inizio del secolo precedente mostravano due uomini dalla mascella volitiva e dai capelli impomatati che fissavano l'obiettivo senza il minimo accenno di un sorriso.

Johan Vanger era il genio della famiglia, aveva studiato da ingegnere e sviluppato l'industria meccanica con diverse nuove invenzioni che aveva brevettato. Ferro e acciaio divennero la base del gruppo, ma l'azienda si espanse anche ad altri settori, come quello tessile. Johan Vanger era morto nel 1956 lasciando tre figlie – Sofia, Märit e Ingrid – che furono le prime donne ad avere accesso automatico all'assemblea societaria.

«L'altro fratello, Fredrik, era mio padre. Fu l'uomo d'affari e il capitano d'industria che trasformò le invenzioni di Johan in utili. Mio padre morì nel 1964. Partecipò attivamente alla direzione dell'azienda fino alla morte, anche se già negli anni cinquanta aveva passato la direzione quotidiana a me. Fu proprio come nella generazione precedente, ma all'inverso. Johan ebbe solo figlie femmine.» Henrik Vanger mostrò fotografie di donne pettorute con ampi cappelli e ombrellini parasole. «E Fredrik, mio padre, solo maschi. Eravamo in tutto cinque fratelli. Richard, Harald, Greger, Gustav e io.»

Per avere una minima possibilità di riuscire a distinguere tutti i membri della famiglia, Mikael tracciò un albero genealogico su alcuni fogli tenuti insieme con il nastro adesivo. Evidenziò i nomi dei membri della famiglia che erano presenti sull'isola in occasione del raduno di famiglia del 1966, e che perciò potevano aver avuto, almeno in linea teorica, qualcosa a che fare con la scomparsa di Harriet.

Tralasciò i bambini sotto i dodici anni – qualsiasi cosa fosse accaduta a Harriet, pensava di dover mettere un limite ragionevole. Dopo una breve valutazione eliminò anche

Henrik Vanger – se il patriarca avesse avuto qualcosa a che fare con la scomparsa della nipote del fratello, il suo modo d'agire degli ultimi trentasette anni sarebbe rientrato nella sfera dello psicopatologico. Anche la madre di Henrik, che nel 1966 si trovava alla veneranda età di ottantun anni, si doveva ragionevolmente cancellare. Rimanevano così venti-tré membri della famiglia che secondo Henrik dovevano rientrare nel gruppo dei sospetti. Da allora, alcuni di loro erano morti e altri avevano raggiunto un'età ragguardevole.

Tuttavia Mikael non era pronto a digerire la convinzione di Henrik che dietro alla scomparsa di Harriet dovesse es-serci proprio un membro della famiglia. Alla lista dei so-spetti doveva essere aggiunta una serie di altre persone.

Dirch Frode aveva cominciato a lavorare come avvocato di Henrik Vanger nella primavera del 1962. E accanto ai signo-ri, chi erano stati i domestici quando Harriet era scompar-sa? L'attuale uomo di fatica, Gunnar Nilsson – alibi o no –, aveva diciannove anni, e suo padre Magnus era senz'altro presente sull'isola di Hedeby, così come l'artista Eugen Nor-man e il pastore Otto Falk. Falk era sposato? Il contadino di Östergården, Martin Aronsson, così come suo figlio Jerker, era sull'isola. Che rapporto aveva con loro Harriet Vanger? Martin Aronsson era sposato? C'erano altre perso-ne nel fondo?

Quando Mikael cominciò a trascrivere tutti i nomi, il gruppo aumentò fino a comprendere una quarantina di per-sone. Alla fine gettò via il pennarello, frustrato. Erano già le tre e mezza del mattino e il termometro era sempre fermo a ventuno sotto zero. A quanto pareva, l'ondata di gelo era destinata a durare. Aveva nostalgia del suo letto in Bell-mansgatan.

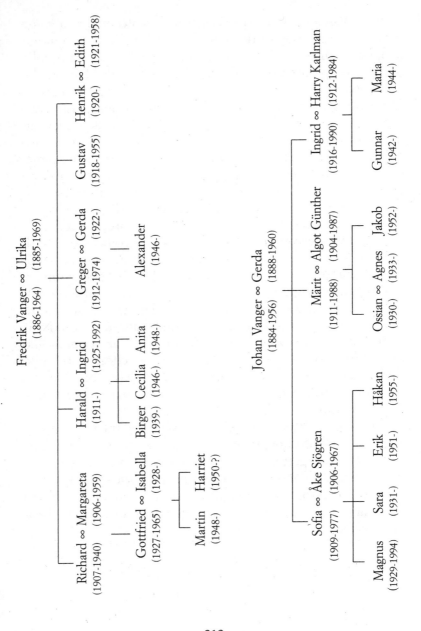

Mikael Blomkvist fu svegliato alle nove di mercoledì mattina dai tecnici della Telia che erano venuti a installare una presa del telefono e l'adsl. Alle undici era collegato e non si sentiva più professionalmente handicappato. Il telefono però era ancora muto. Erika non aveva risposto alle sue chiamate per tutta la settimana. Doveva essere davvero furibonda. Lui cominciava anche a sentirsi un po' come un testone e si rifiutava di telefonarle in ufficio; finché la chiamava sul cellulare, lei poteva vedere che era lui e decidere se rispondere oppure no. Cosa che dunque non voleva fare.

In ogni caso fece partire il programma di posta e diede un'occhiata ai quasi trecentocinquanta messaggi che gli erano stati inviati nell'ultima settimana. Una dozzina li salvò, il resto erano spam o mailing-list a cui era abbonato. Il primo messaggio che aprì veniva da un certo demokrat88@yahoo.com e conteneva il testo: *Spero che in galera dovrai succhiare cazzi bastardo comunista.* Mikael lo archiviò in una cartella sotto la voce *Critiche intelligenti.*

Scrisse un breve messaggio a erika.berger@millennium.se.

Ciao Riky. Suppongo che tu sia ancora inviperita con me visto che non rispondi alle mie chiamate. Volevo solo farti sapere che adesso sono collegato in rete e che mi puoi raggiungere via mail se te la senti di perdonarmi. Hedeby fra parentesi è un posticino rustico che merita senz'altro una visita. M.

All'ora di pranzo mise il suo portatile nella borsa a tracolla e si avviò verso il Caffè del Ponte, dove si parcheggiò al suo solito tavolo d'angolo. Quando Susanne gli servì caffè e tramezzini, guardò incuriosita il computer e gli chiese a che cosa stesse lavorando. Mikael utilizzò per la prima volta la sua *cover story* e spiegò che era stato ingaggiato da Henrik Vanger per scrivere una biografia. Si scambiarono convenevoli. Susanne esortò Mikael a consultarla quando fosse stato pronto per le autentiche rivelazioni.

«Ho servito i Vanger per trentacinque anni e conosco la maggior parte dei pettegolezzi sulla famiglia» disse mentre tornava claudicando in cucina.

La tabella che Mikael aveva messo insieme mostrava chiaramente che la famiglia Vanger produceva con tenacia sempre nuova progenie. Tra figli, nipoti e pronipoti – che non si era curato di inserire nell'albero genealogico – i fratelli Fredrik e Johan Vanger contavano circa cinquanta discendenti. Mikael constatò anche che i membri della famiglia avevano una tendenza a sopravvivere fino a età avanzata. Johan era arrivato a settantadue anni, e suo fratello Fredrik aveva raggiunto i settantotto. Ulrika era morta a ottantaquattro. Dei due fratelli tuttora in vita, Harald aveva novantadue anni e Henrik ottantatré.

L'unica vera eccezione era il fratello di Henrik di nome Gustav, che era morto di una malattia polmonare all'età di trentasette anni. Henrik aveva spiegato che era sempre stato di salute cagionevole e che era andato per la sua strada, un po' al di fuori del resto della famiglia. Era scapolo e non aveva figli.

Per il resto quelli che erano morti giovani erano morti per cause diverse dalla malattia. Richard era caduto mentre combatteva da volontario nella guerra d'inverno finlandese, a soli trentatré anni. Gottfried, il papà di Harriet, era annegato l'anno prima della scomparsa della ragazza. E Harriet stessa era arrivata solo a sedici anni. Mikael notò che in particolare quel ramo della famiglia, nonno, padre e figlia, era stato colpito da sventure. Come unico discendente di Richard era rimasto Martin, che ancora all'età di cinquantacinque anni era scapolo e senza figli. Henrik gli aveva spiegato che Martin aveva una relazione con una donna che abitava in città a Hedestad.

Martin aveva diciotto anni quando la sorella era scomparsa. Faceva parte del piccolo gruppo di parenti che con assoluta certezza andavano depennati dalla lista di quelli che potevano avere qualcosa a che fare con la scomparsa di Harriet. Quell'autunno abitava a Uppsala dove frequentava l'ultimo anno di liceo. Doveva partecipare alla riunione di famiglia ma era arrivato solo nel pomeriggio, e si trovava perciò fra gli spettatori dalla parte sbagliata del ponte durante l'ora critica in cui sua sorella si era volatilizzata.

Mikael notò altre due peculiarità nell'albero genealogico della famiglia. La prima era che i matrimoni sembravano essere per la vita; nessun membro della famiglia Vanger aveva mai divorziato o si era mai risposato, anche se il coniuge era venuto a mancare in giovane età. Si domandò quanto ciò fosse statisticamente comune. Cecilia si era separata dal marito diversi anni prima, ma per quanto ne sapeva Mikael non aveva divorziato.

L'altro aspetto singolare era che la parte maschile e quella femminile della famiglia sembravano avere una distribuzione geografica diversa. I discendenti di Fredrik Vanger, ai quali apparteneva anche Henrik, avevano rivestito tradizionalmente dei ruoli guida all'interno dell'azienda e risiedevano principalmente a Hedestad o nelle vicinanze. I membri del ramo della famiglia che faceva capo a Johan Vanger e che aveva prodotto solo eredi femminili si erano sposati e dispersi in altre parti del paese; risiedevano soprattutto a Stoccolma, Malmö e Göteborg oppure all'estero, e venivano a Hedestad soltanto per le ferie o in occasione delle riunioni più importanti all'interno dell'azienda. L'unica eccezione era rappresentata da Ingrid, il cui figlio Gunnar Karlman viveva a Hedestad. Era caporedattore del giornale locale *Hedestads-Kuriren*.

Come investigatore privato, Henrik era del parere che «il motivo sottinteso dell'omicidio di Harriet» era forse da ricercare nella struttura dell'azienda – il fatto che lui aveva precocemente annunciato che Harriet era qualcosa di assolutamente speciale, e dunque il motivo forse era di fare del male a Henrik stesso, oppure il fatto che Harriet avesse scoperto qualche informazione delicata che riguardava il Gruppo Vanger e di conseguenza costituisse una minaccia per qualcuno. Erano tutte speculazioni senza fondamento, ma in ogni caso Henrik aveva identificato in tal modo una cerchia di tredici persone che evidenziava come «particolarmente interessanti».

La conversazione del giorno precedente con Henrik era stata illuminante anche sotto un altro profilo. Fin dal primo momento, il vecchio aveva parlato con Mikael della propria famiglia in termini così sdegnosi e spregiativi da sembrare quasi strano. Mikael si era chiesto se i sospetti del patriarca verso la propria famiglia riguardo alla scomparsa di Harriet non avessero fatto vacillare il suo discernimento, ma ora cominciava a rendersi conto che le valutazioni di Henrik Vanger erano in effetti sorprendentemente lucide.

L'immagine che si andava delineando era quella di una famiglia di successo sotto il profilo sociale ed economico, ma chiaramente in difficoltà in tutti gli aspetti quotidiani.

Il padre di Henrik Vanger era stato un uomo freddo e insensibile che una volta generati i figli aveva lasciato alla moglie il compito di crescerli. Fino all'età di sedici anni, i figli non avevano quasi incontrato il padre, tranne che in occasione di speciali riunioni di famiglia alle quali ci si aspettava che partecipassero rimanendo al tempo stesso invisibili. Henrik non riusciva a ricordare che suo padre avesse mai minimamente espresso qualche forma di amore; anzi, gli aveva spesso lasciato capire che era un incompetente e l'aveva fatto oggetto di critiche distruttive. Le punizioni corporali non erano state frequenti; non ce n'era bisogno. Solo in seguito, Henrik si era guadagnato il rispetto del padre, quando aveva dato dei contributi importanti al gruppo.

Il fratello maggiore, Richard, si era ribellato. Dopo un litigio, la cui origine non era mai stata discussa in famiglia, si era trasferito a studiare a Uppsala. Lì aveva iniziato la carriera nazista di cui Henrik aveva già raccontato a Mikael e che doveva condurlo alle trincee della guerra d'inverno finlandese.

Ciò che il vecchio non gli aveva in precedenza raccontato era che altri due fratelli avevano intrapreso carriere molto simili.

Nel 1930 sia Harald che Greger avevano seguito le orme del fratello maggiore a Uppsala. Harald e Greger erano stati molto uniti, ma Henrik non sapeva esattamente in quale misura avessero anche frequentato Richard. Fuor di dubbio era che i fratelli si erano aggregati al movimento fascista di Per Engdahl, La nuova Svezia. Harald aveva seguito fedelmente Per Engdahl negli anni, prima nello Snf, il partito nazionalista, poi nella Svensk opposition, e infine nel Movimento per la nuova Svezia, fondato dopo la fine della guerra. Ne rimase membro fino alla morte di Per Engdahl, negli anni novanta, e per alcuni periodi fu uno dei più importanti sostenitori economici dell'ibernato fascismo svedese.

Harald aveva studiato Medicina a Uppsala ed era finito quasi subito in cerchie che inneggiavano alla biologia razziale e all'eugenetica. Per un certo periodo aveva lavorato presso l'istituto di eugenetica e come medico era diventato un personaggio eminente nella campagna per la sterilizzazione di elementi indesiderati della popolazione.

Citazione, Henrik Vanger, nastro 2, 02950
Harald si spinse anche oltre. Nel 1937 fu tra gli autori – sotto pseudonimo, grazie a Dio – di un libro dal titolo La nuova Europa dei popoli. *Io ne venni a conoscenza solo negli an-*

ni settanta. Ne ho una copia che ti posso prestare. Probabil-
mente è uno dei libri più nefandi che siano mai stati scritti in
svedese. Harald argomentava a favore non soltanto della ste-
rilizzazione ma anche dell'eutanasia – aiuto attivo a morire
per persone che disturbavano i suoi gusti estetici e non rien-
travano nella sua immagine della perfetta razza svedese. Par-
lava dunque a favore del genocidio in un testo che era redat-
to in un'inappuntabile prosa accademica e conteneva tutte le
argomentazioni mediche necessarie. Eliminare gli handicap-
pati. Non permettere alla popolazione sami di espandersi; han-
no radici mongole. I malati mentali vedranno la morte come
una liberazione, no? Donne di facili costumi, vagabondi, zin-
gari, ed ebrei – te lo puoi immaginare da solo. Nelle fantasie
di mio fratello, Auschwitz avrebbe potuto essere ubicata in
Dalecarnia.

Dopo la guerra Greger era diventato professore e col
tempo preside del liceo di Hedestad. Henrik aveva creduto
che si fosse allontanato dal partito dai tempi della guerra
e che avesse abbandonato il nazismo. Era morto nel 1974 e
solo quando aveva esaminato ciò che aveva lasciato Henrik
aveva appreso attraverso la sua corrispondenza che il fratello negli anni cinquanta aveva aderito alla setta politicamente insignificante ma totalmente imprevedibile e balorda
del Nrp, il Partito del regno del nord. Ne era rimasto membro fino alla morte.

Citazione, Henrik Vanger, nastro 2, 04167
Tre dei miei fratelli erano di conseguenza dei pazzi sotto il pro-
filo politico. Quanto saranno stati malati sotto altri profili?

L'unico dei fratelli che incontrava una certa misura di pietà
agli occhi di Henrik era il cagionevole Gustav, che era morto di una malattia polmonare nel 1955. Gustav non si inte-

ressava di politica, e appariva piuttosto come un'anima d'artista distaccata dalle cose mondane, nient'affatto interessato agli affari o a lavorare all'interno del Gruppo Vanger.

«Ormai siete rimasti solo lei e Harald. Perché suo fratello fece ritorno a Hedeby?» domandò Mikael.

«Tornò a stabilirsi qui nel 1979, prima di compiere settant'anni. È proprietario della casa dove abita.»

«Deve dare una strana sensazione vivere così vicino a un fratello che si odia.»

Henrik guardò Mikael sorpreso.

«Devi avermi frainteso. Io non odio mio fratello. Forse ciò che provo per lui è compassione. È un completo idiota ed è lui a odiare me.»

«Lui la odia?»

«Esatto. Credo che sia stato per quello che tornò qui. Per poter trascorrere i suoi ultimi anni a odiarmi da vicino.»

«Perché la odia?»

«Perché mi sono sposato.»

«Questo credo che meriti una spiegazione.»

Henrik Vanger aveva perso molto presto i contatti con i fratelli maggiori. Era l'unico a mostrare qualche predisposizione per gli affari – l'ultima speranza del padre. Era disinteressato alla politica ed evitò Uppsala, scegliendo invece di studiare Economia a Stoccolma. Da quando aveva compiuto diciotto anni, aveva trascorso ogni vacanza scolastica ed estiva come praticante in qualcuno dei numerosi uffici del Gruppo Vanger o nel consiglio d'amministrazione di qualche società affiliata. Aveva così conosciuto tutti i labirinti dell'azienda di famiglia.

Il 10 giugno 1941 – in piena seconda guerra mondiale – Henrik era stato mandato in Germania per una permanenza di sei settimane presso l'ufficio commerciale del gruppo ad Amburgo. All'epoca aveva solo vent'anni anni, e suo chaperon e mentore era l'agente tedesco del gruppo, un anziano veterano dell'azienda di nome Hermann Lobach.

«Non voglio annoiarti con tutti i dettagli, ma quando andai in Germania Hitler e Stalin erano ancora buoni amici, e non esisteva nessun fronte orientale. Tutti erano ancora convinti che Hitler fosse invincibile. C'era una sensazione di... ottimismo e disperazione, ecco, credo che queste siano le parole giuste. Più di mezzo secolo dopo è ancora difficile definire quelle atmosfere. Non fraintendermi – io non sono mai stato nazista e ai miei occhi Hitler era una ridicola figura da operetta. Ma era difficile non rimanere contagiati dall'ottimismo verso il futuro che regnava fra la gente comune ad Amburgo. Nonostante il fatto che la guerra si facesse sempre più vicina e Amburgo fosse bersaglio di diversi bombardamenti nel periodo in cui vi soggiornai, la maggior parte della gente sembrava convinta che si trattasse di un momento di nervosismo transitorio, che presto ci sarebbe stata la pace e che Hitler avrebbe costruito la sua *Neueuropa*, la nuova Europa. La gente voleva credere che Hitler fosse Dio. Come diceva la propaganda.»

Aprì uno dei suoi numerosi album di fotografie.

«Questo è Hermann Lobach. Scomparve nel 1944, probabilmente rimase sepolto sotto qualche bombardamento. Non venimmo mai a sapere quale fosse stato il suo destino. Durante le mie settimane ad Amburgo eravamo diventati amici. Ero ospite suo e della famiglia, in un elegante appartamento nel quartiere riservato ai benestanti. Ci frequentavamo quotidianamente. Lui era altrettanto poco nazista di me, ma era membro del partito per pura praticità. La tessera associativa apriva molte porte e gli rendeva più facile fare affari per conto del Gruppo Vanger – ed erano proprio affari quelli che facevamo. Costruivamo vagoni merci per i loro treni – mi sono sempre chiesto se qualcuno di quei vagoni abbia viaggiato con destinazione la Polonia.

Vendevamo tessuti per le loro uniformi e valvole per i loro apparecchi radio – anche se ufficialmente non sapevamo quale uso avrebbero fatto della merce. E Hermann Lobach sapeva come condurre in porto un contratto, era una persona piacevole e gioviale. Il perfetto nazista. Col tempo cominciai a rendermi conto che era anche un uomo che cercava disperatamente di nascondere un segreto.

«La notte del 22 giugno 1941, Hermann Lobach bussò alla porta della mia stanza e mi svegliò. La mia camera si trovava accanto a quella di sua moglie, e lui mi fece segno di vestirmi in silenzio e seguirlo. Scendemmo al piano di sotto e ci accomodammo in un fumoir. Era evidente che Lobach era rimasto sveglio tutta la notte. Aveva la radio accesa e capii che doveva essere successo qualcosa di grave. Era iniziata l'Operazione Barbarossa. La Germania aveva sferrato un attacco contro l'Unione Sovietica durante le festività di mezza estate.»

Henrik Vanger fece un gesto rassegnato con la mano.

«Hermann Lobach tirò fuori due bicchieri e versò un'abbondante dose di acquavite a entrambi. Era palesemente sconvolto. Quando gli domandai che cosa comportasse ciò che era successo, rispose con lucidità che comportava la fine della Germania e del nazismo. Gli credetti solo a metà – Hitler sembrava ancora impossibile da sconfiggere – ma Lobach brindò con me alla disfatta della Germania. Poi cominciò a occuparsi degli aspetti pratici.»

Mikael annuì per fargli capire che stava sempre seguendo.

«Anzitutto non aveva nessuna possibilità di contattare mio padre per ricevere istruzioni, ma di sua iniziativa aveva deciso di interrompere il mio soggiorno in Germania e rispedirmi a casa il più presto possibile. Secondariamente voleva pregarmi di fare qualcosa per lui.»

Henrik indicò il ritratto ingiallito e slabbrato di una donna bruna un po' di profilo.

«Hermann Lobach era sposato da quarant'anni, ma nel 1919 aveva conosciuto una donna con la metà dei suoi anni e di una bellezza straordinaria, della quale si era perdutamente innamorato. Era una semplice e povera sartina. Lobach la corteggiò e come molti altri uomini agiati poté permettersi di sistemarla in un appartamento a poca distanza dal suo ufficio. La donna divenne la sua amante. Nel 1921 gli diede una figlia che fu battezzata Edith.»

«Uomo ricco e anziano, donna giovane e povera, un figlio dell'amore – non può essere stato un grande scandalo, perfino negli anni quaranta» commentò Mikael.

«Assolutamente vero. Se non fosse per un particolare. La donna era ebrea e Lobach di conseguenza era padre di una ragazza ebrea in piena Germania nazista. In pratica, un *traditore della razza*.»

«Ah, questo ovviamente cambia la situazione. Che cosa successe?»

«La madre di Edith fu catturata nel 1939. Sparì e possiamo solo indovinare quale fu il suo destino. Era ben noto che aveva una figlia, non ancora comparsa in nessuna lista di deportazione, ricercata dalla sezione della Gestapo che aveva il compito di rintracciare gli ebrei fuggitivi. Nell'estate del 1941, la stessa settimana che ero arrivato ad Amburgo, la madre di Edith era stata collegata a Hermann Lobach e l'uomo era stato interrogato. Aveva ammesso la relazione e la paternità, ma aveva dichiarato di non sapere dove si trovasse la figlia, poiché erano dieci anni che non aveva contatti con lei.»

«E dov'era la figlia?»

«La vedevo tutti i giorni nella casa dei Lobach. Una ventenne graziosa e taciturna che riassettava la mia stanza e aiutava a servire la cena. Nel 1937 le persecuzioni contro gli ebrei andavano avanti ormai da anni e la madre di Edith aveva pregato Lobach di aiutarla. E lui l'aveva fatto – Lobach amava la sua figlia segreta tanto quanto i figli ufficiali. L'aveva perciò nascosta nel posto più improbabile che si potesse immaginare – sotto il naso di tutti. Le aveva procurato dei documenti falsi e l'aveva assunta come domestica.»

«Sua moglie conosceva la sua vera identità?»

«No, non aveva la minima idea dell'intera faccenda.»

«Che cosa accadde?»

«Aveva funzionato per quattro anni, ma adesso Lobach sentiva stringersi il cappio. Era solo questione di tempo prima che la Gestapo bussasse alla porta. Tutto questo mi raccontò dunque in quella notte, solo una settimana prima che facessi ritorno in Svezia. Poi andò a prendere la figlia e ci presentò. Era molto timida e non osava nemmeno incontrare il mio sguardo. Lobach mi supplicò di salvarle la vita.»

«E come?»

«Aveva già programmato tutto. Secondo i piani, sarei dovuto rimanere altre tre settimane e quindi avrei dovuto prendere il treno notturno per Copenaghen e poi la nave attraverso lo stretto – un viaggio relativamente privo di pericoli anche in tempo di guerra. Due giorni dopo la nostra conversazione, però, una nave mercantile di proprietà del Gruppo Vanger doveva lasciare Amburgo diretta in Svezia. Lobach voleva che partissi con quella nave, che abbandonassi la Germania senza ulteriori indugi. I cambiamenti di programma dovevano essere approvati dai Servizi di sicurezza, ma era una faccenda burocratica che non comportava problemi. Lobach voleva assolutamente che prendessi quella nave.»

«Insieme a Edith, suppongo.»

«Edith fu fatta salire a bordo nascosta dentro una di trecento casse di apparecchiature meccaniche. Il mio compito era di proteggerla, se fosse stata scoperta mentre eravamo ancora in acque territoriali tedesche, impedendo al comandante della nave di fare qualche sciocchezza. E comunque avrei dovuto aspettare a liberarla fino a quando fossimo stati ben lontani dalla Germania.»

«Okay.»

«Sembra semplice, ma quel viaggio fu un autentico incubo. Il comandante si chiamava Oskar Granath, ed era tutt'altro che contento di essere diventato di colpo responsabile dell'erede altezzoso del suo datore di lavoro. Lasciammo Amburgo alle nove di una sera di fine giugno. Stavamo giusto uscendo dal porto interno quando cominciò a suonare l'allarme aereo. Un'incursione inglese, la più pesante che mi fosse mai capitata, e il porto era ovviamente un obiettivo prioritario. Non esagero se dico che me la feci quasi addosso quando nelle nostre vicinanze cominciarono le esplosioni. Ma in qualche modo ce la cavammo, e dopo un'avaria al motore e un'angosciosa notte di tempesta in acque minate attraccammo a Karlskrona il pomeriggio successivo. Ora scommetto che mi chiederai che ne fu della ragazza.»

«Credo di saperlo già.»

«Mio padre naturalmente s'infuriò. Avevo rischiato tutto con la mia azione idiota. E la ragazza poteva essere deportata da un momento all'altro – non dimentichiamo che era il 1941. Ma a quel punto io ero già altrettanto inguaribilmente innamorato di lei quanto Lobach lo era stato di sua madre. Le chiesi di sposarmi e diedi a mio padre un ultimatum – o accettava il matrimonio, oppure avrebbe dovuto cercarsi un nuovo giovane su cui puntare nell'azienda di famiglia. Lui si piegò.»

«Ma lei morì?»

«Sì, davvero troppo giovane. Già nel 1958. Rimanemmo insieme circa sedici anni. Aveva un vizio cardiaco congenito. E si scoprì che io ero sterile – non avemmo mai dei figli. Ed è per questo che mio fratello mi odia.»

«Perché si sposò con quella ragazza.»

«Perché io – per usare la sua terminologia – mi sposai con una sporca ebrea. Per lui era un tradimento contro la razza, la stirpe, la morale e tutto quello che lui stesso rappresentava.»

«Quell'uomo dev'essere pazzo.»

«Io stesso non avrei saputo esprimermi meglio.»

10.
Giovedì 9 gennaio - venerdì 31 gennaio

Secondo l'*Hedestads-Kuriren*, il primo mese di Mikael nella natura selvaggia era stato il più freddo a memoria d'uomo, o almeno – come ebbe cura di informarlo Henrik Vanger – il più freddo dopo quello del 1942. Mikael era propenso a prendere l'informazione per vera. Già dopo una settimana a Hedeby aveva imparato tutto su mutande lunghe, sopracalze di lana e doppie maglie.

Visse alcuni giorni terrificanti in cui il termometro scese a un incredibile trentasette sotto zero. Non aveva mai sperimentato nulla del genere, neppure durante l'anno che aveva trascorso a Kiruna durante il servizio militare. Un mattino le condutture dell'acqua erano gelate. Gunnar Nilsson gli aveva fornito due taniche di acqua in modo che potesse cucinare e lavarsi, ma il gelo era stato paralizzante. All'interno dei vetri si erano formati fiori di ghiaccio, e per quanta legna mettesse nella stufa si sentiva sempre infreddolito. Ogni giorno passava un bel po' di tempo a spaccare legna nella legnaia dietro lo chalet.

A volte gli veniva da piangere e valutava l'idea di prendere un taxi, andare in città e saltare sul primo treno verso sud. Invece si infilava un maglione in più e si avvolgeva in una coperta, per poi sedersi al tavolo della cucina a leggere vecchi verbali di polizia con in mano una bella tazza di caffè.

Poi il tempo cambiò e la temperatura salì a un piacevole meno dieci.

Mikael aveva cominciato a conoscere gli abitanti di Hedeby. Martin Vanger aveva mantenuto la promessa e l'aveva invitato a una cena che aveva preparato personalmente – arrosto d'alce con vino rosso italiano. L'industriale era scapolo, ma frequentava una certa Eva Hassel, che fece loro compagnia durante la cena. Eva Hassel era una donna cordiale e socievole, e Mikael la trovava straordinariamente attraente. Era dentista e abitava in centro a Hedestad, ma passava i fine settimana da Martin Vanger. Mikael venne a sapere in seguito che si conoscevano da diversi anni ma avevano cominciato a frequentarsi solo in età matura e senza alcuna intenzione di sposarsi.

«Lei effettivamente è il mio dentista» aveva detto Martin ridendo.

«Ed entrare in questa famiglia di matti non fa proprio al caso mio» aveva aggiunto Eva, dando un colpetto affettuoso a Martin sul ginocchio.

La villa di Martin Vanger era un sogno da scapoli disegnato da un architetto, con mobili in nero, bianco e acciaio cromato. Gli elementi d'arredo erano costosi pezzi di design che avrebbero affascinato un intenditore come Christer Malm. La cucina era dotata di attrezzature professionali. Nel soggiorno c'erano uno stereo di altissima classe e una raccolta formidabile di musica jazz, da Tommy Dorsey a John Coltrane. Martin Vanger era danaroso e la sua casa era lussuosa e funzionale, ma anche piuttosto impersonale. Mikael notò che i quadri alle pareti erano semplici riproduzioni e poster che si potevano trovare anche all'Ikea – belli ma non particolarmente ricercati. Le librerie, almeno nella parte di casa che Mikael poté vedere, erano occupate solo qua e là dall'*Enciclopedia nazionale* e da alcuni libri strenna del genere che la gente regala a Natale in mancanza di idee migliori. Nel complesso, Mikael poté rilevare soltanto due interessi personali nella vita di Martin Vanger: la musica e la cucina. Il primo era dimostrato da un numero di lp stimabile intorno ai tremila. Il secondo era svelato dalle rotondità che traboccavano sopra la sua cintura.

Come persona, Martin Vanger era una curiosa mescolanza di semplicità, perspicacia e affabilità. Non occorrevano grandi capacità analitiche per trarre la conclusione che l'industriale era un uomo con dei problemi. Mentre ascoltavano *Night in Tunisia* la conversazione si focalizzò in gran parte sul Gruppo Vanger, e Martin non fece segreto di lottare per la sopravvivenza della sua azienda. La scelta dell'argomento sconcertò Mikael; Martin Vanger non era inconsapevole di avere come ospite un giornalista economico che conosceva solo superficialmente, eppure discuteva i problemi interni della sua azienda così apertamente da sfiorare l'imprudenza. Era evidente che dava per scontato che Mikael fosse uno di famiglia dal momento che lavorava per Henrik, e a somiglianza dell'ex amministratore delegato riteneva che la famiglia dovesse rimproverare solo se stessa per la situazione in cui versava l'azienda. Per contro, in Martin mancavano l'amarezza del vecchio e il disprezzo implacabile per la sua stirpe. Martin Vanger sembrava piuttosto curiosamente divertito dall'inguaribile follia della famiglia. Eva Hassel assentiva ma non faceva nessun commento. Evidentemente avevano già discusso la cosa in precedenza.

Martin era al corrente del fatto che Mikael era stato assunto per scrivere una cronaca familiare e volle sapere come procedeva il lavoro. Mikael rispose sorridendo che aveva difficoltà anche solo a imparare i nomi di tutti i parenti, ma gli chiese di poter tornare per un'intervista quando non fosse stato d'incomodo. In diverse occasioni valutò di portare il discorso sull'ossessione di Henrik circa la scomparsa di Harriet. Supponeva che il vecchio avesse più volte tormentato il fratello della ragazza con le sue teorie, e supponeva anche che Martin non dubitasse che, se Mikael doveva scrivere una cronaca familiare, difficilmente avrebbe potuto evitare di rilevare che un membro della famiglia era sparito senza lasciare traccia. Però Martin non accennò mai ad affrontare l'argomento e Mikael decise di soprassedere. A tempo debito avrebbero avuto modo di discutere il soggetto Harriet.

Si congedarono, dopo diversi giri di vodka, verso le due del mattino. Mikael percorse i trecento metri che lo separavano da casa sua barcollando, ubriaco com'era. Nel complesso era stata una serata piacevole.

Un pomeriggio della seconda settimana di Mikael a Hedeby bussarono alla porta del suo chalet. Mikael mise da parte il fascicolo del rapporto di polizia che aveva appena iniziato a leggere – il settimo della serie – e chiuse la porta dello studiolo prima di andare ad aprire a una bionda sulla cinquantina avvolta in un'ampia pelliccia.

«Salve. Volevo solo dare un saluto. Mi chiamo Cecilia Vanger.»

Si strinsero la mano e Mikael tirò fuori le tazze per il caffè. Cecilia Vanger, figlia del nazista Harald Vanger, appariva come una donna aperta e sotto molti aspetti attraente. Mikael si ricordò che Henrik aveva parlato di lei in termini elogiativi dicendo che non frequentava il padre benché fossero vicini di casa. Chiacchierarono un po' prima che lei spiegasse il vero motivo della sua visita.

«Mi è sembrato di capire che sta scrivendo un libro sulla famiglia. Non sono sicura che l'idea mi piaccia» disse. «Volevo almeno vedere che genere di persona fosse.»

«Sì, Henrik Vanger mi ha affidato questo incarico. È la sua storia, per così dire.»

«E il buon Henrik non è del tutto neutrale nei confronti della famiglia.»

Mikael la scrutò, incerto su che cosa volesse veramente dire.

«Lei è contraria a un libro sulla famiglia Vanger?»

«Non ho detto questo. E quello che penso probabilmente non ha importanza. Ma suppongo che lei abbia già capito che non è sempre stato così semplice fare parte di questa famiglia.»

Mikael non aveva idea di che cosa avesse detto Henrik e di quanto sapesse Cecilia sul suo incarico. Aprì le braccia.

«Io ho un contratto con Henrik Vanger per scrivere una cronaca familiare. Henrik ha dei punti di vista particolari su diversi membri della famiglia, ma io credo che mi atterrò a ciò che può essere documentato.»

Cecilia sorrise senza calore.

«Ciò che vorrei sapere è se dovrò andare in esilio o emigrare quando il libro uscirà.»

«Non penso proprio» rispose Mikael. «La gente è in grado di vedere le differenze fra persona e persona.»

«Come mio padre, per esempio.»

«Suo padre il nazista?» domandò Mikael. Cecilia alzò gli occhi al cielo.

«Mio padre è pazzo. Io lo vedo solo qualche volta all'anno anche se abitiamo porta a porta.»

«Perché non lo vuole incontrare?»

«Aspetti prima di partire in quarta a fare un sacco di domande. Ha intenzione di citare quello che dirò? Oppure posso avere una normale conversazione con lei senza aver bisogno di temere di essere messa in piazza come un'idiota?»

Mikael esitò un attimo, incerto su come esprimersi.

«Ho l'incarico di scrivere un libro che cominci quando Alexandre Vangeersad sbarca con Bernadotte e si concluda ai giorni nostri. Sarà incentrato sull'impero economico di famiglia nell'arco di molti decenni, ma naturalmente anche sul perché questo impero si è sgretolato e sui contrasti che esistono all'interno della famiglia. Nel racconto è impossibile evitare che venga a galla anche del marcio, ma ciò non significa che dipingerò in nero la vostra famiglia o ne darò un'immagine infamante. Per esempio ho incontrato Martin Vanger, che mi è sembrato una persona simpatica e che descriverò come tale.»

Cecilia non rispose.

«Quello che so di lei è che insegna...»

«In effetti è anche peggio, sono preside del liceo di Hedestad.»

«Mi scusi. So che Henrik la apprezza, che è sposata ma separata... e questo è più o meno tutto. Può tranquillamente parlare con me senza bisogno di temere di essere citata o criticata. Da parte mia, verrò sicuramente a bussare alla sua porta un giorno o l'altro, a fare qualche domanda su avvenimenti specifici sui quali forse è in grado di gettare luce. Allora si tratterà di un'intervista e potrà scegliere se rispondere oppure no. Ma comunque l'avvertirò quando starò per farle domande di quel tipo.»

«Perciò posso parlare con lei... *off the record*, come usate dire voi.»

«Certamente.»

«E adesso è *off the record*?»

«Lei è una vicina che è venuta a dare un saluto e a bere una tazza di caffè, nient'altro.»

«Okay. Allora posso chiederle una cosa?»

«Prego.»

«Quanta parte del libro tratterà di Harriet Vanger?»

Mikael si morse il labbro inferiore ed esitò. Decise di scegliere un tono leggero.

«Se devo essere sincero, non ne ho la minima idea. È chiaro che potrà benissimo occupare un capitolo – si tratta innegabilmente di un avvenimento drammatico, che ha influenzato almeno Henrik Vanger.»

«Ma lei non è qui per indagare sulla sua scomparsa?»

«Che cosa glielo fa credere?»

«Be', il fatto che Gunnar Nilsson ha trascinato qui quattro grossi scatoloni. Dovrebbero corrispondere a ciò che Henrik ha raccolto con le sue indagini private nel corso degli anni. E quando ho sbirciato nella vecchia camera di Harriet dove Henrik era solito conservare quel materiale ho visto che non c'era più.»

Cecilia Vanger non era stupida.

«Credo che questo lo debba discutere con Henrik Vanger e non con me» rispose Mikael. «Ma è vero – Henrik mi ha parlato molto della scomparsa di Harriet e penso che sia interessante leggere quel materiale.»

Cecilia fece un altro sorriso senza allegria.

«Certe volte mi domando chi sia più pazzo – mio padre oppure mio zio. Devo aver discusso con lui la scomparsa di Harriet almeno mille volte.»

«Qual è la sua opinione in proposito?»

«È una domanda da intervista?»

«No» rise Mikael. «È una domanda da curiosità.»

«Quello che invece incuriosisce me è se anche lei sia un grullo. Se ha fatto suo il ragionamento di Henrik o se è lei a spingere Henrik.»

«Vorrebbe dire che Henrik è un grullo?»

«Non mi fraintenda. Henrik è una delle persone più affettuose e premurose che io conosca. E gli voglio molto bene. Ma a questo riguardo è ossessionato.»

«Però l'ossessione ha un fondamento concreto. Harriet è davvero scomparsa.»

«Io sono solo talmente stufa di tutta questa storia. Ha avvelenato le nostre vite per così tanti anni, e non finisce mai.»

D'improvviso si alzò e si infilò la pelliccia. «Devo andare. Lei mi sembra una persona piacevole. Lo pensa anche Martin, ma il suo giudizio non è sempre dei più acuti. Venga a prendere un caffè da me, quando ha voglia. Io sono quasi sempre a casa la sera.»

«Grazie» rispose Mikael. Mentre lei si avviava alla porta, le gridò dietro: «Non ha risposto alla domanda che non era una domanda da intervista!»

La donna indugiò un attimo e poi rispose senza guardarlo. «Io non ho idea di che cosa sia successo a Harriet. Ma credo che si sia trattato di una disgrazia con una spiegazione così semplice e comune che rimarremo tutti stupiti, se e quando la scopriremo.»

Poi si voltò e gli sorrise – per la prima volta con calore. Quindi lo salutò con la mano e scomparve. Mikael rimase seduto immobile al tavolo della cucina, a meditare sul fatto che Cecilia Vanger era una delle persone evidenziate nella sua tabella dei membri della famiglia che si trovavano sull'isola quando Harriet era scomparsa.

Se Cecilia nel complesso era stata una conoscenza piacevole, lo stesso non si poteva dire di Isabella. La madre di Harriet aveva settantacinque anni ed era, proprio come l'aveva messo sull'avviso Henrik, una donna che non passava inosservata e che ricordava vagamente una Lauren Bacall invecchiata. Era snella, vestiva un cappotto di persiano nero con cappello coordinato e si appoggiava a un bastone da passeggio nero quando Mikael si imbatté in lei un mattino mentre si stava recando al Caffè del Ponte. Pareva un vecchio vampiro; ancora bella ma velenosa come una serpe. Isabella Vanger stava tornando a casa dopo una passeggiata; lo chiamò ad alta voce dall'incrocio.

«Ehilà, giovanotto. Venga qui.»

Il tono perentorio era inequivocabile. Mikael si guardò intorno e trasse la conclusione che la donna si era rivolta a lui. Le si avvicinò.

«Sono Isabella Vanger» annunciò lei.

«Salve, mi chiamo Mikael Blomkvist.» Tese una mano che fu totalmente ignorata.

«È lei il tizio che sta ficcando il naso nelle nostre faccende di famiglia?»

«Diciamo che sono il tizio che Henrik Vanger ha messo sotto contratto per aiutarlo a scrivere il suo libro sulla famiglia Vanger.»

«Con questa faccenda lei non ha niente a che fare.»

«Quale faccenda? Che Henrik Vanger mi ha messo sotto contratto o che ho accettato? Nel primo caso credo che siano affari di Henrik, nel secondo che siano affari miei.»

«Ha capito perfettamente a cosa mi riferisco. Non mi piace che la gente ficchi il naso nella mia vita.»

«Okay, non ficcherò il naso nella sua vita. Il resto lo può discutere con Henrik Vanger.»

Isabella sollevò d'improvviso il bastone da passeggio e puntò l'impugnatura contro il petto di Mikael. La sua forza era irrisoria, ma lui fece un passo indietro, sbalordito.

«Si tenga alla larga da me.»

Isabella girò i tacchi e proseguì verso la sua casa. Mikael rimase immobile con l'aria di chi ha appena incontrato un personaggio dei fumetti in carne e ossa. Quando alzò gli occhi vide Henrik alla finestra del suo studio. Aveva in mano una tazza di caffè che sollevò in un brindisi ironico. Mikael aprì le mani con gesto rassegnato, scosse la testa e si avviò verso il locale di Susanne.

L'unico viaggio che Mikael fece nel corso del primo mese fu un'escursione di un giorno fino a un'insenatura del lago Siljan. Prese a prestito la Mercedes di Dirch Frode e guidò attraverso il paesaggio innevato per trascorrere un pomeriggio in compagnia del commissario Gustaf Morell. Mikael aveva cercato di farsi un'idea di Morell in base a come appariva dall'inchiesta della polizia; ciò che trovò fu un vecchio vigoroso che si muoveva piano e parlava ancora più piano.

Mikael aveva con sé un blocnotes con circa dieci domande, principalmente vaghe idee che gli erano venute in mente durante il periodo che aveva dedicato alla lettura dei verbali dell'inchiesta. Morell rispondeva in modo semplice a ogni domanda che Mikael gli poneva. Alla fine Mikael aveva messo da parte gli appunti e spiegato a Morell che le domande erano state solo un pretesto per andare a trovare il commissario in pensione. Ciò che desiderava veramente era poter fare una chiacchierata con lui e porgli l'unica domanda essenziale: c'era qualcosa nell'inchiesta che non aveva messo nero su bianco – qualche riflessione o sensazione di cui voleva farlo partecipe?

Siccome Morell, a somiglianza di Henrik Vanger, aveva trascorso trentasette anni a lambiccarsi il cervello sul mistero della scomparsa di Harriet, Mikael si era aspettato di incontrare una certa resistenza – lui era il giovanotto ultimo arrivato che irrompeva nel ginepraio dove Morell si era perso. Invece il commissario non mostrò la minima ostilità. Caricò accuratamente la sua pipa e accese un fiammifero prima di rispondere.

«Sì, è chiaro che ho delle idee. Ma sono talmente vaghe e sfuggenti che non sono esattamente in grado di formularle.»

«Che cosa crede sia successo a Harriet?»

«Io credo che sia stata assassinata. Su questo concordo con Henrik. È l'unica spiegazione plausibile. Ma non abbiamo mai capito il motivo. Sono convinto che fu uccisa per una ragione specifica – che non fu un gesto folle o un'aggressione o qualcosa del genere. Se conoscessimo il motivo, sapremmo anche chi è stato.»

Morell rifletté un attimo.

«L'omicidio può essere successo per caso. Con ciò voglio dire che qualcuno colse l'occasione al volo quando si presentò una possibilità nel caos che si creò a seguito dell'incidente. L'assassino nascose il cadavere e lo portò via in un secondo tempo, mentre noi facevamo le battute per cercarla.»

«Allora stiamo parlando di qualcuno dotato di grande sangue freddo.»

«Esiste un dettaglio. Harriet andò nello studio di Henrik e chiese di potergli parlare. A posteriori mi è parso un comportamento singolare – lei sapeva molto bene che Henrik era impegnato con tutti i parenti che gironzolavano intorno. Io credo che Harriet costituisse una minaccia per qualcuno, che volesse raccontare qualcosa a Henrik e che l'assassino abbia capito che lei avrebbe... ecco, fatto la spia.»

«Henrik era occupato con alcuni membri della famiglia...»

«C'erano quattro persone nella stanza, a parte Henrik. Erano suo fratello Greger, un cugino che si chiama Magnus Sjögren, e due figli di Harald Vanger, Birger e Cecilia. Ma questo non significa nulla. Poniamo che Harriet avesse scoperto che qualcuno aveva sottratto del denaro all'azienda – in via del tutto ipotetica. Poteva esserne a conoscenza da mesi, e averne perfino discusso più volte con il soggetto in questione. Poteva aver cercato di ricattarlo, oppure averne avuto compassione ed essere stata incerta se smascherarlo oppure no. Poi d'improvviso può essersi decisa e averne parlato con l'assassino, che in preda alla disperazione l'ha uccisa.»

«Lei parla sempre al maschile.»

«Sotto il profilo puramente statistico, la maggior parte degli assassini sono uomini. Ma è vero, la famiglia Vanger conta alcune signore che sono dei veri ossi duri.»

«Ho conosciuto Isabella.»

«Lei è una di quelle. Ma ce ne sono anche altre. Cecilia sa essere davvero tagliente. Ha mai incontrato Sara Sjögren?» Mikael scosse la testa. «È figlia di Sofia Vanger, una delle cugine di Henrik. Qui sì che si può parlare di una donna veramente sgradevole e senza scrupoli. Ma lei abitava a Malmö e per quanto ho potuto scoprire non aveva motivo di uccidere Harriet.»

«Okay.»

«Il problema è che pur avendo girato e rigirato tutta la storia non siamo mai riusciti a capire il movente. Ecco il punto cruciale. Se troviamo il movente, sappiamo ciò che accadde e chi ne fu il responsabile.»

«Lei ha lavorato intensamente su questo caso. C'è qualche aspetto di cui non ha seguito gli sviluppi?»

Gustaf Morell ridacchiò.

«No, Mikael. Ho dedicato un'infinità di tempo a questo caso e non mi viene in mente nulla di cui non abbia seguito gli sviluppi fino dove era possibile. Anche dopo che fui promosso e lasciai Hedestad.»

«Si trasferì?»

«Sì, io non sono originario di Hedestad. Vi lavorai dal 1963 al 1968. Poi diventai commissario e fui trasferito alla polizia di Gävle per il resto della mia carriera. Ma anche a Gävle continuai a indagare sulla scomparsa di Harriet.»

«Henrik Vanger faceva pressione, immagino.»

«Certo. Ma non era per questo. Il mistero Harriet mi affascina ancora oggi. Voglio dire... vediamola così, ogni poliziotto ha il suo mistero irrisolto. Del mio periodo a Hedestad ricordo come i colleghi più anziani parlassero del caso Rebecka nel locale dove facevamo la pausa caffè. C'era in particolare un agente che si chiamava Torstensson – è morto da parecchio tempo – che anno dopo anno ritornava sempre su quel caso. Nel tempo libero e durante le ferie. Quando c'era bonaccia nella malavita locale, tirava fuori il fascicolo e rifletteva.»

«Anche lì si trattava di una ragazza scomparsa?»

Per un attimo il commissario Morell assunse un'espressione meravigliata. Poi sorrise quando capì che Mikael cercava qualche sorta di collegamento.

«No, non l'ho detto per quel motivo. Parlavo dell'animo del poliziotto. Il caso Rebecka fu qualcosa che avvenne addirittura prima che Harriet Vanger nascesse, ed è caduto in prescrizione da tempo. Negli anni quaranta una donna di Hedestad fu aggredita, violentata e uccisa. Non è nulla di insolito. Nella sua carriera ogni poliziotto si trova a investigare una volta o l'altra su eventi del genere, ma quello che voglio dire è che esistono casi che ti si attaccano addosso e ti si infilano sotto la pelle. Quella ragazza fu uccisa nella maniera più brutale. L'assassino l'aveva legata e le aveva infilato la testa nelle braci semispente di un camino. Non so quanto tempo occorse a quella poveretta per morire, e quali pene soffrì.»

«Porca miseria!»

«Esatto. Fu un'azione di una malvagità inaudita. Il povero Torstensson fu il primo investigatore ad arrivare sul posto dopo il ritrovamento della ragazza, e l'omicidio rimase insoluto nonostante fossero stati chiamati degli esperti da Stoccolma. Lui non fu mai capace di abbandonare il caso.»

«Capisco.»

«Harriet è dunque la mia Rebecka. Nel suo caso non sappiamo neppure come morì. Tecnicamente non possiamo neanche dimostrare che sia realmente avvenuto un omicidio. Ma io non sono mai riuscito a staccarmene.»

Rimase un momento a riflettere.

«Condurre un'indagine per omicidio può essere il lavoro più solitario del mondo. Gli amici della vittima sono sconvolti e disperati, ma prima o poi – dopo qualche settimana o qualche mese – la vita torna di nuovo alla normalità. Per i congiunti più stretti occorre un po' più di tempo, ma anche loro finiscono per superare il dolore e la disperazione. La vita va avanti. Ma gli omicidi irrisolti continuano a tormentare. Alla fine resta solo una persona che pensa alla vittima e cerca di renderle giustizia – il poliziotto che ha in mano l'indagine.»

Altre tre persone appartenenti alla famiglia Vanger abitavano sull'isola. Alexander, nato nel 1946 e figlio del terzo fratello Greger, abitava in una casa di legno rinnovata degli inizi del Novecento. Mikael venne a sapere da Henrik che Alexander al momento si trovava nelle Indie Occidentali, dove si dedicava alla sua occupazione preferita – andare a vela e far passare il tempo senza fare un beneamato nulla. La critica di Henrik nei confronti del nipote era così netta che Mikael ne trasse la conclusione che Alexander fosse stato oggetto di controversie. Si accontentò di constatare che aveva vent'anni quando Harriet era scomparsa, e che faceva parte della cerchia di familiari che si trovavano sull'isola.

Insieme con Alexander viveva la madre Gerda, ottantuno anni, vedova di Greger Vanger. Mikael non la incontrava mai; era di salute cagionevole e trascorreva quasi tutto il tempo a letto.

Il terzo membro della famiglia era naturalmente Harald Vanger. Nel corso del primo mese Mikael non era riuscito nemmeno a intravedere il vecchio genetista. La sua casa, che era la costruzione più vicina allo chalet di Mikael, si ergeva lugubre, con le finestre oscurate da pesanti tendaggi. In diverse occasioni Mikael aveva creduto di indovinare un movimento nelle tende quando passava, e una notte mentre stava andando a dormire tardi aveva notato un chiarore in una stanza al primo piano. C'era una fessura fra le tende. Per oltre venti minuti era rimasto in piedi al buio accanto alla finestra della sua cucina, affascinato, prima di infischiarsene di tutto e infilarsi a letto tremante di freddo. Al mattino la tenda era di nuovo al suo posto.

Harald Vanger sembrava essere uno spirito invisibile ma costantemente presente che improntava una parte della vita del villaggio attraverso la sua assenza. Nella fantasia di Mikael, assumeva sempre più la forma di un malvagio Gollum che spiava il mondo circostante da dietro le tende e si dedicava a misteriose attività nella sua tana sbarrata.

Riceveva una volta al giorno la visita del servizio sociale a domicilio nelle vesti di un'anziana signora, che arrivava dall'altra parte del ponte avanzando nella neve alta con le borse della spesa fino alla sua porta, dal momento che lui si rifiutava di far liberare dalla neve il vialetto d'ingresso. L'uomo di fatica Gunnar Nilsson scosse la testa quando Mikael lo interrogò al proposito. Spiegò che si era offerto di spalare la neve, ma che Harald Vanger evidentemente non voleva che nessuna persona mettesse piede nella sua proprietà. Un'unica volta, il primo inverno che era tornato all'isola di Hedeby, Gunnar Nilsson aveva automaticamente condotto il suo trattore sullo spiazzo davanti alla casa per sgombrare la neve, proprio come faceva con tutte le altre case. Come risultato, Harald Vanger si era precipitato fuori urlando finché Nilsson non si era allontanato.

Purtroppo Nilsson non poteva sgombrare la neve davanti allo chalet di Mikael, perché il cancello era troppo stretto per il trattore. Lì bisognava ancora procedere con la pala, a forza di braccia.

A metà gennaio Mikael incaricò il suo avvocato di informarsi su quando avrebbe dovuto scontare i suoi tre mesi di pena detentiva. Era ansioso di regolare la faccenda il più presto possibile. Andare in prigione si dimostrò più semplice di quanto si fosse immaginato. Dopo qualche giorno fu deciso che il 17 marzo Mikael si presentasse all'istituto di pena di Rullåker dalle parti di Östersund, un carcere aperto per colpevoli di reati minori. L'avvocato gli comunicò anche che la pena con ogni probabilità sarebbe stata un tantino ridotta.

«Bene» commentò Mikael senza eccessivo entusiasmo.

Era seduto al tavolo della cucina e stava accarezzando il gatto chiazzato, che aveva preso l'abitudine di comparire a intervalli di qualche giorno e passare la notte con lui. Da Helen Nilsson aveva appreso che il gatto era stato battezzato Tjorven, e che non apparteneva a nessuno in particolare ma usava fare il giro di tutte le case.

Mikael incontrava il suo datore di lavoro quasi tutti i pomeriggi. Talvolta chiacchieravano solo brevemente, talvolta restavano ore seduti a discutere della scomparsa di Harriet e di tutti i dettagli possibili e immaginabili dell'inchiesta privata di Henrik.

Non di rado le loro conversazioni consistevano nel fatto che Mikael formulava una teoria e Henrik la faceva colare a picco. Mikael cercava di mantenere le distanze dal suo compito, ma avvertiva al tempo stesso che c'erano momenti in cui anche lui restava irrimediabilmente affascinato da quel puzzle misterioso che era la scomparsa della ragazza.

Mikael aveva assicurato a Erika che avrebbe anche messo a punto una strategia per dare battaglia a Hans-Erik Wennerström, ma dopo un mese a Hedestad non aveva nemmeno aperto i vecchi raccoglitori il cui contenuto l'aveva condotto davanti al tribunale. Al contrario, cercava di tenere lontano da sé l'intero problema. Ogni volta che cominciava a riflettere su Wennerström e sulla propria situazione, cadeva nello sconforto più profondo e si sentiva mancare le forze. Negli attimi di lucidità si domandava se non stesse per diventare anche lui grullo come il vecchio. La sua carriera professionale era crollata come un castello di carte e la sua reazione era di nascondersi in un paesino di campagna a dare la caccia ai fantasmi. Inoltre sentiva la mancanza di Erika.

Henrik Vanger osservava il suo collaboratore con silenziosa preoccupazione. Intuiva che Mikael Blomkvist non sempre era del tutto in equilibrio. Alla fine di gennaio il vecchio prese una decisione che lasciò stupito perfino lui. Alzò la cornetta e telefonò a Stoccolma. La conversazione durò venti minuti ed ebbe per argomento principale Mikael Blomkvist.

C'era voluto quasi un mese perché la collera di Erika si placasse. Alle otto e mezza di una delle ultime sere di gennaio lo chiamò.

«Hai davvero intenzione di fermarti lassù?» fu il suo saluto introduttivo. La telefonata arrivò così di sorpresa che Mikael all'inizio non seppe come replicare. Poi sorrise e si avvolse più stretto nella coperta.

«Ciao Ricky. Dovresti venire a provare.»

«Perché? C'è un fascino particolare, ad abitare a Vattelapesca?»

«Mi sono appena lavato i denti con l'acqua gelida. Le otturazioni mi fanno un male cane.»

«Peggio per te. Ma fa un freddo tremendo anche quaggiù a Stoccolma.»

«Racconta.»

«Abbiamo perso due terzi dei nostri inserzionisti. Nessuno vuole parlare apertamente, ma...»

«Lo so. Fa' un elenco di quelli che si tirano indietro. Un giorno ne faremo una bella presentazione in uno speciale reportage.»

«Micke... ho fatto quattro conti, e se non arrivano nuovi

inserzionisti entro l'autunno saremo a terra. Ecco tutto.»

«Vedrai che le cose cambieranno.»

Lei fece una risata stanca dall'altra parte del filo.

«Non puoi startene lì nella tua dannata Lapponia a pontificare e basta.»

«Ehi, ci sono almeno cinquecento chilometri fino al più vicino villaggio sami.»

Erika non replicò.

«Erika, io...»

«Lo so. Non c'è bisogno che dici nulla. Scusa se sono stata una stronza e non ho risposto alle tue chiamate. Possiamo ricominciare daccapo? Mi consenti di venire su a trovarti?»

«Quando vuoi.»

«Devo portarmi il fucile con i pallettoni da lupo?»

«Non c'è bisogno. Farò venire qualche lappone con tanto di slitta trainata dai cani. Quando arrivi?»

«Venerdì sera. Okay?»

A Mikael la vita sembrò d'improvviso infinitamente più luminosa.

A parte lo stretto sentiero libero dalla neve che arrivava fino alla porta, in giardino c'era quasi un metro di neve. Mikael osservò con sguardo critico la pala per un lungo minuto e quindi andò da Gunnar Nilsson e chiese se Erika poteva parcheggiare la Bmw da loro durante la sua visita. Non c'era nessun problema. Avevano posto in abbondanza nel garage doppio e inoltre potevano mettere a disposizione il preriscaldatore per il motore.

Erika partì da Stoccolma nel pomeriggio e arrivò verso le sei di sera. Restarono a guardarsi qualche secondo e poi si abbracciarono per un tempo considerevolmente più lungo.

Non c'era granché da vedere fuori al buio oltre alla facciata illuminata della chiesa, e sia il supermercato sia il Caffè

11.
Sabato 1 febbraio - martedì 18 febbraio

Il sabato, durante le poche ore di luce, Mikael ed Erika fecero una passeggiata passando dal porticciolo, lungo la strada che portava a Östergården. Nonostante abitasse lì da un mese, Mikael non si era mai spinto a piedi nell'interno dell'isola; il freddo e le bufere di neve lo avevano efficacemente dissuaso da simili esercizi fisici. Ma sabato era una piacevole giornata di sole, proprio come se Erika avesse portato con sé un lontano accenno di primavera. C'erano solo cinque gradi sotto zero. La strada era fiancheggiata da alti muri di neve. Non appena abbandonarono l'abitato si ritrovarono dentro una fitta abetaia, e Mikael rimase sorpreso nel constatare che il Söderberget sopra le casette dei pescatori era considerevolmente più alto e più impervio di quanto apparisse dal villaggio. Rifletté per una frazione di secondo su tutte le volte che Harriet Vanger doveva averci giocato da bambina, ma poi la scacciò dalla mente. Dopo circa un chilometro il bosco finiva di colpo davanti a uno steccato, dove cominciava il fondo di Östergården. Riuscirono a intravedere una costruzione di legno bianca e un grosso fienile rosso, ma non raggiunsero la fattoria e ritornarono in paese lungo la stessa strada.

Quando passarono davanti alla sua abitazione, Henrik Vanger batté con forza a una finestra del pianterreno e fece loro un cenno deciso di entrare. Mikael ed Erika si guardarono.

«Vuoi incontrare una leggenda dell'industria?» domandò Mikael.

«Morde?»

«Non al sabato.»

Henrik Vanger li accolse sulla porta dello studio e strinse loro la mano.

«La riconosco. Lei dev'essere la signora Berger» disse salutando. «Mikael non mi aveva neanche accennato che aveva intenzione di visitare Hedeby.»

Una delle caratteristiche più spiccate di Erika era la sua capacità di stringere legami di amicizia con le persone più diverse. Mikael l'aveva vista esercitare il suo fascino su bambini di cinque anni che nel giro di dieci minuti erano pronti ad abbandonare le loro madri. Gli ultraottantenni non sembravano fare eccezione. Le sue fossette sembravano stuzzicare l'appetito. Dopo due minuti, Erika e Henrik Vanger stavano già ignorando completamente Mikael e chiacchieravano come se si conoscessero fin da quando erano bambini – be', tenendo conto della differenza di età, da quando Erika era bambina.

Erika esordì rivolgendo un disinvolto rimprovero a Henrik per averle sottratto il suo direttore responsabile attirandolo in quelle terre selvagge. Il vecchio replicò che, per quanto aveva potuto capire da diversi comunicati stampa, lei l'aveva licenziato, e se non l'aveva già fatto, ebbene forse era tempo di alleggerire la redazione di un po' di zavorra. Erika valutò l'idea durante una pausa a effetto in cui osservò Mikael con occhio critico. Nel qual caso, constatò Henrik, un po' di vita di campagna probabilmente avrebbe solo giovato al giovane signor Blomkvist. Su questo, Erika era perfettamente d'accordo.

Per cinque minuti discussero le sue imperfezioni in termini estremamente provocatori. Mikael si lasciò andare contro lo schienale fingendosi offeso, ma corrugò la fronte quando Erika fece alcuni commenti criptici, a doppio senso, che forse potevano alludere alle sue carenze come giornalista, ma altrettanto alle sue scarse capacità sessuali. Henrik aveva buttato indietro la testa e rideva a crepapelle.

Mikael era allibito; i commenti erano solo uno scherzo, ma non gli era mai capitato di vedere Henrik Vanger così spigliato e rilassato. D'improvviso ebbe la visione di quanto un Henrik Vanger di cinquant'anni più giovane – be', anche trenta – dovesse essere stato un affascinante seduttore e un attraente dongiovanni. Non si era mai risposato. Dovevano esserci state donne sul suo cammino, ma per quasi mezzo secolo era rimasto scapolo.

Mikael bevve un sorso di caffè e aguzzò di nuovo le orecchie quando si rese conto che di colpo la conversazione si era fatta seria e aveva per argomento *Millennium*.

«Mi è sembrato di capire da Mikael che avete dei problemi con il giornale.» Erika gettò un'occhiata di traverso a Mikael. «No, non mi ha parlato delle vostre faccende interne, ma bisognerebbe essere ciechi e sordi per non accorgersi che il vostro giornale, proprio come il Gruppo Vanger, è in fase discendente.»

«Credo che riusciremo a risolvere la situazione» rispose Erika con cautela.

«Ne dubito» replicò Henrik.

«Perché?»

«Vediamo, quanti dipendenti avete, sei? Una tiratura di ventunomila copie e un'uscita mensile, stampa e distribuzione, affitto... Vi occorre un fatturato annuo diciamo di dieci milioni. Circa metà di quella somma deve venire dai proventi delle inserzioni.»

«E...?»

«Hans-Erik Wennerström è un bastardo vendicativo e meschino che non vi dimenticherà facilmente. Quanti inserzionisti avete perso?»

Erika sedeva in atteggiamento di attesa, e osservava Henrik Vanger. Mikael si sorprese a trattenere il fiato. Nelle occasioni in cui lui e il vecchio avevano toccato l'argomento *Millennium*, si era trattato o di commenti provocatori o di considerazioni sulla situazione del giornale in rapporto alla capacità di Mikael di fare un lavoro soddisfacente a Hedestad. Mikael ed Erika erano cofondatori e comproprietari del giornale, ma era palese che Henrik adesso si stava rivolgendo solo a Erika, come un capo a un altro capo. Fra loro passavano segnali che Mikael non era in grado di capire o interpretare, cosa che forse aveva a che vedere col fatto che lui fondamentalmente era un povero figlio di proletari del Norrland e lei una figlia dell'alta borghesia con un albero genealogico internazionale.

«Posso avere dell'altro caffè?» domandò Erika. Henrik glielo servì immediatamente. «Okay, si vede che ha studiato la lezione. Stiamo perdendo. Altro?»

«Quanto tempo?»

«Abbiamo sei mesi per invertire la tendenza. Otto al massimo. Semplicemente non abbiamo capitali a sufficienza per cavarcela per tempi più lunghi di questi.»

Il volto del vecchio era imperscrutabile mentre guardava fuori della finestra. La chiesa era sempre al suo posto.

«Lo sapevate che un tempo ero editore?»

Mikael ed Erika scossero la testa. Henrik scoppiò in una risata improvvisa.

«Eravamo proprietari di sei quotidiani dell'area. Succedeva negli anni cinquanta e sessanta. Fu un'idea di mio padre – pensava che potesse essere politicamente vantaggioso avere dei mezzi d'informazione alle spalle. In effetti siamo ancora comproprietari dell'*Hedestads-Kuriren*, Birger Vanger è l'amministratore delegato. È il figlio di Harald» aggiunse a uso di Mikael.

«E anche consigliere comunale» disse Mikael.

«Anche Martin è membro del consiglio d'amministrazione. Così tiene d'occhio Birger.»

«Perché vi liberaste dei giornali?» volle sapere Mikael.

«La razionalizzazione della struttura negli anni sessanta. I giornali in qualche modo erano più un hobby che un vero interesse. Quando ci si presentò la necessità di ridurre il budget, furono una delle prime risorse che liquidammo negli anni settanta. Ma so che cosa comporta mandare avanti un giornale... Posso fare una domanda personale?»

La domanda era rivolta a Erika, che alzò un sopracciglio e gli fece segno di continuare.

«Non ho interrogato Mikael a questo proposito, e se non volete rispondere non siete obbligati. Vorrei sapere perché siete finiti in questo casino. Avevate una *story* oppure no?»

Mikael ed Erika si scambiarono un'occhiata. Adesso era il turno di Mikael di assumere un'espressione imperscrutabile. Erika esitò un secondo prima di rispondere.

«Ce l'avevamo. Ma in realtà si trattava di una storia completamente diversa.»

Henrik annuì.

«Non voglio discutere questa faccenda» disse Mikael troncando il discorso. «Io ho fatto la ricerca e ho scritto il testo. Avevo tutte le fonti che mi occorrevano. Poi andò tutto a gambe all'aria.»

«Ma tu avevi una fonte per tutto quello che scrivesti?»

Mikael annuì. D'improvviso la voce di Henrik Vanger si fece aspra.

«Non voglio far finta di capire come diavolo abbiate fatto ad andare su una mina del genere. Non mi viene in mente nessun'altra storia simile se non forse l'affare Lundahl sul-

251

l'*Expressen* negli anni sessanta, se voi giovani ne avete mai sentito parlare. Anche la vostra fonte era un completo mitomane?» Scosse il capo e si rivolse a Erika abbassando la voce: «Sono già stato editore di giornali una volta e posso diventarlo di nuovo. Che ne direste di aumentare il numero dei soci?»

La domanda giunse come un fulmine a ciel sereno, ma Erika non parve minimamente sorpresa.

«In che senso?» chiese.

Henrik evitò la domanda e rispose con un'altra domanda. «Quanto si ferma a Hedestad?»

«Torno a casa domani.»

«Prenderebbe in considerazione – sì, lei e Mikael si capisce – di accontentare un povero vecchio venendo a cena da me stasera? Diciamo alle sette?»

«Sarebbe magnifico. Verremo volentieri. Ma lei sta evitando la domanda che le ho fatto. Perché vorrebbe diventare comproprietario di *Millennium*?»

«Non sto evitando la domanda. Penso piuttosto che potremmo discuterne davanti a qualcosa da mangiare. Devo parlare con il mio avvocato, Dirch Frode, prima di poter formulare una proposta concreta. Ma in termini semplici posso dire che ho del denaro da investire. Se il giornale sopravvive e comincia a dare dei frutti, allora ci guadagnerò. In caso contrario, be', ho avuto perdite ben più considerevoli ai miei tempi.»

Mikael stava per aprire la bocca quando Erika gli mise la mano sopra il ginocchio.

«Io e Mikael abbiamo lottato duramente per poter essere del tutto indipendenti.»

«Sciocchezze. Nessuno è mai del tutto indipendente. Ma io non sto cercando di appropriarmi del giornale e me ne infischio altamente del contenuto. Posso sostenere *Millennium*. Che è anche un buon giornale.»

«Ha qualcosa a che fare con Wennerström?» chiese Mikael d'improvviso.

Henrik sorrise.

«Mikael, io ho più di ottant'anni. Ci sono cose che mi pento di non aver fatto e gente con cui mi pento di non aver litigato di più. Ma, a questo proposito» nuovamente si rivolse a Erika, «un investimento del genere è legato almeno a una condizione.»

«Sentiamo» disse Erika Berger.

«Mikael Blomkvist deve riprendere il suo posto di direttore responsabile.»

«No» disse subito Mikael.

«Sì invece» disse Henrik altrettanto secco. «A Wennerström verrà un colpo se usciamo con un comunicato stampa che il Gruppo Vanger finanzia *Millennium* e che tu al tempo stesso rientri come direttore responsabile. È senz'altro il segnale più chiaro che possiamo mandare – tutti capiranno che non si tratta di una presa di potere e che la politica redazionale resta salda. E soltanto quello darà motivo agli inserzionisti intenzionati a tirarsi fuori di riflettere una volta di più. E Wennerström non è onnipotente. Anche lui ha dei nemici, ed esistono aziende che cominceranno a voler mettere delle inserzioni.»

«Si può sapere cosa diavolo voleva essere tutto questo?» disse Mikael nell'attimo stesso in cui Erika chiuse la porta d'ingresso.

«Credo che si chiamino sondaggi preliminari per una transazione» rispose lei. «Non mi avevi detto che Henrik Vanger fosse una persona così deliziosa.»

Mikael le si piazzò davanti. «Ricky, tu sapevi esattamente di che cosa avrebbe trattato questa conversazione.»

«Ciao, *toy boy*. Sono solo le tre e io voglio essere intrattenuta come si conviene prima di cena.»

Mikael Blomkvist bolliva di rabbia. Ma non era mai riuscito a rimanere in collera con Erika troppo a lungo.

Erika indossava un vestito nero; una giacca corta in vita e un paio di scarpine scollate che per puro caso aveva infilato nella piccola borsa da viaggio. Insisté perché Mikael mettesse giacca e cravatta. Lui s'infilò un paio di pantaloni neri, una camicia grigia con cravatta scura e prese una giacca spaiata grigia. Quando puntuali bussarono alla porta di Henrik Vanger, si scoprì che anche Dirch Frode e Martin Vanger facevano parte della compagnia. Tutti erano in giacca e cravatta a eccezione di Henrik, che sfoggiava un papillon e un cardigan marrone.

«Il vantaggio di essere ottuagenari è che nessuno osa fare osservazioni su come ci si veste» constatò.

Erika fu di umore raggiante per tutta la cena.

Fu solo quando più tardi si trasferirono in un salone con camino e si sedettero ognuno con il suo bicchiere di cognac che la discussione cominciò seriamente. Parlarono per quasi due ore prima di avere una traccia di transazione sul tavolo.

Dirch Frode avrebbe creato una società interamente posseduta da Henrik Vanger e con un consiglio d'amministrazione formato da lui stesso, Frode e Martin Vanger. In un periodo di quattro anni la società avrebbe investito una somma di denaro che sarebbe andata a coprire il divario fra entrate e uscite di *Millennium*. I fondi sarebbero stati presi dal patrimonio personale di Henrik Vanger. In cambio, Henrik Vanger avrebbe ottenuto un posto visibile nel consiglio d'amministrazione del giornale. Il contratto avrebbe avuto una durata di quattro anni, ma *Millennium* avrebbe potuto recedere dopo due anni. Tuttavia una simile rescissione sarebbe stata dispendiosa, dal momento che Henrik si sarebbe potuto liquidare solo restituendogli interamente la somma investita.

In caso di morte improvvisa di Henrik, Martin Vanger l'avrebbe sostituito nel consiglio d'amministrazione per il tempo restante previsto dal contratto. Se Martin avesse voluto prolungare il suo coinvolgimento, la decisione sarebbe spettata a lui. Martin sembrava tuttavia divertito di fronte alla possibilità di rendere a Hans-Erik Wennerström pan per focaccia, e Mikael si chiese in che cosa consistesse realmente l'antagonismo fra loro.

Quando l'accordo preliminare fu pronto, Martin riempì di nuovo i bicchieri di cognac. Henrik approfittò per chinarsi verso Mikael e spiegare a bassa voce che il contratto non influenzava in alcun modo il loro accordo.

Fu anche deciso che il riordinamento, per ottenere la massima attenzione dei media, sarebbe stato presentato il giorno stesso in cui Mikael Blomkvist avrebbe iniziato a scontare la sua pena detentiva a metà marzo. Da un semplice punto di vista di pubbliche relazioni, collegare un avvenimento fortemente negativo con un riordinamento era così sbagliato che avrebbe solo potuto confondere i diffamatori di Mikael e dare massimo risalto all'ingresso di Henrik Vanger. Ma tutti ne vedevano anche la logica – era un segnale che la bandiera della pestilenza che sventolava sopra la redazione di *Millennium* stava per essere ammainata, e che il giornale aveva dei protettori che erano pronti a rispondere per le rime. Le aziende Vanger potevano anche essere in crisi, ma costituivano pur sempre un importante gruppo industriale capace all'occorrenza di andare all'offensiva.

Tutta la conversazione era stata una discussione fra Erika da una parte e Henrik e Martin dall'altra. Nessuno aveva chiesto a Mikael che cosa ne pensasse.

A notte fonda, Mikael era steso con la testa appoggiata sul petto di Erika e la guardava negli occhi.

«Da quanto tempo tu e Henrik Vanger stavate discutendo questo accordo?» chiese.

«Più o meno una settimana» rispose lei sorridendo.

«Christer è informato?»

«Ovvio.»

«Perché io sono stato tenuto all'oscuro?»

«Perché mai avrei dovuto discuterne con te? Tu hai abbandonato il tuo incarico di direttore responsabile, hai lasciato sia la redazione che il consiglio d'amministrazione per andartene a stare nei boschi.»

Mikael rifletté un momento sulla cosa.

«Vuoi dire che merito di essere trattato come un idiota?»

«Oh sì» disse lei con enfasi.

«Ti sei veramente arrabbiata con me.»

«Mikael, io non mi sono mai sentita così infuriata, abbandonata e tradita come quando tu te ne sei andato dalla redazione. Non ero mai stata così in collera con te prima.» Lo afferrò saldamente per i capelli e lo spinse giù sul letto.

Quando Erika lasciò Hedeby la domenica, Mikael era così irritato con Henrik Vanger che non volle rischiare di imbattersi in lui né in qualche altro membro del clan. Così andò a Hedestad e trascorse il pomeriggio a passeggio per la città, visitando la biblioteca e facendo sosta in una pasticceria per un caffè. La sera andò al cinema a vedere *Il signore degli anelli*, che si era perso nonostante fosse uscito già da un anno. Gli sembrò che gli orchi a differenza degli esseri umani fossero creature poco complicate. Concluse la serata al McDonald's di Hedestad e ritornò all'isola di Hedeby solo con l'ultimo autobus, verso mezzanotte. Preparò del caffè, si sedette al tavolo della cucina e aprì un fascicolo. Andò avanti a leggere fino alle quattro del mattino.

C'erano una serie di punti interrogativi nell'inchiesta su Harriet Vanger che più Mikael si addentrava nella documentazione, più apparivano singolari. Non si trattava di scoperte rivoluzionarie fatte per conto suo, ma di problemi che avevano tenuto occupato Gustaf Morell per lunghi periodi e non meno nel tempo libero.

Nell'ultimo anno della sua vita, Harriet Vanger era cambiata. In certa misura questo cambiamento si poteva spiegare con la metamorfosi che tutti i giovani in una maniera o nell'altra subiscono a un certo punto della loro adolescenza. Harriet stava diventando adulta, ma nel suo caso sia compagni di classe, sia insegnanti, sia diversi membri della famiglia testimoniavano che era diventata chiusa e riservata.

La ragazza che due anni prima era un'adolescente perfettamente normale e vivace aveva chiaramente preso le distanze dall'ambiente circostante. A scuola aveva continuato a frequentare i suoi amici, ma in un modo che una delle sue compagne descriveva come «impersonale». Il vocabolo usato dall'amica era stato abbastanza insolito perché Morell lo annotasse e lo facesse oggetto di successive domande. La spiegazione che aveva ricevuto era che Harriet aveva smesso di parlare di se stessa, di raccontare pettegolezzi o di fare confidenze.

Durante l'infanzia, Harriet era stata cristiana alla maniera in cui lo sono tutti i bambini – catechismo, preghiere della sera. Nell'ultimo anno sembrava essere diventata anche devota. Leggeva la Bibbia e frequentava regolarmente la chiesa. Tuttavia non si era affidata al pastore Otto Falk, che stava sull'isola ed era in rapporti amichevoli con la famiglia Vanger, ma in primavera aveva scelto una congregazione di pentecostali a Hedestad. L'impegno nella chiesa pentecostale però non era durato a lungo. Già dopo due mesi l'aveva lasciata e aveva cominciato a leggere libri sulla fede cattolica.

Entusiasmo religioso adolescenziale? Forse, ma nessun altro nella famiglia Vanger era mai stato particolarmente devoto ed era difficile scoprire quali impulsi avessero guidato i suoi pensieri. Una possibile spiegazione del suo interesse per Dio poteva essere ricercata ovviamente nel fatto che suo padre era morto annegato un anno prima. In ogni caso, Gustaf Morell trasse la conclusione che nella vita di Harriet era successo qualcosa che la opprimeva o la condizionava, ma gli era difficile stabilire cosa potesse essere stato. Morell, come Henrik Vanger, aveva dedicato molto tempo a parlare con le amiche della ragazza, alla ricerca di qualcuna con cui potesse essersi confidata.

Una certa speranza era stata riposta nella quasi coetanea Anita Vanger, la figlia di Harald che aveva trascorso l'estate del 1966 all'isola di Hedeby e che era diventata molto amica di Harriet. Ma nemmeno Anita aveva avuto delle vere indicazioni da dare. Si erano frequentate durante l'estate, avevano nuotato, passeggiato, parlato di film, gruppi pop e libri. Harriet l'aveva spesso accompagnata quando Anita si esercitava a guidare la macchina. Una volta si erano ubriacate con una bottiglia di vino sottratta dalla dispensa. Per diverse settimane poi avevano abitato completamente sole nella casetta di Gottfried, dall'altra parte dell'isola, una piccola costruzione rustica che era stata eretta dal padre di Harriet agli inizi degli anni cinquanta.

Gli interrogativi sui pensieri e sui sentimenti privati di Harriet erano rimasti senza risposta. Mikael notò tuttavia una discrepanza: le informazioni sul suo temperamento chiuso venivano in gran parte dai compagni di scuola e in certa misura dai membri della famiglia, mentre ad Anita non era sembrata affatto chiusa. Mikael fece un'annotazione mentale di discuterne all'occasione con Henrik Vanger.

Un punto interrogativo più concreto, al quale Morell aveva dedicato maggiore interesse, era una pagina alquanto enigmatica nell'agenda di Harriet, un dono natalizio dall'elegante rilegatura che la ragazza aveva ricevuto l'anno prima della sua scomparsa. La prima metà dell'agenda conteneva un orario giornaliero dove Harriet aveva annotato gli appuntamenti, le date dei compiti in classe, le lezioni e così via. Il calendario lasciava ampio spazio per le annotazioni personali, ma Harriet teneva questo diario solo in modo sporadico. Aveva cominciato ambiziosamente in gennaio con appunti su chi aveva incontrato durante le vacanze di Natale e commenti sui film che aveva visto. Poi non aveva più scritto nulla di personale fino al termine dell'anno scolastico, quando forse – a seconda di come si interpretavano le annotazioni – si era interessata da lontano a un ragazzo di cui non si faceva il nome.

Erano tuttavia le pagine della rubrica telefonica a contenere il vero mistero. Accuratamente segnati in ordine alfabetico c'erano membri della famiglia, compagni di classe, alcuni insegnanti, alcuni membri della chiesa pentecostale e altre persone del suo ambiente facilmente identificabili. Sull'ultima pagina della rubrica telefonica, bianca e in realtà fuori del registro alfabetico, c'erano cinque nomi e altrettanti numeri di telefono. Tre nomi femminili e due iniziali.

Magda – 32016
Sara – 32109
RJ – 30112
RL – 32027
Mari – 32018

I numeri di cinque cifre che cominciavano per 32 erano numeri telefonici di Hedestad negli anni sessanta. L'eccezione che cominciava per 30 riconduceva a Norrbyn, nelle vicinanze di Hedestad. L'unico problema, quando l'ispettore Morell ebbe contattato sistematicamente tutti i conoscenti di Harriet, era che nessuno sapeva assolutamente a chi appartenessero quei numeri di telefono.

Il primo, quello di «Magda», sembrava promettente. Corrispondeva a un negozio di tessuti e articoli da cucito al 12 di Parkgatan. Il numero apparteneva a una certa Margot Lundmark, la cui madre effettivamente si chiamava Magda e talvolta andava a darle una mano in negozio. Magda però aveva sessantanove anni e non aveva la più pallida idea di chi fosse Harriet Vanger. Non esistevano nemmeno prove che Harriet avesse mai visitato il negozio o fatto acquisti. Il cucito non era un'attività a cui si dedicasse.

Il secondo numero, quello di «Sara», corrispondeva a una famigliola di nome Toresson, che abitava a Väststan, dall'altra parte della ferrovia. La famiglia era composta da Anders e Monica e dai due figli Jonas e Peter, che all'epoca erano in età da scuola materna. In famiglia non esisteva nessuna Sara, e neanche qui sapevano chi fosse Harriet Vanger, al di là di averne sentito parlare dai media per via della sua scomparsa. L'unico vago collegamento fra Harriet e la famiglia Toresson era che Anders, che faceva il carpentiere, un anno prima aveva sistemato il tetto della scuola dove Harriet frequentava la nona classe. C'era dunque una possibilità teorica che si fossero conosciuti, ma la cosa sembrava altamente improbabile.

I rimanenti tre numeri conducevano ad altrettanti vicoli ciechi. Al 32027, il numero di RL, aveva effettivamente abitato una certa Rosmarie Larsson. Purtroppo però era morta ormai da diversi anni.

Morell concentrò una gran parte delle sue indagini dell'inverno tra il 1966 e il 1967 a cercare di spiegare perché Harriet avesse annotato quei nomi e quei numeri.

Una prima congettura era stata ovviamente che i numeri fossero stati scritti come una sorta di codice personale, Morell fece perciò un tentativo di immaginare come potesse aver ragionato una ragazzina adolescente. Siccome la serie di 32 evidentemente indicava Hedestad, lavorò sulle altre tre cifre, scambiandole di posto. Né 32601 né 32160 portavano a una Magda. Nel procedere con il suo mistero dei numeri, Morell scoprì naturalmente che, se ne cambiava abbastanza, prima o poi trovava qualche collegamento con Harriet. Se per esempio aumentava ognuna delle tre ultime cifre del gruppo 32016 di una unità, otteneva il numero 32127, che era quello dell'ufficio dell'avvocato Dirch Frode a Hedestad. Il problema era che un collegamento del genere non significava un bel niente. Inoltre non riuscì mai a trovare nessun codice che potesse spiegare tutti e cinque i numeri contemporaneamente.

Morell ampliò il ragionamento. Le cifre potevano significare qualcos'altro? Le targhe automobilistiche dell'epoca contenevano la lettera della regione e cinque cifre... un vicolo cieco.

Poi Morell abbandonò i numeri e si concentrò sui nomi. Arrivò perfino a procurarsi un elenco di tutte le persone di Hedestad che si chiamavano Mari, Magda e Sara o che avevano per iniziali rispettivamente RL e RJ. Ottenne una lista di trecentosette nomi. Fra questi c'erano in effetti ben ventinove persone che avevano un qualche collegamento con Harriet; un compagno di scuola della nona classe si chiamava ad esempio Roland Jacobsson, RJ. Tuttavia si conoscevano solo superficialmente e non avevano più avuto contatti da quando Harriet era andata al liceo. E inoltre non c'era nessun collegamento con il numero di telefono.

Il mistero della rubrica telefonica era rimasto irrisolto.

Il quarto incontro con l'avvocato Bjurman non era stato programmato. Lisbeth era stata costretta a prendere contatto con lui.

La seconda settimana di febbraio, il suo portatile era defunto in un incidente così assurdo da farle provare un istinto omicida. Era andata a una riunione alla Milton Security in bicicletta e l'aveva sistemata dietro una colonna nel garage. Quando aveva poggiato a terra lo zaino per mettere catena e lucchetto, una Saab bordeaux aveva fatto retromarcia per uscire. Lei era con la schiena voltata e aveva sentito lo scricchiolio nello zaino. L'automobilista non si era accorto di nulla ed era scomparso con noncuranza verso l'uscita del garage.

Lo zaino conteneva il suo Apple iBook 600 bianco, con hard disk da 25 Gb e 420 Mb di ram, del gennaio del 2002, provvisto di schermo da 14 pollici. Al momento dell'acquisto aveva costituito lo *state of the art* di Apple. I computer di Lisbeth Salander erano potenziati con le configurazioni più recenti e talvolta anche più costose – le attrezzature informatiche costituivano a grandi linee l'unica voce stravagante del suo bilancio delle uscite.

Aprendo lo zaino, aveva potuto constatare che il coperchio del computer era spaccato. Aveva collegato la spina e cercato di avviare il computer, ma questo non aveva fatto nemmeno un piccolo spasmo mortale. Aveva portato i resti al MacJesus Shop di Timmy in Brännkyrkagatan, nella speranza che almeno qualcosa dell'hard disk si potesse salvare. Dopo un breve tentativo, Timmy aveva scosso la testa.

«*Sorry.* Nessuna speranza» aveva constatato. «Puoi organizzare un bel funerale.»

La perdita del computer era deprimente ma non certo una catastrofe. Lisbeth era andata meravigliosamente d'accordo con il suo Apple per tutto l'anno che l'aveva avuto, ma aveva comunque il backup di tutti i documenti e possedeva un vecchio Mac G3 fisso e anche un portatile Toshiba vecchio di cinque anni che poteva ancora utilizzare. Ma – *dannazione* – a lei occorreva una macchina veloce e moderna.

Come ci si poteva aspettare, fu attratta dalla migliore alternativa disponibile: il nuovo Apple PowerBook G4/1.0 GHz con telaio in alluminio, dotato di processore PowerPc 7451 con AltiVec Velocity Engine, 960 Mb di ram e un hard disk di 60 Gb. Compreso BlueTooth e masterizzatore cd/dvd.

Soprattutto era dotato del primo schermo da 17 pollici nel mondo dei portatili, con grafica Nvidia e una risoluzione di 1440×900 pixel che sbalordiva i fautori del pc e surclassava tutto il resto presente sul mercato.

Era la Rolls-Royce dei computer portatili, ma ciò che veramente stuzzicava la brama di possesso di Lisbeth Salander era la semplice finezza di una tastiera con sfondo illuminato che le avrebbe consentito di vedere le lettere dei tasti anche nel buio più compatto. Così semplice. Perché nessuno ci aveva mai pensato prima?

Fu amore a prima vista.

Costava trentottomila corone tasse escluse.

Quello era un problema.

In ogni caso fece un'ordinazione da MacJesus, da cui usava acquistare tutte le sue attrezzature informatiche e che perciò le faceva un ragionevole sconto. Qualche giorno più tardi Lisbeth Salander fece un po' di conti. L'assicurazione sul suo computer incidentato avrebbe coperto una buona parte della spesa, ma con la franchigia e il prezzo più alto del nuovo acquisto era comunque sotto di circa diciottomila corone. In un barattolo del caffè a casa aveva diecimila corone da parte per aver sempre a disposizione un po' di contanti, ma non coprivano tutta la somma occorrente. Inviò pensieri cattivi all'avvocato Bjurman, ma ingoiò il rospo e telefonò al suo tutore spiegando che aveva bisogno di soldi per una spesa imprevista. Bjurman rispose che non aveva tempo per lei durante la giornata. Lisbeth replicò che gli sarebbero occorsi venti secondi per compilare un assegno di diecimila corone. Lui spiegò che non poteva fare assegni così a casaccio, ma poi si arrese e dopo un attimo di riflessione le fissò un appuntamento dopo l'orario d'ufficio, alle sette e mezza di sera.

Mikael riconosceva di non avere competenza sufficiente per giudicare un'indagine, ma trasse comunque la conclusione che Morell era stato eccezionalmente scrupoloso e aveva investigato molto oltre ciò che richiedeva il suo compito. Quando Mikael metteva da parte l'inchiesta formale della polizia, Morell faceva di nuovo la sua comparsa come attore nelle annotazioni personali di Henrik; fra i due si era creato un legame di amicizia, e Mikael si domandava se Morell avesse sviluppato la stessa ossessione dell'industriale. Trasse tuttavia la conclusione che a Morell difficilmente poteva essere sfuggito qualcosa. La risposta all'enigma Harriet Vanger non era da ricercarsi nell'inchiesta quasi perfetta della polizia. Tutte le domande possibili e immaginabili erano già state poste e tutte le tracce erano state seguite, anche quelle manifestamente paradossali.

Non aveva ancora letto tutta l'inchiesta, ma più andava avanti più le tracce e le indicazioni seguite si facevano equivoche. Non si aspettava di scoprire qualcosa che ai suoi predecessori fosse sfuggito, e si sentiva incerto su come affrontare personalmente il problema. Alla fine aveva maturato una convinzione: l'unica via percorribile da parte sua era cercare di indagare i moventi psicologici delle persone coinvolte.

Il punto interrogativo più evidente riguardava Harriet stessa. Chi era realmente?

Dalla finestra del suo chalet, Mikael aveva visto che la luce al piano di sopra della casa di Cecilia Vanger si accendeva alle cinque del pomeriggio. Bussò alla sua porta alle sette e mezza, proprio nel momento in cui attaccava la sigla del notiziario. Lei aprì avvolta nella vestaglia e con i capelli bagnati sotto un asciugamano di spugna gialla. Mikael chiese subito scusa per aver disturbato e accennò ad andarsene, ma lei gli fece segno di entrare in soggiorno. Accese la macchina del caffè e scomparve su per le scale. Rimase di sopra per qualche minuto e quando scese di nuovo si era infilata dei jeans e una camicia di flanella a quadri.

«Cominciavo a credere che non avrebbe avuto il coraggio di venirmi a trovare.»

«Avrei dovuto telefonare prima, ma ho visto la luce accesa e ho avuto un impulso.»

«Io invece ho visto che da lei la luce resta accesa tutta la notte. E che esce spesso a passeggio dopo mezzanotte. Animale notturno?»

Mikael alzò le spalle. «Ho preso queste abitudini.» Guardò alcuni testi scolastici che stavano accatastati sul bordo del tavolo in cucina. «Insegna ancora, signor preside?»

«No, come preside non ne ho più il tempo. Ma sono stata insegnante di storia, educazione civica e religione. E mi manca ancora qualche anno.»

«Qualche anno?»

Lei sorrise. «Ho cinquantasette anni. Presto andrò in pensione.»

«Non ha l'aria di un'ultracinquantenne, piuttosto si direbbe sulla quarantina.»

«Adulatore. Quanti anni ha lei?»

«Quaranta e qualcosa» sorrise Mikael.

«E poco fa ne aveva venti. Come passa in fretta. La vita, intendo.»

Cecilia versò il caffè e chiese a Mikael se aveva fame. Lui disse che aveva già cenato; il che era una verità modificata. Non badava al cibo, e si accontentava di buttare giù qualche panino. Ma non aveva fame.

«Allora, perché è venuto? È forse ora di porre quelle famose domande?»

«A essere sincero... non sono venuto per fare domande. Forse volevo solo vederla.»

D'improvviso Cecilia sorrise.

«È stato condannato a una pena detentiva, si trasferisce a Hedeby, spulcia da cima a fondo il materiale del passatempo preferito di Henrik, non dorme la notte, fa lunghe passeggiate notturne quando si muore di freddo... ho dimenticato qualcosa?»

«La mia vita sta andando in fumo.» Mikael ricambiò il sorriso.

«Chi è la donna che è venuta a trovarla durante il fine settimana?»

«Erika... lei è il caporedattore di *Millennium.*»

«È la sua ragazza?»

«Non proprio. È sposata. Io sono più che altro un amico e *occasional lover.*»

Cecilia scoppiò in una fragorosa risata.

«Che c'è di tanto divertente?»

«Il modo in cui l'ha detto. *Occasional lover.* Mi piace l'espressione.»

Anche Mikael rise. D'un tratto Cecilia gli piacque.

«Anch'io avrei bisogno di un *occasional lover*» disse lei.

Scalciò via le pantofole e gli mise un piede sulle ginocchia. Mikael appoggiò automaticamente la mano sul piede e le accarezzò la pelle. Esitò un istante – sentiva che si stava avventurando in acque sconosciute. Ma poi cominciò cautamente a massaggiarle la pianta del piede con il pollice.

«Anch'io sono sposata» disse Cecilia.

«Lo so. Non si divorzia nel clan Vanger.»

«Non vedo mio marito da quasi vent'anni.»

«Che cosa successe?»

«Questo non ti riguarda. Non faccio sesso da... hmm, ormai sono tre anni.»

«Mi stupisce.»

«Perché? È una questione di domanda e offerta. Non voglio assolutamente avere un fidanzato o un marito o un convivente. Sto benissimo con me stessa. E con chi dovrei fare sesso? Qualcuno degli insegnanti della scuola? Non credo. Qualcuno degli allievi? Sarebbe pane per gli amanti del pettegolezzo. Quelli non perdono d'occhio chi si chiama Vanger, credimi. E qui sull'isola vivono solo parenti o gente sposata.»

Si chinò in avanti e lo baciò sul collo.

«Ti sto scioccando?»

«No. Ma non so se questa sia una buona idea. In fondo lavoro per tuo zio.»

«E io sono probabilmente l'ultima persona che farebbe la spia. Ma a essere sinceri, non credo che Henrik avrebbe qualcosa in contrario.»

Gli si mise a cavalcioni e lo baciò sulla bocca. Aveva ancora i capelli umidi e profumava di shampoo. Lui armeggiò goffamente con i bottoni della sua camicia di flanella e gliela fece scendere sulle spalle. Cecilia non si era preoccupata di mettersi il reggiseno. Si schiacciò contro di lui quando le baciò i seni.

L'avvocato Bjurman girò intorno alla scrivania e le mostrò il bilancio del suo conto bancario – che lei conosceva già fino all'ultimo centesimo ma di cui non poteva più disporre di persona. Era in piedi dietro la sua schiena. Cominciò a massaggiarle la nuca e fece scivolare una mano sopra la spalla sinistra e attraverso il petto. La fermò sul seno destro e ve la tenne. Visto che lei non sembrava protestare, le strizzò il seno. Lisbeth Salander sedeva immobile. Sentiva il suo alito sulla nuca e studiava il tagliacarte sulla sua scrivania; avrebbe potuto raggiungerlo facilmente con la mano libera.

Ma non fece nulla. Se c'era una lezione che Holger Palmgren le aveva fatto imparare a memoria nei suoi anni, era che le azioni impulsive conducono a complicazioni, e le complicazioni possono avere conseguenze sgradevoli. Perciò non faceva mai qualcosa senza aver prima valutato le conseguenze.

Quel primo abuso sessuale – che in termini giuridici si definiva come molestia sessuale e abuso di autorità, e che teoricamente avrebbe potuto fruttare a Bjurman fino a due anni di galera – durò solo qualche secondo. Ma fu sufficiente perché un limite fosse superato in maniera irrevocabile. Per Lisbeth Salander era la dimostrazione di forza militare di una truppa ostile – un segnale che, al di là della loro relazione giuridica ben definita, lei era in balia della sua discrezione, e disarmata. Quando i loro occhi si incontrarono qualche secondo più tardi, la bocca di lui era semiaperta e sul suo volto si poteva leggere la bramosia. Il volto di Lisbeth invece non tradiva nessuna emozione.

Bjurman fece ritorno al suo lato della scrivania e si sedette nella sua comoda poltrona di pelle.

«Non posso farti un assegno così come niente» disse. «Perché ti occorre un computer così costoso? Esistono apparecchiature molto più a buon mercato su cui puoi fare i tuoi videogiochi.»

«Io voglio poter disporre dei miei soldi come prima.»

L'avvocato Bjurman la gratificò di un'occhiata compassionevole.

«Vedremo cosa si potrà fare. Devi prima imparare a essere socievole e ad andare d'accordo con la gente.»

Forse il sorriso dell'avvocato Bjurman si sarebbe un po' attenuato se avesse potuto leggere i suoi pensieri dietro gli occhi privi di espressione.

«Sono convinto che tu e io finiremo per diventare buoni

amici» disse Bjurman. «Dobbiamo poterci fidare l'uno dell'altra.»

Siccome lei non rispondeva, cercò di essere più esplicito. «Tu adesso sei una donna adulta, Lisbeth.»

Lei annuì.

«Vieni qui» disse lui, tendendo una mano.

Lisbeth Salander fissò lo sguardo sul tagliacarte per qualche secondo prima di alzarsi e andare da lui. Conseguenze. Lui le prese la mano e se la premette contro l'inguine. Lei poté sentire il suo sesso attraverso la stoffa scura dei pantaloni di gabardine.

«Se tu sarai gentile con me, io sarò gentile con te» disse lui.

Lei era rigida come una bacchetta quando lui le mise l'altra mano intorno alla nuca e l'attirò in ginocchio davanti a sé.

«Questa cosa l'hai già fatta, vero?» disse mentre apriva la patta. Dall'odore sembrava che si fosse lavato da poco con acqua e sapone.

Lisbeth Salander girò il viso di lato e cercò di alzarsi in piedi, ma lui la teneva saldamente. Da un punto di vista puramente fisico lei era una cosa da niente; pesava circa quaranta chili contro i suoi novantacinque. Le afferrò la testa con entrambe le mani e le girò il viso così che i loro occhi si incontrassero.

«Se tu sarai gentile con me, io sarò gentile con te» ripeté. «Se invece fai storie posso rinchiuderti in manicomio per il resto della tua vita. Ti piacerebbe?»

Lei non rispose.

«Ti piacerebbe?» insisté lui.

Lei scosse la testa.

Lui aspettò finché lei non abbassò lo sguardo in un gesto che interpretò come di sottomissione. Poi l'attirò più vicino. Lisbeth Salander aprì le labbra e lo prese in bocca. Lui mantenne tutto il tempo la presa sulla sua nuca attirandola a sé con violenza. Lei ebbe continui conati di vomito nei dieci minuti che durò; quando finalmente lui raggiunse l'orgasmo la tenne così stretta che quasi soffocava.

Le consentì di usare una piccola toilette all'interno del suo ufficio. Lisbeth Salander tremava tutta mentre si lavava la faccia e cercava di strofinare via le macchie sulla maglia. Mangiò un po' di dentifricio per scacciare il sapore. Quando tornò di nuovo nell'ufficio, lui era seduto impassibile dietro la scrivania e sfogliava delle carte.

«Siediti, Lisbeth» le disse senza guardarla. Lei si sedette. Alla fine lui alzò lo sguardo e le sorrise.

«Tu sei grande adesso, vero, Lisbeth?»

Lei annuì.

«Allora devi anche imparare a fare i giochi dei grandi» disse lui. Usava un tono come se stesse parlando a un bambino. Lei non replicò. Una piccola ruga si formò sulla fronte dell'uomo.

«Non credo che sia una buona idea se racconti a qualcun altro dei nostri giochi. Rifletti – chi mai ti crederebbe? Ci sono documenti che dicono che tu non sei responsabile delle tue azioni.» Siccome lei non rispondeva, continuò: «Sarebbe la tua parola contro la mia. Quale delle due credi che avrebbe più peso?»

Sospirò mentre lei continuava a non rispondere. D'improvviso lo irritò che si limitasse a stare seduta lì a fissarlo in silenzio – ma si controllò.

«Vedrai che diventeremo buoni amici, tu e io» disse. «Penso che tu abbia fatto bene a rivolgerti a me oggi. Devi sempre venire da me.»

«Mi occorrono diecimila corone per il computer» disse lei d'improvviso a voce bassa, proprio come se stesse riprendendo il discorso che stavano facendo prima dell'interruzione.

L'avvocato Bjurman alzò le sopracciglia. *Che tipo tosto. È proprio ritardata di brutto.* Le allungò l'assegno che aveva preparato mentre lei era alla toilette. *Questa qui è meglio di una puttana; si fa pagare con i suoi stessi soldi.* Fece un sorriso arrogante. Lisbeth Salander prese l'assegno e se ne andò.

12.
Mercoledì 19 febbraio

Se Lisbeth Salander fosse stata un comune cittadino, con ogni probabilità avrebbe telefonato alla polizia denunciando la violenza nell'attimo stesso in cui lasciò lo studio dell'avvocato Bjurman. Ecchimosi sulla nuca e sul collo e una specie di firma di macchie di sperma con il suo dna – gli abiti della ragazza avrebbero costituito delle prove molto pesanti. Anche se l'avvocato Bjurman avesse cercato di giustificarsi con un *lei ci stava* o *mi ha sedotto* o *è stata lei a volerlo fare* e altre scusanti che gli stupratori usano addurre di solito, si era comunque reso responsabile di così tanti reati contro la legge sull'amministrazione che gli sarebbe stato tolto subito il controllo su di lei. Una denuncia avrebbe portato come conseguenza probabile che a Lisbeth Salander sarebbe stato assegnato un vero avvocato, con buona conoscenza delle violenze contro le donne, cosa che a sua volta avrebbe forse portato a una discussione sul nocciolo del problema – ovvero la sua dichiarazione d'incapacità.

Dal 1989 non esisteva più il concetto di incapacità giuridica riferito a persone adulte.

Esistevano due gradi di protezione del soggetto debole – la curatela e la tutela.

Il curatore interviene in aiuto di persone che per vari motivi hanno difficoltà a occuparsi delle faccende ordinarie, come pagare i conti o curare la propria persona. Di solito il curatore viene scelto fra i parenti o i conoscenti stretti. Se non esistono soggetti di questo genere, sono le autorità sociali a nominare un curatore. La curatela è una forma mite di protezione del soggetto debole, in cui questi ha ancora il controllo delle proprie risorse e le decisioni vengono prese di comune accordo.

La tutela è una forma di controllo considerevolmente più pesante, in cui al soggetto incapace viene tolto il diritto di disporre personalmente delle proprie risorse economiche e di prendere decisioni in diversi campi. La formulazione esatta implica che il tutore si assume l'intera capacità giuridica del soggetto. In Svezia ci sono circa quattromila persone sotto tutela. Le motivazioni più comuni sono malattia mentale evidente o malattia psichica in relazione ad abuso pesante di alcol o narcotici. Una piccola parte è costituita da soggetti affetti da demenza senile. Un numero sorprendentemente elevato delle persone che si trovano sotto tutela è costituito da persone relativamente giovani, intorno ai trentacinque anni o anche meno. Lisbeth Salander era una di queste.

Sottrarre a un essere umano il controllo sulla propria vita, vale a dire sul proprio conto bancario, è una delle misure più avvilenti che una democrazia possa adottare, soprattutto quando riguarda soggetti in giovane età. È avvilente anche se lo scopo di tale misura può ritenersi valido e socialmente giustificato. I problemi riguardanti la tutela sono perciò questioni politiche potenzialmente sensibili, regolate da disposizioni rigorose e controllate da un'autorità competente, l'ufficio tutorio. Questo fa capo al governo regionale ed è controllato a sua volta dall'ombudsman.

Generalmente, gli uffici tutori svolgono la loro attività in condizioni difficili. Ma, considerata la delicatezza delle questioni che si trovano a trattare, i mezzi d'informazione hanno svelato un numero sorprendentemente limitato di reclami o di scandali.

In casi isolati si è avuta notizia di azioni giudiziarie intentate contro curatori o tutori che avevano sottratto denaro o venduto senza autorizzazione il diritto di abitazione del loro assistito intascandosi i soldi. Ma questi casi sono relativamente rari, il che a sua volta può dipendere da uno dei seguenti fattori: o che l'autorità svolge il suo compito straordinariamente bene, oppure che i soggetti deboli non hanno la possibilità di reclamare o far valere le proprie ragioni in maniera attendibile presso la stampa o le autorità.

L'ufficio tutorio ha il dovere di valutare annualmente se esistano motivi per annullare una tutela. Siccome Lisbeth Salander si intestardiva nel suo rifiuto di sottoporsi a perizie psichiatriche – non degnava i medici nemmeno di un gentile buon giorno – l'ufficio non aveva mai avuto motivo di mutare la sua decisione. Di conseguenza si era creata una situazione di status quo, e sempre di conseguenza la ragazza era stata mantenuta anno dopo anno sotto tutela.

La legge prevede tuttavia che la necessità di tutela *venga adeguata caso per caso*. Holger Palmgren l'aveva interpretata nel senso che a Lisbeth Salander fosse consentito di gestire il proprio denaro e la propria vita. Aveva soddisfatto alla lettera le condizioni imposte dall'autorità e redatto un rapporto mensile e una revisione annuale, ma per il resto aveva trattato Lisbeth Salander come una normale giovane donna qualsiasi, senza intromettersi nelle sue scelte di stile di vita o di frequentazioni. Riteneva che non stesse né a lui né alla società decidere se la ragazza voleva avere un anello al naso o un tatuaggio sul collo. Questo atteggiamento piuttosto singolare nei confronti della decisione del tribunale era uno dei motivi per cui erano andati d'accordo.

Finché Holger Palmgren era stato il suo tutore, Lisbeth Salander non aveva avuto motivo di riflettere più di tanto sul proprio status giuridico. L'avvocato Bjurman però interpretava la legge sulla tutela in modo totalmente diverso.

Lisbeth Salander, una volta per tutte, non era come le persone normali. Aveva una conoscenza rudimentale della legge – era un campo in cui non aveva mai avuto motivo di approfondire le sue nozioni – e la sua fiducia nel potere di polizia era in generale inesistente. Per lei la polizia era una forza ostile vagamente definita, i cui interventi pratici negli anni erano consistiti nell'arrestarla e nell'umiliarla. L'ultima volta che aveva avuto qualcosa a che fare con la polizia era stato quando, un pomeriggio di maggio dell'anno precedente, mentre transitava in Götgatan diretta alla Milton Security, si era trovata faccia a faccia con un celerino con elmetto a visiera che senza la benché minima provocazione da parte sua le aveva calato una manganellata sulla spalla. Il suo impulso spontaneo era stato di andare immediatamente al contrattacco con una bottiglia di Coca-Cola che per caso aveva in mano. Fortunatamente il poliziotto aveva girato i tacchi e si era allontanato prima che lei facesse in tempo ad agire. Solo più tardi era venuta a sapere che c'era stata una dimostrazione un po' più su lungo la strada.

Il pensiero di andare al quartier generale degli elmetti a visiera a denunciare Nils Bjurman per abuso sessuale non esisteva nella sua mentalità. E poi, che cosa avrebbe potuto denunciare? Bjurman le aveva palpato il seno. Qualsiasi poliziotto le avrebbe gettato un'occhiata, e avrebbe constatato che data la sua magrezza era improbabile e che se davvero fosse successo avrebbe dovuto piuttosto essere lusingata che qualcuno si fosse preso il disturbo di farlo. E quella faccenda del sesso orale – era la sua parola contro quella di lui, e di solito la parola degli altri pesava più della sua. *La polizia non era un'alternativa praticabile.*

Dopo aver lasciato lo studio di Bjurman era perciò andata a casa, aveva fatto la doccia, mangiato due tramezzini con formaggio e cetrioli in salamoia e si era seduta sul divano consunto e spelacchiato del soggiorno, a pensare.

Una persona normale forse avrebbe giudicato la sua mancanza di reazione come un punto a suo sfavore – un'ulteriore testimonianza del fatto che in qualche modo era così anormale che nemmeno un abuso riusciva a suscitare in lei una soddisfacente risposta emotiva.

Il fatto è che la cerchia delle sue conoscenze non era certamente vasta, e non era nemmeno composta da medio borghesi provenienti dalle zone protette delle periferie residenziali, ma a diciotto anni d'età Lisbeth Salander non aveva mai incontrato una sola ragazza che non fosse stata costretta almeno una volta a qualche forma di atto sessuale contro la propria volontà. La gran parte di tali soprusi era commessa da ragazzi un po' più grandi, che con una certa dose di forza riuscivano a imporre la propria volontà. Per quanto ne sapeva, tali incidenti avevano portato qualche volta a pianti e a esplosioni di collera, ma mai a una denuncia.

Nel mondo di Lisbeth Salander questo era lo stato naturale delle cose. Come ragazza era una preda legittima, soprattutto se vestiva una giacca consunta di pelle nera e aveva piercing alle sopracciglia, tatuaggi e una posizione sociale inesistente.

I piagnistei erano inutili.

Per contro era ovvio che l'avvocato Bjurman non poteva costringerla *impunemente* a succhiargli l'uccello. Lisbeth Salander non dimenticava mai un torto ed era per natura tutt'altro che disposta al perdono.

Il suo status giuridico costituiva però un problema. A sua memoria, era sempre stata considerata come un soggetto difficile e portato a violenze immotivate. Le prime annotazioni in tal senso venivano dal fascicolo dell'infermeria della scuola elementare. Era stata mandata a casa perché aveva picchiato un compagno di classe e l'aveva spinto contro un attaccapanni provocandogli delle contusioni. Ricordava ancora la sua vittima con irritazione; un ragazzo sovrappeso di nome David Gustavsson, che la stuzzicava di continuo e le lanciava addosso di tutto, e che era destinato a diventare un formidabile molestatore. A quell'epoca lei non sapeva nemmeno che cosa volesse dire mobbing, ma quando era tornata a scuola il giorno seguente David le aveva promesso minacciosamente vendetta, e lei l'aveva atterrato con un destro rafforzato con una pallina da golf che aveva portato a nuove contusioni e a una nuova annotazione nel suo fascicolo personale.

Le regole della convivenza sociale a scuola l'avevano sempre sconcertata. Lei si faceva gli affari suoi e non si intrometteva in ciò che facevano gli altri. Eppure c'era sempre qualcuno che non la voleva assolutamente lasciare in pace.

Alle medie era stata mandata a casa in diverse occasioni dopo che si era resa protagonista di scontri violenti con i compagni di classe. Ragazzi ben più forti di lei avevano imparato presto che entrare in conflitto con quella ragazza mingherlina poteva essere fonte di guai – a differenza delle altre ragazze della classe, non si tirava mai indietro e non esitava un solo secondo a usare i pugni o armi improvvisate per difendersi. Se ne andava in giro con l'aria di una che si sarebbe lasciata maltrattare a morte piuttosto che piegarsi.

Inoltre era vendicativa.

Quando frequentava la sesta classe, Lisbeth Salander si era scontrata con un ragazzo considerevolmente più grande e più forte. Da un punto di vista fisico, non aveva rappresentato nessuna minaccia per lui. Prima si era divertito a sbatterla a terra diverse volte con semplici spinte, poi l'aveva presa a ceffoni quando lei aveva cercato di andare al contrattacco. Tuttavia non era servito a nulla; per quanto lui fosse superiore, quella sciocca ragazza continuava ad attaccare, e dopo un po' perfino i compagni di classe avevano cominciato a ritenere che si stesse esagerando. Lei era così palesemente indifesa, che la situazione era diventata imbarazzante. Alla fine il ragazzo le aveva mollato un bel pugno che le aveva spaccato il labbro facendole vedere le stelle. L'avevano lasciata a terra dietro la palestra. Era rimasta a casa due giorni. La mattina del terzo giorno aveva aspettato il suo tormentatore armata di una mazza da *brännboll* con cui l'aveva colpito sopra l'orecchio. Per questa azione era stata chiamata dal preside che aveva deciso di denunciarla alla polizia per lesioni, con il risultato che si era resa necessaria un'inchiesta sociale particolare.

I suoi compagni di classe la credevano un po' matta e la trattavano di conseguenza. Suscitava poca simpatia anche fra gli insegnanti, che a volte la consideravano un vero e proprio tormento. Non era mai stata particolarmente loquace e si era fatta la fama dell'allieva che non alzava mai la mano e che spesso non rispondeva quando l'insegnante cercava di rivolgerle una domanda diretta. Ma nessuno sapeva se dipendesse dal fatto che non conosceva la risposta oppure da qualcos'altro, e questo influiva sulle valutazioni. Che avesse dei problemi non c'erano dubbi, ma curiosamente nessuno voleva assumersi la responsabilità di quella ragazza difficile, nonostante di lei si fosse discusso svariate volte in sede di collegio dei docenti. Anche gli insegnanti se ne infischiavano di lei e la lasciavano nel suo brodo di scontroso silenzio.

Una volta, quando un supplente che ignorava il suo modo particolare di comportarsi aveva fatto pressione perché rispondesse a una domanda di matematica, lei aveva avuto un attacco isterico e l'aveva colpito con pugni e calci. Finite le medie si era trasferita in un'altra scuola, senza avere un solo compagno di classe da cui congedarsi. Una ragazza non amata che si comportava in modo strano.

Poi accadde Tutto il Male a cui non voleva pensare, proprio quando era sulla soglia dell'adolescenza. L'ultima esplosione, che completò il quadro e riportò alla ribalta le annotazioni sul suo fascicolo personale delle elementari. Da allora era stata giudicata... sì, un po' svitata. Un *freak*. Lisbeth Salander non aveva mai avuto bisogno di documenti per sapere di essere diversa. D'altro canto la cosa non l'aveva mai preoccupata, finché aveva avuto per tutore Holger Palmgren.

Ma con l'arrivo di Bjurman la dichiarazione di incapacità giuridica minacciava di diventare un drammatico fardello. A prescindere da dove e a chi si sarebbe rivolta, si sarebbero aperte potenziali trappole. E che cosa sarebbe successo se avesse perso la battaglia? Sarebbe stata istituzionalizzata? Rinchiusa in un manicomio? *Quella non era davvero un'alternativa.*

A notte fonda, quando Cecilia Vanger e Mikael giacevano immobili con le gambe intrecciate, il petto di Cecilia premuto contro il fianco di Mikael, lei alzò lo sguardo e lo fissò.

«Grazie. Era passato tanto tempo. A letto sei niente male.»

Mikael sorrise. I complimenti relativi al sesso gli davano sempre una soddisfazione infantile.

«È piaciuto anche a me» disse Mikael. «È stato qualcosa di inatteso, ma divertente.»

«Io lo rifaccio volentieri» disse Cecilia. «Se ti va.»

Mikael la guardò.

«Non stai dicendo che vuoi farti un amante, vero?»

«Solo un *occasional lover*» disse Cecilia. «Ma voglio che tu vada a casa a dormire. Non voglio svegliarmi domattina e averti qui prima di essermi sistemata i muscoli e la faccia. Poi sarebbe perfetto se tu non andassi in giro a dire a tutto il paese che abbiamo una relazione.»

«Non è nel mio stile» disse Mikael.

«Soprattutto non voglio che lo sappia Isabella. È una strega.»

«E anche la tua vicina di casa... l'ho conosciuta.»

«Sì, ma per fortuna dalla sua casa non vede la mia porta. Mikael, cerca di essere discreto, per favore.»

«Sarò discreto.»

«Grazie. Tu bevi?»

«Ogni tanto.»

«Ho voglia di qualcosa di fruttato con dentro del gin. Ti va?»

«Volentieri.»

Si avvolse in un lenzuolo e scomparve al piano di sotto. Mikael approfittò per andare alla toilette a sciacquarsi. Era in piedi nudo a guardare la biblioteca di Cecilia quando lei fece ritorno con una caraffa di acqua ghiacciata e due gin lime. Brindarono.

«Perché eri venuto qui?» domandò lei.

«Nulla di particolare. Volevo solo...»

«Sei stato a casa a leggerti l'inchiesta di Henrik. E poi sei venuto qui da me. Non c'è bisogno di essere dei geni per capire su che cosa ti stavi lambiccando il cervello.»

«Tu hai letto l'inchiesta?»

«Alcune parti. Ho vissuto tutta la mia vita adulta in sua compagnia. Non si può frequentare Henrik senza confrontarsi con il mistero di Harriet.»

«In effetti è un problema affascinante. Voglio dire, è un mistero della stanza chiusa a chiave allargato a un'intera isola. E nell'inchiesta nulla sembra seguire la normale logica. Ogni singola domanda resta senza risposta, ogni traccia conduce in un vicolo cieco.»

«Mmm, sono proprio cose del genere a diventare ossessioni.»

«Tu eri sull'isola quel giorno.»

«Sì. Ero qui e ho vissuto tutto il subbuglio. In realtà abitavo a Stoccolma, dove studiavo. Vorrei essere rimasta a casa, quel fine settimana.»

«Com'era lei in realtà? La gente sembra averne avuto opinioni molto contrastanti.»

«Siamo *off the record* oppure...»

«*Off the record.*»

«Non ho idea di che cosa si muovesse nella testa di Harriet. Tu ovviamente ti riferisci all'ultimo anno. Un giorno era tutta una pia donna. Il giorno dopo si faceva un makeup da battona e andava a scuola con le maglie più aderenti che aveva. Non bisogna essere degli psicologi per capire che era profondamente infelice. Ma, come ho detto, io non abitavo qui e questi sono solo pettegolezzi che ho sentito dire.»

«Che cos'era che scatenava i suoi problemi?»

«Gottfried e Isabella, si capisce. Il loro matrimonio era tutto una trottola. Facevano festa o si scontravano. Non fisicamente – Gottfried non era di quelli che alzano le mani e piuttosto aveva paura di Isabella. Lei era molto umorale. Agli inizi degli anni sessanta lui si trasferì in maniera più o meno permanente nella sua casetta all'altra estremità dell'isola, dove Isabella non metteva mai piede. C'erano periodi in cui compariva in paese con un'aria da pezzente. E poi tornava sobrio e si vestiva di nuovo in maniera impeccabile e cercava di curare il proprio lavoro.»

«Non c'era nessuno disposto ad aiutare Harriet?»

«Henrik ovviamente. Alla fine lei andò ad abitare da lui, come sai. Ma non dimenticare che lui era occupato a interpretare il suo ruolo di grande industriale. Molto spesso era in viaggio e non aveva molto tempo per stare con Harriet e con Martin. Io l'ho vissuto poco in prima persona perché stavo prima a Uppsala e poi a Stoccolma – e nemmeno io ho avuto un'adolescenza facile, con Harald come padre, di questo puoi stare certo. Ma a posteriori ho capito che il problema era che Harriet non si confidava mai con nessuno. Al contrario, cercava di mantenere la facciata e fingere che fossero una famiglia felice.»

«Negazione della realtà.»

«Naturalmente. Ma lei cambiò quando il padre morì annegato. Allora non poteva più fingere che fosse tutto okay. Fino a quel momento era stata... non so come spiegarlo, molto dotata e precoce, ma comunque una ragazzina sostanzialmente normale. Nell'ultimo anno era ancora di un'intelligenza brillante, massimo dei voti in tutte le materie o quasi, ma era come se le mancasse un'anima propria.»

«Come annegò suo padre?»

«Gottfried? Nel modo più prosaico. Cadde da una barca a remi proprio sotto casa sua. Aveva la patta aperta e un tasso alcolico altissimo nel sangue, perciò puoi indovinare come era andata. Fu Martin a trovarlo.»

«Questo non lo sapevo.»

«È strano. Martin col tempo è diventato davvero una persona in gamba. Se me lo avessi chiesto trentacinque anni fa, ti avrei detto che era quello della famiglia che più aveva bisogno di uno psicologo.»

«Perché?»

«Harriet non era l'unica a soffrire della situazione. Per molti anni Martin è stato talmente chiuso e taciturno che lo si poteva quasi descrivere come misantropo. Tutt'e due i figli non avevano una vita facile. Voglio dire, ognuno di noi ha i suoi problemi. Io avevo i miei con mio padre – suppongo che tu abbia già capito che è completamente pazzo. Mia sorella Anita aveva gli stessi problemi, così come Alexander, mio cugino. Non era facile essere giovani, nella famiglia Vanger.»

«Che ne è stato di tua sorella?»

«Anita abita a Londra. Ci andò negli anni settanta per lavorare per un tour operator svedese e poi vi rimase. Si sposò con un tizio che non presentò mai alla famiglia e dal quale poi divorziò. Oggi è uno dei dirigenti della British Airways. Lei e io andiamo d'accordo ma non abbiamo contatti frequenti, ci incontriamo solo una volta ogni paio d'anni o giù di lì. Lei a Hedestad non torna mai.»

«Perché?»

«Nostro padre è pazzo. È sufficiente come spiegazione?»

«Ma tu sei rimasta qui.»

«Anche Birger, mio fratello.»

«L'uomo politico.»

«Stai scherzando? Birger è il più vecchio di noi tre. Non siamo mai stati molto legati. Lui si vede come un uomo politico di straordinaria importanza con un futuro in parlamento e forse un posto da ministro se i borghesi dovessero vincere. In realtà è solo un mediocre consigliere comunale in un angolo sperduto, e a quanto pare questo rappresenterà l'apice e la conclusione della sua carriera.»

«Una cosa che mi affascina della famiglia Vanger è che a tutti stanno antipatici tutti.»

«Non è esattamente vero. A me Henrik e Martin piacciono molto. E sono sempre andata d'accordo con mia sorella, anche se ci incontriamo davvero troppo poco. Detesto Isabella, e non ho grande simpatia per Alexander. E non parlo con mio padre. Quindi faccio cinquanta e cinquanta. Birger è... hmm, più un pallone gonfiato che una cattiva persona. Ma capisco che cosa vuoi dire. Vedila così: se si appartiene alla famiglia Vanger si impara molto presto a parlare chiaro. Ci piace dire quello che pensiamo.»

«Sì, ho notato che siete molto diretti.» Mikael allungò la mano e le carezzò un seno. «Ero qui solo da un quarto d'ora quando mi sei saltata addosso.»

«A essere sincera ho cominciato a chiedermi come saresti stato a letto già la prima volta che ti ho visto. E mi sembrava giusto provare.»

Per la prima volta nella sua vita, Lisbeth Salander avvertiva un forte bisogno di chiedere consiglio a qualcuno. Il problema però era che per poter chiedere consiglio sarebbe stata costretta a confidarsi con qualcuno, il che a sua volta significava che sarebbe stata costretta a esporsi e a raccontare i propri segreti. E a chi raccontare, poi? Semplicemente, non ci sapeva fare nei contatti con gli altri esseri umani.

Poteva parlare con *Plague*, che in qualche modo era un punto saldo nella sua esistenza. Ma non era assolutamente un amico, ed era senz'altro l'ultimo che potesse contribuire a risolvere il suo problema. *Non rappresentava un'alternativa.*

La vita erotica di Lisbeth Salander non era proprio così modesta come aveva finto che fosse di fronte all'avvocato Bjurman. Il sesso però c'era sempre stato – o in ogni caso piuttosto spesso – alle sue condizioni e per sua iniziativa. Per essere precisi, a partire dai quindici anni aveva avuto una cinquantina di partner. Il che si poteva tradurre con cinque partner l'anno all'incirca, ed era okay per una single che col passare degli anni era venuta a considerare il sesso come un piacevole passatempo.

La gran parte dei suoi partner occasionali tuttavia si era concentrata in un periodo di circa due anni. Era successo negli anni turbolenti sul finire dell'adolescenza, quando stava per diventare maggiorenne. C'era stato un tempo in cui Lisbeth Salander si era trovata a un bivio e non aveva avuto un esatto controllo della sua vita, e in cui il suo futuro aveva corso il rischio di prendere la forma di nuove annotazioni sul fascicolo personale concernenti droghe, alcol e cure presso diversi istituti. Da quando aveva compiuto vent'anni e aveva cominciato a lavorare per la Milton Security però si era notevolmente calmata e – così pensava – aveva preso saldamente il controllo della propria vita.

Non avvertiva più il bisogno di compiacere qualcuno che le avesse offerto tre birre in un locale, e non si sentiva minimamente realizzata dal portarsi a casa qualche ubriacone senza quasi conoscerne il nome. Nell'ultimo anno aveva avuto un solo partner regolare e non poteva essere di certo descritta come promiscua, come invece lasciavano intendere le annotazioni sul fascicolo personale degli anni della tarda adolescenza.

Il sesso inoltre aveva riguardato il più delle volte qualcuno del gruppo variamente composto di amici nel quale non si era esattamente integrata ma era accettata perché conosceva Cilla Norén. Aveva incontrato Cilla qualche anno prima quando, su insistenza di Holger Palmgren, aveva cercato di completare gli studi dell'obbligo presso una scuola per adulti. Cilla aveva capelli color vinaccia con ciocche nere, pantaloni di pelle nera, un anello al naso e tante borchie alla cintura quante ne aveva Lisbeth stessa. Durante la prima lezione, si erano guardate in cagnesco, lanciandosi occhiate sospettose.

Per qualche motivo che Lisbeth non capiva esattamente, avevano cominciato a frequentarsi. Lisbeth non era certo la persona più facile con cui stare, e in particolare non in quegli anni, ma Cilla aveva ignorato il suo silenzio e l'aveva trascinata con sé nei bar. Attraverso lei, Lisbeth era entrata a far parte delle Evil Fingers, un gruppo composto da quattro ragazze di Enskede che amavano l'hard rock, e che dieci anni più tardi erano diventate una compagnia allargata che si incontrava il martedì sera in un locale, il Kvarnen, per sparlare dei ragazzi, discutere di femminismo, pentagrammi, musica e politica e per bere fiumi di birra. Facevano anche onore al loro nome.

Lisbeth si manteneva ai margini del gruppo e contribuiva raramente alle chiacchiere, ma era accettata per quello che era e poteva andare e venire a suo piacimento o starsene seduta in silenzio con la sua birra tutta la sera. Veniva anche invitata a casa delle altre per feste di compleanno, riunioni natalizie e cose del genere, anche se il più delle volte non ci andava.

Nei cinque anni in cui aveva frequentato le Evil Fingers, le ragazze erano cambiate. Il colore dei capelli era diventato più normale e i vestiti venivano sempre più spesso dai grandi magazzini H&M che non dai negozi di abiti usati. Studiavano o lavoravano e una di loro era diventata mamma. Lisbeth aveva la sensazione di essere l'unica che non fosse cambiata di una virgola, il che si poteva anche interpretare come una constatazione che non aveva fatto nessun progresso.

Ma quando si incontravano si divertivano ancora. Se c'era un posto dove Lisbeth percepiva una qualche forma di collettività era insieme alle Evil Fingers, e di conseguenza con i ragazzi che costituivano la cerchia di conoscenze delle ragazze del gruppo.

Le Evil Fingers l'avrebbero ascoltata. L'avrebbero anche aiutata. Ma loro non avevano idea che Lisbeth Salander fosse stata dichiarata incapace dal tribunale. E lei non voleva che anche loro cominciassero a guardarla storto. *Quella non era dunque un'alternativa.*

Per il resto, nella sua agenda degli indirizzi non aveva una singola compagna di scuola dei tempi andati. Le mancava qualsiasi rete di conoscenze o di contatti. Perciò a chi poteva rivolgersi per raccontare i suoi problemi con l'avvocato Nils Bjurman?

Forse una persona c'era. Valutò a lungo e seriamente se confidarsi con Dragan Armanskij, bussare alla sua porta e spiegargli la sua situazione. Dragan le aveva detto che se avesse avuto bisogno di aiuto per qualsiasi motivo, non avrebbe dovuto esitare a rivolgersi a lui. Era convinta che dicesse sul serio.

Anche Armanskij una volta l'aveva palpata, ma era stata una cosa tranquilla, senza intenti cattivi, e non una dimostrazione di potere. Ma non le andava di chiedergli aiuto. Lui era il suo capo e questo l'avrebbe messa in debito nei suoi confronti. Lisbeth Salander si divertì a pensare come sarebbe stata la sua vita se il suo tutore al posto di Bjurman fosse stato Armanskij. D'un tratto sorrise. L'idea non era spiacevole, ma Armanskij probabilmente avrebbe preso il proprio compito talmente sul serio da soffocarla di attenzioni. *Quella era... hmm, forse era un'alternativa.*

Sebbene fosse informata dell'esistenza e delle funzioni del servizio di assistenza per donne maltrattate, non le passò mai per la testa di rivolgersi a un'istituzione del genere. Ai suoi occhi, esisteva per le *vittime*, e lei non si era mai considerata tale. Di conseguenza, l'alternativa che rimaneva era fare come aveva sempre fatto – prendersi carico personalmente della faccenda e risolvere i suoi problemi da sola. *Quella sì che era un'alternativa.*

E questo non era affatto di buon augurio, per l'avvocato Nils Bjurman.

13.
Giovedì 20 febbraio - venerdì 7 marzo

L'ultima settimana di febbraio Lisbeth Salander fu cliente di se stessa, con l'avvocato Nils Erik Bjurman, nato nel 1950, come progetto speciale prioritario. Lavorò circa sedici ore al giorno e ottenne l'indagine personale più accurata che avesse mai condotto. Utilizzò tutti gli archivi e gli atti pubblici cui riuscì ad accedere. Indagò la sua cerchia più intima di parenti e amici. Esaminò la sua situazione economica e tracciò una mappa dettagliata della sua carriera e dei suoi incarichi.

Il risultato fu deprimente.

Era giurista, membro dell'ordine degli avvocati e autore di un ampio, rispettabile nonché noiosissimo trattato in materia di diritto commerciale. La sua reputazione era impeccabile. L'avvocato Bjurman non era mai stato richiamato. In un'unica occasione era stato denunciato all'ordine, perché indicato come intermediario in un affare immobiliare poco chiaro dieci anni prima, ma aveva potuto dimostrare la propria estraneità e la storia era stata archiviata. La sua situazione economica era tranquilla; l'avvocato Bjurman era benestante, con un reddito di almeno dieci milioni di corone. Pagava più tasse del dovuto, era membro di Greenpeace e di Amnesty e faceva donazioni al Fondo per la ricerca cardiaca e polmonare. Era comparso raramente sui giornali, ma

289

in alcune occasioni aveva firmato pubblici appelli a favore di prigionieri politici del terzo mondo. Viveva in un appartamento di cinque locali in Upplandsgatan vicino a Odenplan ed era segretario dell'Associazione dei condomini. Era divorziato e senza figli.

Lisbeth Salander si concentrò sulla sua ex moglie, che si chiamava Elena ed era nata in Polonia ma era sempre vissuta in Svezia. Lavorava nel servizio di riabilitazione e a quanto pareva era felicemente risposata con un collega di Bjurman. Da quella parte, niente da fare. Il matrimonio era durato quattordici anni e il divorzio era stato senza attriti.

L'avvocato Bjurman fungeva regolarmente da supervisore per giovani soggetti che erano stati pizzicati dalla giustizia. Era stato curatore di quattro giovani prima di diventare tutore di Lisbeth Salander. In tutti i casi precedenti si era trattato di minorenni, e il suo compito si era concluso con una semplice decisione del giudice quando avevano raggiunto la maggiore età. Uno di loro si serviva ancora di Bjurman come avvocato, perciò nemmeno lì sembravano esserci crepe. Se Bjurman aveva l'abitudine di sfruttare i suoi protetti, questo in ogni caso non si vedeva in superficie, e per quanto Lisbeth Salander scavasse in profondità, non trovò nessun segno che qualcosa non fosse andato per il verso giusto. Tutti avevano una vita tranquilla con i rispettivi partner, un lavoro, una casa e una carta di credito.

Aveva telefonato a ognuno dei quattro presentandosi come una segretaria dei servizi sociali che stava lavorando a un'indagine su come i giovani che in passato erano stati sotto curatela se la cavavano nella vita in confronto agli altri giovani. *Certo, è ovvio che le fonti saranno tenute rigorosamente anonime.* Aveva preparato un'indagine in dieci domande che proponeva telefonicamente. Molte delle domande erano formulate in modo che i soggetti interessati spiegassero come ritenevano che avesse funzionato la curatela –

se avessero avuto qualcosa da dire su Bjurman, era convinta che sarebbe saltato fuori almeno da qualcuno di loro. Ma nessuno aveva osservazioni negative su di lui.

Quando Lisbeth Salander ebbe concluso la sua indagine, raccolse tutta la documentazione in un sacchetto di carta del supermercato e lo mise fra gli altri venti sacchetti di carta che stazionavano nell'ingresso. All'apparenza, l'avvocato Bjurman era una persona irreprensibile. Nel suo passato non c'era semplicemente nulla che Lisbeth Salander potesse utilizzare come leva. Sapeva senza ombra di dubbio che lui era un verme disgustoso – ma non trovava nulla da usare per provarlo.

Era tempo di valutare qualche alternativa. Quando tutte le analisi furono completate, rimaneva una possibilità che si faceva sempre più attraente – o almeno che si configurava come un'alternativa realistica. La cosa più semplice sarebbe stata se Bjurman fosse scomparso tout court dalla sua vita. Un rapido attacco cardiaco. *End of problem.* Il punto era che neppure i porci cinquantenni avevano attacchi cardiaci a comando.

Ma a questo si poteva comunque porre rimedio.

Mikael Blomkvist gestiva la sua storia con la preside Cecilia Vanger con la massima discrezione. Lei aveva imposto tre regole. Non voleva che qualcuno venisse a sapere che si incontravano. Voleva che lui andasse a trovarla solo quando era lei a telefonargli perché si sentiva in vena. E non voleva che lui dormisse da lei.

La sua passione sorprendeva Mikael e lo confondeva. Quando gli capitava d'incontrarla al Caffè del Ponte, era gentile ma tiepida e distaccata. Ma in camera da letto si scatenava.

Mikael non avrebbe voluto ficcare il naso nella sua vita privata, ma era stato ingaggiato letteralmente per ficcare il naso nella vita privata di tutta la famiglia Vanger. Si sentiva imbarazzato e al tempo stesso curioso. Un giorno chiese a Henrik con chi fosse stata sposata e che cosa fosse successo. Pose la domanda mentre stava raccogliendo informazioni sul passato di Alexander e Birger e altri membri della famiglia che erano sull'isola al momento della scomparsa di Harriet.

«Cecilia? Non credo che abbia a che fare con Harriet.»

«Mi racconti un po' del suo passato.»

«Tornò a stabilirsi qui dopo gli studi e cominciò a lavorare come insegnante. Conobbe un uomo di nome Jerry Karlsson, che purtroppo lavorava per il Gruppo Vanger. Si sposarono. Io credevo che il matrimonio fosse felice – almeno all'inizio. Ma dopo un paio d'anni cominciai a capire che qualcosa non andava per il verso giusto. Lui la maltrattava. Era la solita storia – lui la picchiava e lei lo difendeva lealmente. Alla fine la picchiò una volta di troppo. Lei riportò gravi lesioni e finì all'ospedale. Io le parlai e le offrii il mio aiuto. Si trasferì qui sull'isola, e da allora si è sempre rifiutata di rivedere il marito. Io feci in modo che lui fosse licenziato.»

«Però sono ancora sposati.»

«È solo una questione formale. In effetti non so perché lei non abbia mai chiesto il divorzio. Ma non ha mai voluto risposarsi, perciò probabilmente non ne ha mai neanche avuto motivo.»

«Questo Jerry Karlsson può aver avuto a che fare...»

«... con la scomparsa di Harriet? No, nel 1966 non abitava a Hedestad e non aveva ancora cominciato a lavorare per la nostra azienda.»

«Okay.»

«Mikael, io voglio bene a Cecilia. Può essere un tipo difficile, ma è una delle poche brave persone della mia famiglia.»

Lisbeth Salander dedicò una settimana a pianificare con mentalità da burocrate la dipartita dell'avvocato Nils Bjurman. Valutò – e scartò – diversi metodi, finché arrivò ad avere un certo numero di scenari realistici fra i quali scegliere. Nessuna azione impulsiva. Il suo primo pensiero era stato di cercare di inscenare un incidente, ma ragionando era presto giunta alla conclusione che non avrebbe avuto nessuna importanza se fosse stato evidente che si trattava di un omicidio.

C'era un'unica condizione da rispettare. L'avvocato Bjurman doveva morire in modo tale che lei non potesse mai essere collegata al delitto. Riteneva più o meno inevitabile che il suo nome figurasse in una conseguente indagine di polizia, dal momento che prima o poi sarebbe saltato fuori nell'esame dell'attività di Bjurman. Ma lei era soltanto una in un intero universo di assistiti attuali o precedenti, l'aveva incontrato solo poche volte e, se Bjurman stesso non aveva annotato nella sua agenda che l'aveva costretta a succhiarlo – cosa che riteneva improbabile –, non c'era motivo per pensare che volesse ucciderlo. Non ci sarebbe stata neanche la minima prova che la sua morte avesse a che fare con il suo giro di assistiti; esistevano donne con cui aveva avuto relazioni, parenti, conoscenti occasionali, colleghi e altri. Esisteva anche quella che veniva definita *random violence*, in cui vittima e autore del reato non si conoscono.

Se il suo nome fosse venuto a galla, lei sarebbe stata una povera ragazza giuridicamente incapace, con una documentazione del fatto che era affetta da un handicap mentale. Era dunque un grosso vantaggio se la morte di Bjurman fosse avvenuta secondo modalità così complicate da rendere una ragazza debole di mente non molto probabile come responsabile del fatto.

Scartò subito le armi da fuoco. Procurarsene una non le avrebbe comportato nessun grosso problema pratico, ma le armi erano qualcosa che la polizia si era specializzata a rintracciare.

Valutò di usare un coltello, che poteva essere acquistato dal ferramenta più vicino, ma scartò anche questo. Anche se fosse comparsa senza preavviso e gli avesse infilato un coltello nella schiena, non c'erano garanzie che sarebbe morto subito e silenziosamente, o che sarebbe morto in generale. E questo avrebbe anche potuto comportare confusione capace di richiamare l'attenzione, e sangue che avrebbe potuto macchiarle i vestiti e diventare una prova schiacciante.

Pensò anche a un qualche genere di bomba, ma diventava troppo complicato. Fabbricare la bomba non sarebbe stato un problema insormontabile – Internet pullulava di manuali su come costruire i congegni più micidiali. Ma era difficile trovare un modo per piazzare la bomba in maniera tale che innocenti passanti non rischiassero di essere colpiti. Inoltre di nuovo non c'era garanzia che lui sarebbe morto davvero.

Squillò il telefono.

«Salve Lisbeth, sono Dragan. Ho un lavoro per te.»

«Non ho tempo.»

«È una faccenda importante.»

«Sono occupata.»

Mise giù il ricevitore.

Alla fine fu attratta da un'alternativa – il veleno. La scelta sorprese anche lei, ma a un esame più attento era perfetta.

Lisbeth Salander trascorse alcune giornate a setacciare Internet a caccia di un veleno adatto. C'era parecchio fra cui scegliere. Una possibilità era uno dei veleni più mortali in assoluto che la scienza conoscesse – l'acido cianidrico, meglio noto come acido prussico.

L'acido cianidrico era utilizzato come componente in talune industrie chimiche, fra l'altro per la preparazione dei colori. Pochi millilitri erano sufficienti a uccidere un uomo; un litro in una cisterna dell'acqua avrebbe potuto distruggere una città di media grandezza.

Per ovvi motivi una sostanza così micidiale era circondata da rigorosi controlli di sicurezza. Ma anche se un fanatico con intenzioni omicide non poteva entrare nella prima farmacia e chiedere dieci millilitri di acido prussico, lo si poteva comunque fabbricare in quantità pressoché illimitate in una normale cucina. Tutto ciò che occorreva era una modesta attrezzatura da laboratorio, che poteva essere presa da una scatola del piccolo chimico del valore di poche centinaia di corone, e qualche ingrediente, che si poteva ricavare da comunissimi prodotti per la casa. Il manuale per la fabbricazione si trovava su Internet.

Un'altra possibilità era la nicotina. Da un'unica stecca di sigarette avrebbe potuto estrarne una quantità sufficiente da far bollire fino a ottenerne uno sciroppo molto fluido. Una sostanza ancora migliore, anche se un po' più complicata da ricavare, era il solfato di nicotina, che aveva la caratteristica di essere assorbito attraverso la pelle; sarebbe dunque bastato infilare dei guanti di plastica, riempirne una pistola ad acqua e spruzzarlo in faccia all'avvocato Bjurman. Nel giro di venti secondi avrebbe perso i sensi e in pochi minuti sarebbe stato morto stecchito.

Fino a quel momento, Lisbeth Salander non aveva la minima idea che un numero così elevato di comuni prodotti per la pulizia reperibili nel negozio sotto casa potessero essere trasformati in armi mortali. Dopo aver studiato la materia per qualche giorno, era sicura che non esistessero impedimenti tecnici a un intervento rapido ed efficace contro il suo tutore.

Rimanevano soltanto due problemi: la morte di Bjurman non le avrebbe dato automaticamente il controllo sulla propria vita e non c'erano garanzie che il successore di Bjurman non sarebbe stato mille volte peggio. *Analisi delle conseguenze.*

Ciò di cui aveva bisogno era un modo di *controllare* il suo amministratore e con ciò la sua situazione. Rimase seduta sul vecchio divano del soggiorno una serata intera a ripassare una volta ancora mentalmente la propria condizione. Alla fine aveva abbandonato ogni piano di avvelenamento e costruito un piano alternativo.

Non era una soluzione attraente, e presupponeva che lei consentisse a Bjurman di prenderla nuovamente di mira. Ma se si fosse piegata, poi avrebbe vinto.

O almeno così credeva.

Verso la fine di febbraio, Mikael prese un ritmo che trasformò la sua permanenza a Hedeby in routine quotidiana. Si alzava tutte le mattine alle nove, faceva colazione e lavorava fino a mezzogiorno. In quelle ore si rimpinzava di nuovo materiale. Quindi faceva una passeggiata di un'oretta, indipendentemente dal tempo. Al pomeriggio continuava a lavorare, a casa o al caffè di Susanne, rielaborando ciò che aveva letto nella mattinata o scrivendo qualche pezzo di quella che sarebbe diventata la biografia di Henrik. Fra le tre e le sei era sempre libero. Era allora che ne approfittava per fare la spesa e il bucato, per andare a Hedestad o sbrigare altre faccende domestiche. Alle sette andava da Henrik Vanger e discuteva i punti interrogativi che erano sorti nel corso della giornata. Alle dieci era di nuovo a casa e leggeva fino all'una o le due di notte, ricavando sistematicamente informazioni dalla documentazione raccolta da Henrik.

Con sua stessa sorpresa scoprì che la biografia di Henrik procedeva molto bene. Aveva già pronte circa centoventi pagine di cronaca familiare in bozze – che abbracciavano il periodo dall'arrivo in Svezia di Jean Baptiste Bernadotte fino agli anni venti. Da quel punto in avanti però era stato costretto a procedere più lentamente e a cominciare a pesare le parole.

Attraverso la biblioteca di Hedestad si era procurato dei libri che trattavano del nazismo durante il periodo in questione, fra gli altri la tesi di dottorato di Helene Lööw, *La croce uncinata e il fascio Wasa*. Aveva scritto un'altra quarantina di pagine su Henrik e i suoi fratelli, dove si concentrava su Henrik come filo conduttore del racconto. Aveva una lunga lista di ricerche che era necessario fare su come si configurava e come funzionava l'azienda a quell'epoca, e scoprì che la famiglia Vanger aveva avuto le mani in pasta anche nell'impero di Ivar Kreuger – un'ulteriore storia laterale che doveva essere rinfrescata. Nel complesso calcolava che gli mancavano ancora da scrivere circa trecento pagine. Il suo piano di lavoro prevedeva di avere una bozza da sottoporre a Henrik Vanger entro il primo di settembre, in modo da poter utilizzare l'autunno per l'elaborazione definitiva del testo.

Tuttavia, Mikael non faceva nessun progresso nell'indagine su Harriet Vanger. Per quanto leggesse e meditasse sui dettagli del ricco materiale, non riusciva a trovare una sola idea che in qualche modo potesse smuovere l'indagine.

Un sabato sera di fine febbraio ebbe un lungo colloquio con Henrik Vanger in cui gli riferì dei suoi mancati progressi. Il vecchio lo ascoltò con pazienza mentre lui gli elencava tutti i vicoli ciechi in cui si era inoltrato.

«In poche parole, Henrik, non riesco a trovare nessun elemento nell'inchiesta che non sia già stato esaminato fino in fondo.»

«Capisco che cosa vuoi dire. Io stesso mi sono scervellato a non finire. E al tempo stesso sono sicuro che deve esserci sfuggito qualcosa. Nessun crimine è così perfetto.»

«In effetti non siamo neppure in grado di affermare che sia stato veramente commesso un crimine.»

Henrik Vanger sospirò e fece un gesto di frustrazione con la mano.

«Va' avanti» lo pregò. «Concludi il lavoro.»

«Non ha senso.»

«Forse. Ma non arrenderti.»

Mikael sospirò.

«I numeri di telefono» disse alla fine.

«Sì.»

«Devono voler dire qualcosa.»

«Sì.»

«Sono scritti con intenzione.»

«Sì.»

«Però non riusciamo a interpretarli.»

«No.»

«Oppure li interpretiamo nel modo sbagliato.»

«Proprio.»

«Non sono numeri di telefono. Significano qualcosa di completamente diverso.»

«Può darsi.»

Mikael sospirò di nuovo e andò a casa a continuare a leggere.

L'avvocato Nils Bjurman tirò un sospiro di sollievo quando Lisbeth Salander lo chiamò di nuovo spiegando che le occorreva altro denaro. Si era defilata dal loro precedente incontro prestabilito con il pretesto che aveva da lavorare, e una vaga inquietudine aveva cominciato a roderlo. Stava forse per diventare un'intrattabile bambina difficile? Ma non presentandosi all'incontro non aveva nemmeno ricevuto i suoi spiccioli per le piccole spese, e prima o poi sarebbe stata costretta ad andare di nuovo da lui. Era anche preoccupato che potesse essere andata a raccontare delle sue attenzioni a qualche estraneo.

La sua breve conversazione per dirgli che aveva bisogno

di soldi era perciò una conferma soddisfacente che la situazione era sotto controllo. Ma aveva bisogno di essere domata, stabilì Nils Bjurman. Doveva capire chi era a comandare, solo allora avrebbero potuto stabilire una relazione più costruttiva. Perciò le diede istruzioni per incontrarsi questa volta nella sua abitazione vicino a Odenplan, anziché in studio. Di fronte a tale richiesta Lisbeth Salander era rimasta a lungo in silenzio dall'altra parte del filo – *ma quanto ci metti a capire, troietta* – prima di accettare.

Il suo piano prevedeva di incontrare l'avvocato nel suo studio, proprio come l'altra volta. Adesso era costretta a farlo in territorio sconosciuto. L'incontro fu fissato per il venerdì sera. Le aveva dato il codice per aprire il portone, e Lisbeth suonò alla porta del suo appartamento alle otto e mezza, mezz'ora più tardi rispetto all'ora stabilita. Era il tempo che le era occorso, fuori nel buio delle scale, per ripassare un'ultima volta il piano, valutare le alternative, farsi forza e mobilitare tutto il coraggio di cui aveva bisogno.

Alle otto di sera Mikael spense il computer e si coprì ben bene per uscire. Lasciò la luce accesa nello studiolo. Fuori il cielo era limpido e stellato e la temperatura intorno allo zero. Si incamminò a passo spedito su per la salita, passando davanti alla casa di Henrik Vanger in direzione di Östergården. Subito dopo la casa di Henrik svoltò a sinistra e seguì un sentiero non sgombrato dalla neve ma comunque battuto, che si snodava lungo la riva. Fuori sul mare lampeggiavano i fari, e le luci di Hedestad formavano una bella collana nel buio. Aveva bisogno di aria fresca, ma soprattutto voleva evitare gli occhi curiosi di Isabella Vanger. All'altezza della casa di Martin ritornò sulla strada principale e arrivò a casa di Cecilia poco dopo le otto e mezza. Salirono subito in camera.

Si incontravano una o due volte la settimana. Cecilia non

era diventata solo la sua amante di campagna, ma anche la persona con cui aveva cominciato a confidarsi. Traeva molto più profitto a discutere di Harriet con lei che con Henrik.

Il piano andò quasi subito a gambe all'aria.

L'avvocato Bjurman si presentò in vestaglia quando aprì la porta del suo appartamento. Aveva fatto in tempo a irritarsi per il suo ritardo e le fece un cenno secco di entrare. Lisbeth indossava jeans e maglietta neri, e l'obbligatoria giacca di pelle. Aveva stivali neri e uno zainetto monospalla.

«Non hai nemmeno imparato a leggere l'ora?» la rimbeccò Bjurman come saluto. Lisbeth non disse nulla. Si guardò intorno. L'appartamento era più o meno come se l'era immaginato dopo aver studiato le planimetrie nell'archivio del catasto urbano. I mobili erano chiari, in legno di betulla e faggio.

«Vieni» disse Bjurman in tono normale. Le mise un braccio intorno alle spalle e la guidò attraverso un'anticamera verso l'interno dell'appartamento. *Niente chiacchiere.* Aprì la porta di una stanza da letto. Non c'era alcun dubbio su quali servigi si aspettasse da Lisbeth Salander.

Lei si guardò rapidamente intorno. Arredamento da scapolo. Un letto matrimoniale con la testata alta, in tubolare d'acciaio. Un cassettone che fungeva anche da comodino. Lampade dalle luci soffuse. Un armadio guardaroba con una fiancata di specchio. Una poltroncina di vimini e un tavolino nell'angolo vicino alla porta. Lui la prese per mano e la condusse verso il letto.

«Racconta a che cosa ti serve il denaro stavolta. Altri aggeggi per il computer?»

«Cibo» rispose lei.

«Naturalmente. Che sciocco sono, all'ultimo incontro

non sei venuta.» Le mise una mano sotto il mento e le sollevò il viso finché i loro occhi si incontrarono. «Come stai?»

Lei alzò le spalle.

«Hai pensato a ciò che ti ho detto l'ultima volta?»

«Sarebbe?»

«Lisbeth, non fingerti più stupida di quello che sei. Voglio che tu e io siamo buoni amici e ci aiutiamo a vicenda.»

Lei non rispose. L'avvocato Bjurman non cedette all'impulso di darle un ceffone per rianimarla.

«Ti è piaciuto il nostro giochetto dell'altra volta?»

«No.»

Lui alzò le sopracciglia.

«Lisbeth, non essere sciocca adesso.»

«Ho bisogno di soldi per comprarmi da mangiare.»

«È proprio di questo che avevamo parlato l'ultima volta. Se tu sei gentile con me, io sono gentile con te. Ma se mi fai storie, allora...» La sua presa sul mento si fece più stretta e lei si divincolò per liberarsi.

«Io voglio avere i miei soldi. Che cosa vuole che faccia?»

«Lo sai benissimo che cosa voglio.» L'afferrò per la spalla e la trascinò verso il letto.

«Aspetti» disse Lisbeth Salander in fretta. Gli lanciò un'occhiata rassegnata e poi annuì brevemente. Si sfilò lo zainetto e la giacca di pelle con le borchie e si guardò intorno. Mise la giacca sulla poltroncina di vimini, posò lo zaino sul tavolino e fece qualche passo esitante verso il letto. Poi si fermò come se ci stesse ripensando. Bjurman si avvicinò.

«Aspetti» disse lei di nuovo, con una voce come se cercasse di farlo ragionare. «Non voglio essere costretta a succhiarglielo ogni volta che ho bisogno di soldi.»

Il volto di Bjurman cambiò espressione. D'improvviso la colpì con un ceffone. Lisbeth spalancò gli occhi ma prima che avesse il tempo di reagire lui l'afferrò per le spalle e la gettò bocconi sul letto. L'improvvisa violenza la colse di sorpresa. Quando cercò di girarsi, lui la tenne schiacciata sul letto e le si sedette sopra a cavalcioni.

Proprio come la volta prima, da un punto di vista fisico lei non rappresentava nessun problema per lui. L'unica possibilità che Lisbeth aveva di opporsi consisteva nell'usare contro di lui le unghie o qualche oggetto contundente. Ma lo scenario che aveva pianificato era già andato in fumo. *Dannazione* pensò quando lui le strappò la maglietta. Si rendeva conto con spaventosa lucidità di essere con l'acqua alla gola.

Lo sentì aprire un cassetto a fianco del letto e percepì un tintinnio metallico. All'inizio non si rese conto di ciò che stava accadendo, poi vide la manetta chiudersi intorno al suo polso. Lui le sollevò le braccia, fece girare la catena intorno a uno dei montanti della testata e poi le bloccò anche l'altra mano. Gli occorsero solo pochi secondi per sfilarle stivaletti e jeans. Infine le tolse gli slip e li tenne in mano.

«Devi imparare a fidarti di me, Lisbeth» le disse. «Ti insegnerò come funziona questo gioco da adulti. Quando tu non sarai carina con me, verrai punita. Quando sarai carina con me, saremo amici.»

Le si mise di nuovo a cavalcioni.

«Dunque il sesso anale non ti piace» disse.

Lisbeth Salander aprì la bocca per urlare. Lui la afferrò per i capelli e le cacciò in bocca gli slip appallottolati. Lo sentì passarle qualcosa intorno alle caviglie, divaricarle le gambe e legarla stretta, in modo che non avesse alcuna possibilità di movimento. Lo sentì muoversi per la stanza ma non poteva vederlo attraverso la maglietta che aveva intorno alla faccia. Passarono diversi minuti. Lei non riusciva quasi a respirare. Poi avvertì un dolore lancinante quando lui le spinse con violenza qualcosa nel retto.

La regola di Cecilia era ancora che Mikael non si fermasse a dormire. Poco dopo le due di notte lui si rivestì, mentre lei rimaneva stesa nuda nel letto e lo guardava con un lieve sorriso.

«Tu mi piaci, Mikael. Mi piace la tua compagnia.»

«Anche tu mi piaci.»

Lei lo tirò di nuovo giù nel letto e gli sfilò la camicia che si era appena messo. Lui si fermò per un'altra ora.

Quando Mikael infine passò davanti alla casa di Harald Vanger, gli parve di vedere muoversi una delle tende del primo piano. Ma era troppo buio per esserne assolutamente sicuro.

Lisbeth Salander poté rivestirsi alle quattro di mattina del sabato. Prese la giacca di pelle e lo zainetto e si avviò zoppicando verso l'uscita, dove lui la stava aspettando, fresco di doccia e abbigliato con cura. Le consegnò un assegno di duemilacinquecento corone.

«Ti accompagno a casa in macchina» le disse aprendo la porta.

Lei superò la soglia, uscì dall'appartamento e si voltò verso di lui. Il suo corpo appariva fragile e il viso era gonfio di pianto, e lui quasi indietreggiò quando incontrò il suo sguardo. In vita sua non aveva mai incontrato un odio così puro e rovente. Lisbeth Salander pareva proprio tanto malata di mente come affermava il suo fascicolo personale.

«No» disse lei, così piano che lui quasi non la sentì. «Posso andarci per conto mio.»

Lui le mise una mano sulla spalla.

«Sicura?»

Lei annuì. La stretta sulla sua spalla si fece più forte.

«Ti ricordi come siamo rimasti d'accordo, vero? Sabato prossimo tu torni qui.»

Lei annuì di nuovo. Domata. Lui la lasciò andare.

14.
Sabato 8 marzo - lunedì 17 marzo

Lisbeth Salander passò alcuni giorni a letto con dolori ai genitali, emorragie dal retto, e altre ferite meno visibili che avrebbero necessitato di tempi più lunghi per guarire. Ciò che aveva sperimentato era qualcosa di totalmente diverso dalla prima violenza nello studio dell'avvocato; non si era più trattato di sopruso e umiliazione ma di sistematica brutalità.

Troppo tardi si rendeva conto di aver sbagliato completamente a giudicare Bjurman.

L'aveva considerato un uomo di potere che amava dominare, non un sadico vero e proprio. L'aveva tenuta incatenata tutta la notte. Più d'una volta aveva creduto che avesse intenzione di ucciderla e in un'occasione le aveva premuto un cuscino sul volto fino a farle quasi perdere i sensi.

Ma non piangeva.

A parte il pianto provocato dal puro dolore fisico durante l'abuso stesso, non aveva versato una sola lacrima. Dopo aver lasciato l'appartamento di Bjurman, aveva raggiunto zoppicando la colonnina dei taxi di Odenplan, si era fatta portare a casa e faticosamente aveva salito le scale fino al suo appartamento. Aveva fatto la doccia e si era sciacquata via il sangue. Poi aveva bevuto mezzo litro d'acqua, ingollato due Rohypnol e barcollando si era messa a letto, tirandosi le coperte sopra la testa.

Si svegliò nella tarda mattinata di domenica, con la mente vuota di pensieri e dolori insistenti alla testa, ai muscoli e al basso ventre. Si alzò, bevve due bicchieri di latte fermentato e mangiò una mela. Quindi prese altri due sonniferi e tornò a coricarsi.

Solo il martedì ebbe la forza di alzarsi dal letto. Uscì a comperare una confezione famiglia di Billys Pan Pizza, ne infilò due nel microonde e preparò una caraffa termica di caffè. Quindi trascorse la notte navigando in Internet e leggendo articoli e trattati sulla psicopatologia del sadismo.

Fu attratta da un articolo pubblicato da un gruppo femminile negli Stati Uniti, in cui l'autrice sosteneva che il sadico sceglie le sue relazioni con precisione quasi intuitiva; la vittima migliore del sadico è quella che gli va incontro spontaneamente perché convinta di non avere altra scelta. Il sadico si specializza in persone in posizione di dipendenza, e ha una capacità spaventosa di identificare la vittima adatta.

L'avvocato Bjurman aveva scelto lei come vittima.

Questo la fece riflettere.

Raccontava qualcosa di come il mondo esterno la vedesse.

Il venerdì successivo Lisbeth Salander andò a piedi da casa sua a uno studio dove facevano tatuaggi, a Hornstull. Aveva telefonato per fissare un appuntamento e non c'erano altri clienti in negozio. Il proprietario l'aveva salutata con un cenno di riconoscimento.

Scelse un piccolo e semplice tatuaggio raffigurante una sottile serpentina e chiese che le venisse fatto alla caviglia. Indicò dove.

«Lì la pelle è molto sottile. Fa molto male in quel punto» disse il tatuatore.

«Non importa» disse Lisbeth, si tolse i calzoni e mise in posizione la gamba.

«Okay, una ghirlanda. Ne hai già molti, di tatuaggi. Sei sicura di volerne un altro?»

«Mi serve da memento» rispose lei.

Mikael Blomkvist lasciò il Caffè del Ponte quando Susanne chiuse il locale alle due di sabato. Aveva passato la giornata a trascrivere gli appunti nel suo iBook. Fece quattro passi fino al Konsum per comperare un po' di cibarie e le sigarette prima di fare ritorno a casa. Aveva scoperto la *pölsa* saltata in padella con le barbabietole – un piatto che non gli era mai piaciuto prima ma che per qualche ragione si addiceva perfettamente a uno chalet di campagna.

Verso le sette di sera era in piedi accanto alla finestra della cucina a pensare. Cecilia non aveva telefonato. L'aveva incontrata rapidamente nel pomeriggio quando era passata da Susanne a comperare del pane, ma era immersa nei suoi pensieri. Non avrebbe telefonato quel sabato sera. Gettò un'occhiata al piccolo televisore che non accendeva quasi mai. Invece, si sedette sulla cassapanca in cucina e aprì un poliziesco di Sue Grafton.

La sera di sabato, Lisbeth Salander ritornò all'ora fissata all'appartamento di Nils Bjurman nei pressi di Odenplan. Lui la fece entrare con un affabile sorriso di benvenuto.

«Allora, come andiamo oggi, cara Lisbeth?» le disse salutandola.

Lei non rispose. Lui le cinse le spalle con un braccio.

«Forse la volta scorsa è stato un po' pesante» disse. «Avevi l'aria un tantino sbattuta.»

Lei gli rivolse un sorriso storto e lui avvertì una punta improvvisa di insicurezza. *A questa qui manca qualche rotella. Devo cercare di ricordarmene.* Si chiese se si sarebbe adattata.

«Andiamo in camera da letto?» domandò Lisbeth Salander.

D'altra parte forse ha capito e ci sta... La guidò tenendole il braccio intorno alle spalle, come la volta precedente. *Oggi ci andrò cauto. Bisogna costruire la fiducia.* Le manette erano già fuori sul cassettone. Ma fu solo quando furono finalmente ai piedi del letto che l'avvocato Bjurman si rese conto che c'era qualcosa che non andava.

Era stata lei a condurlo verso il letto, non il contrario. Si fermò e la guardò sconcertato mentre lei estraeva dalla tasca della giacca qualcosa che al primo momento gli parve un telefono cellulare. Poi vide i suoi occhi.

«Di' buona notte» fece lei.

Gli cacciò la pistola elettrica sotto l'ascella sinistra e sparò una scarica di settantacinquemila volt. Quando le gambe cominciarono a cedergli, gli si appoggiò contro una spalla e usò tutte le sue forze per pilotarlo giù sul letto.

Cecilia si sentiva leggermente ubriaca. Aveva deciso di non telefonare a Mikael Blomkvist. La loro relazione si era trasformata in una paradossale farsa da alcova, in cui Mikael percorreva di soppiatto vie traverse per potersi infilare in casa sua senza essere notato. E lei si comportava come un'adolescente innamorata incapace di controllare la propria libidine. Il suo atteggiamento nelle ultime settimane era stato assurdo.

Il problema è che lui mi piace davvero troppo, pensò. Finirà per ferirmi. Rimase seduta un lungo momento e desiderò che Mikael Blomkvist non fosse mai venuto a Hedeby.

Aveva aperto una bottiglia di vino e bevuto due bicchieri nella sua solitudine. Accese la tv sul notiziario e cercò di interessarsi alla situazione mondiale, ma si stancò subito dei commenti insensati sul perché il presidente Bush dovesse bombardare l'Iraq. Invece si sedette sul divano del soggiorno e tirò fuori un libro. Riuscì a leggere solo qualche pagina prima di essere costretta a mettere da parte il libro. L'argomento la indusse subito a pensare a suo padre. Si domandò quali fossero le sue fantasie.

L'ultima volta che si erano incontrati per davvero era stato nel 1984, quando lei aveva seguito lui e il fratello Birger a caccia di lepri a nord di Hedestad e Birger doveva provare un nuovo cane da caccia – un foxhound Hamilton di cui era appena divenuto proprietario. Harald Vanger aveva allora settantatré anni e lei aveva fatto del suo meglio per accettarne la follia, che aveva reso la sua infanzia un incubo e segnato tutta la sua vita adulta.

Cecilia non era mai stata così fragile come allora. Tre mesi prima il suo matrimonio era finito. Maltrattamento – il vocabolo era così banale. Per lei aveva preso la forma di un maltrattamento lieve ma costante. Si era trattato di schiaffi, spintoni, minacce più o meno velate. Le esplosioni di collera erano sempre inspiegabili e i soprusi raramente così pesanti da comportare delle lesioni fisiche. Lui evitava di colpire con il pugno chiuso. E lei si era adattata.

Fino al giorno in cui d'improvviso aveva reagito e lui aveva perso completamente il controllo. Era andata a finire che le aveva tirato avventatamente un paio di forbici che le si erano conficcate in una scapola.

Lui, pieno di rimorso e in preda al panico, l'aveva portata all'ospedale, dove aveva blaterato una storia senza senso su un improbabile incidente che tutto il personale del pronto soccorso aveva smascherato nell'attimo stesso in cui le parole gli uscivano di bocca. Lei si era vergognata per lui. Le avevano dato dodici punti e aveva dovuto rimanere all'ospedale due giorni. Poi Henrik era venuto a prenderla e l'aveva portata a casa sua. Da allora non aveva più parlato con suo marito.

Quel giorno soleggiato d'autunno, tre mesi dopo la rottura del matrimonio, Harald era di buon umore, quasi gentile. Ma tutto d'un tratto, nel bel mezzo della foresta, aveva cominciato ad attaccare la figlia con insulti infamanti e pesanti commenti sulla sua condotta e le sue abitudini sessuali, gettandole in faccia che era naturale che una simile puttana non fosse capace di tenersi un uomo.

Birger non aveva neppure notato che ogni parola l'aveva colpita come altrettante frustate. Era scoppiato improvvisamente a ridere e aveva messo un braccio intorno alle spalle del padre e sdrammatizzato a suo modo la situazione, commentando che *lui lo sapeva bene com'erano fatte le donne*. Aveva lanciato un'occhiata incurante a Cecilia e suggerito che Harald si mettesse in agguato su un piccolo crinale.

C'era stato un attimo, un secondo immobile, in cui Cecilia aveva guardato suo padre e suo fratello e d'improvviso era stata consapevole di avere in mano un fucile da caccia carico. Aveva chiuso gli occhi. In quell'attimo l'unica alternativa sembrava essere quella di alzare il fucile e sparare. Voleva ammazzarli entrambi. Invece aveva lasciato cadere l'arma a terra davanti ai suoi piedi, voltato i tacchi e fatto ritorno al posto dove avevano parcheggiato la macchina. Era tornata a casa da sola e li aveva lasciati a piedi. Da quel giorno aveva parlato con suo padre solo in qualche rara occasione, quando circostanze esterne l'avevano costretta a farlo. Si era rifiutata di farlo entrare nella propria abitazione e non era mai andata a trovarlo a casa sua.

Tu hai rovinato la mia vita pensò Cecilia. *Hai rovinato la mia vita già quando ero bambina.*

Alle otto e mezza di sera, alzò la cornetta e telefonò a Mikael Blomkvist pregandolo di andare da lei.

L'avvocato Nils Bjurman soffriva. I suoi muscoli erano inservibili. Il corpo era come paralizzato. Non era sicuro di aver perso conoscenza, ma era disorientato e non ricordava esattamente che cosa fosse accaduto. Quando riprese lentamente il controllo del proprio corpo, scoprì di essere steso supino sul suo letto, nudo, con i polsi bloccati dalle manette e le gambe dolorosamente divaricate. Aveva segni di bruciature che dolevano nei punti in cui gli elettrodi erano venuti a contatto con la pelle.

Lisbeth Salander aveva portato la poltroncina di vimini accanto al letto e aspettava paziente, con gli stivali appoggiati sulle coperte, fumando una sigaretta. Quando Bjurman cercò di parlare si rese conto di avere la bocca sigillata con un largo nastro adesivo. Girò la testa. La ragazza aveva tirato fuori i cassetti rovesciandone il contenuto.

«Ho trovato i tuoi gingilli» disse. Sollevò un frustino e indicò la collezione di falli, morsi e maschere di gomma sul pavimento. «A cosa dovrebbe servire questo aggeggio?» Mostrò un grosso fallo anale. «No, non cercare di parlare – in ogni caso non ti sentirei. È questo che hai usato su di me la scorsa settimana? È sufficiente che annuisci.» Si chinò speranzosa su di lui.

Nils Bjurman si sentì invadere da un'ondata improvvisa di gelido terrore e perse la testa. Cominciò a strattonare le catene che gli bloccavano le mani. *Lei aveva preso il controllo. Impossibile.* Non poté fare nulla quando Lisbeth Salander si piegò in avanti e piazzò il fallo fra le sue natiche. «Dunque sei un sadico» constatò lei. «Ti piace infilare roba nella gente, eh?» Lo fissò. Il suo viso era una maschera senza espressione. «Senza lubrificante, eh?»

Bjurman strillò attraverso il nastro adesivo quando Lisbeth Salander gli allargò brutalmente le natiche e applicò il fallo dove andava applicato.

«Piantala di frignare» disse Lisbeth Salander, imitando la sua voce. «Se fai storie, ti dovrò punire.»

Si alzò e girò intorno al letto. Lui la seguì con la disperazione nello sguardo... *che cavolo*... Lisbeth Salander aveva trasportato lì il suo televisore da trentadue pollici dal soggiorno. Sul pavimento aveva sistemato il suo lettore. La ragazza lo guardò, ancora con in mano la frusta.

«Ho tutta la tua attenzione?» domandò. «Non cercare di parlare – è sufficiente se annuisci. Senti quello che dico?» Lui annuì.

«Bene.» Si chinò e raccolse da terra il suo zainetto. «Lo riconosci?» Lui annuì. «È lo zaino che avevo quando sono venuta qui la settimana scorsa. Oggetto pratico. L'ho preso in prestito dalla Milton Security.» Aprì una cerniera lampo sul bordo inferiore. «Questa è una videocamera digitale. Guardi mai *Insider* alla tv? È uno zainetto così che certi schifosi reporter usano quando vogliono filmare qualcosa di nascosto.» Chiuse di nuovo la cerniera lampo.

«E l'obiettivo?, ti domanderai. È proprio lì la finezza. Grandangolo con fibre ottiche. L'occhio somiglia a un bottone e sta nascosto nella fibbia della tracolla. Forse ricordi che piazzai lo zaino qui sul tavolino prima che tu cominciassi a palpeggiarmi. Feci molta attenzione che l'obiettivo fosse puntato sul letto.»

Tirò fuori un cd e lo infilò nel lettore. Quindi sistemò la poltroncina in modo da poter vedere lo schermo della tv. Si accese un'altra sigaretta e premette un pulsante del telecomando. L'avvocato Bjurman vide se stesso aprire la porta a Lisbeth Salander.

Non hai nemmeno imparato a leggere l'ora? salutò arcigno.

Gli fece vedere tutto il nastro. Il film terminò dopo novanta minuti, nel bel mezzo di una scena in cui un Bjurman nudo era seduto sul letto a bere un bicchiere di vino mentre osservava Lisbeth Salander che giaceva rannicchiata con le mani incatenate dietro la schiena.

Lei spense la tv e rimase seduta in silenzio per quasi dieci minuti senza guardarlo. Bjurman non osava muoversi nemmeno di un millimetro. Poi lei si alzò e andò in bagno. Quando fece ritorno si risedette sulla poltroncina di vimini. La sua voce era come carta vetrata.

«Ho fatto un errore, la settimana scorsa» disse. «Credevo che sarei stata costretta a succhiartelo di nuovo, il che nel tuo caso è maledettamente disgustoso, ma non fino al punto di impedirmi di farlo. Credevo che senza troppa fatica avrei potuto procurarmi una documentazione sufficiente per dimostrare che sei un vecchio porco schifoso. Avevo sbagliato a giudicarti. Non avevo capito quanto tu sia profondamente malato.»

«Ti parlerò chiaro» continuò. «Questo film mostra come tu violenti una minorata mentale venticinquenne della quale sei stato nominato tutore. E non t'immagini quanto mentalmente minorata io possa essere all'occorrenza. Qualsiasi persona che vedrà questo nastro scoprirà che non solo sei un verme, ma anche un sadico folle. Questa è la seconda e spero anche l'ultima volta che guardo questo film. È molto istruttivo, vero? La mia supposizione è che sei tu e non io a rischiare di essere istituzionalizzato. Sei d'accordo?»

Rimase in attesa. Lui non reagiva, ma lei poteva vedere che stava tremando. Afferrò la frusta e gli sferzò in pieno i genitali.

«Sei d'accordo?» ripeté a voce molto più alta. Lui annuì.

«Bene. Allora questo punto l'abbiamo sistemato.»

Avvicinò la poltroncina di vimini e si sedette in modo da poterlo guardare negli occhi.

«Allora, cosa pensi che dobbiamo fare adesso?» Lui non poté rispondere. «Hai qualche buona idea?» Visto che lui non reagiva, lei tese la mano e gli afferrò lo scroto e tirò finché il suo volto non si deformò dal dolore. «Hai qualche buona idea?» ripeté. Lui scosse la testa.

«Bene. Infatti finirò per irritarmi moltissimo con te se mai ti verrà qualche idea in futuro.»

Si lasciò andare contro lo schienale e si accese un'altra sigaretta. «Ora ti spiego che cosa succederà. La prossima settimana, non appena sarai riuscito a espellere quel tappo di gomma ipertrofico dal culo, darai istruzioni alla mia banca che io – *e io soltanto* – abbia accesso al mio conto. Capisci quello che sto dicendo?» L'avvocato Bjurman annuì.

«Bravo. Tu non prenderai mai più contatto con me. In futuro ci incontreremo soltanto se e quando sarò io a volerlo. Dunque ti è stato imposto il divieto di visita.» Lui assentì ripetutamente e tirò il fiato. *Non ha intenzione di uccidermi.*

«Se mai dovessi prendere di nuovo contatto con me, copie di questo cd finiranno in ogni singola redazione di giornale di Stoccolma. Capito?»

Lui annuì più volte. *Devo mettere le mani su quel filmato.*

«Una volta all'anno consegnerai la tua relazione sul mio status all'ufficio tutorio. Riferirai che conduco un'esistenza assolutamente normale, che ho un lavoro fisso, che bado a me stessa e che ritieni che non ci sia nulla di anormale nel mio comportamento. Okay?»

Lui assentì.

«Ogni mese redigerai un rapporto fasullo sui tuoi incontri con me. Racconterai diffusamente quanto io sia positiva e quanto mi sappia ben gestire. Mi invierai copia del rapporto tramite posta. Capito?» Lui annuì di nuovo. Lisbeth Salander notò distrattamente le gocce di sudore che gli avevano imperlato la fronte.

«Fra qualche anno, diciamo un paio, presenterai richiesta al tribunale perché la mia dichiarazione di incapacità giuridica sia annullata. A supporto, userai i tuoi rapporti fasulli dei nostri incontri mensili. Dovrai procurarti uno psichiatra che dichiari sotto giuramento che io sono perfettamente normale. Dovrai metterci molto impegno. Farai tutto, ma proprio tutto ciò che è in tuo potere perché io diventi legalmente capace.» Lui assentì.

«Sai perché farai del tuo meglio? Perché hai un motivo maledettamente buono. Se fallirai, io infatti renderò pubblico questo video.»

Lui ascoltava con attenzione ogni singola sillaba pronunciata da Lisbeth Salander. D'un tratto i suoi occhi lampeggiarono d'odio. Decise che la ragazza stava facendo un errore, a lasciarlo vivo. *Tutto questo te lo farò ingoiare, brutta troia. Prima o poi. Ti schiaccerò.* Ma continuò ad annuire con entusiasmo in risposta a ogni sua domanda.

«Lo stesso dicasi se prenderai contatto con me.» Si passò la mano sulla gola. «Addio a questo appartamento e ai tuoi bei titoli e ai tuoi milioni su quel conto all'estero.»

Gli occhi di lui si dilatarono quando sentì menzionare il denaro. *Come cazzo faceva a sapere...*

Lei sorrise e tirò una boccata profonda di fumo. Poi spense la sigaretta lasciandola cadere sulla moquette e schiacciandola sotto il tacco.

«Voglio le tue chiavi di riserva sia di qui sia del tuo ufficio.» Lui aggrottò le sopracciglia. Lei si chinò in avanti e fece un sorriso beato.

«D'ora in avanti avrò il controllo della tua vita. Quando meno te lo aspetti, magari mentre sei a letto a dormire, potrei materializzarmi qui nella tua stanza con questa in mano.» Sollevò la pistola elettrica. «Ti terrò sotto controllo. Se mai dovessi trovarti di nuovo in compagnia di una ragazza – e a prescindere dal fatto che lei sia consenziente oppure no –, se mai dovessi trovarti in compagnia di una donna in generale...» Lisbeth Salander si passò di nuovo la mano di traverso alla gola.

«Se io dovessi morire... se mi dovesse succedere un incidente, tipo essere investita da una macchina o altro... copie del video verranno inviate per posta a tutti i giornali. Più una storia dettagliata dove racconto com'è avere te per tutore.»

«Ancora una cosa» continuò. Si chinò in avanti in modo che il suo volto fosse solo a qualche centimetro da quello di lui. «Se mai dovessi sfiorarmi di nuovo, ti ammazzo. Credimi sulla parola.»

L'avvocato Bjurman non ebbe nessuna difficoltà a crederle. Non c'era spazio per nessun bluff, in quegli occhi.

«Ricordati che io sono pazza.»

Lui annuì. Lei lo guardò con aria pensierosa.

«Non credo che tu e io diventeremo buoni amici» disse Lisbeth Salander con voce grave. «In questo preciso momento tu ti stai congratulando con te stesso perché sono abbastanza pazza da lasciarti vivere. Pensi di avere il controllo, nonostante tu sia mio prigioniero, perché sei convinto che l'unica cosa che posso fare se non ti uccido è lasciarti andare. Perciò sei pieno di speranza di poter presto riacquistare il tuo potere su di me. O sbaglio?»

Lui scosse la testa, colto improvvisamente da cattivi presentimenti.

«Riceverai un regalo da me, in modo che ti ricordi del nostro accordo.»

La ragazza fece un sorriso storto e si arrampicò sul letto mettendosi in ginocchio fra le sue gambe. L'avvocato Bjurman non capiva che cosa avesse voluto dire, ma d'un tratto provò un terrore acuto.

Poi vide l'ago nella sua mano.

Sbatté la testa di qua e di là e cercò di contorcersi finché lei non gli piazzò un ginocchio contro l'inguine e premette in un gesto di avvertimento.

«Sta' fermo. È la prima volta che uso questo aggeggio.»

Lavorò concentrata per due ore. Quando ebbe terminato, lui aveva smesso di lamentarsi. Sembrava quasi piombato in uno stato di apatia.

Lei scese dal letto, piegò la testa di lato e osservò la sua opera con occhio critico. Il suo talento artistico era piuttosto limitato. Le lettere tremolavano e il tutto aveva un che di impressionista. Aveva utilizzato il rosso e il blu per tatuare il messaggio, che era scritto in maiuscolo su cinque righe che gli coprivano tutto l'addome, dai capezzoli fin giù, appena sopra i genitali: IO SONO UN SADICO PORCO, UN VERME E UNO STUPRATORE.

Lei radunò gli aghi e ripose le cartucce dei colori nello zaino. Poi andò in bagno a lavarsi le mani. Quando tornò in camera da letto, scoprì di sentirsi decisamente meglio.

«Buona notte» disse.

Aprì una delle manette e gli sistemò la chiave sul ventre. Quindi si portò via il suo film e il mazzo di chiavi dell'avvocato.

Fu quando si stavano dividendo una sigaretta poco dopo mezzanotte che Mikael le disse che per un po' non avrebbero potuto vedersi. Cecilia girò il viso verso di lui.

«Che cosa vorresti dire?» chiese.

Lui sembrava vergognarsi.

«Lunedì vado in prigione per tre mesi.»

Altre spiegazioni non occorrevano. Cecilia rimase in silenzio per un lungo momento. D'un tratto aveva il pianto alla gola.

Dragan Armanskij aveva cominciato a disperare, quando Lisbeth Salander bussò alla sua porta il lunedì pomeriggio. Non aveva più visto nemmeno l'ombra della ragazza da quando aveva disdetto la ricerca sull'affare Wennerström all'inizio di gennaio, e ogni volta che aveva cercato di telefonarle o non aveva risposto oppure aveva subito messo giù con la spiegazione che era occupata.

«Hai qualche lavoro per me?» domandò lei tralasciando i convenevoli.

«Ciao. Felice di rivederti. Credevo che fossi morta o qualcosa del genere.»

«Avevo delle faccende da sbrigare.»

«Tu hai spesso faccende da sbrigare.»

«Questa era urgente. Ma adesso eccomi qui. Hai del lavoro per me?»

Armanskij scosse la testa.

«*Sorry*. Non in questo preciso momento.»

Lisbeth Salander lo fissò con sguardo tranquillo. Dopo un attimo lui prese fiato e ricominciò a parlare.

«Lisbeth, tu lo sai che mi piaci e che ti passo volentieri degli incarichi. Ma sei stata assente due mesi e io ho avuto un sacco di lavoro. Semplicemente non sei affidabile. Sono stato costretto a incaricare altri per coprire te, e in questo momento non ho nulla.»

«Puoi alzare il volume?»

«Eh?»

«La radio.»

... rivista Millennium. *La notizia che il veterano dell'industria Henrik Vanger diventa comproprietario e prende posto nel consiglio d'amministrazione di* Millennium *giunge il giorno stesso in cui l'ex direttore responsabile Mikael Blomkvist inizia a scontare i suoi tre mesi di pena detentiva per diffamazione ai danni dell'uomo d'affari Hans-Erik Wennerström. Il caporedattore di* Millennium, *Erika Berger, ha comunicato nel corso della conferenza stampa che Mikael Blomkvist tornerà a ricoprire il suo incarico di direttore responsabile quando uscirà dal carcere.*

«Non ci posso credere» disse Lisbeth Salander, ma così piano che Dragan Armanskij vide solo muoversi le sue labbra. Di botto lei si alzò e si avviò verso la porta.

«Aspetta. Dove stai andando?»

«A casa. Voglio controllare dei dati. Chiamami quando hai qualcosa.»

La notizia che *Millennium* aveva ricevuto un rinforzo in forma di Henrik Vanger era considerevolmente più importante di quanto Lisbeth Salander si fosse aspettata. L'edizione in rete dell'*Aftonbladet* era già uscita con un lungo comunicato della TT che riassumeva la carriera di Henrik Vanger e constatava che per la prima volta in vent'anni il vecchio magnate dell'industria faceva un'apparizione pubblica. La notizia che entrava come comproprietario di *Millennium* era di quelle imprevedibili.

L'evento era così importante che l'edizione delle sette e mezza del telegiornale lo passò come terza notizia, dedicandogli ben tre minuti. Erika Berger fu intervistata al tavolo delle riunioni nella redazione di *Millennium*. Tutto d'un tratto, l'affare Wennerström faceva di nuovo notizia.

«L'anno scorso abbiamo fatto un grave errore che si è concluso con la condanna del nostro giornale per diffamazione. Naturalmente è qualcosa che ci dispiace... e daremo un seguito a quella storia al momento opportuno.»

«Che cosa intende dicendo che darete un seguito a quella storia?» domandò il reporter.

«Intendo che col tempo racconteremo la nostra versione dell'accaduto, cosa che finora in effetti non abbiamo ancora fatto.»

«Ma avreste potuto farlo in occasione del processo.»

«Abbiamo preferito evitare. Ma è ovvio che continueremo a praticare il nostro giornalismo d'indagine.»

«Significa che vi ostinerete su quella stessa storia per la quale siete stati condannati?»

«Non ho commenti al proposito, oggi.»

«Lei ha licenziato Mikael Blomkvist a seguito della sentenza.»

«Questo non è affatto vero. Legga il nostro comunicato stampa. Aveva bisogno di un time out, di una meritata pausa. Ritornerà come direttore responsabile più avanti nel corso dell'anno.»

La telecamera fece una panoramica della redazione mentre il reporter ricordava rapidamente la tempestosa storia di *Millennium* come giornale originale e impavido. Mikael Blomkvist non era disponibile per un commento. Era appena stato accolto nel carcere di Rullåker, che sorgeva sulle rive di un laghetto nei boschi a qualche decina di chilometri da Östersund, nello Jämtland.

Per contro, Lisbeth Salander notò che Dirch Frode era rapidamente comparso a una porta della redazione al margine dell'immagine televisiva. Aggrottò le sopracciglia e si morse pensierosa il labbro inferiore.

Era stato un lunedì povero di notizie e a Henrik Vanger furono dedicati ben quattro minuti nell'edizione delle nove. Fu intervistato in uno studio della televisione locale a Hedestad. Il reporter iniziò constatando che *dopo due decenni di silenzio la leggenda dell'industria svedese Henrik Vanger è tornata alla ribalta.* Il servizio fu introdotto da una breve biografia di Henrik Vanger, con vecchie immagini televisive in bianco e nero dove compariva con il primo ministro Tage Erlander e inaugurava fabbriche negli anni sessanta. L'obiettivo fu quindi puntato su un divano dello studio dove Henrik Vanger sedeva tranquillo appoggiato allo schienale con le gambe accavallate. Indossava una camicia gialla, una sottile cravatta verde e una giacca sportiva marrone scuro. Che fosse ormai uno spaventapasseri magro e invecchiato non sfuggiva a nessuno, ma la sua voce era limpida e ferma. Inoltre parlava con molta franchezza. Il reporter cominciò domandando che cosa l'avesse indotto a diventare comproprietario di *Millennium*.

«*Millennium* è un buon giornale che seguo con interesse da diversi anni. Oggi si trova sotto tiro. Ha nemici potenti che stanno organizzando un boicottaggio delle inserzioni allo scopo di farlo affondare.»

Era evidente che il reporter non era preparato a una simile risposta, ma subodorò immediatamente che quella storia – già di per sé originale – doveva avere dimensioni inattese.

«Chi c'è dietro il boicottaggio?»

«È una delle cose che la rivista indagherà a fondo. Ma lasciatemi cogliere l'occasione per spiegare che *Millennium* non si lascerà colare a picco facilmente.»

«È per questo che ha deciso di entrare come comproprietario?»

«Sarebbe molto grave per la libertà di espressione se interessi particolari avessero il potere di far tacere una voce scomoda.»

Henrik Vanger dava l'impressione di essere stato un combattente radicale per la libertà di espressione per tutta la sua vita. Mikael Blomkvist scoppiò in una fragorosa risata mentre trascorreva la sua prima sera nella sala tv del carcere di Rullåker. I suoi compagni di detenzione lo guardarono di sottecchi, preoccupati.

Più tardi, mentre era steso nel letto della sua cella, che ricordava un'angusta stanza d'albergo con un piccolo tavolo, una sedia e una mensola a parete, ammise che Henrik ed Erika avevano avuto ragione su come si dovesse commercializzare la notizia. Senza aver parlato con nessuno dell'argomento, sapeva che qualcosa era cambiato nell'atteggiamento verso *Millennium*.

L'apparizione pubblica di Henrik Vanger non era altro che una dichiarazione di guerra contro Hans-Erik Wennerström. Il messaggio era chiarissimo – d'ora in poi non combatti contro un giornale con sei dipendenti e un budget annuale che corrisponde a un pranzo per la presentazione del Wennerstroem Group. Adesso combatti contro la Vanger, che sarà anche solo l'ombra della sua passata grandezza, ma costituisce comunque una sfida ben più dura. Adesso Wennerström poteva fare una scelta: o fare retromarcia e tirarsi fuori dal conflitto, oppure assumersi anche il compito di distruggere le industrie Vanger.

Il messaggio che Henrik Vanger aveva dato in televisione era che era pronto a combattere. Forse non aveva possibilità contro Wennerström, ma la guerra sarebbe costata cara.

Erika aveva scelto le parole con molta cura. In realtà non aveva detto nulla, ma la sua affermazione che il giornale non aveva ancora presentato la propria versione dava l'impressione che in effetti ci fosse qualcosa da presentare. Benché Mikael fosse stato citato in giudizio, condannato e al momento fosse anche in carcere, lei aveva dichiarato – senza dirlo espressamente – che in realtà era innocente e che esisteva un'altra verità.

Proprio nel non usare apertamente la parola innocente, l'innocenza di Mikael appariva ancora più evidente. L'ovvietà del suo reintegro come direttore responsabile sottolineava che *Millennium* non aveva nulla di cui vergognarsi. Agli occhi della gente la credibilità non è un problema – a tutti piacciono le teorie cospiratorie, e nella scelta fra un ricchissimo uomo d'affari e un caporedattore impavido e di bella presenza non era difficile prevedere dove sarebbero state investite le simpatie. I mezzi d'informazione però non avrebbero comperato la storia con altrettanta facilità – ma Erika forse aveva disarmato un certo numero di critici che non avrebbero osato esporsi.

Nessuno degli avvenimenti della giornata aveva sostanzialmente mutato la situazione, ma avevano guadagnato tempo e cambiato di qualcosa l'equilibrio delle forze. Mikael s'immaginava che Wennerström avesse avuto una serata sgradevole. Non poteva sapere quanto – o quanto poco – loro sapessero, e prima di fare la mossa successiva sarebbe stato costretto a scoprirlo.

Con espressione corrucciata, Erika spense la tv e il videoregistratore dopo aver guardato prima la sua apparizione, poi quella di Henrik Vanger. Gettò un'occhiata all'orologio, le tre meno un quarto di notte, e soffocò l'impulso di telefonare a Mikael. Era in carcere ed era improbabile che avesse potuto portarsi il telefonino in cella. Era tornata a casa così tardi nella villa di Saltsjöbaden che suo marito si era già addormentato. Si alzò e andò al mobile bar, dove si versò una generosa dose di Aberlour – beveva liquori più o meno una volta l'anno –, poi si sedette accanto alla finestra a guardare il mare e la luce lampeggiante del faro all'ingresso dello Skurusundet.

Lei e Mikael avevano avuto un vivace battibecco quando erano rimasti soli dopo che lei aveva siglato l'accordo con Henrik Vanger. Nel corso degli anni avevano fatto delle sane litigate su quale angolatura dare ai testi, su come elaborare il lay-out o valutare la credibilità delle fonti, e su mille altre cose che riguardano un giornale. Ma il litigio nello chalet degli ospiti di Henrik Vanger aveva toccato principi rispetto ai quali lei sapeva di trovarsi su un terreno pericoloso.

«Non so che cosa farò adesso» aveva detto Mikael. «Henrik Vanger mi ha ingaggiato per scrivere la sua biografia. Finora ho potuto alzarmi e andare via non appena cercava di costringermi a scrivere qualcosa di non vero o di indurmi a dare una certa angolatura alla storia. Adesso lui è uno dei soci del nostro giornale – e per di più l'unico con risorse economiche sufficienti a salvare la testata. Di punto in bianco mi ritrovo seduto su due sedie, in una posizione che la commissione per l'etica professionale non apprezzerebbe.»

«Hai qualche idea migliore?» aveva risposto Erika. «Allora è tempo che la tiri fuori, prima che mettiamo in bella copia il contratto e lo firmiamo.»

«Ricky, Vanger ci sta usando in una sorta di vendetta privata contro Hans-Erik Wennerström.»

«E allora? Nessuno più di noi sta conducendo una vendetta privata contro Wennerström.»

Mikael le aveva girato la schiena e si era acceso una sigaretta, irritato. Lo scontro verbale era continuato ancora per un po', finché Erika era andata in camera da letto, si era spogliata e si era infilata sotto le coperte. Aveva finto di dormire quando Mikael, due ore più tardi, era scivolato nel letto accanto a lei.

Durante la serata un giornalista del *Dagens Nyheter* le aveva posto la stessa domanda: «Come farà *Millennium* adesso a sostenere in maniera credibile la propria indipendenza?»

«A che cosa si riferisce?»

Il reporter aveva sollevato le sopracciglia. Pensava che la domanda fosse stata sufficientemente chiara, ma a ogni modo cercò di essere più preciso.

«Il compito di *Millennium* è, fra l'altro, di fare le pulci alle società. Come farà adesso il giornale a essere credibile quando sosterrà di fare le pulci alle aziende dei Vanger?»

Erika l'aveva guardato con il volto atteggiato a un'espressione di sorpresa, come se la domanda fosse giunta del tutto inaspettata.

«Vorrebbe sostenere che la credibilità di *Millennium* diminuisce perché un noto finanziere dotato di risorse è comparso sulla scena?»

«Sì, direi che è abbastanza evidente che non potrete mettere sotto la lente le società del gruppo Vanger in modo credibile.»

«È una regola che vale in specifico per *Millennium*?»

«Prego?»

«Voglio dire, lei lavora per un giornale che fa capo in larghissima misura a pesanti interessi economici. Significa forse che nessuno dei giornali pubblicati dal gruppo Bonnier è credibile? L'*Aftonbladet* è di proprietà di una grossa società norvegese che a sua volta costituisce una presenza importante nell'informatica e nelle comunicazioni. Significa forse che ciò che dice l'*Aftonbladet* sull'industria elettronica non è credibile? *Metro* è in mano al gruppo Stenbeck. Lei è dunque dell'opinione che nessun giornale svedese che abbia pesanti interessi economici alle spalle è credibile?»

«No, naturalmente no.»

«E allora perché insinua che la credibilità di *Millennium* dovrebbe diminuire perché anche noi siamo finanziati?»

Il reporter aveva alzato la mano.

«Okay, ritiro la domanda.»

«No. Non lo faccia. Voglio che riferisca esattamente ciò che ho detto. E può aggiungere che se *Dn* promette di focalizzarsi in maniera un po' speciale sulle aziende del gruppo Vanger, noi ci focalizzeremo un po' di più su Bonnier.»

Ma in effetti *era* un dilemma etico.

Mikael lavorava per Henrik Vanger, che a sua volta si trovava in una posizione da cui poteva affondare *Millennium* con un tratto di penna. Che cosa sarebbe accaduto se Mikael e Henrik Vanger si fossero scontrati su qualcosa?

E soprattutto, che prezzo metteva lei sulla sua stessa credibilità, e quando si sarebbe trasformata da redattore indipendente in redattore corrotto? Non le piacevano né le domande né le risposte.

Lisbeth Salander si scollegò dalla rete e chiuse il suo portatile. Era disoccupata, e affamata. La prima delle due cose non la preoccupava nell'immediato, da quando aveva di nuovo il controllo del suo conto bancario e l'avvocato Bjurman era diventato solo un vago elemento sgradevole del suo passato. Alla fame pose rimedio andando in cucina ad accendere la macchina del caffè. Si preparò tre grossi tramezzini con formaggio, caviale e uova strapazzate, il che rappresentava il suo primo pasto solido da molte ore. Consumò il suo spuntino notturno sul divano del soggiorno mentre rielaborava le informazioni che aveva messo insieme.

Dirch Frode di Hedestad l'aveva incaricata di fare un'indagine personale su Mikael Blomkvist, che era stato condannato a una pena detentiva per diffamazione ai danni del finanziere Hans-Erik Wennerström. Qualche mese più tardi Henrik Vanger, anch'egli di Hedestad, entra nel consiglio d'amministrazione di *Millennium* e afferma che è in corso una cospirazione per mettere in ginocchio il giornale. Tutto questo il giorno stesso in cui Mikael Blomkvist entra in carcere. E poi la cosa più affascinante: un articolo di fondo vecchio di due anni – *A mani vuote* – su Hans-Erik Wennerström, che aveva trovato sull'edizione in rete del *Monopol*. In esso si diceva che Wennerström aveva iniziato la sua scalata finanziaria proprio nel Gruppo Vanger alla fine degli anni sessanta.

Non occorreva essere dei geni per trarre la conclusione che quegli eventi in qualche modo erano collegati. *Da qualche parte gatta ci cova,* e a Lisbeth Salander piaceva un sacco scovare gatte che covano. Inoltre, non aveva nient'altro di meglio da fare.

Parte terza

Fusioni
16 maggio - 11 luglio

In Svezia il 13% delle donne
è vittima di violenze sessuali al di fuori di relazioni sessuali.

15.
Venerdì 16 maggio - sabato 31 maggio

Mikael Blomkvist uscì dal penitenziario di Rullåker venerdì 16 maggio, due mesi dopo esservi stato rinchiuso. Lo stesso giorno in cui era entrato in carcere, aveva presentato senza grandi speranze una richiesta di riduzione della pena. Non riuscì mai a capire veramente le ragioni tecniche della sua scarcerazione anticipata, ma sospettava che fossero legate al fatto che non aveva mai usufruito dei permessi per il fine settimana, e che il numero di ospiti del penitenziario ammontava a quarantadue mentre la struttura non avrebbe dovuto accoglierne più di trentuno. In ogni caso, il direttore del penitenziario – un esule polacco quarantenne di nome Peter Sarowsky, con il quale Mikael aveva instaurato un ottimo rapporto – scrisse una raccomandazione perché la pena fosse abbreviata.

Il periodo trascorso a Rullåker era stato tranquillo e piacevole. L'istituto, come si era espresso Sarowsky, era destinato ad automobilisti che avevano alzato il gomito e altri scocciatori, non ai veri criminali. La routine quotidiana ricordava piuttosto la vita degli ostelli. I suoi quarantuno compagni di galera, la metà dei quali era costituita da immigrati della seconda generazione, guardavano Mikael come una sorta di *rara avis* – cosa in effetti vera. Era l'unico dei detenuti di cui si parlasse in tv, il che gli guadagnò un certo status, ma nessuno dei suoi compagni di sventura lo considerava un criminale serio.

Nemmeno il direttore del penitenziario lo faceva. Già il primo giorno, Mikael fu convocato per un colloquio durante il quale gli furono offerti terapia, corsi alla scuola serale o altri studi e orientamento professionale. Mikael replicò che non sentiva nessun particolare bisogno di reinserimento sociale, che i suoi studi erano completi da un pezzo e che aveva già un lavoro. Chiese però il permesso di tenere in cella il suo portatile al fine di poter continuare a lavorare al libro che al momento aveva l'incarico di scrivere. La sua richiesta fu accolta senza nessun intoppo e Sarowsky gli procurò perfino un armadietto con la chiave in modo che potesse lasciare il computer in cella senza pericolo che venisse rubato o vandalizzato. Ma non perché qualcuno degli altri detenuti potesse fare sul serio qualcosa del genere – piuttosto, tenevano su Mikael una mano protettrice.

Così, Mikael trascorse due mesi relativamente gradevoli lavorando circa sei ore al giorno alla cronaca familiare dei Vanger. Il lavoro era interrotto solo da qualche ora di pulizie o ricreazione. Mikael e due compagni di detenzione, uno di Skövde e l'altro originario del Cile, avevano l'incarico di riordinare quotidianamente la palestra del penitenziario. La ricreazione consisteva nel guardare la tv, giocare a carte o tenersi allenati. Mikael scoprì di essere bravo a poker ma perdeva sempre qualche monetina ogni giorno. Le regole del penitenziario imponevano che il piatto non potesse superare le cinque corone.

Gli fu data comunicazione che sarebbe stato rilasciato in anticipo solo il giorno prima della scarcerazione, quando Sarowsky lo invitò nel suo ufficio e gli offrì un bicchierino. Mikael dedicò la serata a radunare i suoi indumenti e le sue carte.

Dopo la scarcerazione, Mikael ritornò direttamente allo chalet di Hedeby. Appena salì sulla veranda udì un miagolio e fu raggiunto dal gatto rossiccio, che gli diede il benvenuto strusciandosi contro le sue gambe.

«Okay, entra pure» gli disse. «Ma guarda che non ho ancora fatto in tempo a comperare il latte.»

Disfece i bagagli. Aveva l'impressione di essere tornato da una vacanza e scoprì che in effetti sentiva la mancanza di Sarowsky e dei suoi compagni di detenzione. Per quanto potesse sembrare assurdo, si era trovato bene a Rullåker. La scarcerazione però era giunta talmente inattesa che non aveva potuto avvertire nessuno.

Erano da poco passate le sei di sera. Andò rapidamente al Konsum a fare gli acquisti essenziali prima che chiudessero. Quando tornò a casa accese il cellulare e chiamò Erika, la cui segreteria rispose che al momento non era raggiungibile. Lasciò un messaggio dicendo che si sarebbero sentiti l'indomani.

Quindi si recò dal suo datore di lavoro, che alzò sorpreso le sopracciglia quando lo vide.

«Sei evaso?» furono le sue prime parole.

«Scarcerazione anticipata, tutto legale.»

«Questa sì che è una sorpresa.»

«Anche per me. L'ho saputo ieri sera.»

Si guardarono per qualche secondo. Poi fu il vecchio a sorprendere Mikael cingendolo in un abbraccio da orso.

«Stavo giusto per mettermi a tavola. Fammi compagnia.»

Anna servì frittata con pancetta accompagnata da composta di mirtilli rossi. Restarono a tavola a chiacchierare per quasi due ore, e Henrik lo esortò a dargli del tu. Mikael illustrò i progressi che aveva fatto nella stesura della cronaca familiare e dove ci fossero lacune. Non affrontarono l'argomento Harriet, ma parlarono diffusamente di *Millennium*.

«Abbiamo avuto tre riunioni del consiglio d'amministrazione. La signora Berger e il vostro socio Christer Malm mi hanno usato la cortesia di tenere due delle riunioni quassù, mentre Dirch mi ha rappresentato alla riunione di Stoccolma. Vorrei veramente avere qualche anno di meno, ma la verità è che per me è troppo stancante fare spostamenti così lunghi. Cercherò di andare giù quest'estate.»

«Credo che non avranno difficoltà a tenere le riunioni quassù» rispose Mikael. «E come ci si sente a essere comproprietari di un giornale?»

Henrik Vanger fece un sorriso storto.

«In effetti è la cosa più divertente che ho fatto da molti anni a questa parte. Ho dato un'occhiata alla situazione economica e mi sembra che sia tutto a posto. Non occorre che investa così tanto denaro come avevo pensato – il divario fra entrate e uscite si sta riducendo.»

«Ho parlato con Erika durante la settimana. Mi è parso di capire che il fronte delle inserzioni si sia rafforzato.»

Henrik annuì. «Le cose si stanno muovendo per il verso giusto, ma ci vorrà del tempo. Per cominciare, le aziende del Gruppo Vanger sono intervenute acquistando spazi pubblicitari per sostenere il giornale. Ma due vecchi inserzionisti – telefonia cellulare e un tour operator – sono già tornati.» Fece un largo sorriso. «Stiamo anche conducendo una campagna un po' più personale fra i vecchi nemici di Wennerström. E, credimi, la lista è lunga.»

«Hai avuto notizie da Wennerström?»

«Non esattamente. Ma abbiamo lasciato trapelare che Wennerström sta organizzando il boicottaggio di *Millennium*. Questo lo fa apparire meschino. Un giornalista del *Dn* gli ha fatto una domanda al proposito e ha ricevuto una risposta sgarbata.»

«E tu ci godi.»

«Godere è una parola sbagliata. Avrei dovuto farlo molti anni fa.»

«Che cosa c'è esattamente fra te e Wennerström?»

«Non ci provare. Lo verrai a sapere verso la fine dell'anno.»

C'era un gradevole sentore di primavera nell'aria. Quando Mikael lasciò Henrik verso le nove, fuori era buio. Esitò un attimo. Poi andò a bussare alla porta di Cecilia.

Non era sicuro di che cosa aspettarsi. Cecilia sgranò gli occhi e assunse un'aria imbarazzata, ma lo fece entrare. Rimasero lì fermi, improvvisamente insicuri l'uno dell'altra. Anche lei gli chiese se fosse evaso e lui spiegò come erano andate le cose.

«Volevo solo darti un saluto. Forse disturbo?»

Lei evitò il suo sguardo. Mikael si accorse subito che non era particolarmente contenta di vederlo.

«No... no, entra pure. Vuoi un caffè?»

«Volentieri.»

La seguì in cucina. Lei gli voltava la schiena mentre metteva l'acqua nella macchina. Mikael le si accostò e le mise una mano sulla spalla. Lei si irrigidì.

«Cecilia, non hai l'aria di aver voglia di offrirmi un caffè.»

«Ti aspettavo solo fra un mese» rispose lei. «Mi hai colta di sorpresa.»

Lui avvertì il suo disagio e la fece voltare in modo da poterla vedere in faccia. Rimasero in silenzio un breve momento. Lei continuava a evitare il suo sguardo.

«Cecilia. Lascia perdere il caffè. Che cosa c'è che non va?»

Lei scosse la testa e tirò un respiro profondo.

«Mikael, voglio che te ne vai. Non fare domande. Vattene e basta.»

Mikael si diresse verso il suo chalet, ma si fermò indeciso davanti al cancello. Invece di entrare, scese verso l'acqua in prossimità del ponte e si sedette su un masso. Si accese una sigaretta mentre metteva ordine fra i pensieri e si domandava che cosa potesse aver fatto cambiare l'atteggiamento di Cecilia in modo tanto drammatico.

D'un tratto udì il rumore di un motore e vide una grossa imbarcazione bianca infilarsi nello stretto passando sotto il ponte. Quando gli sfilò davanti, Mikael distinse al timone Martin Vanger, con lo sguardo intento a scansare qualche piccola secca sommersa. La barca era uno yacht di dodici metri – un bestione imponente. Si alzò e lo seguì lungo il sentiero che costeggiava lo stretto. Scoprì che molte altre barche erano già in acqua ormeggiate ai diversi pontili, una mescolanza di barche a vela e a motore. C'erano parecchie Pettersson e a un pontile c'era un I.F. che ballonzolava nell'onda prodotta dal passaggio dello yacht. Altre barche erano più grosse e più costose. Mikael notò un Hallberg-Rassy. L'estate era arrivata. E con ciò era anche possibile stabilire la gerarchia della vita marinara di Hedeby – Martin Vanger possedeva senza dubbio la barca più grande e più costosa della zona.

Al ritorno Mikael si fermò sotto la casa di Cecilia e sbirciò verso le finestre illuminate del primo piano. Poi raggiunse lo chalet e accese la macchina del caffè. Mentre aspettava che fosse pronto andò a dare un'occhiata al suo studiolo.

Prima di andare in carcere aveva riportato a Henrik la maggior parte della documentazione su Harriet. Gli era sembrata una decisione saggia non lasciarla in una casa disabitata per un periodo di tempo prolungato. Adesso le mensole lo fissavano vuote. Tutto ciò che gli era rimasto dell'inchiesta erano cinque dei blocnotes di Henrik, che si era portato a Rullåker e che conosceva ormai a memoria. E, constatò, un album di fotografie che aveva dimenticato sulla mensola più alta.

Tirò giù l'album e se lo portò al tavolo in cucina. Versò il caffè, si sedette e cominciò a sfogliare.

Erano le fotografie scattate il giorno in cui Harriet era scomparsa. Dapprima veniva l'ultima immagine di Harriet, al corteo della Giornata dei bambini a Hedestad. Quindi seguivano circa centottanta immagini impietose dell'incidente dell'autocisterna sul ponte. Aveva esaminato l'album foto per foto con la lente d'ingrandimento già diverse volte in precedenza. Adesso lo sfogliò un po' distrattamente; sapeva che non avrebbe trovato nulla che gli potesse servire. D'improvviso ne ebbe abbastanza del mistero di Harriet Vanger, e chiuse l'album con un colpo secco.

Si avvicinò inquieto alla finestra della cucina e guardò fuori nel buio.

Poi diresse di nuovo lo sguardo sull'album. Non riusciva a spiegarsi esattamente la sensazione, ma tutto d'un tratto gli era balenato un pensiero sfuggente, come se avesse reagito a qualcosa che aveva appena visto. Era come se una creatura invisibile gli avesse soffiato piano all'orecchio facendogli rizzare un po' i peli sulla nuca.

Si sedette e aprì di nuovo l'album. Lo passò foglio per foglio, immagine per immagine. Osservò la versione giovanile di un Henrik Vanger tutto sporco di olio combustibile e di un Harald Vanger, l'uomo di cui non aveva ancora visto l'ombra, ancora vigoroso. La spalletta del ponte sfondata, gli edifici, le finestre e i veicoli che si vedevano nelle foto. Non ebbe problemi a identificare una Cecilia Vanger ventenne in mezzo alla folla degli spettatori. Indossava un abito chiaro e una giacca scura, e compariva in una ventina di foto.

Fu colto da un'improvvisa eccitazione. Nel corso degli anni, Mikael aveva imparato a fidarsi del proprio istinto. Aveva reagito a qualcosa nell'album, ma non riusciva a focalizzare esattamente cosa fosse.

Alle undici era ancora seduto al tavolo in cucina a fissare le fotografie, quando sentì aprirsi la porta d'ingresso.

«Posso entrare?» domandò Cecilia. Senza aspettare la risposta, si sedette di fronte a lui dall'altra parte del tavolo. Mikael provò uno strano senso di déjà vu. Indossava un abito chiaro, ampio e leggero, e una giacca grigio-azzurra, indumenti che erano quasi identici a quelli che portava nelle fotografie del 1966.

«Sei tu, il problema» disse la donna.

Mikael assunse un'aria perplessa.

«Scusami, ma mi hai colta proprio alla sprovvista quando sei venuto a bussare stasera. Adesso sono così infelice che non riesco a dormire.»

«Perché sei infelice?»

«Non lo capisci?»

Lui scosse la testa.

«Posso raccontartelo senza che tu ti metta a ridere di me?»

«Prometto di non ridere.»

«Quando ti ho sedotto quest'inverno, è stato un folle gesto impulsivo. Volevo divertirmi. Nient'altro. Quella prima sera ero soltanto su di giri e non avevo nessuna intenzione di instaurare un legame duraturo con te. Poi le cose sono cambiate. Voglio che tu sappia che le settimane in cui sei stato il mio *occasional lover* sono state fra le più piacevoli di tutta la mia vita.»

«Anch'io le ho vissute come qualcosa di molto piacevole.»

«Mikael, io ho mentito a te e a me stessa per tutto il tempo. Non sono mai stata particolarmente sfrenata, in fatto di sesso. In tutta la vita ho avuto solo cinque partner. La prima volta quando avevo ventun anni. Poi mio marito che ho incontrato a venticinque anni, e che si dimostrò un farabutto. E da allora altri tre uomini che ho incontrato a distanza di qualche anno l'uno dall'altro. Ma tu hai risvegliato in me qualcosa. Semplicemente, non mi bastava mai. Forse perché tutto in te era così senza pretese.»

«Cecilia, non è necessario che tu...»

«Ssch, non interrompermi. Altrimenti non riuscirò mai a dirti quello che voglio dire.»

Mikael tacque.

«Il giorno che sei sparito per scontare la tua condanna ero così infelice. Tutto d'un tratto non c'eri più, proprio come se non fossi mai esistito. Lo chalet qui era tutto buio. Il mio letto era freddo e vuoto. Di colpo ero di nuovo una befana di oltre cinquant'anni.»

Rimase in silenzio un momento e guardò Mikael negli occhi.

«Mi sono innamorata di te, l'inverno scorso. Non era nelle intenzioni, ma è successo. E all'improvviso mi sono resa conto che tu sei qui solo temporaneamente e un giorno te ne andrai via in maniera definitiva, mentre io rimarrò qui per il resto della mia vita. Mi ha fatto talmente male che ho deciso che non ti avrei accolto di nuovo quando fossi uscito di prigione.»

«Mi dispiace.»

«Non è colpa tua.»

Seguì un attimo di silenzio.

«Quando te ne sei andato stasera, mi sono seduta a piangere. Vorrei poter avere la possibilità di rivivere daccapo la mia vita. Poi ho deciso una cosa.»

«E sarebbe?»

Lei abbassò gli occhi sul tavolo.

«Che dovrei essere completamente pazza a smettere di incontrarti solo perché un giorno te ne andrai via di qui. Mikael, possiamo ricominciare? Puoi dimenticare ciò che è successo qualche ora fa?»

«È già dimenticato» disse Mikael. «Ma ti ringrazio di avermelo detto.»

Lei continuava a fissare il tavolo.

«Se mi vuoi, io ne sarei molto felice.»

D'improvviso puntò di nuovo lo sguardo su di lui. Poi si alzò e si avviò verso la camera da letto. Mentre camminava, lasciò cadere la giacca per terra e si sfilò il vestito dalla testa.

Mikael e Cecilia furono svegliati insieme dal rumore della porta d'ingresso che si apriva e dai passi di qualcuno che attraversava la cucina. Sentirono il tonfo di un borsone che veniva poggiato sul pavimento accanto alla stufa. Poi Erika comparve di colpo sulla soglia della camera da letto con un sorriso che si mutò in imbarazzo.

«Santo cielo.» Erika fece un passo indietro.

«Ciao, Erika» disse Mikael.

«Ciao. Perdonatemi. Chiedo mille volte scusa per essere piombata così. Avrei dovuto bussare.»

«Siamo noi che avremmo dovuto chiudere a chiave la porta. Erika – questa è Cecilia Vanger. Cecilia – Erika Berger, caporedattore di *Millennium*.»

«Salve» disse Cecilia.

«Salve» disse Erika. Aveva l'aria di non riuscire a decidere se avvicinarsi e stringere educatamente la mano oppure sparire. «Ecco, io... io posso andare a fare quattro passi...»

«Che ne diresti di preparare il caffè, invece?» Mikael guardò la sveglia sul comodino. Era passato da poco mezzogiorno.

Erika annuì e richiuse la porta della camera da letto. Mikael e Cecilia si guardarono. Cecilia aveva l'aria imbarazzata. Avevano fatto l'amore e chiacchierato fino alle quattro del mattino. Poi Cecilia aveva detto che si sarebbe fermata a dormire e che in seguito era intenzionata a infischiarsene altamente di chi avesse saputo che lei andava a letto con Mikael. Aveva dormito con la schiena contro di lui e il suo braccio intorno al petto.

«Ehi, va tutto bene» disse Mikael. «Erika è sposata e non è la mia ragazza. Ogni tanto ci incontriamo, ma a lei non importa un fico secco se tu e io abbiamo una storia. Anzi, adesso probabilmente si sente molto, molto in imbarazzo.»

Quando la raggiunsero in cucina un attimo dopo, Erika aveva messo in tavola caffè, succo di frutta, marmellata di arance, formaggio e pane tostato. C'era un buon profumo nell'aria. Cecilia le si avvicinò senza preamboli e le tese la mano.

«È stato un po' frettoloso di là. Piacere.»

«Cara Cecilia, perdonami per essere entrata come un elefante» disse un'Erika profondamente contrita.

«Non parliamone più, per l'amor del cielo. Adesso prendiamo il caffè.»

«Ciao» disse Mikael, e abbracciò Erika prima di andare a sedersi. «Come sei arrivata?»

«In macchina stamattina, si capisce. Ho ricevuto il tuo messaggio stanotte alle due e ho cercato di chiamare.»

«Avevo spento il cellulare» disse Mikael, e sorrise verso Cecilia.

Dopo colazione Erika si scusò e lasciò soli Mikael e Cecilia con il pretesto che doveva andare a salutare Henrik Vanger. Cecilia sparecchiò dando la schiena a Mikael. Lui le si avvicinò e la cinse con le braccia.

«Che succede adesso?» disse Cecilia.

«Niente. Le cose stanno semplicemente così – Erika è la mia migliore amica. Lei e io stiamo insieme quando capita da vent'anni e spero che andremo avanti così per altri venti ancora. Ma non siamo mai stati una coppia e non ci mettiamo mai di mezzo nelle nostre reciproche storie sentimentali.»

«È questo che abbiamo? Una storia sentimentale?»

«Non so che cos'è che abbiamo, ma mi sembra evidente che stiamo bene insieme.»

«Dove dormirà lei stanotte?»

«Le troveremo una sistemazione da qualche parte. Una camera degli ospiti da Henrik. Comunque non dormirà nel mio letto.»

Cecilia rifletté un momento.

«Non so se ce la faccio. Tu e lei forse funzionate così, ma io non so... io non ho mai...» Scosse la testa. «Ora me ne vado a casa mia. Devo riflettere un attimo su questa cosa.»

«Cecilia, tu me l'hai già chiesto in precedenza e io ti ho già raccontato del mio rapporto con Erika. La sua esistenza non può essere una sorpresa per te.»

«È vero. Ma finché lei si trovava a comoda distanza giù a Stoccolma, io potevo ignorarla.»

Cecilia si infilò la giacca.

«La situazione è spassosa» sorrise. «Vieni da me a cena stasera. E porta Erika con te. Credo che finirà per piacermi.»

Erika aveva già sistemato la questione del pernottamento. Nelle occasioni in cui era venuta a Hedeby per incontrare Henrik Vanger aveva alloggiato in una delle sue stanze degli ospiti, e gli chiese con franchezza se poteva farlo di nuovo. Henrik non riuscì a nascondere il proprio entusiasmo e le assicurò che era la benvenuta in qualsiasi momento.

Sgombrato il campo dal problema, Mikael ed Erika fecero una passeggiata oltre il ponte e si sedettero sulla terrazza del caffè di Susanne poco prima dell'ora di chiusura.

«Sono profondamente scontenta» disse Erika. «Sono venuta su per darti il bentornato alla libertà e ti trovo a letto con la *femme fatale* del villaggio.»

«Perdonami.»

«Allora, da quant'è che tu e *Miss Big Tits*...» Erika fece ruotare l'indice nell'aria.

«Più o meno da quando Henrik è diventato socio.»

«Aha.»

«Aha cosa?»

«Semplice curiosità.»

«Cecilia è una brava persona. Mi piace.»

«Non sto criticando. Sono solo scontenta. Caramelle a portata di mano e io devo stare a stecchetto. Com'è stata la galera?»

«Come un'accettabile vacanza di lavoro. Come va il giornale?»

«Meglio. Siamo ancora ai limiti, ma per la prima volta da un anno il volume delle inserzioni sta aumentando. Siamo ancora molto al di sotto di quanto avevamo un anno fa, ma in ogni caso siamo di nuovo in risalita. Tutto merito di Henrik. Ma la cosa strana è che cominciano ad aumentare gli abbonati.»

«È normale che ci siano alti e bassi a intervalli regolari.»

«Qualche centinaio in un senso o nell'altro. Ma il numero degli abbonati è cresciuto di tremila negli ultimi tre mesi. L'aumento è stato costante, con circa duecentocinquanta nuovi abbonati la settimana. All'inizio credevo che fosse soltanto un caso, ma continuavano ad arrivarne di nuovi. È l'aumento di tiratura più notevole che abbiamo mai avuto. Ed è più importante degli introiti derivanti dalle inserzioni. Al tempo stesso, i nostri vecchi abbonati sembrano rinnovare molto coerentemente il loro appoggio su tutta la linea.»

«Come mai?» domandò Mikael confuso.

«Non lo so. Nessuno di noi lo capisce. Non abbiamo fatto nessuna campagna pubblicitaria. Christer ha passato una settimana a fare prove campione per capire chi sono quelli che si fanno vivi. Anzitutto, si tratta di abbonati completamente nuovi. In secondo luogo, il settanta per cento sono donne. Normalmente quelli che si abbonano sono al settanta per cento uomini. Terzo, gli abbonati si possono descrivere come soggetti di reddito medio che abitano in periferia e hanno lavori qualificati: insegnanti, piccoli dirigenti, funzionari.»

«La rivolta della classe media contro i grandi capitalisti?»

«Non saprei. Ma se questa tendenza dovesse continuare, si verificherà un notevole cambiamento d'insieme. Due settimane fa abbiamo fatto una riunione di redazione e abbiamo deciso di cominciare parzialmente a inserire nuovo materiale nel giornale; voglio che ci siano più articoli su questioni sindacali e testi di quel genere, ma anche più reportage d'indagine per esempio sulle questioni che interessano le donne.»

«Stai solo attenta a non cambiare troppo» disse Mikael. «Se stanno arrivando nuovi abbonati, probabilmente significa che apprezzano il giornale così com'è già.»

Cecilia aveva invitato a cena anche Henrik Vanger, forse per diminuire il rischio di argomenti di conversazione che potessero creare imbarazzo. Aveva preparato uno stufato di selvaggina e messo in tavola vino rosso. Erika e Henrik dedicarono gran parte del tempo a discutere dello sviluppo di *Millennium* e dei nuovi abbonati, ma la conversazione scivolò a poco a poco verso altri argomenti. Erika si rivolse d'improvviso a Mikael e gli chiese come procedesse il suo lavoro.

«Calcolo di aver pronta una bozza della cronaca familiare fra un mesetto, in modo che Henrik possa darvi una scorsa.»

«Una cronaca nello spirito della famiglia Addams» disse Cecilia sorridendo.

«Con qualche aspetto storico, sì» ammise Mikael.

Cecilia gettò un'occhiata a Henrik.

«Mikael, in realtà a Henrik non interessa la cronaca familiare. Lui vuole che tu risolva il mistero della scomparsa di Harriet.»

Mikael non disse nulla. Fin da quando aveva iniziato la sua relazione con Cecilia, aveva parlato abbastanza apertamente di Harriet con lei. Cecilia aveva già indovinato che era quello il suo vero incarico, anche se lui formalmente non l'aveva mai ammesso. Ma non aveva mai detto a Henrik che lui e Cecilia discutevano dell'argomento. Le sopracciglia cespugliose di Henrik si sollevarono di qualche millimetro. Erika taceva.

«Ascolta» disse Cecilia rivolgendosi a Henrik. «Io non sono tonta. Non so esattamente che genere di contratto abbiate tu e Mikael, ma la sua presenza qui a Hedeby riguarda Harriet. Non è così?»

Henrik annuì e guardò Mikael con la coda dell'occhio.

«Te l'avevo detto che è intelligente.» Poi, rivolto a Erika: «Suppongo che Mikael ti abbia spiegato che cosa ci fa qui a Hedeby.»

Lei annuì.

«E suppongo che tu ritenga che sia un'occupazione senza senso. No, non occorre che tu risponda. È un'occupazione assurda e senza senso. Ma io devo sapere.»

«Non ho punti di vista sull'argomento» disse Erika diplomaticamente.

«È naturale che ne hai.» Si rivolse a Mikael. «Presto saranno passati sei mesi. Racconta. Hai trovato in generale qualcosa che non abbiamo già esplorato?»

Mikael evitò di incontrare lo sguardo di Henrik. Il suo pensiero andò subito alla strana sensazione che aveva provato quando, la sera precedente, era seduto a guardare l'album di fotografie. Quella sensazione l'aveva perseguitato tutto il giorno, ma non aveva avuto tempo di fermarsi un attimo e aprire di nuovo l'album. Non era sicuro se stava lavorando di fantasia oppure no, ma sapeva di aver fatto una riflessione di qualche genere. Era stato sul punto di formulare un pensiero determinante. Alla fine alzò gli occhi su Henrik Vanger e scosse la testa.

«Non sono arrivato a un'acca.»

Il vecchio lo scrutò d'improvviso con il volto atteggiato a un'espressione vigile. Si astenne dal commentare la risposta di Mikael e alla fine annuì.

«Non so come la pensiate voi giovani, ma per me è ora di ritirarsi. Grazie per la cena, Cecilia. Buona notte, Erika. Passa a salutarmi domani, prima di partire.»

Quando Henrik Vanger ebbe chiuso la porta d'ingresso, calò il silenzio. Fu Cecilia a romperlo.

«Mikael, che cosa significa?»

«Significa che Henrik Vanger è sensibile alle reazioni della gente come un sismografo. Ieri sera quando sei venuta da me stavo guardando un album di fotografie.»

«Sì?»

«Ho visto qualcosa. Ma non so cosa, e non riesco a metterlo a fuoco. Era qualcosa che stava diventando un pensiero, ma non sono riuscito ad afferrarlo.»

«A cos'è che stavi pensando?»

«Semplicemente non lo so. E poi sei arrivata tu e io... hmm... ho avuto cose più piacevoli a cui pensare.»

Cecilia arrossì. Evitò lo sguardo di Erika e preferì andare in cucina a preparare il caffè.

Era un giorno di maggio caldo e soleggiato. Il verde era esploso e Mikael si sorprese a canticchiare *Arriva il tempo della fioritura*.

Erika aveva passato la notte nella stanza degli ospiti di Henrik. Dopo la cena, Mikael aveva chiesto a Cecilia se volesse avere compagnia. Lei aveva risposto che era impegnata con gli scrutini e che era stanca e voleva dormire. Erika baciò Mikael sulla guancia e lasciò l'isola il lunedì mattina di buon'ora.

Quando Mikael era entrato in penitenziario a metà marzo, la neve copriva ancora tutto il paesaggio. Adesso le betulle verdeggiavano e il prato intorno allo chalet era grasso e rigoglioso. Per la prima volta aveva la possibilità di girare l'isola di Hedeby in lungo e in largo. Alle otto attraversò la strada e chiese in prestito una caraffa termica ad Anna. Scambiò due parole con Henrik, che si era appena alzato, e si portò via la sua carta dell'isola. Un posto che desiderava andare a esaminare più da vicino era la casetta di Gottfried, che indirettamente era comparsa più volte nell'indagine della polizia, dal momento che Harriet vi aveva trascorso un certo periodo di tempo. Henrik spiegò che la casetta era di proprietà di Martin Vanger, ma che in tutti quegli anni era rimasta praticamente inutilizzata. Solo in rare occasioni era stata presa in prestito da qualche parente.

Mikael riuscì giusto a fermare Martin mentre stava andando al lavoro a Hedestad. Gli spiegò la sua richiesta e gli chiese le chiavi della casetta. Martin lo scrutò con un sorriso divertito.

«Suppongo che la cronaca familiare adesso sia arrivata al capitolo sulla scomparsa di Harriet.»

«Voglio solo dare un'occhiata in giro...»

Martin lo pregò di aspettare e fu presto di ritorno con le chiavi.

«Allora va bene?»

«Per quanto mi concerne, puoi anche trasferirti lì se preferisci. A parte il fatto che si trova dall'altra parte dell'isola, in effetti è un posto molto più piacevole della casa dove abiti adesso.»

Mikael preparò del caffè e qualche tramezzino. Prima di

mettersi in marcia riempì d'acqua una bottiglia e infilò le vettovaglie in uno zaino che si mise in spalla. Seguì un sentiero stretto e poco battuto che correva lungo l'insenatura sul lato nord dell'isola. La casetta di Gottfried sorgeva su un promontorio a circa due chilometri dal villaggio, e gli occorse soltanto una mezz'ora per coprire la distanza ad andatura tranquilla.

Martin Vanger aveva ragione. Quando Mikael superò la curva sulla stretta stradina, gli si aprì davanti un luogo lussureggiante in riva all'acqua. La vista era magnifica sia verso l'estuario dell'Hedeälven, sia verso il porticciolo turistico a sinistra e il porto mercantile a destra.

Era sorpreso che nessuno avesse preso possesso della casetta di Gottfried. Si trattava di un edificio rustico in tronchi di legno orizzontali tinti di scuro, con tetto di tegole e serramenti verdi, e con una piccola veranda soleggiata davanti alla porta d'ingresso. Era però evidente che la manutenzione della casa come del giardino intorno era trascurata da un po'; la vernice sui montanti della porta e delle finestre era tutta scrostata e quello che sarebbe dovuto essere un tappeto erboso era invaso da sterpaglie alte un metro. Ripulire il terreno avrebbe richiesto una buona giornata di lavoro con falce e cesoie.

Mikael aprì la porta con la chiave e svitò gli scuri dall'interno. L'intelaiatura sembrava essere quella di un vecchio fienile di circa trentacinque metri quadrati. L'interno era rivestito in legno e consisteva di un unico grande locale con ampie finestre verso il mare a entrambi i lati della porta d'ingresso. In fondo alla stanza, una scala conduceva a un soppalco aperto adibito a zona notte, che copriva metà della casa. Sotto la scala c'era una piccola nicchia con una cucina a gas e un mobile con un lavello incassato. L'arredamento era semplice; sul lato lungo a sinistra della porta c'erano una panca fissata alla parete, un tavolo consunto e una libreria in tek. Più oltre, sullo stesso lato, tre guardaroba. A destra della porta c'era un tavolo da pranzo rotondo con cinque sedie di legno, e in mezzo alla parete corta si apriva un caminetto. La casa non aveva elettricità, e in giro erano sparse diverse lampade a petrolio. Sulla mensola interna di una finestra c'era una vecchia radio a transistor di marca Grundig. L'antenna era rotta. Mikael premette il tasto on-off ma le batterie erano scariche.

Salì per la stretta scala e si guardò intorno sul soppalco. C'erano un letto matrimoniale, un materasso nudo, un comodino e un cassettone.

Mikael dedicò un po' di tempo a passare al setaccio la casetta. Il cassettone non conteneva altro che qualche asciugamano e della biancheria da letto con un vago odore di muffa. Negli armadi c'erano alcuni vecchi indumenti da lavoro, una tuta, un paio di stivali di gomma, un paio di scarpe da tennis sfondate e una stufetta a petrolio. Nei cassetti della scrivania c'erano carta da lettere, matite, un album da disegno vuoto, un mazzo di carte e alcuni segnalibri. Lo stipo in cucina conteneva piatti, tazze, bicchieri, candele e qualche vecchio pacchetto con sale, pepe, bustine di tè e simili. Nel cassetto del tavolo c'erano le posate.

Le uniche vestigia di natura intellettuale le trovò nella libreria sopra la scrivania. Mikael prese una sedia dalla cucina e vi salì sopra per esaminare tutti i ripiani. Su quello più basso c'erano diversi numeri di vecchie riviste risalenti alla fine degli anni cinquanta e ai primi anni sessanta.

C'erano anche una cinquantina di libri. Più o meno la metà erano polizieschi in edizione tascabile: Mickey Spillane con titoli come *Non aspettarti nessuna pietà*, con le classiche copertine di Bertil Hegland. Trovò anche una mezza dozzina di *Kitty*, qualche libro di Enid Blyton e un giallo di Sivar Ahlrud, *Il mistero della metropolitana*. Mikael sorrise nel riconoscerlo. Tre libri di Astrid Lindgren, tra cui *Kalle Blomkvist*. Il ripiano più alto conteneva un libro sulle radio a onde corte, due libri di astronomia, un libro sugli uccelli, un volume dal titolo *L'impero del male* che parlava dell'Unione Sovietica, un libro sulla guerra d'inverno finlandese, il catechismo di Lutero, il libro dei Salmi e la Bibbia.

Mikael aprì la Bibbia e lesse sull'interno della copertina: *Harriet Vanger, 12 maggio 1963*. La Bibbia della cresima di Harriet. Rimise a posto il libro, rabbuiato.

Subito dietro la casetta c'era una legnaia che fungeva anche da capanno degli attrezzi e conteneva falce, rastrello, martello e un cartone con dei chiodi, pialle, seghe e altri utensili. La latrina era distante una ventina di metri, all'interno del bosco verso est. Mikael curiosò in giro un momento e quindi ritornò alla casa. Portò fuori una sedia, si piazzò sulla veranda e versò il caffè dalla caraffa termica. Si accese una sigaretta e puntò lo sguardo sulla baia di Hedestad attraverso la cortina delle sterpaglie.

La casetta di Gottfried era assai più modesta di quanto si fosse aspettato. Questo era il luogo dove il padre di Harriet e Martin si era ritirato quando il matrimonio con Isabella aveva cominciato ad andare in crisi alla fine degli anni cinquanta. Qui aveva abitato, passando il tempo a bere. E laggiù, da qualche parte intorno al pontile, era annegato con nel sangue un tasso alcolico elevato. Vivere in quella casetta era stato probabilmente piacevole d'estate, ma quando la temperatura cominciava a scendere verso lo zero l'ambiente doveva essere freddo e squallido. Secondo quanto aveva raccontato Henrik, Gottfried aveva continuato a lavorare nel Gruppo Vanger – con delle interruzioni nei periodi in cui beveva senza freni – fino al 1964. Il fatto che avesse potuto abitare nella casetta in maniera più o meno stabile e tuttavia comparire al lavoro rasato di fresco, pulito e in giacca e cravatta indicava una certa disciplina personale.

Ma quello era anche un luogo che Harriet aveva frequentato a tal punto, che era stato uno dei primi posti dove l'avevano cercata. Henrik aveva raccontato che nell'ultimo anno era andata spesso alla casetta, palesemente per starsene in pace durante le feste o le vacanze. L'ultima estate vi aveva abitato per tre mesi, anche se andava al villaggio tutti i giorni. Lì aveva anche avuto ospite per sei settimane Anita Vanger, la sorella di Cecilia.

Che cosa aveva fatto in quel luogo isolato, sola? Alcune delle riviste, così come un buon numero di libri su Kitty, parlavano chiaro. Forse l'album da disegno era appartenuto a lei. Ma lì c'era anche la sua Bibbia.

Aveva forse voluto sentirsi vicina al padre annegato – un periodo di necessaria elaborazione del lutto? Davvero la spiegazione era così semplice? Oppure aveva a che fare con le sue meditazioni religiose? La casetta era povera e ascetica; forse fingeva di vivere in un convento?

Mikael seguì la riva verso sud-est, ma il terreno era così pieno di fenditure e cespugli di ginepro da essere quasi impraticabile. Tornò indietro fino alla casetta e ripercorse un tratto della strada per Hedeby. Secondo la cartina doveva esserci un sentiero che s'inoltrava nel bosco fino alla Fortificazione, ma gli occorsero venti minuti per trovare la deviazione ormai quasi cancellata dalle sterpaglie. La Fortificazione non era altro che i resti delle opere costruite dalla difesa costiera durante la seconda guerra mondiale. Bunker di cemento con parapetti sparsi intorno a un edificio di comando. Tutto era ormai invaso dalle sterpaglie.

Mikael camminò lungo il sentiero fino a una rimessa per

barche in una radura in riva al mare. Accanto alla rimessa trovò il relitto di una barca Pettersson. Ritornò alla Fortificazione e percorse un sentiero fino a una recinzione – era arrivato a Östergården dal retro.

Seguì il sentiero serpeggiante attraverso la foresta, camminando a tratti parallelamente ai campi coltivati di Östergården. Il sentiero era impervio e talvolta interrotto da zone acquitrinose che lo costringevano a complicate deviazioni. Alla fine arrivò a una torbiera con un fienile. A quanto poteva vedere, il sentiero s'interrompeva lì, ma ormai si trovava a soli cento metri dalla strada per Östergården.

Dall'altra parte della strada sorgeva il Söderberget. Mikael s'inerpicò lungo un ripido pendio e l'ultimo tratto lo dovette scalare. Il Söderberget finiva con una roccia quasi verticale a strapiombo sull'acqua. Mikael seguì la dorsale dell'altura tornando verso Hedeby. Si fermò sopra il villaggio turistico e godette della vista sul vecchio porto dei pescatori e sulla chiesa, e giù verso il suo stesso chalet. Si sedette su un masso e bevve l'ultimo goccio di caffè ormai tiepido.

Non aveva la più pallida idea di che cosa ci facesse a Hedeby, ma il panorama gli piaceva.

Cecilia si teneva a distanza e Mikael non voleva essere insistente. Dopo una settimana andò comunque a bussare alla sua porta. Lei lo fece entrare e accese la macchina del caffè.

«Devi pensare che sono proprio tonta, una rispettabile insegnante cinquantasettenne che si comporta come una ragazzina.»

«Cecilia, tu sei una persona adulta che ha il diritto di fare esattamente quello che vuole.»

«Lo so. Per questo ho deciso di smettere di vederti. Non ce la faccio a...»

«Non mi devi nessuna spiegazione. Spero che continueremo a essere amici.»

«Vorrei tanto che continuassimo a esserlo. Ma non ce la faccio ad avere una relazione con te. Non sono mai stata brava in questo campo. E probabilmente ho bisogno di starmene in pace per un po'.»

16.
Domenica 1 giugno - martedì 10 giugno

Dopo mesi di infruttuose riflessioni, il caso Harriet Vanger ricevette uno scossone nella prima settimana di giugno, quando Mikael nell'arco di pochi giorni trovò tre tessere del puzzle completamente nuove. Per due il merito fu suo. Per la terza ebbe un aiuto.

Dopo la visita di Erika aveva aperto di nuovo l'album delle fotografie ed era rimasto seduto diverse ore a esaminare un'immagine dopo l'altra, mentre cercava di capire che cosa gli avesse fatto scattare quella reazione inconscia. Alla fine aveva messo tutto da parte e aveva continuato a lavorare alla cronaca familiare.

Ai primi di giugno Mikael andò in città a Hedestad. Stava pensando a tutt'altro quando l'autobus svoltò in Järnvägsgatan e lui d'improvviso capì che cosa aveva continuato a covargli nella mente. La percezione lo colpì come un fulmine a ciel sereno. Rimase talmente scosso che andò fino al capolinea alla stazione e fece immediatamente ritorno a Hedeby, per controllare se il suo ricordo fosse esatto.

Si trattava della primissima fotografia dell'album.

L'ultima foto esistente di Harriet Vanger era stata scattata nel giorno fatale proprio in Järnvägsgatan a Hedestad, mentre la ragazza assisteva alla sfilata della Giornata dei bambini.

La foto non c'entrava con le altre dell'album. Era finita lì perché era stata scattata lo stesso giorno, ma era l'unica delle circa centottanta immagini dell'album che non riguardasse l'incidente sul ponte. Ogni volta che Mikael e – supponeva – tutti gli altri avevano sfogliato l'album, erano state le persone e i dettagli delle immagini del ponte a catturare l'attenzione. Non c'era niente di drammatico nell'immagine di una folla alla sfilata della Giornata dei bambini in centro a Hedestad diverse ore prima degli eventi fatali.

Molto probabilmente Henrik Vanger aveva guardato la fotografia mille volte, pensando con rimpianto che non avrebbe mai più rivisto la ragazza. E molto probabilmente si era irritato che fosse stata presa così da lontano da rendere Harriet solo una persona in un mare di gente.

Ma non era a quello che Mikael aveva reagito.

La foto era stata scattata dall'altra parte della strada, forse da una finestra al secondo piano. Il grandangolo aveva catturato uno dei carri della sfilata. Sul cassone erano in piedi alcune donne in luccicanti costumi da bagno e pantaloni da odalisca che gettavano caramelle al pubblico. Alcune di loro sembravano danzare. Davanti al carro si esibivano tre pagliacci.

Harriet era in piedi in prima fila fra il pubblico che fiancheggiava il marciapiede. Accanto a lei c'erano tre delle sue compagne di scuola e tutt'intorno almeno un centinaio di altri abitanti di Hedestad.

Era questo che Mikael inconsciamente aveva notato e che d'improvviso gli era balenato alla mente quando l'autobus era passato proprio davanti al punto dove era stata scattata la foto.

Il pubblico si comportava come è giusto che faccia. Gli occhi di tutti seguono sempre la pallina durante una partita di tennis o il dischetto su un campo da hockey. Quelli che stavano più a sinistra nella foto guardavano i pagliacci che erano proprio di fronte a loro. Quelli più vicini al carro puntava-

354

no lo sguardo sul cassone con le ragazze discinte. Le loro espressioni erano divertite. I bambini indicavano con il dito. Alcuni ridevano. Tutti apparivano allegri.

Tutti tranne una persona.

Harriet Vanger guardava di lato. Le sue tre compagne di scuola e tutti quelli che aveva intorno guardavano i pagliacci. Il volto di Harriet invece era girato di trenta o trentacinque gradi verso destra. Il suo sguardo sembrava fisso su qualcosa dall'altro lato della strada, ma fuori dell'angolo in basso a sinistra della fotografia. Mikael prese la lente d'ingrandimento e cercò di distinguere i dettagli. La foto era stata scattata da troppo lontano perché potesse esserne perfettamente sicuro, ma a differenza di tutti quelli che la circondavano Harriet aveva il volto pietrificato. La bocca era ridotta a una linea sottile. Gli occhi erano sgranati. Le mani erano abbandonate lungo il corpo.

Sembrava spaventata. Spaventata oppure arrabbiata.

Mikael staccò la foto dall'album, la infilò in una bustina di plastica e prese il primo autobus per tornare in città. Scese in Järnvägsgatan e si piazzò nel punto da dove doveva essere stata scattata la foto. Era ai margini di quello che costituiva il centro di Hedestad. Si trattava di un edificio a due piani di legno, che ospitava un negozio di video e un negozio di abbigliamento maschile, Sundströms Herrmode, fondato nel 1932 secondo quanto recitava una targhetta sulla porta d'ingresso. Mikael entrò e si rese conto immediatamente che il negozio era disposto su due piani; una scala a chiocciola conduceva al piano di sopra.

Alla fine della scala a chiocciola c'erano due finestre affacciate sulla strada. Era lì che si era piazzato il fotografo.

«Posso essere d'aiuto?» domandò un anziano commesso quando Mikael tirò fuori la bustina di plastica con la fotografia. Il negozio era semivuoto.

«Ecco, in effetti volevo solo vedere da dove era stata scattata questa fotografia. Le dispiace se apro la finestra un secondo?»

Il permesso gli fu accordato e lui sollevò la foto davanti a sé. Poteva vedere esattamente il punto in cui era rimasta ferma Harriet. Uno dei due edifici di legno che s'intravedevano dietro di lei era sparito ed era stato sostituito da una costruzione squadrata in mattoni. Nel vecchio edificio sopravvissuto c'era una cartoleria nel 1966; adesso c'erano un negozio di prodotti macrobiotici e un solarium. Mikael chiuse la finestra, ringraziò e si scusò per il disturbo.

Tornato in strada andò a piazzarsi nel punto dov'era stata Harriet. Era in una buona posizione tra la finestra al piano di sopra del negozio di abbigliamento e la porta del solarium. Girò la testa e indirizzò gli occhi lungo la linea seguita dallo sguardo di Harriet. Per quanto Mikael potesse giudicare, la ragazza aveva guardato verso l'angolo dell'edificio che ospitava il negozio d'abbigliamento maschile. Era un comunissimo angolo di una comunissima casa, dietro il quale sbucava una via traversa. *Che cosa scorgesti in quel punto, Harriet?*

Mikael ripose la fotografia nella sua borsa a tracolla e si avviò a piedi verso il parco della stazione, dove si sedette a un caffè all'aperto e ordinò un caffè macchiato. Si sentiva improvvisamente scosso.

In inglese c'era una bella espressione, *new evidence*, che suonava tanto più calzante di *nuovo materiale probatorio*. Lui aveva visto tutto d'un tratto qualcosa di totalmente nuovo, che nessun altro aveva notato in un'indagine che aveva segnato il passo per trentasette anni.

Il problema era che non era sicuro di quale valore avesse questa sua intuizione, ammesso che ne avesse qualcuno. Eppure gli sembrava importante.

Il giorno di settembre in cui Harriet era scomparsa era stato notevole sotto diversi aspetti. A Hedestad era stato un giorno di festa, con diverse migliaia di persone per le strade, giovani e vecchi. All'isola di Hedeby c'era stata l'annuale riunione di famiglia. Già questi due avvenimenti costituivano variazioni nella routine quotidiana. Come ciliegina sulla torta era anche accaduto l'incidente sul ponte, che aveva finito per mettere in ombra tutto il resto.

Morell, Henrik Vanger e tutti gli altri che si erano lambiccati il cervello sulla scomparsa di Harriet si erano concentrati su ciò che era avvenuto sull'isola. Morell aveva perfino scritto che non riusciva a liberarsi dal sospetto che l'incidente e la scomparsa di Harriet fossero in relazione. Mikael si era convinto di colpo che non era così.

La catena degli eventi non era cominciata sull'isola ma in centro a Hedestad, molte ore prima. Harriet aveva visto qualcosa o qualcuno che l'aveva spaventata, inducendola a tornare a casa e ad andare subito da Henrik, che purtroppo non aveva avuto tempo per parlare con lei. Poi era successo l'incidente sul ponte. E dopo l'assassino aveva colpito.

Mikael fece una pausa. Era la prima volta che consapevolmente formulava l'ipotesi che Harriet fosse stata uccisa. Esitò, ma ben presto si rese conto di aver aderito alla convinzione di Henrik Vanger. Harriet era morta e ora lui dava la caccia a un assassino.

Ritornò all'inchiesta. Fra tutte le migliaia di pagine, solo una minima parte riguardava le ore a Hedestad. Harriet era stata in compagnia di tre amiche che erano state tutte ascoltate. Si erano incontrate al parco della stazione alle nove del mattino. Una delle ragazze doveva comperare dei jeans e le altre le avevano fatto compagnia. Avevano preso il caffè al ristorante dei grandi magazzini Epa e poi erano andate al campo sportivo e avevano girovagato fra i baracconi del luna park, incontrando anche altri compagni di classe. Dopo mezzogiorno erano tornate verso il centro per assistere alla sfilata dei carri. Poco prima delle due del pomeriggio Harriet aveva detto all'improvviso che doveva tornare a casa. Si erano separate a una fermata dell'autobus nei pressi della stazione.

Nessuna delle compagne aveva notato qualcosa di insolito. Una di loro era Inger Stenberg, la ragazza che aveva descritto il cambiamento di Harriet nell'ultimo anno affermando che era diventata «impersonale». Disse che quel giorno Harriet, come al solito, era stata taciturna, e che più che altro si era accodata alle altre.

Morell aveva interrogato tutte le persone che avevano incontrato Harriet nel corso della giornata, anche se con lei avevano solo scambiato un saluto. La sua fotografia era uscita sui giornali locali quando era stato diramato l'avviso di ricerca in seguito alla sua scomparsa. Diversi cittadini di Hedestad avevano contattato la polizia dicendo di averla vista durante il giorno, ma nessuno aveva notato niente di strano.

Mikael dedicò la serata a riflettere su come poteva continuare a seguire il filo del ragionamento che aveva appena formulato. Il mattino dopo salì da Henrik Vanger, e lo trovò che stava facendo colazione.

«Mi hai detto che la famiglia Vanger ha ancora degli interessi nell'*Hedestads-Kuriren*.»

«Esatto.»

«Avrei bisogno di accedere all'archivio delle immagini del giornale. Dell'anno 1966.»

Henrik Vanger appoggiò il bicchiere di latte e si asciugò il labbro superiore.

«Mikael, che cos'è che hai trovato?»

Mikael guardò il vecchio dritto negli occhi.

«Nulla di concreto. Ma credo che possiamo aver fatto un

errore di interpretazione circa il corso degli eventi.»

Gli mostrò la fotografia ed espose le sue conclusioni. Henrik Vanger rimase a lungo in silenzio.

«Se ho ragione, dobbiamo mettere a fuoco ciò che accadde a Hedestad quel giorno, non soltanto ciò che accadde qui sull'isola» disse Mikael. «Non so come si possa procedere dopo così tanto tempo, ma devono essere state fatte molte fotografie dei festeggiamenti della Giornata dei bambini che non sono mai state pubblicate. Sono quelle immagini che vorrei vedere.»

Henrik usò il telefono a parete della cucina. Chiamò Martin, spiegò il problema e domandò chi fosse attualmente a capo dell'archivio delle immagini al *Kuriren*. Nel giro di dieci minuti la persona giusta era stata localizzata e il permesso ottenuto.

La direttrice dell'archivio delle immagini all'*Hedestads-Kuriren* si chiamava Madeleine Blomberg, detta Maja, e aveva sui sessant'anni. Era la prima donna con quell'incarico che Mikael avesse mai incontrato nella sua carriera all'interno del mondo giornalistico, dove la fotografia era ancora generalmente considerata una forma d'arte maschile.

Siccome era sabato, in redazione non c'era nessuno, ma Maja Blomberg abitava a soli cinque minuti a piedi dal giornale e accolse Mikael sulla porta. Aveva lavorato all'*Hedestads-Kuriren* per gran parte della sua vita. Aveva iniziato come correttrice di bozze nel 1964, poi aveva trascorso un certo numero di anni in camera oscura, ma veniva anche utilizzata come fotografo extra quando le risorse ordinarie non bastavano. Col tempo aveva acquisito il titolo di redattore e dieci anni prima, quando il vecchio direttore era andato in pensione, aveva dovuto colmare il vuoto assumendo l'incarico di capo della sezione. Non che sotto quel titolo si celasse chissà quale impero. La sezione era accorpata da dieci anni con quella delle inserzioni pubblicitarie, e contava soltanto sei persone che si alternavano a fare tutti i lavori. Mikael domandò come fosse organizzato l'archivio.

«A dire la verità nell'archivio c'è un po' di casino. Da quando abbiamo i computer e le immagini elettroniche, l'archivio è su cd. Abbiamo avuto qui un praticante che ha passato con lo scanner vecchie foto importanti, ma si tratta solo di una piccola percentuale di tutte le immagini dell'archivio. Quelle più vecchie sono classificate per data dentro raccoglitori di negativi. Si trovano o qui in redazione oppure nel magazzino su in soffitta.»

«Mi interessano le immagini della sfilata della Giornata dei bambini del 1966, e in generale tutte le immagini scattate durante quella settimana.»

Maja Blomberg scrutò Mikael con sguardo indagatore.

«Sarebbe la settimana in cui scomparve Harriet Vanger?»

«Lei conosce la storia?»

«Non si può aver lavorato tutta la vita all'*Hedestads-Kuriren* senza conoscerla, e visto che Martin Vanger mi telefona la mattina presto nel mio giorno libero traggo le mie conclusioni. Ho letto le bozze di tutti i testi che furono scritti sul caso negli anni sessanta. Perché sta scavando in quella vecchia storia? È venuto alla luce qualcosa di nuovo?»

Evidentemente, Maja Blomberg possedeva anche fiuto per le notizie. Mikael scosse la testa con un lieve sorriso e tirò fuori la sua *cover story*.

«No, e dubito che troveremo mai una risposta alla domanda su che cosa le accadde. È una notizia un po' riservata, ma succede semplicemente che sto scrivendo la biografia di Henrik Vanger. La storia della scomparsa di Harriet è un argomento un po' particolare, ma è anche un capitolo che non si può passare sotto silenzio. Quello che sto cercando sono immagini che possano illustrare la giornata, sia di Harriet che delle sue compagne.»

Maja Blomberg aveva un'aria dubbiosa, ma la storia era plausibile e lei non aveva motivo di contestare le sue affermazioni.

Un fotografo di un giornale consuma in media da due a dieci rullini di pellicola al giorno. In occasione di grandi eventi il numero può facilmente raddoppiare. Ogni pellicola contiene trentasei negativi. Non è perciò insolito che un giornale accumuli oltre trecento immagini al giorno, di cui solo alcune verranno pubblicate. Una redazione organizzata taglia le pellicole e sistema i negativi nelle relative bustine da sei fotogrammi l'una. Un rullino diventa all'incirca una pagina in un raccoglitore di negativi. Un raccoglitore ospita circa centodieci rullini. In un anno si accumulano dai venti ai trenta raccoglitori. Col passare del tempo i raccoglitori diventano una quantità enorme, che in generale manca di valore commerciale e non trova posto negli scaffali della redazione. Ma ogni fotografo e ogni redazione ha la ferma convinzione che le immagini costituiscano una documentazione storica di inestimabile valore e perciò non buttano via mai niente.

L'*Hedestads-Kuriren* era stato fondato nel 1922 e la redazione delle immagini esisteva dal 1937. Il deposito in soffitta del *Kuriren* ospitava circa milleduecento raccoglitori, sistemati in ordine di data. Le immagini del settembre 1966 occupavano quattro semplici raccoglitori di cartone.

«Come possiamo fare?» chiese Mikael. «Avrei bisogno di mettermi a un tavolo luminoso e di poter copiare quello che può essere interessante.»

«Adesso non abbiamo più nessuna camera oscura. Tutto viene passato allo scanner. Sai come usare uno scanner per negativi?»

«Sì, ho lavorato con le immagini e ho io stesso uno scanner per negativi Agfa. Lavoro in PhotoShop.»

«Allora usi gli stessi strumenti che usiamo noi.»

Maja Blomberg condusse Mikael a fare un rapido giro della piccola redazione, gli assegnò un posto a un tavolo luminoso e avviò un computer e uno scanner. Gli mostrò anche dov'era la macchina del caffè in cucina. Si misero d'accordo che Mikael poteva lavorare per conto suo, ma che doveva telefonare a Maja Blomberg prima di lasciare la redazione, in modo che lei andasse lì a chiudere e a inserire l'allarme. Quindi la donna lo lasciò con un allegro: «Divertiti!»

A Mikael occorsero diverse ore per passare in rassegna tutti i raccoglitori. All'epoca, l'*Hedestads-Kuriren* aveva due fotografi. Quello che era stato in servizio nella giornata in questione era Kurt Nylund – che Mikael in effetti aveva già incontrato in passato. Nel 1966 Kurt Nylund aveva vent'anni. Poi si era trasferito a Stoccolma e si era fatto una solida fama di fotografo, lavorando sia come free-lance sia come dipendente all'agenzia Pressens Bild di Marieberg. Le strade di Mikael e Kurt Nylund si erano incrociate in diverse occasioni negli anni novanta, quando *Millennium* aveva acquistato immagini dalla Pressens Bild. Mikael lo ricordava come un uomo magro con pochi capelli. Kurt Nylund aveva utilizzato una pellicola da giorno, del tipo scelto da molti fotoreporter.

Mikael tirò fuori le immagini del giovane Nylund e le sistemò sul tavolo luminoso, dove con l'aiuto di una lente le esaminò fotogramma per fotogramma. Leggere una pellicola di negativi è tuttavia un'arte che esige una certa pratica, che a Mikael mancava. Si rese conto che, per poter stabilire se le immagini contenessero qualche informazione di valore, sarebbe stato costretto in pratica a passarle una per una allo scanner per poi esaminarle sullo schermo del computer. Ci sarebbero volute parecchie ore. Perciò fece prima una selezione delle immagini che eventualmente gli potevano interessare. Cominciò con l'escludere quelle che erano state scattate sul luogo dell'incidente con l'autocisterna. Poté constatare che il raccoglitore di Henrik Vanger con centottanta foto non era completo; la persona che aveva copiato la raccolta – forse lo stesso Nylund – aveva scartato circa trenta fotografie che erano o sfuocate o di qualità così scarsa da non essere ritenute pubblicabili.

Mikael scollegò il computer dell'*Hedestads-Kuriren* e collegò lo scanner Agfa al proprio portatile. Impiegò due ore per passare allo scanner le immagini rimanenti.

Ma una catturò immediatamente il suo interesse. Fra le 15.10 e le 15.15, proprio quando Harriet era scomparsa, qualcuno aveva aperto la finestra della sua camera; Henrik Vanger aveva cercato invano di scoprire chi. Tutto d'un tratto, Mikael aveva un'immagine sullo schermo del computer che doveva essere stata presa proprio nell'attimo in cui la finestra veniva aperta. Poteva vedere una figura e un volto, ma sfuocati e confusi. Decise che l'analisi dell'immagine poteva aspettare fino a quando non avesse caricato tutte le foto nel computer.

Nelle ore successive Mikael esaminò le immagini della Giornata dei bambini. Kurt Nylund aveva consumato sei rullini, per un totale di circa duecento foto. Era un'eterna fiumana di bambini con palloncini, adulti, strade brulicanti e venditori di salsicce, poi la sfilata stessa, un artista locale sul palcoscenico e una premiazione di qualche genere.

Alla fine Mikael decise di passare allo scanner tutta la raccolta. Dopo sei ore aveva messo insieme un fascicolo con novanta immagini. Sarebbe stato costretto a tornare all'*Hedestads-Kuriren*.

Alle nove di sera telefonò a Maja Blomberg, ringraziò e tornò a casa a Hedeby.

La domenica mattina alle nove era di ritorno. Quando Maja Blomberg lo fece entrare, in redazione non c'era ancora nessuno. Non si era reso conto che era la festa di Pentecoste, e che il giornale non sarebbe uscito che martedì. Poté occupare lo stesso tavolo del giorno prima e dedicò ancora tutta la giornata a passare allo scanner i negativi. Alle sei di sera rimanevano circa quaranta immagini della Giornata dei bambini. Mikael aveva esaminato i negativi e deciso che primi piani di bambini o foto di un artista che si esibiva su un palcoscenico semplicemente non erano interessanti ai suoi fini. Le immagini che aveva passato allo scanner erano quelle delle strade e della folla.

Passò il giorno dopo Pentecoste a esaminare il materiale. E fece due scoperte. La prima lo riempì di sgomento. La seconda gli accelerò il battito del cuore.

La prima scoperta riguardava il volto alla finestra di Harriet. L'immagine era un po' mossa, e per questo era stata scartata nella selezione originaria. Il fotografo si era appostato sulla salita della chiesa e aveva puntato l'obiettivo sul ponte. Gli edifici erano sullo sfondo. Mikael tagliò la foto in modo da avere solo la finestra in questione e quindi fece qualche tentativo aggiustando il contrasto e aumentando la nitidezza, finché riuscì a ottenere quella che giudicava la massima qualità possibile.

Il risultato era un'immagine sgranata con una scala di grigi minimale, che mostrava una finestra rettangolare, una tenda, parte di un braccio e una vaga mezzaluna di volto un po' all'interno della stanza.

Poté constatare che il viso non apparteneva a Harriet Vanger, che aveva i capelli corvini, ma a una persona dai capelli molto più chiari.

Constatò anche che poteva distinguere dei punti più scuri in corrispondenza di occhi, naso e bocca, ma che era impossibile ottenere dei lineamenti precisi. Ma era convinto di vedere una donna; la parte più chiara a fianco del viso continuava fino all'altezza delle spalle e lasciava supporre una capigliatura femminile. Poté anche constatare che la persona indossava abiti chiari.

Valutò la statura della persona in relazione alla finestra; era una donna alta circa centosettanta centimetri.

Quando cliccò sulla seconda immagine dell'incidente sul ponte, poté constatare che una persona corrispondeva perfettamente ai connotati che aveva potuto rilevare – la ventenne Cecilia Vanger.

Kurt Nylund aveva scattato complessivamente diciotto foto dalla finestra al piano superiore del negozio di abbigliamento Sundströms Herrmode. Harriet Vanger compariva in diciassette.

Harriet e le sue compagne di classe erano arrivate in Järnvägsgatan nel momento stesso in cui Nylund aveva cominciato a fotografare. Mikael valutò che le foto erano state scattate in un arco di circa cinque minuti. Nella prima, Harriet e le sue amiche stavano scendendo lungo la strada. Nelle foto dalla due alla sette erano ferme in piedi a guardare la sfilata. Poi si erano spostate circa sei metri più giù lungo la strada. Nell'ultima foto, che forse era stata scattata dopo un attimo di pausa, tutto il gruppo era sparito.

Mikael ricavò una serie di immagini in cui tagliò Harriet all'altezza della vita e le rielaborò per ottenere il miglior contrasto possibile. Mise le immagini in una speciale cartella e aprì il programma Graphic Converter, avviando la funzione proiezione. L'effetto fu un film muto dove ogni immagine veniva mostrata per due secondi.

Harriet arriva, immagine di profilo. Harriet si ferma e guarda giù lungo la strada. Harriet gira il viso verso la strada. Harriet apre la bocca per dire qualcosa alla sua amica. Harriet ride. Harriet si tocca l'orecchio con la mano sinistra. Harriet sorride. Harriet assume di colpo un'aria sorpresa, il viso voltato con un'angolazione di circa venti gradi a sinistra della macchina fotografica. Harriet sgrana gli occhi e cessa di sorridere. La bocca di Harriet diventa una linea sottile. Harriet aguzza lo sguardo. Sul suo volto si può leggere... cosa? dolore, choc, rabbia? Harriet abbassa gli occhi. Harriet non c'è più.

Mikael fece passare la sequenza più volte.

Confermava senza ombra di dubbio la teoria che aveva formulato. Qualcosa era successo in Järnvägsgatan a Hedestad. La logica era evidente.

Lei vede qualcosa – qualcuno – dall'altra parte della strada. Ha uno choc. Più tardi contatta Henrik chiedendogli un colloquio privato che non ci sarà mai. Quindi sparisce senza lasciare tracce.

Qualcosa era successo quel giorno. Ma le immagini non spiegavano che cosa.

Alle due di martedì mattina Mikael preparò del caffè e qualche tramezzino e si sedette a mangiare sulla cassapanca in cucina. Era al tempo stesso sfiduciato ed eccitato. Contro ogni sua previsione, aveva trovato nuovo materiale. Il problema era che questo gettava nuova luce sulla catena degli avvenimenti, ma non lo avvicinava di un millimetro alla soluzione del mistero.

Si scervellò a pensare a quale ruolo potesse aver avuto Cecilia nel dramma. Henrik Vanger aveva catalogato le attività di tutte le persone implicate nel corso della giornata, e Cecilia non aveva fatto eccezione. Nel 1966 abitava a Uppsala, ma era arrivata a Hedestad due giorni prima del sabato fatale. Era alloggiata in una camera degli ospiti in casa di Isabella Vanger. Asseriva che forse aveva scorto Harriet Vanger la mattina di buon'ora, ma che non le aveva parlato. Il sabato si era recata a Hedestad per alcune commissioni. Non aveva visto Harriet ed era tornata sull'isola verso l'una, più o meno all'ora in cui Kurt Nylund fotografava la serie di immagini di Järnvägsgatan. Si era cambiata d'abito e alle due aveva dato una mano ad apparecchiare in vista della cena.

A vederlo come alibi era piuttosto debole. Gli orari erano approssimativi, particolarmente riguardo al momento del suo ritorno all'isola di Hedeby, ma Henrik Vanger non aveva nemmeno trovato nulla che indicasse che aveva mentito. Cecilia era una delle persone della famiglia per cui Henrik nutriva più simpatia. Inoltre era stata l'amante di Mikael. Per questo aveva difficoltà a essere obiettivo, e men che meno riusciva a figurarsela come assassina.

Ora una fotografia scartata lasciava intendere che aveva mentito affermando di non essere mai entrata nella stanza di Harriet. Mikael doveva confrontarsi col pensiero di quali ne fossero le implicazioni.

E se hai mentito su questo, su cos'altro hai mentito?

Mikael riassunse ciò che sapeva di Cecilia. La vedeva come una persona fondamentalmente timida, che era stata segnata dal proprio passato e perciò viveva sola, non aveva una vita erotica e trovava difficile accostarsi agli altri. Teneva a distanza la gente, e quando per una volta si era lasciata andare e si era gettata su un uomo aveva scelto Mikael, un forestiero in visita temporanea. Cecilia aveva detto che voleva interrompere la loro relazione perché non poteva vivere con il pensiero che lui altrettanto improvvisamente sarebbe sparito dalla sua vita. Mikael supponeva che fosse proprio per quello che aveva anche osato fare il passo di iniziare una relazione con lui. Dal momento che la sua permanenza lì era temporanea, non aveva da temere che lui le cambiasse la vita in maniera eccessiva. Sospirò, e mise da parte l'esercizio della psicologia.

L'altra scoperta la fece a notte inoltrata. La chiave del mistero – ne era convinto – era ciò che Harriet aveva visto in

Järnvägsgatan a Hedestad. E Mikael non avrebbe mai saputo cos'era, a meno di inventare una macchina del tempo e piazzarsi dietro di lei sbirciandole sopra la spalla.

Nell'attimo stesso in cui formulò il pensiero, si batté la palma della mano contro la fronte e si precipitò di nuovo al computer. Cliccò sulle immagini non tagliate della serie scattata in Järnvägsgatan e... *eccola lì!*

Dietro Harriet Vanger, circa un metro alla sua destra, c'era una giovane coppia, lui in maglione a righe e lei in giacca chiara. La donna aveva in mano una macchina fotografica. Quando Mikael ingrandì l'immagine, vide che sembrava una Kodak Instamatic con flash incorporato – una macchina fotografica a buon mercato per vacanzieri che non sanno fotografare.

La donna teneva la macchina all'altezza del mento. Poi la sollevava e fotografava i pagliacci, proprio nel momento in cui l'espressione di Harriet era cambiata.

Mikael confrontò la posizione della macchina fotografica con la direzione dello sguardo di Harriet. La donna aveva fotografato quasi esattamente quello che Harriet stava guardando.

Mikael fu improvvisamente consapevole che il cuore gli batteva forte. Si lasciò andare contro lo schienale e frugò nel taschino alla ricerca delle sigarette. *Qualcuno aveva scattato una foto.* Ma come poteva identificare la donna? Come poteva mettere le mani sulla foto? Chissà poi se la pellicola era stata davvero sviluppata, e in tal caso chissà se la fotografia era ancora da qualche parte?

Mikael aprì la cartella con le immagini di Kurt Nylund della folla che partecipava al giorno di festa. Nell'ora successiva ingrandì ogni immagine esaminandola centimetro quadrato per centimetro quadrato. Solo nell'ultima trovò di nuovo la coppia. Kurt Nylund aveva fotografato un altro pagliaccio, con in mano dei palloncini, che si era messo in posa davanti al suo obiettivo. La foto era stata scattata nel parcheggio all'ingresso del campo sportivo dove si stava svolgendo la festa. Dovevano essere appena passate le due – di lì a poco Nylund sarebbe stato avvertito dell'incidente con l'autocisterna e avrebbe interrotto il servizio sulla Giornata dei bambini.

La donna era quasi del tutto nascosta, ma l'uomo con il maglione a righe si vedeva chiaramente di profilo. Aveva in mano delle chiavi e si stava chinando per aprire la portiera di un'automobile. L'obiettivo era puntato sul pagliaccio in primo piano e la macchina era un po' indistinta. La targa era parzialmente nascosta ma cominciava per AC3-qualcosa.

Negli anni sessanta le targhe cominciavano con la sigla della regione, e da bambino Mikael aveva imparato a identificare da dove venivano le automobili. AC era la sigla del Västerbotten.

Poi Mikael notò qualcos'altro. Sul lunotto posteriore c'era una qualche etichetta adesiva. Zoomò, ma il testo svanì in una macchia indistinta. Ritagliò l'etichetta e cominciò a rielaborare contrasto e nitidezza. Gli ci volle un momento. Non riusciva ancora a leggere il testo, ma seguendo le forme confuse cercò di indovinare di quali lettere dovesse trattarsi. Molte lettere apparivano simili in modo disarmante. Una O poteva essere scambiata per una D, come una B per una E e così diverse altre. Dopo aver lavorato con carta e matita ed escluso delle lettere, ottenne un testo incomprensibile.

R∕ JÖ∣ N∣I K∣ R∣IFA∣ R∣I∣K∣

Fissò la scritta fino a farsi lacrimare gli occhi. Poi vide. NORSJÖ SNICKERIFABRIK – una falegnameria di Norsjö dunque –, e altri segni più piccoli, assolutamente impossibili da decifrare, ma che probabilmente erano un numero di telefono.

17.
Mercoledì 11 giugno - sabato 14 giugno

Il terzo frammento del puzzle Mikael lo ottenne con un aiuto inatteso.

Dopo aver lavorato alle immagini tutta la notte, dormì profondamente fino a mattino inoltrato. Si svegliò con un vago mal di testa, fece la doccia e salì al Caffè del Ponte per fare colazione. Aveva difficoltà a mettere ordine nei pensieri. Sarebbe dovuto andare da Henrik Vanger a riferire ciò che aveva scoperto. Invece andò a bussare alla porta di Cecilia. Voleva domandarle che cosa era andata a fare nella camera di Harriet e perché avesse mentito sulla propria presenza lì. Nessuno venne ad aprire.

Stava giusto per andarsene quando udì una voce.

«La tua puttana non c'è.»

Gollum era uscito dalla sua tana. Era alto, quasi due metri, ma talmente incurvato dall'età che i suoi occhi erano al livello di quelli di Mikael. La pelle era chiazzata di nei pigmentosi. Indossava pigiama e vestaglia scuri e si appoggiava a un bastone. Sembrava la versione hollywoodiana del vecchio malvagio.

«Prego?»

«Ho detto che la tua puttana non è in casa.»

Mikael gli si accostò fin quasi a sfiorarlo.

«Sta parlando di sua figlia, maledetto bastardo.»

«Non sono io a intrufolarmi qui di soppiatto la notte» rispose Harald Vanger con un sorriso sdentato. Emanava un cattivo odore. Mikael gli girò intorno e proseguì lungo la strada senza voltarsi. Salì da Henrik Vanger e lo trovò nello studio.

«Ho appena incontrato tuo fratello» disse Mikael con malcelata irritazione.

«Harald? Ma guarda, ha avuto il coraggio di uscire. Succede solo qualche rara volta l'anno.»

«Stavo bussando da Cecilia quando è comparso. Ha detto, cito testualmente, la puttana non è in casa, fine della citazione.»

«È proprio da lui» rispose Henrik Vanger tranquillo.

«Ha chiamato puttana la sua stessa figlia.»

«Sono tanti anni che lo fa. È per quello che non si parlano.»

«Perché?»

«Cecilia perse la verginità quando aveva ventun anni. Successe qui a Hedestad dopo una passioncella che aveva avuto durante l'estate, l'anno dopo la scomparsa di Harriet.»

«E...?»

«L'uomo che amava si chiamava Peter Samuelsson e lavorava come assistente economo per il Gruppo Vanger. Ragazzo in gamba. Oggi lavora per l'Abb. Io sarei stato fiero di averlo come genero, se la ragazza fosse stata mia figlia. Ma ovviamente aveva un difetto.»

«Non dirmi che era quello che sospetto.»

«Harald gli misurò la testa o controllò il suo albero genealogico o qualcosa del genere e scoprì che era per un quarto ebreo.»

«Santo Iddio.»

«Da allora la chiama puttana.»

«Lui sapeva che io e Cecilia...»

«Probabilmente lo sa tutto il paese tranne forse Isabella,

perché nessuno che sia nel pieno possesso delle proprie facoltà mentali le andrebbe a raccontare qualcosa e lei grazie al cielo ha la bontà di andare a dormire alle otto. Harald probabilmente ha seguito ogni tuo singolo passo.»

Mikael si sedette, con l'aria di sentirsi uno stupido.

«Perciò vuoi dire che tutti sanno...»

«Naturale.»

«E non ti dispiace?»

«Ascolta, Mikael, questi non sono proprio affari che mi riguardino.»

«Dov'è Cecilia?»

«La scuola è finita. È partita per Londra sabato scorso per andare a trovare sua sorella, dopo di che andrà in vacanza a... hmm, in Florida, mi pare. Tornerà fra un mesetto.»

Mikael si sentì ancora più stupido.

«Noi abbiamo, per così dire, archiviato per sempre la nostra relazione.»

«Capisco, ma anche questo non mi riguarda. Come va il lavoro?»

Mikael si sedette e si versò del caffè dalla caraffa termica di Henrik. Guardò il vecchio.

«Ho trovato del nuovo materiale e credo che dovrò chiedere in prestito un'automobile a qualcuno.»

Mikael illustrò le proprie conclusioni. Tirò fuori il portatile dalla borsa a tracolla e fece partire la sequenza di immagini che mostravano la reazione di Harriet in Järnvägsgatan. Mostrò anche come avesse trovato la coppia di spettatori muniti di macchina fotografica e la loro auto con l'etichetta adesiva della falegnameria di Norsjö. Quando ebbe terminato la sua esposizione, Henrik chiese di poter vedere la sequenza ancora una volta. Mikael lo accontentò.

Quando Henrik staccò lo sguardo dallo schermo del computer, era grigio in volto. Mikael si spaventò e gli mise una mano sulla spalla. Henrik fece un cenno come per tranquillizzarlo. Rimase seduto in silenzio un momento.

«Per tutti i diavoli, sei riuscito a fare ciò che credevo impossibile. Hai scoperto qualcosa di totalmente nuovo. Come pensi di procedere?»

«Devo riuscire a trovare quella famosa fotografia, se poi esiste ancora.»

Non fece menzione del viso alla finestra e del suo sospetto che si trattasse di Cecilia. Il che probabilmente dimostrava che era ben lungi dall'essere un detective obiettivo.

Quando Mikael uscì di nuovo, Harald Vanger era scomparso dalla strada; probabilmente era tornato nella sua tana. Girando l'angolo, Mikael scoprì che c'era qualcuno sulla veranda del suo chalet, una figura seduta di spalle e immersa nella lettura di un giornale. Per una frazione di secondo si illuse che fosse Cecilia, ma capì subito che non era così. Sulla veranda era seduta una ragazza dai capelli scuri che lui riconobbe immediatamente quando arrivò più vicino.

«Ciao papà» disse Pernilla Abrahamsson.

Mikael abbracciò forte la figlia.

«Da dove cavolo vieni?»

«Da casa, si capisce. Sto andando a Skellefteå. Mi fermo per la notte.»

«E come hai fatto a trovarmi?»

«Mamma ovviamente sapeva dov'eri. E ho domandato su al caffè dove abitavi. La signora mi ha indirizzata qui. Sono d'impiccio?»

«Certo che no. Entra. Avresti dovuto avvisarmi, così potevo comperare qualcosa di buono da mangiare, o organizzarmi.»

«Mi sono fermata solo per un impulso. Volevo darti il bentornato quando sei uscito di prigione ma tu non hai mai chiamato.»

«Perdonami.»

«Non c'è problema. Mamma mi ha detto che sei sempre immerso nei tuoi pensieri.»

«È questo che dice di me?»

«Più o meno. Ma non fa nulla. Ti voglio bene comunque.»

«Anch'io te ne voglio, ma lo sai...»

«Lo so. Credo di essere abbastanza adulta.»

Mikael preparò il tè e mise in tavola qualche dolcetto. D'un tratto si rese conto che ciò che aveva detto sua figlia era vero. Non era più una bambina, aveva quasi diciassette anni e presto sarebbe stata una donna adulta. Doveva smettere di trattarla come una ragazzina.

«Allora, com'era?»

«Che cosa?»

«La prigione.»

Mikael rise.

«Mi crederesti se ti dicessi che è stata come una vacanza pagata, durante la quale ho potuto dedicarmi a pensare e a scrivere?»

«Certamente. Non credo che ci sia una grande differenza fra un carcere e un convento, e la gente è sempre andata in convento per progredire.»

«Sì, probabilmente la si può vedere anche così. Spero che tu non abbia avuto problemi perché hai un papà che è stato in galera.»

«Niente affatto. Sono orgogliosa di te e non perdo occasione di vantarmi che sei stato dentro per ciò in cui credi.»

«Ciò in cui credo?»

«Ho visto Erika Berger alla tv.»

Mikael impallidì. Non aveva minimamente pensato a sua figlia quando Erika aveva messo a punto la strategia, ed era evidente che lei lo credeva innocente e puro come neve appena caduta.

«Pernilla, io non ero innocente. Mi spiace di non poter discutere ciò che è successo, ma non sono stato condannato ingiustamente. Il tribunale ha giudicato in base a ciò che ha potuto apprendere nel corso del processo.»

«Ma tu non hai mai raccontato la tua versione.»

«No, perché non posso dimostrarla. Ho preso una gran cantonata e perciò sono stato costretto ad andare in galera.»

«Okay. Allora rispondi a questa domanda: Wennerström è un farabutto sì o no?»

«Quell'uomo è uno dei peggiori farabutti con cui abbia mai avuto a che fare.»

«Bene. A me basta. Ho un regalo per te.»

Tirò fuori un pacchetto dalla borsa. Mikael lo aprì e trovò un cd con il meglio degli Eurythmics. Pernilla sapeva che erano uno dei suoi vecchi gruppi preferiti. Lui la ringraziò con un abbraccio, infilò immediatamente il disco nel suo portatile e insieme ascoltarono *Sweet dreams*.

«Che ci vai a fare a Skellefteå?» chiese Mikael.

«Scuola biblica in un campo estivo con una congregazione che si chiama Luce della vita» rispose Pernilla come se fosse la cosa più ovvia del mondo.

Mikael si sentì rizzare i peli sulla nuca.

Si rese conto di quanto sua figlia e Harriet Vanger fossero simili. Pernilla aveva sedici anni, proprio come Harriet quando era scomparsa. Entrambe avevano un padre assente. Entrambe erano attirate dall'entusiasmo religioso di strane sette, Harriet dalla locale congregazione dei pentecostali e Pernilla dalla filiale locale di qualcosa di altrettanto balordo.

Mikael non sapeva esattamente come trattare il neonato interesse della figlia per la religione. Aveva paura di intromettersi e calpestare il suo diritto di decidere da sola quale via seguire nella propria vita. Al tempo stesso, Luce della vita era in massimo grado una di quelle congregazioni su cui lui ed Erika senza esitare avrebbero pubblicato su *Millennium* un reportage poco lusinghiero. Decise che alla prima occasione ne avrebbe discusso con la madre di Pernilla.

Pernilla dormì nel letto di Mikael mentre lui passò la notte steso sulla cassapanca della cucina. Si svegliò con il collo rigido e i muscoli indolenziti. Pernilla era impaziente di continuare il suo viaggio, perciò Mikael preparò la colazione e l'accompagnò alla stazione. Mancava ancora un po' di tempo, per cui presero due bicchieri di caffè al chiosco e si sedettero su una panchina alla fine della pensilina, a chiacchierare del più e del meno. Poco prima che il treno arrivasse, la ragazza cambiò argomento.

«A te non garba che io vada a Skellefteå» constatò tutto d'un tratto.

Mikael non sapeva come rispondere.

«Non è nulla di pericoloso. Ma tu non sei religioso, vero?»

«No, probabilmente non posso definirmi un buon cristiano.»

«Non credi in Dio?»

«No, non credo in Dio, ma rispetto che tu lo faccia. Tutti devono avere qualcosa in cui credere.»

Quando il treno entrò in stazione si abbracciarono a lungo, finché Pernilla fu costretta a salire a bordo. Mentre stava entrando nella carrozza si voltò.

«Papà, non farò la missionaria. Per me sei libero di credere quello che vuoi e io ti vorrò sempre bene. Ma penso che dovresti continuare i tuoi studi biblici.»

«Che cosa vorresti dire?»

«Ho visto le citazioni che hai sulla parete» disse. «Ma perché frasi così cupe e nevrotiche? Bacio. A presto.»

Lo salutò con la mano e scomparve. Mikael restò lì perplesso sulla pensilina e vide il treno avviarsi verso nord. Solo quando scomparve dietro la curva, il significato del suo commento di commiato gli entrò nella mente, raggelandolo.

Mikael si precipitò fuori della stazione e guardò l'ora. Mancavano quaranta minuti alla partenza dell'autobus per Hedeby. Non ce la faceva ad aspettare così tanto. Attraversò di corsa la piazza della stazione e trovò Hussein, quello che parlava in dialetto del Norrland.

Dieci minuti più tardi Mikael pagava il tassista ed entrava immediatamente nel suo studiolo. Aveva attaccato il foglietto con il nastro adesivo sopra la scrivania.

Magda – 32016
Sara – 32109
RJ – 30112
RL – 32027
Mari – 32018

Si guardò intorno nella stanza. Poi ricordò dove avrebbe potuto trovare una Bibbia. Prese con sé il foglietto, cercò le chiavi che aveva lasciato in una ciotola sul davanzale interno della finestra e fece di corsa tutta la strada fino alla casetta di Gottfried. Le sue mani quasi tremavano quando tirò giù la Bibbia di Harriet dallo scaffale.

Harriet non aveva annotato dei numeri di telefono. Le cifre indicavano capitolo e versetto del Levitico, terzo libro del Pentateuco. Castighi delle colpe.

(Magda) Levitico 20,16
Se una donna si accosta a una bestia per lordarsi con essa, ucciderai la donna e la bestia; tutte e due dovranno essere messe a morte; il loro sangue ricadrà su di loro.

(Sara) Levitico 21,9
Se la figlia di un sacerdote si disonora prostituendosi, disonora suo padre; sarà arsa con il fuoco.

(RJ) Levitico 1,12
La taglierà a pezzi, con la testa e il grasso; e il sacerdote li disporrà sulla legna, collocata sul fuoco dell'altare.

(RL) Levitico 20,27
Se uomo o donna, in mezzo a voi, eserciteranno la negromanzia o la divinazione, dovranno essere messi a morte; saranno lapidati e il loro sangue ricadrà su di loro.

(Mari) Levitico 20,18
Se uno ha un rapporto con una donna durante le sue regole e ne scopre la nudità, quel tale ha scoperto la sorgente di lei ed ella ha scoperto la sorgente del proprio sangue; perciò tutti e due saranno eliminati dal loro popolo.

Mikael uscì a sedersi sulla veranda della casetta. Che fosse questo ciò a cui alludeva Harriet con quelle cifre nella sua rubrica telefonica, non c'era alcun dubbio. Ogni citazione era accuratamente sottolineata nella sua Bibbia. Mikael si accese una sigaretta e ascoltò gli uccelli che cantavano tutt'intorno.

Aveva i numeri. Ma non aveva i nomi. Magda, Sara, Mari, RJ e RL.

Di colpo si aprì un baratro quando il cervello di Mikael fece un balzo intuitivo. Ricordò la vittima dell'incendio a Hedestad di cui gli aveva raccontato il commissario Morell. Il caso Rebecka, verso la fine degli anni quaranta, la ragazza che era stata violentata e uccisa mettendole la testa nelle braci del camino. *La taglierà a pezzi, con la testa e il grasso; e il sacerdote li disporrà sulla legna, collocata sul fuo-*

co dell'altare. Rebecka. RJ. Come si chiamava di cognome?

In cosa diavolo era stata coinvolta Harriet, nel nome del cielo?

Henrik Vanger si sentiva poco bene ed era già andato a letto quando Mikael quel pomeriggio bussò alla sua porta. Anna comunque lo fece entrare e lui poté vedere il vecchio un paio di minuti.

«Raffreddore estivo» spiegò Henrik con il naso che colava. «Che cosa volevi?»

«Ho una domanda.»

«Sì?»

«Hai mai sentito parlare di un omicidio che dovrebbe essere successo qui a Hedestad negli anni quaranta? Una ragazza di nome Rebecka qualcosa, che fu uccisa mettendole la testa in un caminetto?»

«Rebecka Jacobsson» disse Henrik Vanger senza un attimo di esitazione. «È un nome che non mi potrei dimenticare facilmente, ma che non sento menzionare da molti anni.»

«Però sai di quell'omicidio?»

«Altroché. Rebecka Jacobsson aveva ventitré o ventiquattro anni quando fu uccisa. Dev'essere stato... sì, era proprio nel 1949. Ci fu un'inchiesta molto vasta nella quale anch'io giocai un piccolo ruolo.»

«Tu?» esclamò Mikael esterrefatto.

«Certo. Rebecka Jacobsson lavorava come impiegata nel Gruppo Vanger. Era una ragazza benvoluta, e di gran bell'aspetto. Ma perché tutto d'un tratto ti interessa?»

Mikael non sapeva che cosa rispondere. Si alzò e andò alla finestra.

«Non so di preciso. Henrik, forse sono giunto a qualcosa, ma devo mettermi tranquillo e pensarci sopra per un po'.»

«Mi stai lasciando intendere che esisterebbe un collegamento fra Harriet e Rebecka. Ci sono... circa diciassette anni fra i due avvenimenti.»

«Lascia che ci rifletta. Farò un salto domani, se ti sentirai meglio.»

Mikael non incontrò Henrik Vanger il giorno seguente. All'una di notte era ancora seduto al tavolo della cucina a leggere la Bibbia di Harriet quando udì il rumore di una macchina che passava sopra il ponte a tutta velocità. Sbirciò attraverso la finestra della cucina e vide il riflesso della luce blu di un'ambulanza.

Pieno di cattivi presentimenti, Mikael si precipitò fuori e seguì la luce. L'ambulanza era parcheggiata davanti alla casa di Henrik Vanger. Al pianterreno le luci erano accese e Mikael capì subito che era successo qualcosa. Fece i gradini esterni a grandi passi e nel vestibolo incontrò un'Anna Nygren molto scossa.

«Il cuore» disse la donna. «Mi ha svegliata poco fa lamentando dei dolori al petto. Poi si è accasciato.»

Mikael abbracciò la leale governante e rimase con lei finché il personale dell'ambulanza non uscì trasportando in barella un Henrik Vanger apparentemente privo di vita. Un Martin Vanger palesemente stressato seguiva a ruota. Era già a letto quando Anna l'aveva chiamato; calzava un paio di pantofole sui piedi nudi e aveva la patta sbottonata. Salutò molto brevemente Mikael e poi si rivolse ad Anna.

«Io lo accompagno all'ospedale. Telefona a Birger e Cecilia» le disse. «E avverti Dirch Frode.»

«Posso andarci io da Frode» si offrì Mikael. Anna assentì, grata.

Bussare a una porta dopo mezzanotte è spesso un presagio di cattive notizie, pensò Mikael mentre appoggiava il dito sul campanello. Passarono parecchi minuti prima che un assonnato Dirch Frode si decidesse a venire alla porta.

«Ho delle cattive notizie. Henrik Vanger è appena stato portato all'ospedale. Sembrerebbe un attacco cardiaco. Martin ha voluto che l'avvertissi.»

«Santo cielo» disse Dirch Frode. Guardò l'orologio. «Oggi è venerdì 13» aggiunse con incomprensibile logica, il volto atteggiato a un'espressione confusa.

Quando Mikael fu di nuovo a casa sua erano ormai le due e mezza. Esitò un attimo ma poi decise di rimandare la telefonata a Erika. Solo alle dieci del mattino seguente, dopo aver parlato rapidamente con Dirch Frode sul cellulare ed essersi assicurato che Henrik Vanger era ancora in vita, chiamò Erika per informarla che il nuovo socio di *Millennium* era all'ospedale in seguito a un attacco cardiaco. Com'era prevedibile, la notizia fu accolta con grande commozione e preoccupazione.

Nel tardo pomeriggio, Dirch Frode andò a casa di Mikael con notizie più dettagliate sullo stato di salute di Henrik.

«È vivo, ma non sta bene. Ha avuto un brutto infarto e in più ha un'infezione diffusa.»

«L'hai potuto vedere?»

«No. È in rianimazione. Martin e Birger sono lì a vegliarlo.»

«Previsioni?»

Dirch Frode mosse la mano su e giù.

«È sopravvissuto all'infarto e questo è sempre un buon segno. E per il resto Henrik in effetti è ancora in ottime condizioni. Ma è anziano. Dobbiamo aspettare e vedere.»

Rimasero seduti un momento in silenzio, a riflettere sulla fragilità della vita. Mikael versò il caffè. Dirch Frode appariva demoralizzato.

«Sono costretto a fare qualche domanda su ciò che succederà adesso» disse Mikael.

Frode lo guardò.

«Le condizioni dell'incarico non cambiano. Sono regolate in un contratto che vale per tutto l'anno, sia che Henrik sopravviva oppure no. Non è il caso che ti preoccupi.»

«Non sono preoccupato e non era a quello che mi riferivo. Mi chiedo soltanto a chi dovrò fare rapporto in sua assenza.»

Dirch Frode sospirò.

«Mikael, tu sai bene quanto me che tutta questa storia di Harriet Vanger è un passatempo per Henrik.»

«Fossi in te non lo direi.»

«Che cosa intendi?»

«Ho trovato del nuovo materiale su cui indagare» disse Mikael. «Ho informato Henrik su una parte proprio ieri. Temo che possa aver contribuito a scatenare l'attacco cardiaco.»

Dirch Frode guardò Mikael con un'espressione strana.

«Stai scherzando.»

Mikael scosse la testa

«Dirch, negli ultimi giorni ho scovato più materiale sulla scomparsa di Harriet Vanger di quanto abbia fatto l'inchiesta ufficiale in trentasette anni. Il mio problema in questo momento è che non abbiamo mai stabilito a chi mi debba rivolgere in caso di assenza di Henrik.»

«Puoi parlare con me.»

«Okay. Devo andare avanti con questa cosa. Hai un attimo di tempo?»

Mikael illustrò le sue nuove scoperte nel modo più semplice che gli riuscì. Mostrò la sequenza di immagini di Järnvägsgatan ed espose la sua teoria. Quindi spiegò come sua figlia avesse fornito la chiave per risolvere il mistero dei numeri telefonici. Infine citò l'informazione sul brutale omicidio di Rebecka Jacobsson nel 1949.

L'unica cosa che tenne ancora per sé fu il volto di Cecilia alla finestra della camera di Harriet. Voleva parlarne anzitutto con lei prima di metterla nella posizione di poter essere sospettata di qualcosa.

Dirch Frode corrugò la fronte con aria preoccupata.

«Vorresti dire che l'omicidio di Rebecka è collegato con la sparizione di Harriet?»

«Non lo so. Sembrerebbe improbabile. Ma al tempo stesso rimane il fatto che Harriet aveva annotato le iniziali RJ nella sua rubrica telefonica insieme con un riferimento al rito per gli olocausti. Rebecka Jacobsson morì bruciata. Il collegamento con la famiglia Vanger è evidente – lavorava per la loro azienda.»

«E come spieghi tutto questo?»

«Ancora non ci sono riuscito. Ma voglio andare avanti. Ti considererò come il rappresentante di Henrik. Devi prendere le decisioni al suo posto.»

«Forse dovremmo informare la polizia.»

«No. Almeno non senza il permesso di Henrik. L'omicidio di Rebecka è caduto in prescrizione da un pezzo e l'inchiesta è stata archiviata. Non apriranno mai un'indagine su un omicidio avvenuto cinquantaquattro anni fa.»

«Capisco. Che cosa vorresti fare?»

Mikael si alzò e fece un giro per la cucina.

«Anzitutto voglio seguire la pista della fotografia. Se riusciamo a vedere ciò che vide Harriet... credo che potrebbe essere la chiave di tutto lo svolgimento degli eventi. Secondariamente mi serve un'automobile per andare su a Norsjö a seguire la pista fin dove mi condurrà. E in terzo luogo voglio seguire la pista delle citazioni bibliche. Una l'abbiamo collegata a un delitto spaventoso. Ce ne restano altre quattro. Per farlo... in realtà avrei bisogno di aiuto.»

«Che genere di aiuto?»

«Mi occorrerebbe un collaboratore esperto di ricerche che possa scavare nei vecchi archivi e trovare Magda e Sara e gli altri nomi. Se è come credo, Rebecka non è l'unica vittima.»

«Vuoi dire che è necessario mettere qualcun altro al corrente...»

«Di colpo c'è una quantità enorme di lavoro di scavo che occorre fare. Se fossi un poliziotto incaricato di un'inchiesta, potrei suddividere tempo e risorse e mettere qualcuno a scavare per me. Ho bisogno di un professionista che si sappia muovere negli archivi e che al tempo stesso sia affidabile.»

«Capisco... in effetti conosco una persona competente in questo campo. È lei che ha svolto l'indagine personale su di te» scappò detto a Frode.

«Chi ha fatto cosa?» domandò Mikael Blomkvist con voce aspra.

Dirch Frode si rese conto di colpo che aveva detto qualcosa che forse avrebbe fatto meglio a tenere per sé. Comincio a invecchiare, pensò.

«Stavo pensando ad alta voce. Non farci caso» tentò.

«Tu hai fatto svolgere un'indagine personale su di me?»

«Non è niente di grave, Mikael. Volevamo ingaggiarti e abbiamo controllato che genere di persona fossi.»

«Dunque è per questo che Henrik Vanger sembra sempre sapere esattamente come la penso. Quanto è stata minuziosa l'indagine?»

«Piuttosto minuziosa.»

«Ha compreso anche i problemi di *Millennium*?»

Dirch Frode alzò le spalle. «Era all'ordine del giorno.»

Mikael si accese una sigaretta. Era la quinta della giornata. Si rese conto che il fumo stava diventando un vizio.

«Un rapporto scritto?»

«Mikael, non è niente su cui valga la pena impuntarsi.»

«Voglio leggere quel rapporto» disse lui.

«Per favore, non c'è niente di strano in tutto questo. Volevamo controllarti prima di assumerti.»

«Voglio leggere il rapporto» ripeté Mikael.

«Solo Henrik può dare il permesso.»

«Davvero? Allora ti dico questo: voglio quel rapporto entro un'ora. Se non l'avrò, mi licenzio seduta stante e prendo il treno della sera per Stoccolma. Dov'è?»

Dirch Frode e Mikael Blomkvist si squadrarono per qualche secondo. Poi Dirch Frode sospirò e chiuse gli occhi.

«Nel mio studio, a casa.»

Il caso Harriet Vanger era senza dubbio la storia più bizzarra in cui Mikael Blomkvist fosse mai stato coinvolto. Quell'ultimo anno, a partire dal momento in cui aveva pubblicato la storia su Hans-Erik Wennerström, era stato in generale un unico, lungo otto volante – fatto soprattutto di discese vertiginose. E chiaramente non era finita.

Dirch Frode aveva fatto un sacco di storie. Solo alle sei di sera Mikael aveva avuto in mano il rapporto di Lisbeth Salander. Era una relazione di circa ottanta pagine, più cento pagine di fotocopie di articoli, diplomi e altro che costituivano altrettanti dettagli della vita di Mikael.

Faceva uno strano effetto leggere di se stessi in quello che poteva essere considerato un misto di biografia e rapporto informativo. Mikael provò uno stupore crescente per quanto era dettagliata la relazione. Lisbeth Salander aveva inserito particolari che lui credeva ormai sepolti nel compost della storia. Aveva tirato fuori la sua relazione giovanile con una donna che era stata un'ardente sindacalista e che adesso lavorava a tempo pieno in politica. *Con chi diavolo è andata a parlare?* Aveva scovato il suo gruppo rock Bootstrap, che difficilmente qualcuno sarebbe stato in grado di ricordare. Aveva esaminato la sua situazione economica fin nei minimi dettagli. *Come cavolo si è mossa?*

Come giornalista, Mikael aveva dedicato parecchi anni a scovare informazioni sulle persone ed era perciò in grado di dare un giudizio professionale sulla qualità del lavoro. Ai suoi occhi non c'era dubbio che Lisbeth Salander fosse una molto in gamba a rovistare. Dubitava che personalmente avrebbe saputo produrre una relazione comparabile su un soggetto a lui del tutto sconosciuto.

Mikael notò anche che non c'era mai stato nessun motivo perché lui ed Erika si tenessero cortesemente a distanza quando erano in compagnia di Henrik Vanger; il vecchio era già informato nei dettagli della loro pluriennale relazione e del triangolo con Greger Beckman. Lisbeth Salander aveva anche fatto una valutazione spaventosamente esatta della situazione di *Millennium*; Henrik Vanger sapeva perfettamente quanto erano messi male, quando aveva contattato Erika offrendosi di diventare socio. *Che gioco sta giocando in realtà?*

L'affare Wennerström era trattato solo in maniera sommaria, ma era palese che Lisbeth era stata fra il pubblico durante qualche giornata del processo. Si era anche posta delle domande sul curioso comportamento di Mikael quando si era rifiutato di pronunciarsi durante il processo. Ragazza in gamba, chiunque fosse.

E l'attimo dopo Mikael balzò in piedi, non credendo ai suoi occhi. Lisbeth Salander aveva scritto un breve passaggio su come giudicava sarebbero stati gli sviluppi dopo il processo. Aveva riportato quasi alla lettera il comunicato stampa che lui ed Erika avevano emesso quando lui aveva lasciato il posto di direttore responsabile di *Millennium*.

Ma Lisbeth Salander ha usato la bozza originale. Guardò di nuovo la copertina della relazione. Era datata tre giorni prima che Mikael Blomkvist avesse in mano la sentenza. *Non è possibile.*

Quel giorno, il comunicato stampa era esistito solo in un

unico posto al mondo. Nel computer personale di Mikael. Nel suo iBook, non nel computer che usava in redazione. Il testo non era mai stato stampato. Nemmeno Erika Berger ne aveva avuto una copia, anche se avevano discusso l'argomento in termini generali.

Mikael Blomkvist poggiò lentamente sul tavolo l'indagine personale di Lisbeth Salander. Decise di non accendersi un'altra sigaretta. Invece si infilò la giacca e uscì nella notte luminosa – mancava solo una settimana alla festa di mezza estate. Seguì la riva lungo lo stretto, passò davanti al terreno di Cecilia e alla lussuosa imbarcazione ancorata sotto la villa di Martin. Passeggiava lentamente e rifletteva. Alla fine si sedette su un sasso e rimase a guardare la luce lampeggiante dei fari nella baia di Hedestad. C'era solo una conclusione da trarre.

Tu sei entrata nel mio computer, signorina Salander disse fra sé. *Tu sei una dannatissima hacker.*

18.
Mercoledì 18 giugno

Lisbeth Salander si svegliò di scatto da un sonno senza sogni. Avvertiva un vago malessere. Non aveva bisogno di voltare la testa per sapere che Mimmi era già sparita per andare al lavoro, ma il profumo di lei aleggiava ancora nell'aria viziata della camera. Aveva bevuto troppe birre al Kvarnen con le Evil Fingers la sera prima. Poco prima dell'ora di chiusura, Mimmi era comparsa e le aveva fatto compagnia nel tragitto verso casa e poi nel letto.

A differenza di Mimmi, Lisbeth Salander non si era mai considerata lesbica sul serio. Non aveva mai nemmeno perso tempo a chiedersi se fosse etero- o omo- o bisessuale. In generale se ne infischiava delle etichette ed era del parere che non riguardava nessun altro con chi passava la notte. Se proprio doveva manifestare una preferenza sessuale, allora preferiva i ragazzi, o almeno così diceva la statistica. Il problema era trovarne uno che non fosse un babbeo e che magari valesse anche qualcosa a letto, e Mimmi era un dolce compromesso capace di infiammarla. L'aveva conosciuta in un punto di ristoro del Gay Pride Festival un anno prima, ed era l'unica persona che Lisbeth stessa avesse introdotto presso le Evil Fingers. La loro relazione era andata avanti a singhiozzo nell'anno trascorso, ma per entrambe era tuttora soltanto un passatempo. Mimmi aveva un corpo caldo e morbido a cui giacere vicino, ma era anche un essere umano insieme al quale Lisbeth riusciva a svegliarsi e perfino a far colazione.

La sveglia sul comodino segnava le nove e mezza del mattino, e lei stava giusto cominciando a domandarsi che cosa diavolo l'avesse svegliata, quando il campanello della porta suonò di nuovo. Si mise a sedere confusa. *Nessuno* suonava mai alla sua porta a quell'ora del giorno. E pochissimi suonavano alla sua porta in generale. Assonnata si avvolse il lenzuolo intorno al corpo e si avviò barcollando ad aprire. Si trovò a fissare dritto negli occhi Mikael Blomkvist e colta dal panico fece involontariamente un passo indietro.

«Buon giorno, signorina Salander» la salutò lui tutto allegro. «Mi par di capire che hai fatto tardi ieri sera. Posso entrare?»

Senza aspettare l'invito, superò con un lungo passo la soglia e richiuse la porta dietro di sé. Osservò incuriosito il mucchio di indumenti sul pavimento dell'ingresso e la montagna di sacchetti di carta pieni di giornali e sbirciò attraverso la porta della camera da letto mentre il mondo di Lisbeth Salander girava nella direzione sbagliata, *come, cosa, chi?* Mikael Blomkvist guardò divertito la sua bocca spalancata.

«Supponevo che non avessi ancora fatto colazione e quindi ho portato con me dei panini. Uno con roast-beef, uno con tacchino e senape di Digione e uno vegetariano con avocado. Non so che cosa ti piace. Roast-beef?» Scomparve in cucina e trovò subito la macchina del caffè. «Dove tieni il caffè?» le gridò. Lisbeth rimase paralizzata nell'ingresso finché sentì scorrere l'acqua. Allora fece tre rapidi passi.

«Stop!» Si rese conto che aveva urlato e abbassò la voce. «Diavolo, non puoi mica piombare qui come se fosse casa tua. Non ci conosciamo nemmeno!»

Mikael Blomkvist si fermò con la caraffa sopra il serbatoio della macchina del caffè e voltò il capo verso di lei. Le rispose con voce seria: «Sbagliato. Tu mi conosci meglio della maggior parte della gente. O no?»

Le girò la schiena e continuò a versare l'acqua, poi cominciò ad aprire barattoli sul piano di lavoro. «E a proposito, io so cosa fai. Conosco i tuoi segreti.»

Lisbeth Salander chiuse gli occhi e desiderò che il pavimento smettesse di ondeggiarle sotto i piedi. Si trovava in uno stato di paralisi intellettuale. Soffriva i postumi di una sbronza. La situazione era irreale e il suo cervello si rifiutava di funzionare. Non aveva mai incontrato faccia a faccia qualcuno dei suoi oggetti di ricerca. *Lui sa dove abito!* Stava lì nella sua cucina. Era impossibile. Non sarebbe dovuto succedere. *Lui sa chi sono!*

D'un tratto si rese conto che il lenzuolo stava scivolando e se lo avvolse più stretto intorno al corpo. Lui disse qualcosa che all'inizio non capì. «Dobbiamo parlare» ripeté. «Ma credo che tu abbia bisogno di infilarti sotto la doccia, prima.»

Lei cercò di farlo ragionare. «Stammi a sentire, se hai intenzione di piantare un casino non è a me che devi rivolgerti. Io ho fatto solo un lavoro. Va' a parlare con il mio capo.»

Lui le si piazzò davanti e alzò le mani in segno di resa. *Sono disarmato.* Un segno universale di pace.

«Ho già parlato con Dragan Armanskij. Fra parentesi vuole che gli telefoni – ieri sera non rispondevi al cellulare.»

Le si avvicinò. Lei non avvertì nessuna minaccia ma indietreggiò comunque di qualche centimetro quando lui le sfiorò il braccio e la guidò verso la porta del bagno. A lei non andava che qualcuno la toccasse senza permesso, anche se le intenzioni erano amichevoli.

«Non voglio piantare nessun casino» disse lui con voce tranquilla. «Ma sono molto ansioso di parlare con te. Dopo che ti sarai svegliata, voglio dire. Il caffè sarà pronto quando ti sarai messa addosso qualcosa. Doccia. Via!»

Lei gli obbedì arrendevole. *Lisbeth Salander non è mai arrendevole* pensò.

Una volta in bagno si appoggiò contro la porta e cercò di riordinare i pensieri. Era più scossa di quanto avrebbe mai creduto possibile. Poi si rese conto lentamente di avere la vescica che stava per scoppiare, e che una doccia non solo era un buon consiglio ma anche una necessità dopo il tumulto della notte. Quando ebbe terminato scivolò in camera da letto e si infilò slip, jeans e una T-shirt con scritto *Armageddon was yesterday Today we have a serious problem*.

Dopo un attimo di riflessione cercò la giacca di pelle che aveva gettato sopra una sedia. Tirò fuori la pistola elettrica dalla tasca, controllò la carica e se la infilò nella tasca posteriore dei jeans. Il profumo di caffè si spandeva per l'appartamento. Fece un profondo respiro e ritornò in cucina.

«Non le fai mai le pulizie?» furono le prime parole che lui le rivolse.

Aveva riempito il lavello di stoviglie sporche, vuotato i posacenere, gettato la confezione di latte scaduto e sgomberato il tavolo da cinque settimane di giornali, pulito e asciugato il piano e apparecchiato con tazze e – non aveva scherzato – sfilatini imbottiti. L'insieme aveva un'aria invitante e lei in effetti era affamata dopo la notte con Mimmi. *Okay, vediamo dove condurrà questa storia.* Si sedette di fronte a lui, in atteggiamento di attesa.

«Non hai risposto alla mia domanda. Roast-beef, tacchino o vegetariano?»

«Roast-beef.»

«Allora io prenderò il tacchino.»

Fecero colazione in silenzio mentre si studiavano a vicenda. Quando ebbe finito il suo sfilatino, lei si mangiò anche metà del vegetariano che era avanzato. Poi prese un pacchetto sgualcito dal davanzale interno della finestra e ne cavò una sigaretta.

«Okay, adesso lo so» disse lui rompendo il silenzio. «Forse non sarò bravo come te a fare indagini personali, ma ho comunque scoperto che non sei né vegan né – come credeva Dirch Frode – anoressica. Inserirò queste informazioni nel mio rapporto su di te.»

Lisbeth lo fissò, ma quando vide la sua faccia si rese conto che la stava prendendo in giro. Aveva un'aria così stranamente divertita che lei non poté resistere e gli rispose allo stesso modo. Con un sorriso storto. La situazione non aveva né capo né coda. Allontanò da sé il piatto. Lui aveva due occhi da buono. Qualsiasi cosa fosse, molto probabilmente non era una persona malvagia, decise. Del resto nemmeno nell'indagine personale che aveva fatto c'era alcunché che lasciasse intendere che lui fosse un bastardo che maltrattava le donne o cose del genere. Si ricordò che era lei a sapere tutto di lui – non viceversa. *La conoscenza è potere.*

«Perché stai sogghignando?» gli domandò.

«Scusa. In effetti non avevo programmato la mia entrata in scena a questo modo. L'intenzione non era di spaventarti come è evidente che ho fatto. Ma avresti dovuto vedere la tua espressione quando hai aperto la porta. Era impagabile. Non ho potuto resistere alla tentazione di prenderti un po' in giro.»

Silenzio. Con suo stesso stupore, Lisbeth Salander d'improvviso stava trovando la sua non sollecitata compagnia accettabile – o in ogni caso non sgradevole.

«Puoi considerarla la mia terrificante vendetta per aver frugato nella mia vita privata» disse allegramente. «Ti faccio paura?»

«No» rispose Lisbeth.

«Bene. Non sono qui per farti del male o per litigare con te.»

«Se provi a farmi del male, te ne farò io. Ma sul serio.»

Mikael la studiò. Era alta circa un metro e mezzo, e non aveva l'aria di avere granché da opporre, se lui fosse stato uno stupratore che si era introdotto nel suo appartamento. Ma i suoi occhi erano privi di espressione e tranquilli.

«Non è nel programma» disse alla fine. «Non ho cattive intenzioni. Ho bisogno di parlare con te. Se vuoi che me ne vada ti basta dirmelo.» Rifletté un secondo. «È già abbastanza strano come... usch.» Si interruppe a metà frase.

«Cosa?»

«Non so se suona sensato, ma quattro giorni fa non sapevo neppure che esistevi. Poi ho avuto modo di leggere la tua analisi su di me» frugò nella borsa a tracolla e trovò il fascicolo, «che non è stata solo una lettura piacevole.»

Tacque e guardò fuori della finestra un momento. «Posso prenderti una sigaretta?» Lei spinse il pacchetto verso di lui.

«Tu prima hai detto che non ci conosciamo e io ho risposto che non è vero.» Indicò la relazione. «Non ho ancora raggiunto il tuo livello – ho fatto solo un piccolo controllo di routine per scovare il tuo indirizzo, la data di nascita e cose del genere –, ma tu sai davvero parecchie cose di me. Una buona parte sono cose molto private che solo i miei amici più intimi conoscono. E adesso sono seduto qui nella tua cucina e mangio sfilatini con te. Ci conosciamo da mezz'ora e tutto d'un tratto ho avuto quella certa sensazione di conoscerti da anni. Capisci cosa intendo?»

Lei annuì.

«Hai dei begli occhi» disse lui.

«E tu degli occhi buoni» rispose lei. Lui non riuscì a stabilire se fosse ironica.

Silenzio.

«Perché sei qui?» chiese lei all'improvviso.

Kalle Blomkvist, le venne in mente il suo soprannome e soffocò l'impulso di dirlo ad alta voce. Assunse di colpo un'espressione seria. C'era stanchezza nei suoi occhi. La sicurezza che aveva mostrato quando aveva imposto la sua presenza era sparita e lei trasse la conclusione che la farsa era finita o almeno era stata accantonata. Per la prima volta avvertì che la stava esaminando a fondo, con riflessiva serietà. Non poté stabilire che cosa si muovesse nella sua testa, ma percepì immediatamente che la visita aveva preso una piega più severa.

Lisbeth Salander era consapevole che la propria calma era soltanto superficiale e che non aveva esattamente il controllo dei propri nervi. La visita del tutto inaspettata di Blomkvist l'aveva scossa in un modo che non aveva mai sperimentato prima in relazione con il suo lavoro. Spiare la gente era il suo pane quotidiano. In realtà non aveva mai definito ciò che faceva per Dragan Armanskij *un vero lavoro*, ma piuttosto un complicato passatempo, quasi un hobby.

La verità era – come aveva constatato ormai da un pezzo – che scavare nella vita della gente e scoprire i segreti che cercavano di nascondere le piaceva. Lo aveva fatto – in una forma o nell'altra – fin da quando riusciva a ricordare. E lo faceva ancora oggi, non solo quando Armanskij le dava un incarico ma talvolta anche per suo piacere personale. Le dava un pizzico di soddisfazione – era proprio come un videogioco complicato, con la differenza che si trattava di persone in carne e ossa. E adesso all'improvviso il suo hobby era seduto in cucina e le offriva dei panini. La situazione le sembrava totalmente assurda.

«Ho un problema affascinante» disse Mikael. «Dimmi, quando hai svolto la tua indagine personale su di me per Dirch Frode... sapevi anche solo vagamente per che cosa sarebbe stata utilizzata?»

«No.»

«Lo scopo era raccogliere informazioni su di me perché Frode, o più esattamente il suo committente, voleva propormi un lavoro da free-lance.»

«Aha.»

Lui le rivolse un lieve sorriso.

«Un giorno tu e io faremo una conversazione sugli aspetti morali del frugare nella vita privata di un'altra persona. Ma in questo preciso momento ho tutt'altri problemi... Il lavoro che mi è stato affidato, e che io per qualche incomprensibile motivo mi sono accollato, è senza paragoni l'incarico più bizzarro che abbia mai avuto. Posso fidarmi di te, Lisbeth?»

«In che senso?»

«Dragan Armanskij dice che sei totalmente affidabile. Ma io te lo chiedo comunque. Posso raccontarti dei segreti senza che tu li vada a riferire a nessuno, ma proprio a nessuno?»

«Aspetta. Tu hai parlato con Dragan; è lui che ti ha mandato qui?»

Ti ammazzo, dannato imbecille di un armeno.

«No, non esattamente. Tu non sei l'unica che è capace di trovare l'indirizzo di qualcuno, ci sono arrivato per conto mio. Ti ho scovata tramite l'anagrafe. Ci sono tre persone che si chiamano Lisbeth Salander e le altre due non erano plausibili. Ma ho contattato Armanskij ieri e abbiamo avuto un lungo colloquio. All'inizio anche lui credeva che volessi lamentarmi del fatto che avevi ficcato il naso nella mia vita privata, ma alla fine si è convinto che avevo un motivo del tutto legittimo.»

«Che sarebbe?»

«Come ho detto, il committente di Dirch Frode mi ha incaricato di un lavoro. Ora sono arrivato a un punto in cui mi occorre con urgenza l'aiuto di un ricercatore competente. Frode mi ha parlato di te e ha detto che eri competente. Gli è solo sfuggito, ed è così che sono venuto a saperlo, che avevi fatto un'indagine personale su di me. Ieri ho parlato con Armanskij spiegandogli cosa volevo. Lui ha dato l'okay e ha cercato di telefonarti, ma tu non hai mai risposto, così... eccomi qui. Puoi chiamare Armanskij per controllare, se vuoi.»

Lisbeth Salander impiegò diversi minuti per trovare il cellulare sotto il mucchio di indumenti che Mimmi l'aveva aiutata a levarsi. Mikael Blomkvist osservò il suo imbarazzato rovistare con grande interesse, mentre faceva un giro per l'appartamento. I mobili della ragazza sembravano provenire esclusivamente dai container dei rifiuti. Su un piccolo tavolo da lavoro in soggiorno aveva però un imponente PowerBook. Su una mensola aveva un lettore di cd. La sua collezione, invece, era tutt'altro che imponente – una misera decina di cd di gruppi che Mikael non aveva mai sentito nominare, e i cui componenti fotografati in copertina parevano vampiri dello spazio esterno. Constatò che la musica non era la sua passione.

Lisbeth vide che Armanskij le aveva telefonato non meno di sette volte la sera prima, e due volte quella mattina. Fece il suo numero mentre Mikael si appoggiava contro lo stipite della porta e ascoltava la conversazione.

«Mi... mi dispiace, ma era spento... lo so che mi vuole dare un incarico... no, è qui nel mio soggiorno...» Alzò il volume della voce. «Dragan, ho i postumi di una sbronza e mi fa male la testa, perciò smetti di blaterare; hai dato l'okay al lavoro oppure no?... Grazie.»

Clic.

Lisbeth Salander sbirciò Mikael Blomkvist attraverso la porta del soggiorno. Stava guardando i suoi dischi e i suoi libri e aveva appena trovato una boccetta scura di medicinali a cui mancava l'etichetta e che aveva sollevato curioso in controluce. Quando stava per svitare il tappo, lei allungò la mano e gli portò via il flacone, ritornò in cucina e si sedette massaggiandosi la fronte finché Mikael non si sedette di nuovo a sua volta.

«Le regole sono semplici» disse lei. «Nulla di ciò che discuterai con me o Dragan Armanskij arriverà a conoscenza di altri. Sottoscriveremo un contratto in cui la Milton Security si impegna al silenzio. Voglio sapere qual è lo scopo del lavoro prima di decidere se voglio lavorare per te oppure no. Significa che manterrò il silenzio su ogni cosa che mi racconterai, sia che assuma l'incarico oppure no, a condizione che non mi riveli che conduci gravi attività criminose. In questo caso farò rapporto a Dragan, che a sua volta informerà la polizia.»

«Bene.» Mikael esitò. «Forse Armanskij non ha proprio ben chiaro per che cosa ho in mente di ingaggiarti...»

«Ha detto che volevi che ti aiutassi con una ricerca di carattere storico.»

«Sì, è esatto. Ma ciò che vorrei tu facessi è aiutarmi a identificare un assassino.»

Mikael impiegò oltre un'ora a raccontare tutti gli intricati dettagli del caso Harriet Vanger. Non tralasciò nulla. Aveva avuto da Frode il permesso di ingaggiarla e per farlo doveva potersi fidare di lei completamente.

Le raccontò anche dei suoi rapporti con Cecilia Vanger e di come avesse scoperto il suo volto alla finestra di Harriet. Fornì a Lisbeth tutti i dettagli che poteva sulla sua personalità. Cominciava ad ammettere con se stesso che Cecilia era salita parecchio in alto nella lista dei sospetti. Ma era ancora ben lontano dal capire come potesse essere collegata a un assassino che era attivo quando lei era ancora una bambina.

Quando ebbe terminato consegnò a Lisbeth Salander una copia dell'elenco tratto dall'agenda.

Magda – 32016
Sara – 32109
RJ – 30112
RL – 32027
Mari – 32018

«Che cosa vuoi che faccia?»

«Io ho identificato RJ, Rebecka Jacobsson, e l'ho collegata a una citazione biblica che parla del rito dell'olocausto. Rebecka fu uccisa mettendole la testa nelle braci del camino, con un rituale quasi identico a quello descritto nella citazione. Se è come credo, dovremmo trovare altre quattro vittime – Magda, Sara, Mari e RL.»

«Tu credi che siano morte? Assassinate?»

«Un omicida attivo negli anni cinquanta e forse sessanta. E in qualche modo collegato con Harriet Vanger. Sono andato a guardarmi vecchi numeri dell'*Hedestads-Kuriren*. L'assassinio di Rebecka è l'unico omicidio atroce connesso con Hedestad che abbia trovato. Voglio che tu estenda la ricerca al resto della Svezia.»

Lisbeth Salander si soffermò così a lungo a riflettere con aria inespressiva, che Mikael cominciò ad agitarsi impaziente sulla sedia. Si stava chiedendo se non avesse scelto la persona sbagliata, quando lei alla fine alzò gli occhi.

«Okay. Accetto l'incarico. Ma devi sottoscrivere il contratto con Armanskij.»

Dragan Armanskij stampò il contratto che Mikael Blomkvist avrebbe portato con sé a Hedestad perché Dirch Frode lo firmasse. Mentre tornava nella stanza di Lisbeth Salander, vide attraverso il vetro come lei e Mikael Blomkvist fossero chini sopra il PowerBook della ragazza. Mikael le teneva una mano sulla spalla, *la toccava*, e indicava qualcosa. Armanskij rallentò il passo.

Mikael stava dicendo qualcosa che pareva lasciare Lisbeth esterrefatta. Poi lei scoppiò in una sonora risata.

Armanskij non l'aveva mai sentita ridere prima, sebbene avesse cercato per anni di conquistare la sua fiducia. Mikael Blomkvist la conosceva da cinque minuti e lei rideva già insieme a lui.

D'improvviso sentì di detestare Mikael Blomkvist con un ardore che lo lasciò sbalordito. Si schiarì la gola sulla soglia e allungò la cartelletta di plastica con il contratto.

Mikael ebbe il tempo per una rapida visita alla redazione di *Millennium* nel pomeriggio. Era la prima volta da quando aveva sgombrato la scrivania prima di Natale e gli pareva strano salire di corsa le scale ben note. Non avevano cambiato il codice di apertura della porta e poté scivolare inosservato in redazione e soffermarsi un attimo a guardarsi intorno.

Gli uffici di *Millennium* erano a forma di L. L'ingresso era un ampio locale che occupava molta superficie senza poter essere sfruttato per qualcosa di utile. L'avevano arredato con un salotto dove ricevere i visitatori. Dietro il salotto c'erano una piccola mensa con un cucinino, i bagni e due ripostigli con librerie e archivi. Lì c'era anche una scrivania per l'onnipresente praticante. A destra dell'entrata c'era una parete di vetro verso l'atelier di Christer Malm; questi aveva una sua società che occupava ottanta metri quadrati e disponeva di un ingresso indipendente sulle scale. A sinistra c'era la redazione vera e propria di circa centocinquanta metri quadrati, con parete di vetro verso Götgatan.

Erika aveva scelto l'arredamento e fatto mettere delle pareti divisorie in vetro ricavando tre stanze per singoli collaboratori e un open space per i restanti tre. Lei stessa si era presa la stanza più grande, in fondo alla redazione, e aveva sistemato Mikael in una stanza all'altra estremità. Era l'unica in cui si potesse guardare dentro dall'ingresso. Lui notò che non l'aveva occupata nessuno.

La terza stanza era un po' appartata e vi stava Sonny Magnusson, sessant'anni, che da qualche anno era l'ottimo venditore di spazi pubblicitari. Erika aveva scovato Sonny quando era rimasto disoccupato in seguito ai tagli operati nell'azienda dove aveva lavorato per gran parte della vita. Aveva già un'età in cui non si aspettava che gli venisse offerto un impiego fisso. Erika l'aveva selezionato con cura; gli aveva offerto un piccolo compenso fisso mensile e una percentuale sui ricavati dalle inserzioni. Sonny aveva accettato e nessuno di loro aveva avuto modo di pentirsene. Ma nell'ultimo anno non aveva avuto nessuna importanza quanto fosse stato intraprendente come venditore; gli introiti delle inserzioni erano crollati a picco. Lo stipendio di Sonny era diminuito in maniera sostanziosa, ma anziché cercarsi un altro lavoro lui aveva tirato la cinghia ed era rimasto lealmente al suo posto. *A differenza di me, che ho causato il crollo* pensò Mikael.

Alla fine Mikael aveva preso coraggio e aveva fatto il suo ingresso nella redazione, che era mezza vuota. Poteva vedere Erika nel suo ufficio, con un ricevitore appoggiato all'orecchio. Solo due dei collaboratori si trovavano lì. Monika Nilsson, trentasette anni, era un'abile reporter polivalente con i servizi di politica come specialità, e probabilmente la cinica più consumata che Mikael avesse mai conosciuto. Lavorava a *Millennium* da nove anni e vi si trovava magnificamente. Henry Cortez aveva ventiquattro anni ed era il più giovane membro della redazione; era arrivato come praticante due anni prima, dichiarando che era a *Millennium* e da nessun'altra parte che voleva lavorare. Erika non aveva budget sufficiente per assumerlo, ma gli aveva offerto una scrivania in un angolo e si serviva di lui come free-lance fisso.

Entrambi emisero grida di giubilo quando scorsero Mikael, che ricevette baci sulle guance e pacche sulle spalle. Gli chiesero subito se avesse intenzione di ritornare in servizio e sospirarono delusi quando lui spiegò che sarebbe stato impegnato ancora per sei mesi su nel Norrland e che era venuto solo per dare un saluto e parlare con Erika.

Anche Erika fu felice di vederlo, gli offrì il caffè e chiuse la porta dell'ufficio. Si informò subito sulle condizioni di Henrik Vanger. Mikael spiegò che non sapeva più di quanto gli avesse detto Dirch Frode; la situazione era grave ma il vecchio era ancora vivo.

«Che ci fai in città?»

Tutto d'un tratto, Mikael si sentì imbarazzato. Siccome si era trovato solo qualche isolato più in là, alla Milton Security, era salito in redazione spinto da un puro e semplice impulso. Gli sembrava complicato spiegarle che aveva appena ingaggiato un consulente per la sicurezza privato che si era introdotto illegalmente nel suo computer. Alzò le spalle e disse che era stato costretto a venire a Stoccolma per una questione che aveva a che fare con Vanger, e che sarebbe ripartito subito per il nord. Poi chiese come andavano le cose in redazione.

«Accanto alle notizie piacevoli – sia il volume delle inserzioni sia il numero degli abbonati continua a crescere –, all'orizzonte sta anche crescendo una nube scura.»

«Ah sì?»

«Janne Dahlman.»

«Ovviamente.»

«Sono stata costretta a fargli un discorso a quattr'occhi in aprile, dopo che avevamo divulgato la notizia che Henrik

Vanger era entrato come socio. Non so se è soltanto per sua natura che è negativo, oppure se c'è qualcosa di più serio. Se fa un qualche genere di gioco.»

«Che è successo?»

«Io non mi fido più di lui. Dopo aver firmato l'accordo con Henrik Vanger, io e Christer potevamo scegliere se informare subito tutta la redazione del fatto che non rischiavamo più di dover chiudere in autunno, oppure...»

«Oppure informare qualche collaboratore in maniera selettiva.»

«Esatto. Forse sarò paranoica, ma non volevo rischiare che Dahlman facesse trapelare la storia. Così decidemmo di informare tutta la redazione il giorno stesso in cui l'accordo fosse divenuto di dominio pubblico. Dunque mantenemmo il silenzio per oltre un mese.»

«E...?»

«Be', era la prima buona notizia che la redazione avesse avuto da un anno a questa parte. Tutti esultavano, tranne Dahlman. Voglio dire, noi non siamo mica la redazione più grande del mondo. C'erano tre persone che esultavano, più il praticante, e una imbufalita perché non l'avevamo informata prima sull'accordo.»

«Non aveva tutti i torti...»

«Lo so. Ma il fatto è che lui ha continuato a martellare sulla faccenda giorno dopo giorno e l'umore in redazione è colato a picco. Dopo due settimane di lanci di fango l'ho convocato e gli ho spiegato che non avevo informato la redazione perché non mi fidavo di lui e non ero sicura che mantenesse la riservatezza.»

«Come l'ha presa?»

«È rimasto molto ferito e turbato, è ovvio. Io non ho fatto marcia indietro e gli ho dato un ultimatum – o si dava una regolata, o doveva cominciare a cercarsi un altro lavoro.»

«E...?»

«E lui si è dato una regolata. Ma se ne sta nel suo angolino e c'è tensione fra lui e il resto della redazione. Christer non lo sopporta e glielo dimostra piuttosto apertamente.»

«Di che cosa lo sospetti?»

Erika sospirò.

«Non lo so. L'abbiamo assunto un anno fa, quando avevamo già cominciato lo scontro con Wennerström. Non posso dimostrare un fico secco, ma ho la sensazione che lui non lavori per noi.»

Mikael annuì.

«Fidati dei tuoi istinti.»

«Forse è soltanto un rompiballe che diffonde cattivo umore.»

«Può essere. Ma sono d'accordo con te che abbiamo fatto una valutazione sbagliata, quando l'abbiamo preso.»

Venti minuti più tardi Mikael si stava già dirigendo a nord attraverso Slussen a bordo dell'automobile che aveva preso in prestito dalla moglie di Dirch Frode. Era una Volvo vecchia di dieci anni che lei non usava mai. E Mikael aveva avuto il permesso di prenderla tutte le volte che voleva.

Erano piccoli, sottili dettagli che Mikael avrebbe potuto facilmente non notare se fosse stato meno attento. Una pila di carte era un po' più storta di come se la ricordava. Un raccoglitore non era infilato proprio fino in fondo sullo scaffale. Il cassetto della scrivania era perfettamente chiuso – Mikael ricordava con sicurezza che era leggermente aperto quando il giorno prima aveva lasciato Hedeby per andare a Stoccolma.

Per un attimo rimase seduto immobile, a dubitare di se stesso. Poi gli crebbe dentro la certezza che qualcuno era stato in quella casa.

Uscì sulla veranda e si guardò intorno. Aveva chiuso la porta a chiave, ma si trattava di una vecchia serratura di tipo comune, che probabilmente poteva essere aperta con un piccolo cacciavite, ed era impossibile dire quante chiavi ci fossero in giro. Rientrò di nuovo e cercò sistematicamente per tutto lo studiolo per controllare se fosse sparito qualcosa. Dopo un momento constatò che a quanto pareva c'era ancora tutto.

Restava il fatto che qualcuno era entrato in casa e si era seduto nel suo studio scartabellando tra fogli e fascicoli. Il computer l'aveva portato con sé, perciò quello non l'avevano potuto violare. Sorgevano due domande: chi? e quanto era riuscito a scoprire il misterioso visitatore?

I fascicoli erano quella parte della raccolta di Henrik Vanger che aveva riportato allo chalet dopo essere uscito di prigione. Lì non c'era nessun materiale nuovo. I blocnotes sulla scrivania sarebbero stati criptici per chiunque non fosse stato al corrente – ma la persona che aveva frugato nella scrivania era davvero un estraneo non informato?

Il punto dolente era una cartelletta di plastica in mezzo alla scrivania, dove aveva messo la lista dei presunti numeri telefonici e una trascrizione dei passi biblici cui rimandavano. Chi aveva rovistato nello studiolo ora sapeva che lui aveva scoperto il codice.

Chi?

Henrik Vanger era all'ospedale. Non sospettava di Anna. Dirch Frode? Ma a lui aveva già raccontato tutti i dettagli. Cecilia Vanger aveva cancellato il viaggio in Florida e aveva fatto ritorno in compagnia della sorella. Non l'aveva mai incontrata da quando era rientrata, ma l'aveva vista quando il giorno prima era passata in macchina sul ponte. Martin Vanger. Harald Vanger. Birger Vanger – era comparso in occasione di un consiglio di famiglia a cui Mikael non era stato invitato il giorno dopo che Henrik aveva avuto l'attacco cardiaco. Alexander Vanger. Isabella Vanger – lei era tutt'altro che una persona simpatica.

Con chi aveva parlato Frode? Che cosa si era lasciato sfuggire? Quanti dei parenti stretti avevano captato che Mikael effettivamente aveva fatto un progresso nell'indagine?

Erano già le otto di sera passate. Telefonò al fabbro in servizio ventiquattr'ore su ventiquattro a Hedestad e ordinò una nuova serratura per lo chalet. Il fabbro spiegò che sarebbe potuto venire il giorno dopo. Mikael promise che avrebbe pagato il doppio se fosse venuto all'istante. Si accordarono che si sarebbe fatto vivo verso le dieci e mezza per installare una nuova serratura di sicurezza.

In attesa del fabbro, alle nove e mezza Mikael andò a bussare alla porta di Dirch Frode. La moglie dell'avvocato lo accompagnò nel giardino sul retro della casa e gli offrì una birra gelata, che Mikael accettò con gratitudine. Voleva avere notizie sullo stato di salute di Henrik Vanger.

Dirch Frode scosse la testa. «L'hanno operato. Ha delle calcificazioni alle arterie cardiache. Il dottore dice che il semplice fatto che sia ancora vivo lascia ben sperare, ma i prossimi giorni saranno critici.»

Rifletterono un momento su questo fatto mentre bevevano le loro birre.

«Gli hai potuto parlare?»

«No. Non ne era in condizione. Come è andata a Stoccolma?»

«Lisbeth Salander ha accettato. Ecco qui il contratto con Dragan Armanskij. Devi sottoscriverlo e rispedirlo.»

Frode diede una rapida occhiata al documento.

«La ragazza costicchia» constatò.

«Henrik se lo può permettere.»

Frode annuì, tirò fuori una penna dal taschino e scarabocchiò la sua firma.

«Tanto vale che lo firmi mentre Henrik è ancora vivo. Puoi passare tu a imbucarlo alla cassetta vicino al Konsum?»

Mikael andò a coricarsi già a mezzanotte, ma aveva difficoltà a prendere sonno. Finora il suo soggiorno a Hedeby aveva avuto il carattere di una ricerca intorno a curiosità storiche. Ma se qualcuno era interessato alle sue attività fino al punto di violare il suo studiolo, forse la storia era più prossima al presente di quanto avesse creduto.

Tutto d'un tratto Mikael fu colpito dal pensiero che c'erano anche altri che potevano essere interessati a ciò a cui stava lavorando. L'improvvisa comparsa di Henrik Vanger nel consiglio d'amministrazione di *Millennium* difficilmente doveva essere sfuggita a Hans-Erik Wennerström. Oppure quei pensieri erano un segnale che stava diventando paranoico?

Scese dal letto, si piazzò nudo davanti alla finestra della cucina e lasciò correre pensieroso lo sguardo verso la chiesa dall'altra parte del ponte. Si accese una sigaretta.

Non riusciva a capire Lisbeth Salander. La ragazza aveva uno schema comportamentale molto bizzarro, con lunghe pause nel bel mezzo del discorso. A casa sua il disordine confinava col caos, con montagne di pacchi di giornali nell'ingresso e una cucina che non veniva pulita e riordinata da un bel pezzo. I suoi indumenti giacevano in mucchi sul pavimento ed era palese che si era appena svegliata da una serata di gozzoviglie. Aveva dei succhiotti sul collo e chiaramente aveva passato la notte in compagnia. Aveva diversi tatuaggi e un paio di piercing in faccia e di sicuro anche in altri posti che lui non aveva visto. In poche parole, era un tipo strano.

D'altro lato, Armanskij gli aveva assicurato che era in assoluto la ricercatrice migliore dell'azienda, e l'approfondita indagine sulla sua persona dimostrava innegabilmente che era meticolosa. *Una ragazza davvero singolare.*

Lisbeth Salander era seduta davanti al suo PowerBook e rifletteva su come aveva reagito a Mikael Blomkvist. In tutta la sua vita non aveva mai permesso di varcare la soglia di casa sua a qualcuno che non fosse stato espressamente invitato, e la piccola schiera dei suoi ospiti si poteva contare sulle dita di una mano. Mikael era entrato dritto nella sua vita con arrogante disinvoltura e lei era riuscita solo a produrre qualche blanda protesta.

Come se non bastasse, lui l'aveva presa in giro. Si era fatto beffe di lei.

In casi normali, un comportamento simile l'avrebbe indotta a togliere mentalmente la sicura a una pistola. Ma non aveva avvertito il minimo segno di minaccia e nessuna ostilità da parte di lui. Avrebbe avuto motivo di rimproverarla a dovere, perfino di denunciarla alla polizia dopo aver scoperto che lei aveva violato il suo computer. Invece aveva trattato anche questa faccenda come uno scherzo.

Era stata la parte più delicata della loro conversazione. Sembrava che Mikael consapevolmente tralasciasse di affrontare l'argomento e alla fine lei non era riuscita a trattenersi dal domandarglielo.

«Hai detto che sai che cosa ho fatto.»

«Tu sei un hacker. Sei entrata nel mio computer.»

«Come fai a saperlo?» Lisbeth era assolutamente sicura di non aver lasciato nessuna traccia, e che la sua intrusione non potesse essere scoperta tranne nel caso in cui un consulente per la sicurezza di altissimo calibro stesse scansionando l'hard disk proprio mentre lei si introduceva nel computer.

«Perché hai fatto un errore.» Le spiegò che aveva citato una versione di un testo che esisteva solo nel suo computer e da nessun'altra parte.

Lisbeth Salander rimase seduta in silenzio un lungo momento. Infine lo guardò con occhi inespressivi.

«Come hai fatto?» chiese lui.

«È un mio segreto. Che cosa pensi di fare tu adesso?»

Mikael alzò le spalle.

«Che cosa posso fare? Forse dovrei tenerti un discorsetto su etica e morale e sul pericolo di andare a scavare nella vita privata della gente.»

«Proprio quello che fai tu come giornalista.»

Lui annuì.

«Certo. Proprio per questo noi giornalisti abbiamo una commissione etica che tiene ordine negli aspetti morali. Quando io scrivo un testo su un farabutto del mondo bancario, tralascio per esempio la sua vita erotica. Non scrivo che una donna colpevole di truffa con assegni è lesbica o che si eccita a fare sesso con il suo cane o cose del genere, anche se per ipotesi fosse vero. Anche i mascalzoni hanno diritto a una loro vita privata, ed è così facile danneggiare le persone attaccando il loro stile di vita. Capisci che cosa intendo?»

«Sì.»

«Dunque, tu hai violato la mia integrità. Il mio datore di lavoro non ha bisogno di sapere con chi faccio sesso. Quelli sono affari miei.»

Il viso di Lisbeth Salander si aprì in un sorriso storto.

«Pensi che non avrei dovuto riportarlo.»

«Nel mio caso non ha così grande importanza. Metà città sa del mio rapporto con Erika. Ma è il principio.»

«In questo caso ti potrà forse far piacere sapere che anch'io ho dei principi che corrispondono alla tua commissione etica. Li chiamo I principi di Lisbeth Salander. Secondo me un farabutto è sempre un farabutto, e se posso danneggiare un soggetto del genere scoprendo tutte le schifezze che fa, ebbene se lo è meritato. Io rendo solo pan per focaccia.»

«Okay» disse Mikael con un sorriso. «Io non ragiono molto diversamente da te, ma...»

«Ma il fatto è che quando faccio un'indagine personale

409

prendo anche in considerazione cosa penso dell'essere umano. Io non sono neutrale. Se mi sembra una brava persona, posso anche ammorbidire il mio rapporto.»

«Veramente?»

«Nel tuo caso ho ammorbidito. Avrei potuto scrivere un libro intero sulla tua vita erotica. Avrei potuto raccontare a Frode che Erika Berger ha un passato nel Club Xtreme e che negli anni ottanta le piacevano il bondage e i giochini sadomaso, il che innegabilmente avrebbe creato certe inevitabili associazioni, tenuto conto della tua e sua vita sessuale.»

Mikael Blomkvist incontrò lo sguardo di Lisbeth. Dopo un momento guardò fuori della finestra e rise.

«Sei veramente precisa. Perché non l'hai messo nella tua relazione?»

«Tu ed Erika Berger siete due persone adulte che evidentemente si piacciono. Quello che fate a letto non riguarda nessuno e l'unico effetto che avrei potuto produrre raccontando di lei sarebbe stato di danneggiarvi o di fornire a qualcuno un'arma di ricatto. Non si può mai sapere – io non conosco Dirch Frode e il materiale sarebbe potuto finire nelle mani di Wennerström.»

«E tu non volevi fornire a Wennerström delle informazioni?»

«Se dovessi scegliere per chi tenere nel match fra te e lui, probabilmente finirei dalla tua parte del ring.»

«Io ed Erika abbiamo un... il nostro rapporto è...»

«Me ne infischio di sapere in quali rapporti siate. Ma tu non hai risposto su cosa pensi di fare ora che sai che ho violato il tuo computer.»

La pausa di Mikael fu lunga quasi come le sue.

«Lisbeth, io non sono qui per piantare casini con te. Non ho intenzione di ricattarti. Sono qui per chiederti aiuto per una ricerca. Puoi rispondere sì oppure no. Se dici no mi cercherò qualcun altro, e tu non sentirai mai più parlare di me.» Rifletté un momento e poi le sorrise. «Se non ti pesco ancora nel mio computer.»

«Il che significa?»

«Tu sai molte cose di me, una parte delle quali sono personali e riguardano la mia vita privata. Ma il danno ormai è stato fatto. Spero solo che tu non abbia intenzione di utilizzare ciò che sai per danneggiare me oppure Erika Berger.»

Lei lo guardò con espressione vuota.

19.
Giovedì 19 giugno - domenica 29 giugno

Mikael aveva trascorso due giorni a ripassare il materiale in suo possesso aspettando di sapere se Henrik Vanger sarebbe o no sopravvissuto. Si teneva in stretto contatto con Dirch Frode. Il giovedì sera Frode andò allo chalet e gli comunicò che per il momento la crisi sembrava superata.

«È debole, ma oggi gli ho potuto parlare un attimo. Vuole incontrarti il più presto possibile.»

All'una della vigilia della festa di mezza estate Mikael si recò all'ospedale e cercò il reparto dov'era ricoverato Henrik Vanger. Incontrò un irritato Birger Vanger, che gli sbarrò la strada e gli spiegò in tono autoritario che lo zio non poteva ricevere visite. Mikael non si mosse e guardò tranquillo il consigliere comunale.

«Strano. Henrik Vanger mi ha mandato a dire espressamente che voleva vedermi.»

«Lei non fa parte della famiglia e non ha niente a che fare qui.»

«Ha ragione a dire che non faccio parte della famiglia. Ma io agisco su incarico diretto di Henrik Vanger e prendo ordini esclusivamente da lui.»

La faccenda si sarebbe potuta trasformare in un aspro battibecco se in quell'attimo Dirch Frode non fosse uscito per caso dalla stanza di Henrik.

«Ah, eccoti qui. Henrik ha appena chiesto di te.»

Frode tenne aperta la porta e Mikael entrò nella stanza passando davanti a Birger Vanger.

Henrik sembrava invecchiato di dieci anni nell'ultima settimana. Giaceva con gli occhi semichiusi, una cannula dell'ossigeno infilata nel naso e i capelli più scompigliati che mai. Un'infermiera bloccò Mikael mettendogli una mano sul braccio.

«Due minuti. Non di più. E non lo faccia agitare.» Mikael annuì e si sedette su una sedia in modo da poter vedere Henrik in faccia. Provava una tenerezza che lo sbalordiva e allungò la mano per stringere piano quella abbandonata del vecchio.

Henrik Vanger parlò con voce flebile: «Novità?»

Mikael annuì.

«Ti farò un resoconto non appena starai un po' meglio. Non ho ancora risolto il mistero, ma ho trovato del nuovo materiale e sto seguendo un certo numero di piste. Fra una settimana o due potrò dire se conducono da qualche parte.»

Henrik Vanger cercò di annuire. Fu più che altro solo un battito di ciglia come segno che aveva capito.

«Devo andare via qualche giorno.»

Le sopracciglia di Henrik Vanger si aggrottarono.

«No, non abbandono la nave. Devo muovermi per fare una ricerca. Mi sono messo d'accordo con Dirch Frode che farò rapporto a lui. Ti va bene?»

«Dirch è... il mio rappresentante... sotto ogni aspetto.»

Mikael annuì.

«Mikael... se non dovessi... farcela... voglio che tu finisca... il lavoro comunque.»

«Ti prometto che lo finirò.»

«Dirch ha tutti... i mandati.»

«Henrik, voglio che tu guarisca. Mi arrabbierei moltissimo con te se andassi a morire proprio quando sono arrivato così in là con il mio lavoro.»

«Due minuti» disse l'infermiera.

«Devo andare. La prossima volta che passo voglio avere un lungo colloquio con te.»

Quando Mikael uscì in corridoio, Birger Vanger lo stava aspettando e lo bloccò mettendogli una mano sulla spalla.

«Voglio che lasci in pace Henrik. È gravemente malato e non dev'essere in nessun modo disturbato o messo in agitazione.»

«Capisco la sua preoccupazione e simpatizzo. Mi adopererò per non turbarlo.»

«Tutti hanno capito che Henrik l'ha ingaggiata per rovistare nel suo piccolo hobby... Harriet. Dirch Frode ha detto che Henrik si è molto agitato in occasione di un colloquio che avete avuto la sera prima che avesse l'attacco. Ha detto che lei stesso credeva di aver provocato l'attacco.»

«Ma non lo credo più. Henrik Vanger aveva estese calcificazioni alle arterie. Gli sarebbe potuto venire un infarto anche semplicemente andando alla toilette. A quest'ora lo sa senz'altro anche lei.»

«Voglio avere piena informazione su queste sciocchezze. È nella mia famiglia che sta ficcando il naso.»

«Come si diceva... io lavoro per Henrik. Non per la famiglia.»

Birger Vanger non era abituato a essere mandato a quel paese, questo era chiaro. Per un breve attimo fissò Mikael con uno sguardo che probabilmente voleva incutere rispetto, ma che lo faceva più che altro somigliare a un alce borioso. Poi si girò ed entrò nella stanza di Henrik.

Mikael ebbe l'impulso di scoppiare a ridere ma si controllò. Non era il caso di ridere nel corridoio fuori della stanza dove Henrik giaceva malato, e dove poteva anche morire. Ma a Mikael era venuta in mente all'improvviso una strofa dal vecchio libro di Lennart Hyland sull'alfabeto, che per qualche incomprensibile motivo aveva memorizzato quando stava imparando a leggere e scrivere. Era la lettera A. *L'Alce solo sedeva e in una foresta deserta sorrideva.*

Sulla porta dell'ospedale Mikael si imbatté in Cecilia. Aveva cercato di chiamarla sul cellulare una dozzina di volte da quando era tornata dalla vacanza interrotta, ma lei non aveva mai risposto. Non era mai nemmeno riuscito a trovarla in casa le volte che era passato e aveva bussato.

«Ciao, Cecilia» disse. «Sono così dispiaciuto per Henrik.»

«Grazie» rispose lei, annuendo.

Mikael cercò di leggere i suoi sentimenti, ma non avvertì né calore né gelo.

«Dobbiamo parlare» disse.

«Mi spiace di averti chiuso fuori a questo modo. Capisco che sei arrabbiato, ma in questo momento non ce la faccio proprio.»

Mikael sbatté le palpebre prima di capire a che cosa si riferisse. Le mise rapidamente una mano sul braccio e le sorrise.

«Aspetta, devi avermi frainteso, Cecilia. Io non sono assolutamente arrabbiato con te. Spero che possiamo essere ancora amici, ma se non vuoi frequentarmi... se è la tua decisione, io ne ho tutto il rispetto.»

«Io non sono brava nelle relazioni» disse lei.

«Nemmeno io. Ci prendiamo una tazza di caffè?» Fece un cenno col capo verso la caffetteria dell'ospedale.

Cecilia esitò. «No, non oggi. Voglio andare a trovare Henrik, adesso.»

«Okay, ma devo ancora parlare con te. Per ragioni puramente professionali.»

«Che cosa vuoi dire?» D'un tratto era sulla difensiva.

«Ricordi quando ci siamo incontrati la prima volta, quando venisti allo chalet in gennaio? Io ti dissi che quello di cui avessimo parlato sarebbe stato *off the record*, e che se avessi dovuto farti delle vere domande te l'avrei detto. Si tratta di Harriet.»

Il volto di Cecilia s'infiammò repentinamente di rabbia.

«Maledetto bastardo.»

«Cecilia, ho trovato cose di cui semplicemente devo parlare con te.»

Lei fece un passo indietro.

«Non capisci che tutta questa dannata caccia a quella dannata Harriet è una terapia occupazionale per Henrik? Non capisci che lui forse sta morendo su al primo piano, e che l'ultima cosa di cui ha bisogno è di essere nuovamente turbato e riempito di false speranze e...»

«Forse per Henrik sarà anche un hobby, ma io ho appena trovato più materiale nuovo di quanto non ne sia stato scoperto negli ultimi trentasette anni. Ci sono questioni irrisolte nell'indagine e io lavoro su incarico di Henrik.»

«Se Henrik dovesse morire, quell'indagine si chiuderà molto rapidamente. E tu sparirai dalla circolazione» disse Cecilia, e se ne andò passandogli davanti.

Era tutto chiuso. Hedestad era quasi deserta e la gente sembrava sparita tutta quanta nelle case di campagna per danzare intorno ai pali fioriti della festa di mezza estate. Alla fine Mikael trovò la terrazza dello Stadshotellet, che era aperto, dove poté ordinare caffè e un tramezzino e sedersi a leggere il giornale. Nel mondo non era successo nulla d'importante.

Mise da parte il giornale e rifletté su Cecilia Vanger. Non aveva raccontato né a Henrik né a Dirch Frode dei suoi sospetti che fosse stata lei ad aprire la finestra della stanza di Harriet. Temeva con ciò di metterla in cattiva luce, e l'ultima cosa che voleva era recarle danno. Ma la domanda prima o poi doveva essere posta.

Rimase seduto sulla terrazza un'ora, prima di decidersi a mettere da parte il problema e a dedicare la vigilia della festa di mezza estate a qualcosa di diverso dalla famiglia Vanger. Il suo cellulare taceva. Erika era da qualche parte a divertirsi con suo marito, e lui non aveva nessuno con cui parlare.

Ritornò all'isola di Hedeby alle quattro del pomeriggio e prese un'ulteriore decisione – smettere di fumare. Si era tenuto in allenamento con regolarità fin dai tempi del servizio militare, in palestra e correndo lungo Söder Mälarstrand, ma aveva perso completamente il ritmo quando erano cominciati i problemi con Hans-Erik Wennerström. Solo a Rullåker aveva ripreso a sollevare di nuovo pesi, più che altro come terapia, ma da dopo la scarcerazione non aveva più fatto granché. Era ora di ricominciare. Si infilò risolutamente una tuta da jogging e fece un giro svogliato lungo la strada che conduceva alla casetta di Gottfried, svoltò su verso la Fortificazione e fece un giro un po' più impegnativo attraverso un terreno da corsa campestre. Non faceva orienteering dai tempi del servizio militare, ma aveva sempre trovato che fosse più divertente correre attraverso un terreno boschivo che su piatte piste da jogging. Seguì la recinzione di Östergården fino a tornare in direzione del villaggio. Mentre percorreva ansimando l'ultimo tratto fino allo chalet si sentiva ammaccato da cima a fondo.

Alle sei fece la doccia. Fece cuocere delle patate e si preparò aringhe marinate alla senape con erba cipollina e uova su un tavolino sgangherato all'aperto, sul lato dello chalet che guardava verso il ponte. Si versò un bicchierino di acquavite e brindò con se stesso. Quindi aprì un poliziesco di Val McDermid.

Verso le sette arrivò Dirch Frode e si lasciò sprofondare pesantemente sulla sedia da giardino di fronte a lui. Mikael gli versò un goccio di acquavite Skåne.

«Hai suscitato un bel po' di indignazione, oggi» esordì Frode.

«Me ne sono accorto.»

«Birger Vanger è un buffone.»

«Lo so.»

«Ma Cecilia Vanger non lo è, eppure è furiosa con te.»

Mikael annuì.

«Mi ha intimato di provvedere affinché tu smetta di ficcare il naso negli affari di famiglia.»

«Capisco. E la tua risposta?»

Dirch Frode guardò il bicchierino di Skåne e buttò giù d'un colpo l'acquavite.

«La mia risposta è che Henrik ha dato istruzioni molto chiare su che cosa vuole che tu faccia. Finché non avrà cambiato queste istruzioni, sei assunto secondo il contratto che abbiamo redatto. Mi aspetto che tu faccia del tuo meglio per onorare la tua parte di impegni contrattuali.»

Mikael annuì. Alzò lo sguardo verso il cielo, dove nuvole di pioggia avevano cominciato ad ammassarsi.

«Ci sarà tempesta» disse Frode. «Se il vento diventerà troppo forte, puoi contare sul mio sostegno.»

«Grazie.»

Rimasero un momento in silenzio.

«Posso avere un altro goccetto?» chiese Dirch Frode.

Solo qualche minuto dopo che Dirch Frode era tornato a casa sua, Martin Vanger frenò davanti allo chalet e parcheggiò la macchina sul ciglio della strada. Gli andò incontro e lo salutò. Mikael gli augurò buona festa di mezza estate e chiese se voleva un bicchierino.

«No, è meglio che mi astenga. Sono venuto solo per cambiarmi, poi torno in città per passare la serata con Eva.»

Mikael aspettò.

«Ho parlato con Cecilia. In questo momento è un po' agitata – lei e Henrik sono molto vicini. Spero che vorrai perdonarla se ti dovesse dire qualcosa di... sgradevole.»

«Cecilia è una persona che mi piace molto» rispose Mikael.

«Lo capisco. Ma a volte può essere un po' difficile. Voglio solo che tu sappia che è fermamente contraria a che tu scavi nel passato.»

Mikael sospirò. Tutti a Hedestad sembravano aver capito perfettamente il motivo per cui Henrik l'aveva ingaggiato.

«E tu?»

Martin Vanger aprì le braccia.

«Questa faccenda di Harriet è stata per decenni un'ossessione di Henrik. Non so... Harriet era mia sorella, ma in qualche modo è una cosa così lontana. Dirch Frode ha detto che tu hai un contratto solidissimo che solo Henrik in persona può rompere, e io temo che nelle sue attuali condizioni gli farebbe più male che bene.»

«Perciò vuoi che vada avanti?»

«Hai già ottenuto qualche risultato?»

«Mi dispiace, Martin, ma sarebbe violazione contrattuale se te ne parlassi senza il consenso di Henrik.»

«Capisco.» D'improvviso sorrise. «Henrik è un po' un teorico della cospirazione. Ma io soprattutto non voglio che tu lo culli con false speranze.»

«Prometto di non farlo. L'unica cosa che gli fornisco sono fatti che posso documentare.»

«Bene... fra parentesi, saltando di palo in frasca, abbiamo anche un altro contratto su cui riflettere. Dal momento che Henrik si è ammalato e non può adempiere ai suoi doveri nel consiglio d'amministrazione di *Millennium*, io ho l'obbligo di sostituirlo.»

Mikael rimase in attesa.

«Penso che dovremmo fare una riunione per dare uno sguardo alla situazione.»

«È una buona idea. Ma a quanto mi pare di capire è già stato deciso che la prossima riunione consiliare non si terrà prima di agosto.»

«Lo so, ma forse dovremmo anticiparla.»

Mikael sorrise cortesemente.

«È possibile, ma stai parlando con la persona sbagliata. Al momento io non faccio parte del consiglio d'amministrazione. Ho lasciato il giornale in dicembre e non ho influenza su ciò che decidete voi nel consiglio. Ti suggerisco di contattare Erika Berger al proposito.»

Martin Vanger non si era aspettato quella risposta. Rifletté un attimo e poi si alzò.

«Naturalmente hai ragione. Parlerò con lei.» Diede una pacca a Mikael sulla spalla a mo' di saluto e si diresse verso la macchina.

Mikael lo seguì con lo sguardo, pensieroso. Non era stato espresso nulla di concreto, ma la minaccia era stata chiaramente nell'aria. Martin Vanger aveva messo *Millennium* sul piatto della bilancia. Dopo un momento, si versò un altro bicchierino e riprese in mano Val McDermid.

Verso le nove arrivò il gatto marezzato e gli si strusciò contro le gambe. Lui lo prese in braccio e lo grattò dietro le orecchie.

«Allora siamo solo noi due che ci annoiamo, la vigilia della festa di mezza estate» disse.

Quando cominciò a cadere qualche goccia, entrò in casa e si mise a letto. Il gatto preferì rimanere fuori.

Lisbeth Salander tirò fuori la sua Kawasaki, la vigilia della festa di mezza estate, e dedicò la giornata a sottoporla a un'approfondita ispezione. Una 125 non era forse la due ruote più tosta del mondo, ma era sua e lei sapeva come trattarla. L'aveva rinnovata con le sue mani bullone per bullone, e l'aveva assettata un filino al di sopra del limite legale.

Nel pomeriggio si infilò casco e tuta di pelle e si recò alla casa di cura di Äppelviken, dove trascorse la serata nel parco insieme a sua madre. Provava una punta di inquietudine e di cattiva coscienza. Sua madre sembrava assente come non mai. Nelle tre ore che trascorsero insieme si scambiarono solo qualche rara parola e in quelle occasioni la madre non diede segno di sapere con chi stesse parlando.

Mikael buttò via parecchie giornate a cercare di identificare la macchina con targa AC. Dopo diverse complicazioni e consultando alla fine un meccanico in pensione di Hedestad, poté constatare che era una Ford Anglia, un modello dozzinale di cui non aveva mai sentito parlare. Quindi contattò un funzionario del registro automobilistico e si informò sulle possibilità di ottenere un elenco di tutte le Ford Anglia che nel 1966 avevano la targa che cominciava per AC3. Alla fine, gli fu comunicato che una simile ricerca archeologica nel registro probabilmente si poteva fare, ma avrebbe richiesto molto tempo e non sarebbe stata proprio legittima.

Solo diversi giorni dopo le festività di mezza estate Mikael si sedette al volante della sua Volvo presa a prestito e imboccò la E4 in direzione nord. Guidare veloce non gli era mai piaciuto, e si assestò su un ritmo flemmatico. Poco prima di Härnösandsbron si fermò a prendere un caffè alla Pasticceria Vesterlund.

La fermata successiva fu Umeå, dove sostò a un motel e consumò un piatto del giorno. Acquistò un atlante stradale e continuò in direzione di Skellefteå, dove piegò a sinistra verso Norsjö. Vi giunse che erano quasi le sei di sera e prese alloggio presso l'Hotel Norsjö.

Il mattino dopo di buon'ora cominciò la sua ricerca. Nell'elenco telefonico la Norsjö Snickerifabrik non c'era. La receptionist dell'albergo, una ragazza sui vent'anni, non ne aveva mai sentito parlare.

«A chi dovrei chiedere?»

La ragazza assunse per un secondo un'aria confusa, poi si illuminò e disse che avrebbe telefonato a suo padre. Due minuti più tardi fu di ritorno e spiegò che la Norsjö Snicke-rifabrik era stata chiusa agli inizi degli anni ottanta. Se Mikael aveva bisogno di parlare con qualcuno che sapesse qualcosa di più sull'azienda, avrebbe dovuto rivolgersi a un certo Burman, che vi aveva lavorato come caposquadra e che adesso abitava in Solvändan.

Norsjö era una cittadina con una strada principale, battez-zata molto opportunamente Storgatan, ovvero via grande, che attraversava tutto l'abitato ed era fiancheggiata da negozi e da vie traverse con case d'abitazione. All'ingresso orientale c'e-rano una piccola zona industriale e un deposito ferroviario, all'uscita verso ovest una chiesa di legno dalla bellezza inso-lita. Mikael notò che la località metteva anche a disposizione una chiesa missionaria e una chiesa pentecostale. Un poster affisso alla bacheca della stazione degli autobus faceva pub-blicità a un Museo della caccia e dello sci. Una vecchia lo-candina raccontava che Veronica aveva cantato alla festa pub-blica di mezza estate. Per andare a piedi da un capo all'altro della cittadina Mikael impiegò circa venti minuti.

La strada denominata Solvändan era fiancheggiata da ca-se singole e si trovava a circa cinque minuti dall'albergo. Burman non aprì quando Mikael suonò alla sua porta. Era-no le nove e mezza e il giornalista suppose che la persona che cercava fosse al lavoro oppure, se era in pensione, usci-ta per qualche commissione.

La fermata successiva fu il negozio di ferramenta su Stor-gatan. Se si abita a Norsjö prima o poi capita di andare dal ferramenta, ragionò Mikael. Nella bottega c'erano due commessi; Mikael scelse quello che pareva più anziano, un tipo sulla cinquantina.

«Salve, sto cercando una coppia che probabilmente abitava qui a Norsjö negli anni sessanta. L'uomo forse lavorava alla Norsjö Snickerifabrik. Non so come si chiamino, ma ho due fotografie scattate nel 1966.»

Il commesso guardò le fotografie a lungo e con attenzione, ma alla fine scosse la testa e dichiarò di non riconoscere né l'uomo né la donna.

All'ora di pranzo Mikael si fermò a mangiare un panino al chiosco fuori della stazione. Aveva lasciato perdere i negozi e depennato gli uffici comunali, la biblioteca e la farmacia. Alla stazione di polizia non c'era nessuno e così passò a interrogare persone anziane a caso. Alle due del pomeriggio chiese a due giovani donne, che certamente non conoscevano la coppia della fotografia, ma che contribuirono con una buona idea.

«Se la foto è stata scattata nel 1966, oggi quelle persone dovrebbero avere più di sessant'anni. Potrebbe andare giù alla casa albergo di Solbacka e chiedere ai pensionati che vi risiedono.»

Mikael si presentò a una donna sulla trentina negli uffici della casa albergo e spiegò quale motivo l'aveva condotto lì. Lei lo squadrò con aria sospettosa ma alla fine si lasciò persuadere. Mikael la seguì nella sala di soggiorno dove per una mezz'ora mostrò la fotografia a un gran numero di persone la cui età andava dai settant'anni in su. Si mostrarono tutti molto disponibili, ma nessuno di loro fu in grado di identificare le persone che erano state ritratte a Hedestad nel 1966.

Verso le cinque ritornò di nuovo in Solvändan e suonò alla porta di Burman. Questa volta ebbe maggiore fortuna. Marito e moglie erano pensionati ed erano stati fuori tutto il giorno. Lo invitarono a entrare in cucina, dove la moglie cominciò subito a preparare il caffè mentre Mikael spiegava il motivo della sua visita. Proprio come tutti gli altri tentativi che aveva fatto durante la giornata, anche questo fallì. Burman si grattò la testa, accese la pipa e constatò dopo un momento che non riconosceva le persone della fotografia. I due coniugi parlavano fra loro in dialetto stretto e Mikael talvolta aveva difficoltà a capire che cosa dicessero.

«Però ha perfettamente ragione a dire che è un adesivo della falegnameria» disse l'uomo. «È stato in gamba a riconoscerlo. Il problema è che distribuivamo quelle etichette a destra e a sinistra. A trasportatori, gente che comprava o consegnava legname, riparatori e macchinisti e molti altri.»

«Trovare questa coppia è più complicato di quanto credessi.»

«Perché li cerca?»

Mikael aveva deciso che avrebbe raccontato la verità quando la gente avesse fatto domande. Qualsiasi tentativo di inventare una storia sulla coppia della foto sarebbe suonato solo inverosimile e avrebbe creato disorientamento.

«È una storia lunga. Sto conducendo una ricerca su un crimine avvenuto a Hedestad nel 1966 e credo che ci sia una possibilità, ancorché microscopica, che le persone della fotografia abbiano visto ciò che accadde. Non sono in nessun modo sospettate e non credo nemmeno che sappiano di essere in possesso di un'informazione che potrebbe risolvere questo caso.»

«Un crimine? Che genere di crimine?»

«Mi spiace, ma non posso dirvi di più. Capisco che può apparire molto misterioso che qualcuno dopo quasi quarant'anni venga a cercare queste persone, ma il crimine è ancora irrisolto ed è stato solo ultimamente che sono venuti alla luce fatti nuovi.»

«Capisco. Sì, il suo è davvero un motivo insolito per una visita.»

«Quante persone lavoravano alla falegnameria?»

«Normalmente quattro. Io vi lavorai da quando avevo diciassette anni, a metà degli anni cinquanta, fino a che la fabbrica non fu chiusa. Poi diventai autotrasportatore.»

Burman rifletté un momento.

«Quanto meno, posso dire che il tizio della fotografia non ha mai lavorato alla falegnameria. C'è la possibilità che fosse un autotrasportatore, ma credo che in tal caso dovrei riconoscerlo. Naturalmente c'è anche un'altra possibilità, però. Può essere che suo padre o qualche altro parente lavorasse alla fabbrica e che la macchina quindi non fosse sua.»

Mikael annuì.

«Capisco che le possibilità sono tante. Ha da suggerirmi qualcuno con cui potrei parlare?»

«Certo» disse Burman e annuì. «Passi domani mattina, così ci facciamo un giro e parliamo con qualche vecchietto.»

Lisbeth Salander si trovava di fronte a un problema metodologico di una certa importanza. Era esperta nello scovare informazioni su chicchessia, ma il suo punto di partenza era sempre stato nome e codice fiscale di un contemporaneo. Se la persona in questione era inserita in qualche registro informatico, cosa che capitava volenti o nolenti a tutti quanti, l'oggetto cadeva rapidamente nella sua tela. Se la persona possedeva un computer con collegamento Internet, indirizzo elettronico e forse addirittura una home page, cosa che quasi tutte le persone interessate dal suo tipo speciale di ricerca avevano, lei era in grado di scoprire i loro segreti più intimi.

Ma il lavoro che aveva accettato di fare per Mikael Blomkvist era molto diverso. Stavolta l'incarico consisteva, in parole povere, nell'identificare quattro persone partendo da elementi estremamente vaghi. Inoltre queste persone erano vissute diversi decenni prima. Perciò molto probabilmente non si trovavano in nessun registro informatico.

La tesi di Mikael, basata sul caso di Rebecka Jacobsson, era che queste persone fossero state vittime di un assassino. Dunque si sarebbe dovuto trovarle in differenti inchieste di polizia su delitti mai risolti. Ma non c'era nessun accenno a quando o dove potessero essere successi, al di là del fatto che erano accaduti prima del 1966. Sotto il profilo professionale, quella che aveva davanti era una situazione del tutto nuova.

Allora, come mi muovo?

Avviò il computer, si collegò a Google e inserì le parole Magda + omicidio. Era la forma più semplice di ricerca che in generale potesse fare. Con sua sorpresa ebbe subito dei risultati. Il primo fu lo specchietto dei programmi di Tv Värmland di Karlstad, che annunciava una puntata della serie televisiva *Delitti del Värmland* andata in onda nel 1999. Successivamente trovò un breve trafiletto sul *Värmlands Folkblad*.

Per la serie Delitti del Värmland *si è ora giunti a Magda Lovisa Sjöberg di Ranmoträsk, un delitto orrendo e misterioso che diversi decenni fa tenne impegnata la polizia di Karlstad. Nell'aprile del 1960 la quarantaseienne Lovisa Sjöberg, moglie di un agricoltore, fu rinvenuta brutalmente assassinata nella stalla del podere di famiglia. Il reporter Claes Gunnars illustra le sue ultime ore di vita e l'infruttuosa caccia all'assassino. L'omicidio suscitò a suo tempo grande scalpore e sono state formulate molte teorie su chi possa averlo commesso. Nel programma compare un giovane parente che racconta come la sua vita sia stata rovinata dalle accuse.*

Ore 20.00.

Informazioni più utili le trovò nell'articolo *Il caso Lovisa sconvolge un intero paese*, uscito sulla rivista *Värmlandskultur* i cui testi a mano a mano venivano messi in rete nella loro totalità. Con palese entusiasmo e in un tono discorsivo e accattivante, si raccontava come il marito di Lovisa Sjöberg, il boscaiolo Holger Sjöberg, avesse rinvenuto la moglie morta quando alle cinque del pomeriggio era rincasato dal lavoro. La donna era stata oggetto di brutale violenza sessuale, pugnalata e alla fine infilzata con un forcone da fieno. L'omicidio era avvenuto nella stalla, ma ciò che aveva destato maggiormente l'attenzione era che l'assassino, una volta compiuto il delitto, aveva impastoiato la donna dopo averla fatta inginocchiare in una posta per cavalli.

Più tardi si scoprì che uno degli animali della fattoria, una vacca, era stato ferito al collo con una coltellata.

Inizialmente del delitto fu sospettato il marito, ma questi fu in grado di presentare un alibi inattaccabile. Era stato in compagnia dei suoi compagni di lavoro fin dalle sei del mattino, in un'area diboscata a quattro miglia da casa. Lovisa Sjöberg era stata vista in vita ancora alle dieci del mattino, quando aveva ricevuto la visita di una vicina di casa. Nessuno aveva visto o sentito alcunché; il podere distava circa quattrocento metri dalla casa più vicina.

Dopo aver scartato il marito come sospettato principale, l'indagine di polizia si concentrò su un nipote ventitreenne della vittima. In ripetute occasioni, questi aveva avuto a che fare con la giustizia, era stato in gravi ristrettezze economiche e diverse volte aveva preso in prestito modeste somme di denaro dalla zia. Il suo alibi era decisamente più debole, e il nipote era rimasto un certo periodo agli arresti prima di essere rilasciato, come si usava dire, per mancanza di prove. Ciò nonostante, molti al paese ritenevano che con ogni probabilità fosse colpevole.

La polizia seguì anche una serie di altre piste. Buona parte delle investigazioni riguardò un misterioso venditore ambulante che era stato visto in zona, così come le voci secondo cui era passato di lì un gruppo di «zingari ladri». Perché questi personaggi avrebbero dovuto commettere un brutale omicidio a sfondo sessuale senza rubare nulla, non si riusciva però a capirlo.

Per un certo periodo l'interesse fu puntato su un vicino, uno scapolo che in gioventù era stato sospettato di aver commesso un presunto reato omosessuale – in un'epoca in cui l'omosessualità era ancora perseguita per legge – e che a detta di molti aveva fama di essere «strano». Perché un eventuale omosessuale avrebbe dovuto commettere un reato sessuale nei confronti di una donna non fu tuttavia chiarito. Nessuna di queste o altre tracce condusse mai a una cattura o a una condanna.

Lisbeth Salander ritenne che il collegamento con la lista nell'agenda di Harriet Vanger fosse evidente. La citazione biblica da Levitico 20,16 suonava: *Se una donna si accosta a una bestia per lordarsi con essa, ucciderai la donna e la bestia; tutte e due dovranno essere messe a morte; il loro sangue ricadrà su di loro.* Non poteva essere un caso che una contadina di nome Magda fosse stata trovata assassinata in una stalla e con il corpo messo in posa e impastoiato in una posta per cavalli.

La domanda che sorgeva era perché Harriet avesse annotato il nome Magda anziché Lovisa, che palesemente era il nome con cui era conosciuta la vittima. Se il trafiletto sul programma televisivo non avesse riportato il nome completo, Lisbeth non l'avrebbe mai trovato.

E ovviamente la domanda più importante era: c'era un collegamento fra l'assassinio di Rebecka nel 1949, l'omicidio di Magda Lovisa nel 1960 e la scomparsa di Harriet Vanger nel 1966? E in tal caso, come diavolo avrebbe fatto Harriet Vanger a venire a conoscenza della storia?

Il sabato, Burman accompagnò Mikael in uno sconfortante pellegrinaggio in giro per Norsjö. Nel corso della mattinata fecero visita agli ex dipendenti che abitavano nei pressi. Tre di loro risiedevano in centro, due a Sörbyn, in periferia. Tutti vollero offrire il caffè. Tutti studiarono le fotografie e scossero la testa.

Dopo un pranzo frugale a casa dei Burman presero la macchina per un altro giro. Visitarono quattro villaggi nei dintorni di Norsjö dove abitavano ex dipendenti della falegnameria. A ogni sosta Burman veniva accolto con calore, ma nessuno si mostrava in grado di aiutarli. Mikael cominciava a perdersi d'animo, e a domandarsi se il viaggio a Norsjö non lo avesse portato in un vicolo cieco.

Alle quattro del pomeriggio Burman parcheggiò davanti a una tipica costruzione rurale rossa subito a nord di Norsjö e presentò Mikael a Henning Forsman, mastro falegname in pensione.

«Ma certo, questo qui è il ragazzo di Assar Brännlund» disse Henning Forsman nell'attimo stesso in cui Mikael gli mostrò la fotografia. *Bingo!*

«Ah, quello allora è il figliolo di Assar» disse Burman. E rivolgendosi a Mikael: «Era un acquirente.»

«Dove lo posso trovare?»

«Il ragazzo? Be', per trovarlo dovrebbe scavare. Si chiamava Gunnar e lavorava alla Boliden. Morì in un'esplosione accidentale a metà degli anni settanta.» *Diavolo!*

«Ma sua moglie è ancora viva. Questa qui sulla fotografia. Si chiama Mildred e vive a Bjursele.»

«Bjursele?»

«È a una decina di chilometri, sulla strada per Bastuträsk. Abita in una delle casette rosse basse e lunghe sulla destra quando si entra nell'abitato. È la terza. Conosco la famiglia abbastanza bene.»

«Salve, mi chiamo Lisbeth Salander e sto preparando una tesi di criminologia sulla violenza contro le donne nel Novecento. Vorrei visitare il distretto di polizia di Landskrona per poter leggere gli atti relativi a un caso del 1957. Riguarda l'omicidio di una donna di quarantacinque anni di nome Rakel Lunde. Ha qualche idea di dove si possano trovare quei documenti?»

Bjursele sembrava più che altro un manifesto pubblicitario della campagna del Västerbotten. Il villaggio consisteva di una ventina di case, relativamente stipate in semicerchio intorno all'estremità di un lago. Al centro dell'abitato c'era un incrocio con una freccia in direzione di Hemmingen, 11 km, e un'altra in direzione di Bastuträsk, 17 km. Vicino all'incrocio scorreva un torrente attraversato da un ponticello. Adesso, in piena estate, era bello come una cartolina.

Mikael aveva parcheggiato nello spiazzo antistante un piccolo supermercato Konsum ormai chiuso, dall'altra parte della strada rispetto alla terza casa sul lato destro. Quando bussò, non rispose nessuno.

Passeggiò per un'ora lungo la strada che conduceva a Hemmingen. Passò in un punto in cui il fiumicello si trasformava in un torrente impetuoso. Si imbatté in due gatti e avvistò un capriolo, ma non incontrò neanche una persona prima di fare dietro front. La porta di Mildred Brännlund era sempre chiusa.

Su un palo accanto al ponte trovò un volantino un po' lacero che invitava ad assistere a una competizione automobilistica. Domare una macchina era un passatempo invernale che consisteva nel fare a pezzi un veicolo guidandolo sul lago ghiacciato. Mikael osservò pensieroso il manifesto.

Aspettò fino alle dieci di sera prima di arrendersi e di ritornare a Norsjö, dove consumò una cena tardiva per poi ritirarsi in camera a leggere la fine del poliziesco di Val McDermid.

Era raccapricciante.

Alle dieci di sera Lisbeth Salander aggiunse un altro nome alla lista di Harriet Vanger. Lo fece con grande esitazione, dopo averci riflettuto parecchie ore.

Aveva scoperto una scorciatoia. A intervalli di tempo più o meno regolari venivano pubblicati testi su omicidi irrisolti e nel supplemento domenicale di un quotidiano della sera aveva trovato un articolo del 1999 dal titolo *Molti assassini di donne ancora in libertà*. L'articolo era sommario, ma c'erano nomi e immagini di diverse vittime di delitti che avevano fatto particolare scalpore. C'erano il caso di Solveig avvenuto a Norrtälje, l'omicidio di Anita a Norrköping, di Margareta a Helsingborg e altre vicende note.

I più vecchi dei casi che venivano ricapitolati risalivano agli anni sessanta e avrebbero potuto figurare nell'elenco che Lisbeth aveva ricevuto da Mikael. Ma fu uno in particolare ad attirare la sua attenzione.

Nel giugno del 1962 una prostituta trentaduenne di nome Lea Persson era andata da Göteborg a Uddevalla per fare visita alla madre e al suo bambino di nove anni, che la madre aveva in tutela. Dopo qualche giorno di permanenza, Lea una domenica sera aveva abbracciato la madre, aveva detto arrivederci e se n'era andata a prendere il treno per fare ritorno a Göteborg. Due giorni dopo il suo corpo fu ritrovato dietro un container abbandonato in un terreno industriale in disuso. Era stata violentata e sottoposta a brutali ed estese sevizie.

L'assassinio di Lea suscitò grande attenzione come feuilleton estivo sul giornale, ma l'omicida non fu mai identificato. Nell'elenco di Harriet Vanger non c'era nessuna Lea. E la storia non quadrava con nemmeno una delle citazioni bibliche di Harriet.

C'era però una circostanza talmente singolare che le antenne di Lisbeth Salander si drizzarono. A circa dieci metri dal punto dove era stato trovato il cadavere di Lea c'era un vaso da fiori con dentro una colomba. Qualcuno aveva stretto uno spago intorno al collo della colomba e l'aveva fatto passare attraverso il foro sul fondo del vaso. Quindi il vaso era stato messo su un piccolo braciere improvvisato fra due mattoni. Non c'erano prove che quell'atto di barbarie avesse qualcosa a che fare con l'assassinio di Lea; potevano essere stati dei bambini che si erano divertiti a fare un gioco orribile e crudele, ma i media lo battezzarono subito «il delitto della colomba».

Lisbeth Salander non era una lettrice della Bibbia – non ne possedeva neppure una copia –, ma nel corso della serata salì alla chiesa di Högalid e con una certa fatica riuscì a farsene dare in prestito una. Si sedette su una panchina fuori della chiesa e lesse il Levitico. Quando arrivò al capitolo 12, versetto 8, alzò le sopracciglia. Il capitolo trattava della purificazione delle puerpere.

Se non ha mezzi per offrire un agnello, prenderà due tortore o due colombi, uno per l'olocausto e l'altro per il sacrificio espiatorio. Il sacerdote farà il rito espiatorio per lei ed ella sarà monda.

Lea avrebbe potuto benissimo figurare nella rubrica telefonica di Harriet come Lea - 31208.

Lisbeth Salander si rese conto d'un tratto che nessuna sua ricerca precedente si era anche solo avvicinata alla portata di questa.

Mildred Brännlund, che ora si era risposata e si chiamava Mildred Berggren, aprì la porta quando Mikael Blomkvist bussò verso le dieci della domenica mattina. La donna era circa quarant'anni più vecchia e quasi altrettanti chili più pesante, ma Mikael poté immediatamente riconoscerla dalla fotografia.

«Salve, mi chiamo Mikael Blomkvist. Lei dev'essere Mildred Berggren.»

«Sì, è esatto.»

«Mi scusi se mi presento alla sua porta così, ma è un po' di tempo che cerco di rintracciarla per una questione che è alquanto complicata da spiegare.» Mikael le sorrise. «Mi consente di entrare e di rubarle un minuto del suo tempo?»

Sia il marito di Mildred che un figlio sui trentacinque anni erano in casa, quindi lei fece entrare Mikael senza grandi esitazioni e lo invitò ad accomodarsi in cucina. Lui strinse le mani a tutti. Aveva bevuto più caffè nei giorni passati che in tutta la vita, ma a quel punto aveva imparato che nel Norrland era scortese rifiutare. Quando le tazze furono in tavola, Mildred si sedette e domandò curiosa in che cosa poteva essere d'aiuto. Mikael aveva difficoltà ad afferrare il suo dialetto di Norsjö e lei passò allo svedese standard.

Mikael tirò un respiro profondo. «Si tratta di una storia lunga. Nel settembre del 1966 lei si trovava a Hedestad in compagnia del suo primo marito, Gunnar Brännlund.»

La donna assunse un'aria sbalordita. Lui aspettò che annuisse prima di metterle davanti sul tavolo la foto scattata in Järnvägsgatan.

«Questa fotografia fu scattata allora. Si ricorda il contesto?»

«Gesù santo» disse Mildred Berggren. «È passata un'infinità di tempo.»

Il nuovo marito e il figlio le si misero accanto e guardarono la foto.

«Eravamo in viaggio di nozze. Eravamo andati in macchina fino a Stoccolma e Sigtuna, e stavamo ritornando a casa, e ci fermammo solo a fare una sosta, da qualche parte. Era a Hedestad, ha detto?»

«Sì, a Hedestad. Questa foto fu scattata all'una circa del

pomeriggio. È un po' di tempo che cerco di identificarla e non è stata la cosa più semplice del mondo.»

«Lei trova una mia vecchia fotografia e riesce a scovarmi. Non riesco nemmeno a capire come abbia fatto.»

Mikael mostrò la foto scattata al parcheggio.

«Sono riuscito a rintracciarla grazie a questa foto, che fu scattata un po' più tardi nel corso della stessa giornata.» Mikael spiegò che attraverso la Norsjö Snickeri aveva scovato Burman, il quale a sua volta l'aveva condotto da Henning Forsman di Norsjövallen.

«Suppongo che abbia un buon motivo per questa sua bizzarra ricerca.»

«Ce l'ho. Questa ragazza, che sta qui davanti a lei in questa foto, si chiamava Harriet. Scomparve proprio quel giorno ed è opinione generale che sia rimasta vittima di un omicidio. Lasci che le mostri che cosa accadde.»

Mikael tirò fuori il suo iBook e spiegò il contesto mentre il computer si avviava. Poi fece passare la sequenza di immagini che mostravano come l'espressione di Harriet avesse subito dei cambiamenti.

«Fu quando esaminai queste vecchie foto che la scoprii. Lei è in piedi alle spalle di Harriet con una macchina fotografica in mano e sembra fotografare esattamente quello che la ragazza sta guardando e che ha fatto scattare la sua reazione. So bene che è un grosso azzardo. Ma il motivo per cui sono venuto a cercarla è chiederle se magari ha ancora le foto di quella giornata.»

Mikael era pronto a sentir dire a Mildred Berggren che di quelle fotografie aveva da tempo perso le tracce, che la pellicola non era mai stata sviluppata o che le aveva gettate via. Invece Mildred lo guardò con i suoi occhi celesti e disse come se fosse la cosa più ovvia del mondo che naturalmente conservava tutte le vecchie foto delle vacanze.

Si trasferì in un salottino e ritornò dopo qualche minuto

435

con uno scatolone dove aveva radunato un gran numero di foto raccolte in diversi album. Le occorse un momento per trovare le immagini di quel viaggio in particolare. Aveva fatto tre fotografie a Hedestad. Una era sfuocata e mostrava la via principale della cittadina. Una mostrava il suo primo marito. La terza, i pagliacci della sfilata.

Mikael si chinò in avanti, impaziente. Vide una figura dall'altra parte della strada. L'immagine non gli diceva assolutamente nulla.

20.
Martedì 1 luglio - mercoledì 2 luglio

La prima cosa che Mikael fece il mattino successivo al suo rientro a Hedestad fu di andare da Dirch Frode a informarsi sulle condizioni di salute di Henrik Vanger. Venne a sapere che il vecchio era notevolmente migliorato nel corso della settimana precedente. Era ancora debole ma adesso poteva mettersi seduto sul letto. Le sue condizioni non erano più considerate critiche.

«Dio sia lodato» disse Mikael. «Mi sono reso conto che in effetti gli sono affezionato.»

Dirch Frode annuì. «Lo so. E anche Henrik è affezionato a te. Come è andato il viaggio nel Norrland?»

«Bene e male. Te ne parlerò più tardi. In questo momento ho da farti una domanda.»

«Prego.»

«Che cosa succederebbe a *Millennium* se Henrik dovesse morire?»

«Assolutamente nulla. Martin entrerebbe a far parte del vostro consiglio di amministrazione.»

«C'è qualche rischio, puramente ipotetico, che Martin possa creare problemi a *Millennium* se io non smetto di indagare sulla scomparsa di Harriet Vanger?»

Dirch Frode guardò Mikael con improvvisa durezza.

«Che cosa è successo?»

«In realtà, nulla.» Mikael gli riferì la conversazione che aveva avuto con Martin Vanger la vigilia della festa di mezza estate. «Quando sono tornato da Norsjö, Erika mi ha telefonato dicendomi che Martin aveva parlato con lei e l'aveva pregata di insistere che c'era bisogno di me in redazione.»

«Capisco. La mia sensazione è che Cecilia abbia fatto pressione su di lui. Ma non credo che Martin arriverebbe a ricattarti. È troppo onesto per farlo. E non dimenticare che anch'io faccio parte del consiglio d'amministrazione della piccola società affiliata che abbiamo fondato quando abbiamo acquistato le nostre quote di *Millennium*.»

«Ma se si dovesse arrivare a una situazione difficile, quale sarebbe la tua posizione?»

«Il contratto esiste per essere mantenuto. Io lavoro per Henrik. Io e Henrik siamo amici da quarantacinque anni e abbiamo comportamenti abbastanza simili in situazioni come questa. Se Henrik dovesse mancare sarei effettivamente io – non Martin – a ereditare la quota di Henrik nell'affiliata. Abbiamo un contratto inattaccabile in cui ci impegnamo a sostenere *Millennium* per tre anni. Se Martin volesse fare qualche dispetto, cosa che non credo, forse potrebbe frenare un certo numero di nuovi inserzionisti.»

«Minando la base stessa dell'esistenza di *Millennium*.»

«Sì, ma cerca di vederla in quest'ottica – dedicarsi a simili quisquilie porta via tempo. Martin attualmente sta lottando per la sua sopravvivenza come industriale e lavora quattordici ore al giorno. Non ha tempo per nient'altro.»

Mikael rimase un momento pensieroso.

«Posso chiedere, lo so che non sono affari miei, ma com'è la situazione generale del gruppo?»

Dirch Frode assunse un'aria grave.

«Abbiamo dei problemi.»

«Sì, questo lo capisce perfino un comune reporter di economia come me. Voglio dire, quanto è seria la situazione?»

«Che rimanga fra noi?»

«Solo fra noi.»

«Abbiamo perso due grossi ordini nell'industria elettronica nelle ultime settimane e stiamo per essere estromessi dal mercato russo. In settembre saremo costretti a licenziare milleseicento dipendenti a Örebro e Trollhättan. Non è un bel regalo da fare a gente che ha lavorato per tanti anni nelle aziende del gruppo. Ogni volta che chiudiamo una fabbrica, la fiducia nel gruppo viene ulteriormente minata.»

«Martin Vanger è sotto pressione.»

«Sta tirando il carico di un bue e cammina sulle uova.»

Mikael tornò a casa e telefonò a Erika. Non era in redazione, così parlò con Christer Malm.

«Succede questo. Erika mi ha chiamato quando sono tornato da Norsjö ieri. Martin Vanger l'ha contattata e, come posso dire, esortata a suggerirmi che cominci ad assumermi maggiori responsabilità in redazione.»

«Lo penso anch'io» disse Christer.

«Lo capisco. Ma il fatto è che io ho un contratto con Henrik Vanger che non posso rompere e Martin agisce su incarico di una persona quassù che vuole che io smetta di ficcare il naso e sparisca dalla zona. Il suo suggerimento è dunque un tentativo di allontanarmi da qui.»

«Capisco.»

«Riferisci a Erika che verrò a Stoccolma quando avrò finito quassù. Non prima.»

«Capisco. Sei matto da legare. Riferirò.»

«Christer. Qui sta succedendo qualcosa e io non ho nessuna intenzione di tirarmene fuori.»

Christer sospirò platealmente.

Mikael uscì di nuovo e andò a bussare alla porta di Martin Vanger. Gli aprì Eva Hassel, che lo salutò cordialmente.

«Salve. Martin è in casa?»

Come risposta alla sua domanda, Martin comparve sulla soglia con in mano la sua cartella. Baciò Eva Hassel sulla guancia e salutò Mikael.

«Sto andando in ufficio. Volevi parlare con me?»

«Possiamo fare un'altra volta, se sei di fretta.»

«Sentiamo.»

«Non ho intenzione di tornare a lavorare nella redazione di *Millennium* prima di aver portato a termine l'incarico che Henrik mi ha affidato. Voglio informartene adesso in modo che tu non faccia conto sulla mia presenza nel consiglio d'amministrazione prima della fine dell'anno.»

Martin Vanger si dondolò un momento sui tacchi.

«Capisco. Tu credi che voglia liberarmi di te.» Fece una pausa. «Mikael, ne parleremo in un altro momento. Io non ho tempo da dedicare all'hobby di dirigere *Millennium* e vorrei non aver mai accettato la proposta di Henrik. Ma credimi, farò sempre del mio meglio perché *Millennium* continui a vivere.»

«Di questo non ho mai dubitato» rispose Mikael cortesemente.

«Se fissiamo un appuntamento per la settimana entrante possiamo esaminare la situazione economica e ti posso dire come la vedo io. Ma la mia convinzione è che *Millennium* in effetti non può permettersi di avere uno dei suoi personaggi chiave seduto quassù a Hedeby a girarsi i pollici. A me il giornale piace e sono convinto che insieme possiamo renderlo più forte, ma per farlo c'è bisogno di te. Io sono finito in un conflitto di coscienza. Seguire i desideri di Henrik o portare a termine il mio lavoro nella direzione di *Millennium*.»

Mikael indossò la tuta e fece una corsa fino alla Fortificazione e giù fino alla casetta di Gottfried prima di ritornare in direzione di casa a ritmo rallentato lungo la riva del mare. Dirch Frode era seduto al suo tavolo da giardino. Aspettò paziente mentre Mikael si scolava una bottiglia d'acqua e si detergeva il sudore dal viso.

«Non mi sembra un'attività salutare, con questo caldo.»

«Ohhh» rispose Mikael.

«Mi sbagliavo. Non è tanto Cecilia a soffiare sul collo a Martin. È Isabella che sta mobilitando il clan Vanger per coprirti di pece e di piume e magari bruciarti anche sul rogo. E ha l'appoggio di Birger.»

«Isabella?»

«È una persona malvagia e gretta che in generale non ama gli altri esseri umani. In questo momento sembra che detesti te in particolare. Diffonde voci secondo cui sei un imbroglione, hai indotto Henrik ad assumerti e l'hai agitato fino al punto di provocargli un attacco cardiaco.»

«E qualcuno ci crede?»

«C'è sempre gente pronta a credere alle malelingue.»

«Io sto cercando di scoprire che cosa sia successo a sua figlia – e lei mi odia. Se si trattasse della mia, di figlia, probabilmente avrei reagito in maniera un po' diversa.»

Alle due del pomeriggio il cellulare di Mikael squillò.

«Salve, mi chiamo Conny Torsson e lavoro all'*Hedestads-Kuriren*. Ha tempo di rispondere a qualche domanda? Ci hanno informati che adesso abita qui a Hedeby.»

«In tal caso la macchina delle informazioni funziona un po' a rilento. È dall'inizio dell'anno che ci abito.»

«Non lo sapevo. Che cosa fa a Hedestad?»

«Scrivo. E mi prendo una sorta di anno sabbatico.»

«A che cosa sta lavorando?»

«*Sorry*. Questo lo verrà a sapere quando pubblicherò.»

«Lei è appena stato rilasciato dalla prigione...»

«Sì?»

441

«Che cosa ne pensa dei giornalisti che falsificano materiali?»

«I giornalisti che falsificano materiali sono degli idioti.»

«Quindi si ritiene un idiota?»

«Perché dovrei? Io non ho mai falsificato materiali.»

«Però è stato condannato per diffamazione.»

«E...?»

Il reporter Conny Torsson esitò così a lungo che Mikael fu costretto a dargli una mano.

«Io sono stato condannato per diffamazione, non per aver falsificato materiali.»

«Però il materiale l'ha pubblicato.»

«Se ha telefonato per discutere la sentenza contro di me, non ho commenti.»

«Vorrei venire a intervistarla.»

«Sono spiacente, ma non ho nulla da dire su questo argomento.»

«Perciò non vuole discutere del processo?»

«Vedo che ha capito» rispose Mikael e chiuse la conversazione. Rimase seduto a pensare un lungo momento prima di tornare al suo computer.

Lisbeth Salander seguì le istruzioni che aveva ricevuto e diresse la sua Kawasaki sul ponte che portava all'isola di Hedeby. Si fermò alla prima casetta sulla sinistra. Si trovava in un posto sperduto. Ma finché il suo committente pagava era disposta ad andare anche al Polo Nord. Inoltre era piacevole fare una bella corsa lungo la E4. Parcheggiò la moto e sganciò le cinghie che fissavano la sua borsa da viaggio al portapacchi.

Mikael Blomkvist aprì la porta e sventolò la mano in un cenno di saluto. Poi uscì e ispezionò la motocicletta con schietto stupore.

«Tosto. Tu guidi la moto.»

Lisbeth Salander non disse nulla, ma lo osservò vigile mentre toccava il manubrio e saggiava l'acceleratore. Non le andava che qualcuno armeggiasse con le sue cose. Poi vide il suo sorriso da ragazzino, e lo considerò come un aspetto conciliante. La maggior parte degli amanti delle due ruote di solito guardava dall'alto in basso la sua moto leggera.

«Avevo anch'io una motocicletta quando avevo diciannove anni» disse lui, voltandosi verso di lei. «Grazie di essere venuta. Entra che ti faccio sistemare.»

Mikael aveva preso in prestito una branda da campeggio dai Nilsson e aveva preparato il letto nello studiolo. Lisbeth Salander fece un giro per la casa con aria sospettosa ma parve rilassarsi non riuscendo a scoprire segni immediati di trappole insidiose. Mikael le mostrò dov'era il bagno.

«Se vuoi fare la doccia e rinfrescarti.»

«Devo cambiarmi. Non ho intenzione di andare in giro in tuta di pelle.»

«Intanto che ti prepari io penso alla cena.»

Mikael arrostì le costolette d'agnello con una salsa al vino rosso e apparecchiò all'aperto mentre Lisbeth faceva la doccia e si cambiava. Uscì fuori a piedi nudi, in top nero e minigonna di jeans consunta. L'agnello aveva un buon profumo e lei ne divorò due abbondanti porzioni. Di nascosto, Mikael sbirciava affascinato i suoi tatuaggi.

«Cinque più tre» disse Lisbeth Salander. «Cinque casi dalla lista della tua Harriet e tre che secondo me avrebbero dovuto comparire nell'elenco.»

«Racconta.»

«Ci ho lavorato su solo undici giorni e non ho semplicemente avuto il tempo di scovare tutte le inchieste. In alcuni casi le indagini di polizia sono finite nell'archivio regionale, in altri sono ancora conservate nel relativo distretto. Ho fatto tre escursioni giornaliere in altrettanti distretti di polizia, ma per i casi rimanenti non ho ancora avuto il tempo. Però tutti e cinque sono stati identificati.»

Lisbeth Salander piazzò un notevole malloppo sul tavolo della cucina, circa cinquecento pagine formato A4. Suddivise velocemente il materiale in diversi mucchietti.

«Prendiamoli in ordine cronologico.» Allungò a Mikael una lista.

1949 - Rebecka Jacobsson, Hedestad (30112)
1954 - Mari Holmberg, Kalmar (32018)
1957 - Rakel Lunde, Landskrona (32027)
1960 - (Magda) Lovisa Sjöberg, Karlstad (32016)
1960 - Liv Gustavsson, Stoccolma (32016)
1962 - Lea Persson, Uddevalla (31208)
1964 - Sara Witt, Ronneby (32109)
1966 - Lena Andersson, Uppsala (30112)

«Il primo caso di questa serie sembra essere Rebecka Jacobsson, 1949, del quale già conosci i dettagli. Quello successivo che ho trovato è Mari Holmberg, una prostituta trentaduenne di Kalmar che fu uccisa nella sua abitazione nell'ottobre del 1954. Non si sa esattamente quando sia stata uccisa perché passò del tempo prima che la trovassero. Probabilmente nove o dieci giorni.»

«E come la colleghi all'elenco di Harriet?»

«Era legata e aveva subito pesanti maltrattamenti, ma era morta per soffocamento. L'assassino le aveva cacciato in gola il suo assorbente.»

Mikael rimase seduto un momento in silenzio prima di aprire la Bibbia al punto indicato, Levitico, capitolo 20, versetto 18. *Se uno ha un rapporto con una donna durante le sue regole e ne scopre la nudità, quel tale ha scoperto la sorgente di lei ed ella ha scoperto la sorgente del proprio sangue; perciò tutti e due saranno eliminati dal loro popolo.*

Lisbeth annuì.

«Harriet Vanger fece lo stesso collegamento. Okay. Il prossimo.»

«Maggio 1957, Rakel Lunde, quarantacinque anni. Questa donna lavorava come addetta alle pulizie ed era un po' l'originale del paese. Faceva la chiromante e aveva per hobby di leggere le carte e la mano e roba del genere. Rakel abitava fuori Landskrona in una casa piuttosto isolata, dove fu uccisa nelle prime ore del mattino. Fu trovata nuda e legata a uno stendibiancheria fuori nel cortile sul retro della sua casa, con la bocca sigillata con del nastro adesivo. È morta lapidata: qualcuno l'ha bersagliata ripetutamente con una grossa pietra. Il suo corpo presentava innumerevoli contusioni e fratture.»

«Cazzo. Lisbeth, questo è davvero orripilante.»

«C'è anche di peggio. Le iniziali RL quadrano – hai trovato la citazione?»

«Chiarissima. *Se uomo o donna, in mezzo a voi, eserciteranno la negromanzia o la divinazione, dovranno essere messi a morte; saranno lapidati e il loro sangue ricadrà su di loro.*»

«Poi viene Lovisa Sjöberg di Ranmo fuori Karlstad. È quella che Harriet ha segnato come Magda. Il suo nome completo era Magda Lovisa, ma tutti la chiamavano Lovisa.»

Mikael ascoltò attentamente mentre Lisbeth gli riferiva i dettagli dell'omicidio di Karlstad. Quando lei si accese una sigaretta, lui indicò il pacchetto con aria interrogativa. Lisbeth glielo passò.

«L'assassino ha infierito anche sull'animale?»

«Il passo biblico dice che se una donna si accoppia con un animale, entrambi devono essere uccisi.»

«La probabilità che questa donna si sia accoppiata con una mucca deve essere quasi nulla.»

«La citazione biblica può essere presa alla lettera. È sufficiente che essa *si lordi* con un animale, cosa che una contadina innegabilmente deve fare ogni giorno.»

«Okay. Continua.»

«Il caso successivo secondo l'elenco di Harriet è Sara. Io l'ho identificata con Sara Witt, trentasette anni, residente a Ronneby. Fu uccisa nel gennaio del 1964. La trovarono legata al suo letto. Era stata sottoposta a pesanti violenze sessuali, ma era morta per soffocamento. L'avevano strangolata. L'assassino appiccò anche un incendio. Lo scopo era probabilmente di distruggere tutta la casa fino alle fondamenta, ma un po' il fuoco si spense da solo, un po' i pompieri arrivarono sul posto molto rapidamente.»

«E il collegamento?»

«Ascolta un po'. Sara Witt era figlia di un prete sposata a un prete. Il marito in quel fine settimana era via.»

«*Se la figlia di un sacerdote si disonora prostituendosi, disonora suo padre; sarà arsa con il fuoco.* Okay. È qualificata per l'elenco. Hai detto che avevi scoperto altri casi.»

«Ho trovato altre tre donne uccise in circostanze tali da farle entrare di diritto nella lista di Harriet. Il primo caso è quello di una giovane donna di nome Liv Gustavsson. Aveva ventidue anni e abitava a Farsta. Era un'amazzone, gareggiava ed era un promettente talento dell'ippica. Aveva anche un piccolo negozio di animali insieme alla sorella.»

«Okay.»

«Fu proprio in negozio che la trovarono. Aveva lavorato fino a tardi a sistemare i libri contabili ed era sola. Deve aver fatto entrare l'assassino spontaneamente. Fu violentata e strangolata.»

«Non mi suona esattamente da elenco di Harriet.»

«No, non esattamente, se non fosse per un dettaglio. L'assassino aveva concluso il suo rito infilandole un pappagallino nei genitali e poi aveva liberato tutti gli animali che c'erano in negozio. Gatti, tartarughe, topolini bianchi, conigli, uccelli. Perfino i pesci dell'acquario. Fu quindi uno spetta-colo piuttosto spiacevole, quello che si trovò davanti la so-rella il mattino dopo.»

Mikael annuì.

«La ragazza fu uccisa nell'agosto del 1960, quattro mesi dopo l'assassinio della contadina, Magda Lovisa, a Karlstad. In entrambi i casi si trattava di donne che lavoravano con gli animali e in entrambi i casi ci fu anche un sacrificio ani-male. La vacca di Karlstad sopravvisse, è vero, ma suppon-go che sia piuttosto difficile ammazzare un bovino con un coltello. Un pappagallino è per così dire più semplice. E inoltre abbiamo anche un altro sacrificio animale.»

«Quale?»

Lisbeth raccontò dello strano *delitto della colomba* di cui era stata vittima Lea Persson a Uddevalla. Mikael rimase in silenzio a riflettere per un momento così lungo che perfino Lisbeth si spazientì.

«Okay» disse alla fine. «Accetto la tua teoria. Resta an-cora un caso.»

«Di quelli che sono riuscita a trovare. Ma non so quanti posso averne mancati.»

«Racconta.»

«Febbraio 1966, a Uppsala. La vittima più giovane è una liceale diciassettenne che si chiamava Lena Andersson. Scomparve dopo una festa di classe e fu trovata tre giorni più tardi in un fosso in campagna, un bel po' fuori Uppsa-la. Era stata uccisa altrove, e trasportata lì.»

Mikael annuì.

«Questo omicidio ebbe grande risalto dai mass-media ma le circostanze esatte intorno alla morte della ragazza non fu-rono mai rese pubbliche. Era stata torturata in modo dav-vero atroce. Ho letto il rapporto del patologo. L'avevano torturata con il fuoco. Le mani e il petto erano gravemente ustionati, ma c'erano bruciature su tutto il corpo. Furono

447

trovate tracce di stearina che provavano che era stata usata anche una candela, ma le mani erano così bruciate che dovevano essere state tenute su un fuoco ben più potente. E per concludere l'assassino le aveva segato via la testa e l'aveva lasciata accanto al corpo.»

Mikael impallidì.

«Santo Iddio» disse.

«Non ho trovato nessuna citazione biblica che si adatti, ma ci sono diversi passi che trattano di olocausti e sacrifici espiatori, e in alcuni punti si prescrive che la vittima – solitamente un toro – venga squartata in modo tale che *la testa sia staccata dal grasso.* L'uso del fuoco ricorda anche il primo omicidio, quello di Rebecka qui a Hedestad.»

Quando sul far della sera cominciarono ad arrivare le zanzare, sparecchiarono il tavolo da giardino e si sedettero in cucina per continuare a parlare.

«Che tu non abbia trovato una citazione biblica precisa non significa granché. Qui non si tratta di citare. Questa è una atroce parodia di ciò che sta scritto nella Bibbia – sono piuttosto associazioni a citazioni isolate.»

«Lo so. Non è neppure logico. Prendi per esempio la citazione che tutt'e due devono essere eliminati se uno ha rapporti con una ragazza che è mestruata. Se l'avesse interpretata alla lettera, l'assassino avrebbe dovuto suicidarsi.»

«Perciò a cosa conduce tutto questo?» si domandò Mikael.

«O la tua Harriet aveva un hobby alquanto singolare che consisteva nel raccogliere citazioni bibliche e associarle a vittime di omicidi di cui aveva sentito parlare... oppure sapeva che esisteva un collegamento fra i delitti.»

«Fra il 1949 e il 1966, e forse anche prima e dopo. Dunque ci sarebbe stato in circolazione un serial killer sadico e matto da legare, con una Bibbia sotto il braccio, che ha ammazzato donne per almeno diciassette anni senza che nessuno abbia collegato gli omicidi. Mi suona assolutamente incredibile.»

Lisbeth Salander spinse indietro la sedia e andò a prendere dell'altro caffè. Si accese una sigaretta e soffiò intorno una nuvola di fumo. Mikael imprecò dentro di sé e gliene fregò un'altra.

«No, in effetti non è affatto così incredibile» disse lei alzando un dito. «Abbiamo diverse dozzine di omicidi di donne irrisolti in Svezia nel corso del Novecento. Quel tale professore di criminologia, Persson, ha detto una volta alla tv che i serial killer sono molto rari in Svezia, ma che di sicuro ne abbiamo avuto alcuni che non sono mai stati scoperti.»

Mikael annuì. Lei alzò un altro dito.

«Questi omicidi sono stati commessi in un arco di tempo molto lungo e in posti molto diversi del paese. Due sono avvenuti a breve distanza l'uno dall'altro nel 1960, ma le circostanze erano relativamente differenti – una contadina a Karlstad e una ragazza di ventidue anni a Stoccolma.»

Terzo dito.

«Non c'è nessun disegno ovvio ed evidente. Gli omicidi sono stati commessi con modalità differenti e non c'è una firma vera e propria, ma ci sono degli elementi che ricorrono nei diversi casi. Animali, fuoco. Brutale violenza sessuale. E, come hai osservato, una parodia di conoscenza biblica. Ma evidentemente nessun investigatore ha interpretato nessuno di quei delitti partendo dalla Bibbia.»

Mikael annuì. La guardò di sottecchi. Con il suo corpo esile, il top nero, i tatuaggi e i piercing sul viso, Lisbeth Salander appariva a dir poco fuori luogo nello chalet di Hedeby. Quando aveva cercato di fare conversazione con lei durante la cena, aveva risposto a monosillabi, le poche volte che aveva risposto. Ma quando parlava di lavoro era professionale da cima a fondo. Il suo appartamento giù a Stoccolma sembrava appena uscito da un bombardamento, ma Mikael giunse alla conclusione che in testa Lisbeth Salander avesse un ordine e un'organizzazione di tutto rispetto. *Curioso!*

«È difficile vedere il collegamento fra una prostituta a Uddevalla che viene uccisa dietro un container in una zona industriale e la moglie di un pastore a Ronneby che viene strangolata e la cui casa viene incendiata. Se non si ha in mano la chiave che ci ha fornito Harriet, voglio dire.»

«Il che conduce alla domanda successiva» disse Lisbeth.

«Come cavolo aveva potuto Harriet essere coinvolta in questa storia. Una ragazza di sedici anni che viveva in un ambiente piuttosto protetto.»

«C'è soltanto una risposta» disse lei.

Mikael annuì nuovamente.

«Ci deve essere un collegamento con la famiglia Vanger.»

Alle undici avevano passato al setaccio la serie degli omicidi e discusso connessioni e dettagli spaiati a tal punto che la testa di Mikael era tutto un vortice di pensieri. Si stropicciò gli occhi e si stiracchiò e chiese alla ragazza se avesse voglia di fare una passeggiata notturna. Lisbeth Salander aveva l'aria di ritenere che simili esercizi fossero solo una perdita di tempo, ma dopo un breve attimo di riflessione assentì. Mikael le suggerì di mettersi dei pantaloni lunghi per via delle zanzare.

Fecero il giro che passava davanti al porticciolo turistico e poi sotto il ponte verso il promontorio di Martin Vanger. Mikael indicava le diverse case e raccontava di quelli che vi abitavano. Quando indicò la casa di Cecilia, ebbe difficoltà a formulare i suoi pensieri. Lisbeth lo guardò di sottecchi.

Passarono davanti alla lussuosa imbarcazione di Martin e arrivarono al promontorio dove si sedettero su una pietra a dividersi una sigaretta.

«C'è un ulteriore collegamento fra le vittime degli omicidi» disse Mikael d'un tratto. «Forse ci hai già pensato anche tu.»

«E sarebbe?»

«I nomi.»

Lisbeth Salander rifletté un momento. Quindi scosse la testa.

«Sono tutti nomi biblici.»

«Non è vero» replicò subito Lisbeth. «Nella Bibbia non ci sono né Liv né Lena.»

Mikael scosse la testa. «Invece sì. Liv significa vita, che è il significato biblico del nome Eva. E prova a sforzarti, di che nome è l'abbreviazione Lena?»

Lisbeth Salander strizzò gli occhi irritata e imprecò dentro di sé. Mikael era stato più svelto di lei. E questo non le andava a genio.

«Maddalena» disse.

«La prostituta, la prima donna, la vergine Maria... ci sono tutte nel mazzo. Questa storia è così pazzesca che uno psicologo probabilmente ci andrebbe a nozze. Ma in effetti era un'altra la cosa a cui pensavo a proposito dei nomi.»

Lisbeth attese paziente.

«Sono anche tradizionali nomi ebraici. La famiglia Vanger ha avuto più della sua parte di pazzi antisemiti, nazisti e teorici del complotto. Harald Vanger ha passato i novanta e negli anni sessanta era nel pieno del suo vigore. L'unica volta che l'ho incontrato continuava a sibilare che sua figlia era una puttana. Chiaramente ha dei problemi con le donne.»

Quando ritornarono allo chalet prepararono uno spuntino notturno e scaldarono il caffè. Mikael sbirciò le cinquecento pagine circa che la ricercatrice preferita di Dragan Armanskij aveva prodotto per lui.

«Hai fatto un fantastico lavoro di scavo in tempo record»

disse. «Grazie. E grazie anche di essere stata così gentile da venire quassù a fare rapporto.»

«Che cosa succede adesso?» domandò Lisbeth.

«Domani parlerò con Dirch Frode così sistemiamo il tuo onorario.»

«Non era quello che intendevo.»

Mikael la guardò.

«Be'... il lavoro di ricerca per cui ti avevo ingaggiata è concluso» disse con circospezione.

«Io sento di non avere ancora finito con questa storia.»

Mikael si lasciò andare contro lo schienale della cassapanca e incontrò il suo sguardo. Non riuscì a leggervi assolutamente nulla. Per sei mesi aveva lavorato da solo alla scomparsa di Harriet e ora c'era un'altra persona – esperta di indagini – che ne vedeva le implicazioni. Prese la decisione d'impulso.

«Lo so. Questa vicenda è entrata sotto la pelle anche a me. Domani parlerò con Dirch Frode. Ti ingaggiamo per un'altra settimana o due come... hmm, assistente all'indagine. Non so se vorrà pagare la stessa tariffa che paga ad Armanskij, ma dovremmo comunque riuscire a strappargli un onesto compenso mensile.»

D'improvviso Lisbeth Salander gli scoccò un sorriso. Non voleva assolutamente essere tagliata fuori e avrebbe fatto quel lavoro anche gratis.

«Sto crollando dal sonno» disse, e senza aggiungere altro entrò nella camera e chiuse la porta.

Dopo due minuti la riaprì e cacciò fuori la testa.

«Credo che ti sbagli. Non si tratta di un serial killer pazzo che ha studiato la Bibbia. È solo un comunissimo farabutto che odia le donne.»

21.
Giovedì 3 luglio - giovedì 10 luglio

Lisbeth Salander si svegliò prima di Mikael, verso le sei del mattino. Mise su l'acqua del caffè e si infilò sotto la doccia. Quando Mikael si svegliò alle sette e mezza, era intenta a leggere il riassunto del caso Harriet Vanger nell'iBook. Mikael entrò in cucina con un lenzuolo intorno alla vita, stropicciandosi gli occhi per scacciare le ultime tracce di sonno.

«C'è del caffè pronto» disse lei.

Mikael sbirciò sopra la sua spalla.

«Quel documento era protetto da password» disse.

Lei voltò la testa e alzò gli occhi fissandolo.

«Ci vogliono trenta secondi per scaricare un programma da Internet che sbriciola la protezione di Word» disse.

«Io e te dobbiamo fare un discorso su questa faccenda del tuo e del mio» disse Mikael, avviandosi verso la doccia.

Quando tornò, Lisbeth aveva spento il computer e l'aveva rimesso al suo posto nello studiolo. Adesso stava lavorando sul proprio PowerBook. Mikael tuttavia era piuttosto incline a credere che avesse già trasferito il contenuto di un computer nell'altro.

Lisbeth Salander era una drogata dell'informazione con una concezione estremamente elastica dell'etica e della morale.

Mikael si era appena seduto al tavolo della colazione quando bussarono alla porta d'ingresso. Andò ad aprire. Martin aveva un'aria talmente contegnosa che per un attimo temette che fosse venuto ad annunciare il decesso di Henrik Vanger.

«No, Henrik sta esattamente come ieri. Sono qui per tutt'altro motivo. Posso entrare un momento?»

Mikael lo fece accomodare e gli presentò la «collaboratrice alle ricerche» Lisbeth Salander. Lei rivolse una mezza occhiata all'industriale e gli fece un rapido cenno del capo prima di tornare di nuovo al computer. Martin la salutò automaticamente, ma con un'aria così distratta che sembrò accorgersi appena della sua presenza. Mikael gli versò una tazza di caffè e lo invitò a sedersi.

«Di che si tratta?»

«Tu non sei abbonato all'*Hedestads-Kuriren*?»

«No. Lo leggo qualche volta su al caffè di Susanne.»

«Quindi non hai letto il giornale di oggi.»

«Dal tuo tono sembrerebbe che dovessi farlo.»

Martin mise il giornale sul tavolo di fronte a Mikael. C'era un articolo su due colonne dedicato a lui in prima pagina, con proseguimento a pagina quattro. Esaminò il titolo. QUI SI NASCONDE IL GIORNALISTA CONDANNATO PER DIFFAMAZIONE.

Il testo era illustrato con una foto scattata con il teleobiettivo dall'altura della chiesa dall'altra parte del ponte, che ritraeva Mikael in procinto di uscire dalla porta del suo chalet.

Il reporter Conny Torsson aveva fatto un buon lavoro artigianale mettendo insieme il suo ritratto denigratorio di Mikael. Il testo ricapitolava l'affare Wennerström ed evidenziava che Mikael aveva lasciato *Millennium* coperto di vergogna e che di recente aveva scontato una pena detentiva. Il testo si concludeva con la consueta affermazione che Mikael si era rifiutato di rilasciare dichiarazioni all'*Hedestads-Kuriren*. Il tono era tale che difficilmente a qualche cittadino di Hedestad sarebbe sfuggito che in paese circolava un Losco Figuro venuto su dalla capitale. Nessuna delle affermazioni contenute nel testo era contestabile, ma erano elaborate in modo tale da mettere Mikael in una luce sospetta; immagini e testo erano dello stesso genere che si usa per presentare dei terroristi politici. *Millennium* era descritto come un «giornale agitatore» di bassa credibilità e il libro di Mikael sul giornalismo economico era definito come «una raccolta di affermazioni controverse» su rispettati giornalisti.

«Mikael... io non ho parole per esprimere ciò che ho provato nel leggere questo articolo. È disgustoso.»

«Questo è un lavoro su commissione» rispose Mikael tranquillo. Guardò Martin con occhio indagatore.

«Spero che tu capisca che io non ho nulla a che fare con questa storia. Stamattina mi è andato di traverso il caffè quando ho letto il giornale.»

«Chi?»

«Ho fatto qualche telefonata. Conny Torsson è un sostituto estivo. Ma ha fatto il lavoro su incarico di Birger.»

«Non credevo che Birger avesse qualche influenza sulla redazione, ma nonostante tutto è pur sempre un consigliere comunale e un uomo politico.»

«Formalmente non ha nessuna influenza. Ma il caporedattore del *Kuriren* è Gunnar Karlman, figlio di Ingrid Vanger, del ramo della famiglia che fa capo a Johan Vanger. Birger e Gunnar sono amici intimi da molti anni.»

«Capisco.»

«Torsson sarà licenziato con effetto immediato.»

«Quanti anni ha?»

«A essere sinceri non lo so. Non l'ho mai incontrato.»

«Non licenziarlo. Quando mi ha telefonato mi è sembrato un giovane reporter abbastanza inesperto.»

«Questa storia non può passare senza conseguenze.»

«Se vuoi il mio parere, è un po' paradossale che il caporedattore di un giornale che fa capo alla famiglia Vanger vada all'attacco di un altro giornale di cui Henrik Vanger è comproprietario e che annovera te fra i membri del consiglio d'amministrazione. Il caporedattore Karlman attacca te e Henrik.»

Martin ponderò le parole di Mikael ma poi scosse lentamente la testa.

«Capisco che cosa vuoi dire. Dovrei scaricare la responsabilità su chi ce l'ha. Karlman è socio del nostro gruppo e ha sempre fatto manovre occulte contro di me, ma questa sembra essere soprattutto la vendetta di Birger perché hai troncato i suoi vaneggiamenti nel corridoio dell'ospedale. Ti vede come il fumo negli occhi.»

«Lo so. Per questo credo che Torsson sia comunque quello che ha meno colpe. Non è facile che un giovane sostituto dica di no quando il suo caporedattore gli ordina di scrivere in un certo modo.»

«Posso sempre pretendere che tu riceva delle scuse ufficiali sul numero di domani.»

«Non farlo. Si creerebbe solo uno scontro protratto che peggiorerebbe ulteriormente la situazione.»

«Perciò vuoi dire che non dovrei fare nulla?»

«Non ne vale la pena. Karlman farebbe certamente storie, e nel peggiore dei casi verresti dipinto come un farabutto che nella sua qualità di proprietario cerca di condizionare in modo illegittimo la libertà di espressione.»

«Scusami, Mikael, ma non sono d'accordo con te. Anch'io ho diritto di parola. Il mio parere è che questo articolo puzza – e ho intenzione di mettere in chiaro quale sia la mia personale posizione al riguardo. Nonostante tutto sono quello che sostituisce Henrik nel consiglio d'amministrazione di *Millennium* e in tale ruolo non posso lasciar passare impunite simili insinuazioni.»

«Okay.»

«Perciò chiederò di poter replicare. E con l'occasione dipingerò Karlman come un idiota. Potrà solo rimproverare se stesso.»

«Okay, è giusto che tu agisca secondo le tue convinzioni.»

«Per me è anche importante che tu capisca veramente che non ho nulla a che fare con questo infame attacco.»

«Ti credo» rispose Mikael.

«Inoltre, in realtà non vorrei affrontare adesso l'argomento, ma questo rende attuale ciò di cui abbiamo già discusso. È importante riportarti alla redazione di *Millennium* in modo da poter mostrare un fronte unito verso l'esterno. Finché tu sarai lontano, le chiacchiere continueranno a girare. Io credo in *Millennium* e sono convinto che possiamo vincere questa battaglia insieme.»

«Capisco il tuo punto di vista, ma adesso tocca a me essere in disaccordo con te. Io non posso rompere il contratto con Henrik, e il fatto è che nemmeno lo voglio. Capisci, a quell'uomo ormai sono affezionato. E poi questa faccenda di Harriet...»

«Sì?»

«Capisco che per te è pesante e mi rendo conto che Henrik ne è stato ossessionato per molti anni.»

«Detto fra noi, voglio molto bene a Henrik e lui è il mio mentore, ma con Harriet è arrivato davvero al limite dell'ossessione.»

«Quando ho cominciato questo lavoro pensavo che fosse tempo sprecato. Ma sta di fatto che contro ogni aspettativa abbiamo trovato nuovo materiale. Credo che siamo prossimi a un passo avanti che renderà possibile dare una risposta all'interrogativo su ciò che accadde.»

«Non vuoi raccontarmi che cos'è che avete trovato?»

«Ai sensi del contratto non posso discutere di questa cosa con nessuno senza la personale approvazione di Henrik.»

Martin appoggiò il mento alla mano. Mikael lesse il dubbio nei suoi occhi. Alla fine, Martin prese una decisione.

«Okay, in tal caso la cosa migliore che possiamo fare è risolvere al più presto il mistero di Harriet. Allora ti dico questo: io ti darò tutto l'appoggio che posso in modo che tu concluda al più presto il lavoro in maniera soddisfacente e quindi faccia ritorno a *Millennium*.»

«Bene. Non voglio proprio dovermi scontrare anche con te.»

«Non ne avrai nessun bisogno. Hai il mio pieno appoggio. Puoi rivolgerti a me quando vuoi se incontri dei problemi. Insisterò energicamente con Birger perché non ti ostacoli in nessun modo. E cercherò di parlare con Cecilia in maniera che si dia una calmata.»

«Grazie. Devo avere la possibilità di porle delle domande, e ormai è un mese che ignora tutti i miei tentativi di dialogo.»

D'un tratto Martin sorrise.

«Forse avete altre faccende da chiarire. Ma in questo non mi voglio immischiare.»

Si strinsero la mano.

Lisbeth Salander aveva ascoltato in silenzio lo scambio di battute fra Mikael e Martin Vanger. Quando Martin se ne fu andato, si allungò a prendere l'*Hedestads-Kuriren* e scorse rapidamente l'articolo. Poi mise da parte il giornale senza fare commenti.

Mikael rimase seduto in silenzio a riflettere. Gunnar Karlman era nato nel 1942 e di conseguenza nel 1966 aveva ventiquattro anni. Era anche una delle persone che erano presenti sull'isola quando Harriet era scomparsa.

Dopo colazione Mikael mise la sua collaboratrice a studiare l'inchiesta della polizia. Selezionò il materiale e le diede i fascicoli che si concentravano sulla scomparsa di Harriet. Le passò tutte le immagini dell'incidente sul ponte, e anche il lungo riassunto delle indagini private di Henrik.

Quindi Mikael andò a casa di Dirch Frode e gli fece preparare un contratto di assunzione in forza del quale Lisbeth veniva ingaggiata come collaboratrice per un mese.

Quando fece ritorno allo chalet, Lisbeth si era trasferita in giardino ed era immersa nella lettura dell'inchiesta. Mikael entrò in casa e scaldò il caffè. La osservò attraverso la finestra della cucina. L'impressione era che stesse leggendo in maniera selettiva, dedicando a ogni pagina un massimo di dieci o quindici secondi. Sfogliava il fascicolo in modo meccanico e Mikael si stupì che leggesse in maniera così negligente; gli sembrava una contraddizione, considerata l'impressione di competenza che aveva dato nella sua indagine. Prese due tazze di caffè e le fece compagnia al tavolo in giardino.

«Quello che hai scritto sulla scomparsa di Harriet l'hai scritto prima di scoprire che stiamo dando la caccia a un serial killer.»

«Esatto. Ho annotato cose che credevo fossero importanti, domande che volevo porre a Henrik Vanger e altro. Come sicuramente ti sarai accorta, non era un lavoro granché strutturato. Fino a questo momento in realtà ho solo brancolato nel buio e cercato di scrivere una storia – un capitolo nella biografia di Henrik Vanger.»

«E adesso?»

«In precedenza ogni indagine si è concentrata sull'isola di Hedeby. Adesso sono convinto che questa vicenda sia cominciata a Hedestad qualche ora prima. Questo cambia la prospettiva.»

Lisbeth annuì. Rifletté un momento.

«Sei stato forte a scoprire questa faccenda delle immagini» disse.

Mikael sollevò le sopracciglia. Lisbeth Salander non sembrava una persona molto prodiga di lodi, e si sentì curiosamente lusingato. D'altro canto, da un punto di vista squisitamente giornalistico era in effetti un'impresa piuttosto insolita.

«Adesso completa con i dettagli. Com'è andata con quella foto cui hai dato la caccia su a Norsjö?»

«Vuoi dire che *non* hai dato un'occhiata alle immagini nel mio computer?»

«Non ho avuto tempo. Preferivo leggere che idee ti eri fatto e quali conclusioni ne avevi tratto.»

Mikael sospirò, avviò il suo portatile e cliccò sulla cartella delle immagini.

«È affascinante. La mia visita a Norsjö è stata un successo e anche una totale delusione. Ho trovato la fotografia, ma non dice granché.»

«Quella donna, Mildred Berggren, ha conservato tutte le fotografie delle vacanze in un album dove ha ordinatamente incollato quelle importanti e anche quelle senza grande significato. Compresa quella fotografia. Era stata fatta con una pellicola a colori di bassa qualità. Dopo trentasette anni la copia è alquanto sbiadita e tende pesantemente al giallino, ma aveva ancora i negativi dentro una scatola da scarpe. Mi ha prestato tutti i negativi delle foto di Hedestad e io li ho scansionati e riversati nel computer. Questo è ciò che ha visto Harriet quel giorno.»

Cliccò su un'immagine classificata Harriet/bd-19.eps.

Lisbeth capì la sua delusione. Ciò che si trovò davanti era un'immagine leggermente sfocata presa con il grandangolo, che mostrava i pagliacci della sfilata della Giornata dei bambini. Sullo sfondo si scorgeva l'angolo del negozio di abbigliamento maschile Sundströms. Sul marciapiede c'erano una decina di persone, fra i pagliacci e l'inizio del carro successivo.

«Credo che sia questa la persona che vide. Sia perché ho cercato di triangolare ciò su cui puntava lo sguardo basandomi su com'era voltato il suo viso – ho disegnato con precisione l'incrocio –, e sia perché questa è l'unica persona che sembra guardare dritto nell'obiettivo. Quindi, questa persona stava guardando Harriet.»

Ciò che Lisbeth vedeva era una figura sfuocata che stava alle spalle degli spettatori, un po' all'interno della via traversa. Indossava una giacca a vento scura con una striscia rossa sulle spalle e calzoni scuri, forse jeans. Mikael zoomò in modo che la figura riempisse tutto lo schermo dalla vita in su. L'immagine diventò subito più confusa.

«È un uomo. Alto circa uno e ottanta, corporatura normale. Capelli biondo scuro, semilunghi, niente barba. Ma è impossibile distinguere i lineamenti o valutare l'età. Può essere un adolescente così come un uomo maturo.»

«Si potrebbe manipolare l'immagine...»

«L'ho già fatto. Ne ho perfino mandato una copia a Christer Malm di *Millennium*, che a manipolare immagini è un vero demonio.» Mikael cliccò su un'altra immagine. «Questo è il meglio che si riesca a ottenere. La macchina fotografica era troppo scarsa e la distanza troppo grande.»

«Hai fatto vedere la foto a qualcuno? La gente può riconoscere una persona dalla postura...»

«L'ho mostrata a Dirch Frode. Non ha la minima idea di chi possa essere.»

«Dirch Frode non è probabilmente la persona più attenta di Hedestad.»

«No, ma è per lui e Henrik Vanger che lavoro. Voglio mostrare la foto anche a Henrik prima di cominciare a farla vedere in giro.»

«Magari è soltanto uno spettatore come gli altri.»

«È possibile. Ma in tal caso è riuscito a provocare in Harriet una reazione ben strana.»

Nella settimana successiva, Mikael e Lisbeth lavorarono al caso Harriet praticamente in ogni momento di veglia. Lisbeth continuava la lettura dell'inchiesta e sparava una domanda via l'altra, Mikael cercava di rispondere. La verità poteva essere una sola, e ogni risposta esitante e ogni elemento poco chiaro conducevano a ragionamenti approfonditi. Un'intera giornata la dedicarono a esaminare lo schema temporale entro cui si erano mossi gli attori dell'incidente sul ponte.

Agli occhi di Mikael, Lisbeth Salander continuava a essere un fenomeno pieno di contraddizioni. Benché all'apparenza si limitasse a una rapida scorsa dei testi, si fissava di continuo sui dettagli più secondari e discordanti.

Al pomeriggio facevano una pausa, quando il caldo rendeva impossibile stare in giardino. Qualche volta scendevano a fare il bagno nel canale o facevano una passeggiata fino al Caffè del Ponte. Susanne improvvisamente trattava Mikael con una certa freddezza ostentata. Lui si rendeva conto che Lisbeth aveva quasi l'aria della minorenne eppure abitava palesemente in casa sua, il che agli occhi di Susanne lo faceva sembrare un vecchio sporcaccione. Era una sensazione sgradevole.

Mikael continuava a fare il suo giro di corsa tutte le sere. Lisbeth non commentava i suoi allenamenti quando, ansante, faceva ritorno allo chalet. Correre sopra tronchi e pietre non corrispondeva evidentemente al suo concetto di passatempo estivo.

«Io ho superato i quaranta» le disse Mikael una volta. «Devo fare del moto se non voglio mettere su pancia.»

«Aha.»

«Tu non fai mai ginnastica?»

«Ogni tanto tiro di boxe.»

«Boxe?»

«Sì, sai, quella che si fa coi guantoni.»

Mikael andò a fare la doccia e cercò di immaginarsi Lisbeth su un ring. Non era sicuro che non avesse voluto prenderlo in giro. Ma c'era solo da fare una domanda.

«In quale categoria tiri di boxe?»

«In nessuna. Faccio solo ogni tanto da sparring partner con i ragazzi di una palestra di Söder.»

Perché non mi stupisce?, pensò Mikael. Ma constatò che a ogni modo gli aveva raccontato qualcosa di se stessa. Ignorava ancora molte cose di lei, come avesse cominciato a lavorare per Dragan Armanskij, che grado di istruzione avesse o che cosa facessero i suoi genitori. Non appena Mikael cercava di fare domande sulla sua vita privata, lei si chiudeva come un riccio e rispondeva a monosillabi o lo ignorava completamente.

Un pomeriggio Lisbeth Salander mise da parte tutto d'un tratto un fascicolo e guardò Mikael con una ruga fra le sopracciglia.

«Che cosa sai di Otto Falk? Il prete?»

«Piuttosto poco. Ho incontrato l'attuale pastore all'inizio dell'anno, e mi ha raccontato che Falk è ancora in vita ma è ricoverato in una qualche casa di cura per anziani a Hedestad. Alzheimer.»

«Di dov'era?»

«Di qui. Di Hedestad. Aveva studiato a Uppsala e aveva circa trent'anni quando era tornato nella sua città natale.»

«Era scapolo. E Harriet lo frequentava.»

«Perché ti interessa?»

«Constatavo solo che lo sbirro, quel Morell, è stato piuttosto tenero con lui negli interrogatori.»

«Negli anni sessanta i preti avevano ancora una certa posizione nella società. Che abitasse qui sull'isola, vicino al potere per così dire, era naturale.»

«Mi chiedo quanto sia stata accurata la polizia nella perquisizione della canonica. Nelle foto si vede che era un grande edificio di legno e dovevano esserci un bel po' di posti dove occultare un corpo per un certo periodo.»

«È vero. Ma non c'è niente nel materiale che indichi un possibile collegamento con gli omicidi seriali o con la scomparsa di Harriet.»

«Invece sì» disse Lisbeth Salander con un sorriso storto. «In primo luogo era un prete, e se c'è qualcuno che ha un rapporto speciale con la Bibbia sono i preti. Secondariamente era stato l'ultimo a vedere Harriet e a parlare con lei.»

«Ma poi era subito sceso al luogo dell'incidente e vi era rimasto diverse ore. Lo si vede in un sacco di foto, in particolare nell'arco di tempo in cui deve essere scomparsa Harriet.»

«Usch, non ci metterei nulla a far crollare il suo alibi. Ma in effetti era a tutt'altro che pensavo. Questa storia parla di un sadico che ammazza le donne.»

«Sì?»

«Io ero... ho avuto un po' di tempo libero la primavera scorsa e ho fatto parecchie letture sui sadici in un contesto del tutto diverso. Uno dei testi che ho letto era un manuale dell'Fbi, dove si sosteneva che una percentuale sorprendente dei serial killer catturati veniva da famiglie in difficoltà e si era dedicata alla tortura degli animali durante l'infanzia. Un certo numero di serial killer americani inoltre si era reso colpevole di incendio doloso.»

«Sacrifici animali e olocausti, vuoi dire.»

«Proprio. Animali torturati e fuoco compaiono in più d'uno dei casi della lista di Harriet. Ma quello a cui pensavo in realtà era che la canonica fu distrutta da un incendio alla fine degli anni settanta.»

464

Mikael rifletté un momento.

«Troppo vago» disse poi.

Lisbeth Salander annuì. «Concordo. Ma da non trascurare. Nell'inchiesta non trovo niente sulle cause dell'incendio e sarebbe interessante sapere se si verificarono altri incendi misteriosi negli anni sessanta. Inoltre sarebbe interessante informarsi se ci furono casi di torture o di mutilazioni di animali nella zona in quel periodo.»

Quando Lisbeth andò a coricarsi, la settima notte a Hedeby, era vagamente irritata con Mikael Blomkvist. Per un'intera settimana aveva trascorso in pratica ogni minuto della sua giornata con lui; normalmente, sette minuti in compagnia di un'altra persona erano più che sufficienti per farle venire il mal di testa.

Sapeva da un pezzo di non essere tagliata per le relazioni sociali, e si era organizzata una vita da eremita. E ne era perfettamente soddisfatta, purché la gente la lasciasse in pace a farsi gli affari suoi. Purtroppo il mondo circostante non era sempre così comprensivo, ed era costretta a difendersi da autorità sociali, commissioni per la protezione dei minori, uffici tutori, autorità fiscali, polizia, curatori, psicologi, psichiatri, insegnanti e buttafuori dei locali che – a eccezione di quelli del Kvarnen che ormai la conoscevano – non volevano farla entrare benché ormai avesse già venticinque anni. C'era un esercito intero di persone che sembrava non avere di meglio da fare che cercare di governare la sua vita e, se gliene veniva offerta l'occasione, correggere il modo in cui aveva deciso di vivere.

Aveva imparato presto che piangere non serviva a nulla. Aveva anche imparato che in ogni occasione in cui aveva cercato di attirare l'attenzione di qualcuno su qualche aspetto della sua vita la situazione era soltanto peggiorata. Di conseguenza stava a lei stessa risolvere i suoi problemi con i metodi che riteneva necessari. Cosa di cui l'avvocato Bjurman era stato costretto ad accorgersi.

Mikael Blomkvist aveva la stessa irritante capacità di tutti gli altri di curiosare nella sua vita privata e fare domande a cui lei non voleva rispondere. Ma non reagiva affatto come la maggior parte degli uomini che aveva conosciuto.

Quando ignorava le sue domande, lui si limitava ad alzare le spalle e lasciava cadere il discorso, senza più importunarla. *Stupefacente.*

La sua prima mossa, quando aveva messo le mani sull'i-Book del giornalista la prima mattina allo chalet, era stata naturalmente di riversare tutte le informazioni nel suo computer. In tal modo avrebbe avuto poca importanza se lui l'avesse esclusa dal caso; lei avrebbe avuto comunque accesso a tutto il materiale.

Ma dopo l'aveva intenzionalmente provocato facendosi trovare seduta a leggere i documenti nel suo iBook quando si era svegliato. Si era aspettata una sfuriata. Invece lui aveva messo su un'aria quasi rassegnata e aveva borbottato qualcosa di ironico, era andato a fare la doccia e poi aveva cominciato a discutere di quello che lei aveva letto. Un tipo davvero strano. Si era quasi indotti a credere che si fidasse di lei.

Ma che lui sapesse del suo talento di hacker era una faccenda seria. Lisbeth Salander era consapevole che il termine giuridico dell'attività cui lei si dedicava, sia professionalmente che come hobby, era intrusione informatica e sapeva che poteva essere punita con la reclusione fino a due anni. Era un punto molto sensibile per lei – non voleva finire sotto chiave e inoltre una pena detentiva avrebbe comportato con ogni probabilità che sarebbe stata privata dei suoi computer e di conseguenza dell'unica occupazione in cui era davvero brava. Non aveva mai nemmeno preso in considerazione di raccontare a Dragan Armanskij o a qualcun altro come faceva a procurarsi le informazioni per cui la pagavano.

A eccezione di *Plague* e di poche altre persone nella rete che come lei si dedicavano all'hacking a livello professionale – la maggior parte delle quali la conosceva solo come *Wasp* e non sapeva chi era né dove abitava –, solo *Kalle Blomkvist* aveva scoperto il suo segreto. L'aveva beccata perché lei aveva fatto un errore in cui neppure un principiante dodicenne sarebbe caduto, il che dimostrava soltanto che il suo cervello stava andando in pappa e che si meritava la fustigazione. Ma lui non era andato su tutte le furie e non aveva mosso cielo e terra, no, anzi, l'aveva assunta.

Di conseguenza era vagamente perplessa.

Mentre stavano consumando uno spuntino notturno subito prima che lei andasse a coricarsi, lui d'improvviso le aveva chiesto se era una brava hacker. Con suo stesso stupore, lei gli aveva dato una risposta molto spontanea.

«Probabilmente la migliore della Svezia. Ci sono forse altre due o tre persone grossomodo al mio livello.»

Non aveva nessun dubbio di avere detto la verità. Un tempo *Plague* era stato meglio di lei, ma ormai l'aveva superato da un pezzo.

Pronunciare quelle parole le aveva fatto però uno strano effetto. Non l'aveva mai fatto prima. Non aveva mai avuto nessun estraneo con cui affrontare quel genere di discorso, e d'un tratto si trovò a compiacersi del fatto che lui sembrasse colpito delle sue capacità. Anche se poi aveva rovinato quella sensazione chiedendole come avesse imparato a introdursi illecitamente nei computer.

Non sapeva come rispondere. *L'ho sempre saputo fare.* Era andata a letto senza neanche augurargli la buona notte.

Per confonderla ulteriormente, Mikael all'apparenza non aveva reagito al fatto che se ne fosse andata e basta. Stesa nel letto, lo sentì muoversi avanti e indietro in cucina, sparecchiare la tavola e lavare i piatti. Era sempre rimasto alzato più a lungo di lei, ma adesso chiaramente anche lui stava per andare a letto. Lo sentì andare in bagno e poi in camera, e chiudere la porta. Dopo un momento sentì il cigolio, quando si stese nel letto, a mezzo metro da lei, ma dall'altra parte della parete.

Nella settimana in cui aveva abitato con lui, non le aveva mai fatto il filo. Aveva lavorato con lei, aveva chiesto il suo punto di vista, l'aveva bacchettata quando aveva pensato in modo sbagliato e aveva riconosciuto i suoi meriti quando l'aveva corretto. Diavolo, l'aveva proprio trattata come un essere umano.

D'un tratto si rese conto che la compagnia di Mikael Blomkvist le piaceva, e che forse si fidava addirittura di lui. Non si era mai fidata di nessuno tranne forse di Holger Palmgren. Anche se per motivi del tutto differenti. Palmgren era stato un prevedibile benefattore.

Si alzò di scatto, e andò alla finestra a guardare fuori nel buio, inquieta. La cosa più difficile per lei era mostrarsi nuda per la prima volta a un'altra persona. Era convinta che il suo corpo mingherlino fosse ripugnante. I suoi seni erano patetici. Non aveva dei fianchi che potessero definirsi tali. Ai suoi occhi, non aveva molto da offrire. Ma a parte questo era una donna perfettamente normale, con gli stessi desideri e le stesse pulsioni di tutte le altre. Rimase lì a cogitare per quasi venti minuti prima di decidersi.

Mikael era a letto con un romanzo di Sara Paretsky quando sentì abbassare la maniglia e si trovò davanti Lisbeth Salander. Si era avvolta un lenzuolo intorno al corpo e stava ritta in silenzio sulla soglia. Aveva l'aria di star pensando a qualcosa.

«Qualche problema?» domandò Mikael.

Lei scosse la testa.

«Che cosa vuoi?»

Lei si avvicinò, gli prese il libro e lo mise sul comodino.

Poi si chinò e lo baciò sulla bocca. Le sue intenzioni non potevano essere più chiare di così. Si rannicchiò subito sul suo letto e lo guardò con espressione indagatrice. Mise una mano sul lenzuolo sopra il suo stomaco. Lui non protestò, lei si chinò e gli mordicchiò un capezzolo.

Mikael Blomkvist era profondamente perplesso. Dopo qualche secondo la afferrò per le spalle e la spinse lontano quel tanto che bastava per guardarla in faccia. Non sembrava indifferente.

«Lisbeth... non so se questa sia una buona idea. Noi dobbiamo lavorare insieme.»

«Ho voglia di fare sesso con te. E non avrò nessun problema a lavorare con te per questo, ma finirò per avere un dannatissimo problema con te se adesso mi cacci fuori di qui.»

«Ma non ci conosciamo quasi.»

Lei scoppiò a ridere, una risata breve, quasi come un colpo di tosse.

«Quando ho fatto la mia i-per su di te, ho potuto constatare che non ti sei mai fatto fermare da situazioni del genere. Al contrario, sei uno di quelli che non riescono a tenere lontane le mani dalle donne. Che cosa c'è che non va? Non sono abbastanza sexy per te?»

Mikael scosse la testa e cercò di tirare fuori qualcosa di intelligente da dire. Non ricevendo risposta, lei gli strappò via il lenzuolo e gli si sedette a cavalcioni sopra.

«Non ho preservativi» disse Mikael.

«Fregatene.»

Quando Mikael si svegliò, Lisbeth si era già alzata. La sentì trafficare con la macchina del caffè in cucina. Erano quasi le sette. Aveva dormito solo due ore e rimase steso nel letto, a occhi chiusi.

Non riusciva a capire Lisbeth Salander. In nessuna circostanza aveva mai lasciato trapelare neanche con un'occhiata che fosse minimamente interessata a lui.

«Buon giorno» disse Lisbeth Salander dalla porta. In effetti, stava quasi sorridendo.

«Ciao» disse Mikael.

«Abbiamo finito il latte. Vado su al distributore. Aprono alle sette.»

Fece dietro front così velocemente che Mikael non ebbe tempo di replicare. Sentì che si infilava le scarpe e prendeva la borsa e il casco, e poi la sentì uscire. Chiuse gli occhi. Poi sentì aprirsi di nuovo la porta d'ingresso e solo qualche secondo dopo lei era di nuovo sulla soglia della camera. Questa volta non sorrideva.

«È meglio se vieni fuori a vedere» disse con una strana voce.

Mikael fu subito in piedi e si infilò i jeans. Nel corso della notte qualcuno era venuto allo chalet con un regalo sgradito. Sulla veranda giaceva il cadavere mezzo carbonizzato di un gatto mutilato. Gli avevano mozzato le zampe e la testa, dopo di che il corpo era stato scuoiato e stomaco e intestini erano stati estratti; i resti erano sparsi accanto al cadavere, che pareva essere stato arrostito sul fuoco. La testa del gatto era intatta ed era stata piazzata sul sellino della moto di Lisbeth Salander. Mikael riconobbe la pelliccia marezzata.

22.
Giovedì 10 luglio

Fecero colazione in giardino, senza parlare e senza latte nel caffè. Lisbeth aveva tirato fuori una piccola Canon digitale e fotografato la macabra messinscena prima che Mikael andasse a prendere un sacco della spazzatura e facesse pulizia. Aveva messo il sacco con il gatto nel bagagliaio della macchina presa in prestito, ma non era sicuro di cosa dovesse farne. Probabilmente avrebbe dovuto sporgere denuncia alla polizia per maltrattamento di animali e forse anche per minacce, ma era incerto su come spiegare il senso della minaccia.

Alle otto e mezza Isabella Vanger passò davanti allo chalet diretta verso il ponte. Non li vide o finse di non vederli.

«Come ti senti?» domandò infine Mikael a Lisbeth.

«Bene.» Lo guardò sconcertata. *Okay allora. Vuole che sia un po' sconvolta.* «Quando trovo quel bastardo che ha torturato e ammazzato un povero gatto solo per darci un avvertimento, lo sistemo con una mazza da baseball.»

«Tu credi che si tratti di un avvertimento?»

«Hai qualche spiegazione migliore? E significa anche qualcosa.»

Mikael annuì. «Quale che sia la verità in questa storia, abbiamo preoccupato qualcuno abbastanza da indurlo a gesti veramente folli. Ma c'è anche un altro problema.»

471

«Lo so. Questo è un sacrificio animale in stile con il 1960. Ma non sembra plausibile che un assassino che è stato attivo cinquant'anni fa vada in giro di soppiatto a mettere cadaveri di animali torturati sulla tua soglia.»

Mikael annuì.

«Gli unici che si potrebbero prendere in considerazione sono Harald e Isabella Vanger. Ci sono alcuni parenti di una certa età dalla parte di Johan Vanger, ma nessuno di loro abita in zona.»

Mikael sospirò.

«Isabella è una creatura malvagia che di sicuro potrebbe ammazzare un gatto, ma dubito che se ne andasse in giro ad ammazzare donne negli anni cinquanta. Harald Vanger... non so, sembra così fragile da non riuscire quasi a camminare e trovo difficile credere che sia uscito di notte a dare la caccia a un gatto per fare tutta questa messinscena.»

«Se non si è trattato di due persone. Una più vecchia e una più giovane.»

Mikael sentì passare una macchina e alzando gli occhi vide Cecilia scomparire sul ponte. *Harald e Cecilia* pensò. Ma il pensiero conteneva un grande punto interrogativo; padre e figlia non si frequentavano e quasi non si parlavano. Nonostante la promessa di Martin di dirle qualcosa, Cecilia non aveva ancora risposto a nessuna delle telefonate di Mikael.

«Dev'essere qualcuno che sa che stiamo scavando e che abbiamo fatto dei passi avanti» disse Lisbeth Salander; poi si alzò ed entrò in casa. Quando uscì di nuovo si era infilata la tuta di pelle.

«Vado a Stoccolma. Sarò di ritorno stasera.»

«Che ci vai a fare?»

«A prendere un po' di cosette. Se qualcuno è sufficientemente pazzo da ammazzare un gatto a quel modo, può benissimo prendere di mira noi la prossima volta. Oppure appiccare un incendio mentre stiamo dormendo. Voglio che intanto tu oggi vada a Hedestad a comprare due estintori e due allarmi antincendio. Uno degli estintori dovrà essere alogeno.»

Senza altri commiati si infilò il casco, accese la moto con il pedale e scomparve sopra il ponte.

Mikael buttò il sacco con il gatto in un cassonetto vicino alla stazione di servizio prima di raggiungere Hedestad, dove comperò gli estintori e gli allarmi. Li mise nel bagagliaio e proseguì fino all'ospedale. Aveva telefonato a Dirch Frode prendendo accordi per incontrarsi alla caffetteria dell'ospedale, e gli raccontò ciò che era successo quel mattino. Dirch Frode impallidì.

«Mikael, non avevo fatto conto che questa storia potesse diventare pericolosa.»

«Perché no? Il compito in fondo consisteva nello scoprire un assassino.»

«Ma chi potrebbe... no, è pazzesco. Se c'è rischio per la tua vita e quella della signorina Salander, dobbiamo interrompere. Posso parlare con Henrik.»

«No. Assolutamente. Non voglio rischiare che gli venga un altro infarto.»

«Mi chiede in continuazione come ti sta andando.»

«Riferiscigli che vado avanti a dipanare.»

«Che cosa farete adesso?»

«Avrei qualche domanda. Il primo incidente è successo subito dopo che Henrik aveva avuto il suo attacco cardiaco e io ero andato giù a Stoccolma in giornata. Qualcuno ha rovistato nel mio studiolo. È stato proprio quando avevo appena decifrato il codice biblico e scoperto le immagini di Järnvägsgatan. L'avevo raccontato a te e a Henrik. Martin lo sapeva perché era stato lui a organizzare le mie ricerche presso l'*Hedestads-Kuriren*. Chi altro ne era a conoscenza?»

«Mah, io non so di preciso con chi ne abbia parlato Martin. Ma sia Birger che Cecilia lo sapevano. Hanno discusso fra loro della tua caccia alle immagini. Anche Alexander ne è informato. E, fra parentesi, anche Gunnar e Helen Nilsson. Erano venuti a trovare Henrik e sono stati coinvolti nella conversazione. E Anita Vanger.»

«Anita? Quella che sta a Londra?»

«Sì, la sorella di Cecilia. È tornata a casa con Cecilia quando Henrik ha avuto l'attacco, ma stava all'albergo e per quanto ne so non è mai venuta sull'isola. Proprio come Cecilia, non vuole incontrare suo padre. Ha fatto ritorno in Inghilterra una settimana fa, quando Henrik è uscito dalla rianimazione.»

«Dove è andata a stare Cecilia? L'ho vista stamattina mentre passava in macchina sul ponte, ma casa sua sembra chiusa.»

«Sospetti di lei?»

«No, mi domando solo dove alloggi.»

«Sta da suo fratello, Birger. È a un passo da Henrik.»

«Sai dove si trovi adesso?»

«No. Non su da Henrik, in ogni caso.»

«Grazie» disse Mikael, e si alzò.

La famiglia Vanger ruotava intorno all'ospedale di Hedestad. Nell'atrio stava passando Birger, diretto verso gli ascensori. Mikael non aveva nessuna voglia di incontrarlo e aspettò a entrare nell'atrio finché non fu sparito. Invece sulla porta si imbatté in Martin, quasi nello stesso punto in cui aveva incontrato Cecilia in occasione della sua precedente visita. Si salutarono e si strinsero la mano.

«Sei stato su a trovare Henrik?»

«No, ho solo incontrato brevemente Dirch Frode.»

Martin appariva stanco e aveva gli occhi infossati. Mikael

rimase colpito nel constatare che era parecchio invecchiato, nei sei mesi da che si erano conosciuti. La lotta per salvare l'impero dei Vanger aveva dei costi, e l'improvvisa malattia di Henrik non era stata certo d'incoraggiamento.

«Come ti va?» domandò Martin.

Mikael lasciò subito intendere che non aveva nessuna intenzione di interrompere il suo lavoro per tornare a Stoccolma.

«Sì, abbastanza bene, grazie. Diventa più interessante ogni giorno che passa. Quando Henrik starà meglio spero di poter soddisfare la sua curiosità.»

Birger Vanger abitava in una casa a schiera di mattoni bianchi sull'altro lato della strada, a soli cinque minuti a piedi dall'ospedale. Aveva una bella vista sul mare e sul porto. Nessuno venne ad aprire quando Mikael suonò. Chiamò il numero di cellulare di Cecilia ma anche lì nessuna risposta. Rimase seduto in macchina un momento a tamburellare con le dita sul volante. Birger era un punto interrogativo; nato nel 1939, era di conseguenza solo un bambino di dieci anni all'epoca dell'omicidio di Rebecka Jacobsson. Però ne aveva ventisette quando Harriet era scomparsa.

Secondo Henrik, Birger e Harriet non si conoscevano quasi. Lui era cresciuto presso la sua famiglia a Uppsala e si era trasferito a Hedestad per lavorare in azienda, ma dopo un paio d'anni l'aveva lasciata per puntare sulla politica. Però abitava a Uppsala all'epoca in cui era stata uccisa Lena Andersson.

Mikael non riusciva a venire a capo della faccenda, ma l'incidente del gatto aveva creato una sensazione di minaccia incombente, e il tempo cominciava a scarseggiare.

Il vecchio pastore di Hedeby, Otto Falk, aveva trentasei anni quando Harriet era scomparsa. Adesso ne aveva settantadue, era più giovane quindi di Henrik Vanger ma in condizioni intellettuali considerevolmente peggiori. Mikael andò a cercarlo alla casa di riposo La rondine, un edificio di mattoni gialli dall'altra parte della città, lungo il corso del torrente Hede. Mikael si presentò all'accettazione e chiese di poter parlare con il pastore Falk. Disse che sapeva che il pastore soffriva del morbo di Alzheimer, e chiese fino a che punto fosse ricettivo. Una capoinfermiera gli rispose che la malattia del pastore Falk era stata diagnosticata tre anni prima, e che stava avendo un decorso aggressivo. Falk era ricettivo ma la sua memoria era molto fallace, non riconosceva certi parenti e in generale la sua mente era sempre più avvolta nella nebbia. Mikael fu anche avvertito che il vecchio poteva essere colto da attacchi di ansia se gli veniva insistentemente chiesto qualcosa cui non era capace di rispondere.

Il vecchio prete era seduto su una panchina del parco in compagnia di tre altri pazienti e di un infermiere. Mikael trascorse un'ora a cercare di parlare con Falk.

Il pastore affermò di ricordarsi molto bene di Harriet Vanger. Si illuminò e la descrisse come una ragazza incantevole. Mikael tuttavia si rese conto ben presto che il vecchio era riuscito a dimenticare che da trentasette anni non si sapeva più nulla di lei; ne parlava come se l'avesse incontrata di recente e pregò Mikael di salutarla da parte sua e di esortarla ad andarlo a trovare qualche volta. Il giornalista promise che l'avrebbe fatto.

Quando però affrontò l'argomento di che cosa fosse successo il giorno in cui Harriet era scomparsa, il pastore apparve confuso. Evidentemente non si ricordava dell'incidente sul ponte. Solo verso la fine della loro conversazione menzionò qualcosa che fece drizzare le orecchie a Mikael.

Quando Mikael portò il discorso sull'interesse di Harriet per la religione, il pastore Falk si fece improvvisamente meditabondo. Era come se una nuvola gli fosse passata davanti al volto. Rimase seduto a dondolarsi avanti e indietro un attimo, poi tutto d'un tratto alzò gli occhi e domandò a Mikael chi era. Mikael si presentò di nuovo e il vecchio rifletté ancora un momento. Alla fine scosse la testa e assunse un'aria irritata.

«È ancora alla ricerca. Deve fare attenzione e tu devi metterla in guardia.»

«Da che cosa dovrei metterla in guardia?»

Di colpo il pastore Falk si agitò. Scosse la testa con aria corrucciata.

«Deve leggere la *sola scriptura* e capire la *sufficientia scripturae*. Soltanto così può conservare la *sola fides*. Josef li esclude categoricamente. Non sono mai stati compresi nel canone.»

Mikael non capiva un'acca ma annotò coscienziosamente. Poi il pastore Falk si chinò verso di lui e bisbigliò in confidenza: «Io credo che lei sia cattolica. Ha un debole per la scienza occulta e non ha ancora trovato il suo Dio. Ha bisogno di essere guidata.»

Chiaramente, l'aggettivo cattolica aveva un suono negativo alle orecchie del pastore Falk.

«Credevo che fosse interessata al movimento pentecostale.»

«No, no, nessun movimento pentecostale. Lei cerca la verità proibita. Non è una buona cristiana.»

Quindi il pastore Falk parve dimenticare sia Mikael sia l'argomento e cominciò a chiacchierare con uno degli altri pazienti.

Mikael arrivò a casa sull'isola poco dopo le due del pomeriggio. Andò a bussare da Cecilia ma senza successo. Provò di nuovo a chiamarla sul cellulare ma non ebbe risposta.

Installò un allarme antincendio in cucina e uno nella veranda. Sistemò un estintore accanto alla stufa di ghisa fuori della porta della camera da letto e l'altro accanto alla porta del bagno. Quindi si preparò tramezzini e caffè, e si sedette fuori in giardino a trascrivere nel suo iBook gli appunti del colloquio con il pastore Falk. Rifletté un lungo momento e poi alzò gli occhi verso la chiesa.

La nuova canonica di Hedeby era una villa moderna come tante, a qualche minuto a piedi dalla chiesa. Mikael bussò alla porta del pastore Margareta Strandh alle quattro, e spiegò che era venuto a chiedere consiglio su un'espressione teologica. Margareta Strandh era una mora più o meno della sua età, vestita in jeans e camicia di flanella. Era scalza e aveva le unghie dei piedi laccate. L'aveva già incontrata qualche volta al Caffè del Ponte e aveva parlato con lei del pastore Falk. La donna lo accolse con gentilezza e lo invitò a sedersi in giardino.

Mikael raccontò che aveva intervistato Otto Falk e che questi gli aveva detto delle cose di cui non aveva capito il significato. Margareta Strandh ascoltò, quindi pregò Mikael di ripetere parola per parola ciò che aveva detto il vecchio pastore. Poi rifletté un momento.

«Sono qui a Hedeby solo da tre anni e in effetti non ho mai incontrato il pastore Falk. Era andato in pensione già da un pezzo, ma da quanto ho capito era piuttosto legato alla stretta tradizione. Ciò che le ha detto significa grossomodo di attenersi solo alle Scritture – *sola scriptura* – e alla *sufficientia scripturae*. Quest'ultima è un'espressione che afferma la sufficienza delle Scritture presso chi crede alla lettera. *Sola fides* significa la sola fede oppure la vera fede.»

«Capisco.»

«Tutto questo è per così dire un dogma basilare. A grandi linee è la piattaforma della chiesa e non è nulla di insolito. Lui ha detto semplicemente: *Leggi la Bibbia. Essa dà conoscenza sufficiente e garantisce per la vera fede.*»

Mikael si sentiva un po' in imbarazzo.

«Adesso devo chiederle in quale contesto è stata fatta questa conversazione.»

«Gli avevo domandato di una persona che il pastore aveva conosciuto molti anni fa e della quale sto scrivendo.»

«Qualcuno che cercava la fede?»

«Qualcosa di simile.»

«Okay. Credo di capire il contesto. Il pastore Falk ha detto altre due cose – che *Josef li esclude categoricamente* e che *non sono mai stati compresi nel canone*. È possibile che lei abbia sentito male e che abbia detto Josefus al posto di Josef? In realtà si tratta dello stesso nome.»

«Non è impossibile» disse Mikael. «Ho registrato la conversazione su nastro, se vuole ascoltarla.»

«No, non credo sia necessario. Queste due frasi affermano piuttosto inequivocabilmente quello a cui si riferiva. Josefus era uno storico ebreo e la frase *non sono mai stati compresi nel canone* era probabilmente riferita al fatto che non c'erano nel canone ebraico.»

«E significa?»

Lei rise.

«Il pastore Falk sosteneva che questa persona aveva un debole per le fonti esoteriche, più precisamente per gli Apocrifi. Il vocabolo *apokryphos* significa nascosto e gli Apocrifi sono dunque i libri nascosti che taluni giudicano molto controversi e altri ritengono dovrebbero entrare nell'Antico Testamento. Sono Tobia, Giuditta, Ester, Baruc, Siracide, i due libri dei Maccabei e alcuni altri.»

«Perdoni la mia ignoranza. Ho sentito parlare degli Apocrifi ma non li ho mai letti. Che cos'hanno di tanto speciale?»

«In realtà proprio nulla, al di là del fatto che sono di datazione un po' più tarda rispetto al resto dell'Antico Testamento. Gli Apocrifi perciò sono stati esclusi dalla Bibbia ebraica – non perché i dotti ebraici diffidassero del loro contenuto, ma semplicemente perché sono stati scritti dopo che la rivelazione divina si era conclusa. Per contro, gli Apocrifi sono presenti nella vecchia traduzione greca della Bibbia. Non sono controversi per esempio per la chiesa cattolico-romana.»

«Capisco.»

«Invece sono particolarmente controversi per la chiesa protestante. Ai tempi della riforma i teologi presero come riferimento la vecchia Bibbia ebraica. Martin Lutero tolse gli Apocrifi dalla Bibbia riformata e più tardi Calvino dichiarò che gli Apocrifi non dovevano assolutamente costituire la base di convinzioni dogmatiche. Essi contengono quindi cose che contraddicono o in qualche modo contrastano con la *claritas scripturae* – la chiarezza delle Scritture.»

«In altre parole, sono libri censurati.»

«Esatto. Gli Apocrifi sostengono ad esempio che si possono praticare le scienze occulte, che la menzogna in determinati casi può essere permessa, e cose del genere, che ovviamente irritano gli interpreti dogmatici delle Scritture.»

«Capisco. Perciò se qualcuno ha un debole per la religione non è improbabile che gli Apocrifi finiscano per comparire nell'elenco delle sue letture, e che una persona come il pastore Falk ne sia turbata.»

«Esatto. È quasi inevitabile imbattersi negli Apocrifi se si è interessati a conoscere la Bibbia o la fede cattolica, ed è altrettanto probabile che qualcuno interessato di scienze esoteriche in generale li legga.»

«Non è che per caso ha una copia degli Apocrifi?»

Lei rise di nuovo. Una risata limpida, simpatica.

«Naturalmente. Gli Apocrifi sono stati pubblicati negli anni ottanta da uno speciale comitato statale della commissione per la Bibbia.»

Dragan Armanskij si domandò che cosa ci fosse nell'aria quando Lisbeth Salander gli chiese un colloquio privato. Chiuse la porta e le fece cenno di accomodarsi. Lei spiegò che il lavoro per Mikael Blomkvist era stato completato – Dirch Frode avrebbe pagato entro la fine del mese – ma che aveva deciso di restare a seguire l'indagine. Mikael Blomkvist le aveva offerto un mensile considerevolmente più modesto.

«Io ho una mia ditta personale» disse Lisbeth Salander. «Finora non ho mai preso nessun incarico che non mi abbia dato tu secondo il nostro accordo. Quello che voglio sapere è cosa succede alla nostra relazione se io mi prendo un lavoro per conto mio.»

Dragan Armanskij allargò le mani.

«Tu sei una libera professionista, puoi prenderti i lavori che vuoi e presentare i conti a tua discrezione. Io sono solo contento se hai dei guadagni tuoi. Tuttavia, non sarebbe leale da parte tua accaparrarti dei clienti che ti sono arrivati tramite noi.»

«Non ho nessuna intenzione di farlo. Ho portato a termine il lavoro secondo il contratto che avevamo fatto con Blomkvist. Quel lavoro adesso è concluso. Ora sono io che voglio continuare a occuparmi del caso. Lo farei anche gratis.»

«Non fare mai nulla gratis.»

«Capisci quello che intendo. Voglio sapere dove andrà a finire questa storia. Ho convinto Mikael Blomkvist a chiedere a Dirch Frode di farmi un contratto come assistente alle ricerche.»

Allungò il contratto ad Armanskij che lo scorse rapidamente.

«Con questo stipendio tanto vale che lavori gratis. Lisbeth, tu hai talento. Non hai bisogno di lavorare per qualche spicciolo. Lo sai che potresti guadagnare molto di più da me, se lavorassi a tempo pieno.»

«Io non voglio lavorare a tempo pieno. Ma, Dragan, tu hai tutta la mia lealtà. Sei stato fantastico con me da quando lavoro qui. Voglio solo sapere se approvi questo contratto in modo che non nascano problemi fra noi.»

«Capisco.» Armanskij rifletté un momento. «È tutto okay. Grazie per avermelo chiesto. Se dovesse succedere ancora in futuro, voglio che mi informi sempre in modo che non nascano malintesi.»

Lisbeth Salander rimase in silenzio per qualche minuto mentre valutava se ci fosse qualcosa da aggiungere. Inchiodò Dragan Armanskij con lo sguardo ma senza dire nulla. Fece solo un cenno d'assenso, si alzò e se ne andò, come sempre senza parole di commiato. Una volta avuta l'informazione che voleva, aveva perso completamente interesse per Armanskij. Lui sorrise lievemente. Il solo fatto che gli avesse chiesto consiglio costituiva un nuovo traguardo nel suo processo di socializzazione.

Aprì una cartelletta contenente una relazione sulla sicurezza in un museo dove si sarebbe presto inaugurata una grande mostra di impressionisti francesi. Poi mise da parte il fascicolo e guardò verso la porta da cui Lisbeth era appena uscita. Pensò a come l'aveva vista ridere con Mikael Blomkvist nella sua stanza e si domandò se stesse finalmente crescendo o se fosse solo merito di Blomkvist. Avvertì anche un'improvvisa inquietudine. Non era mai riuscito a liberarsi dalla sensazione che Lisbeth Salander fosse una vittima perfetta. E adesso stava dando la caccia a un pazzo fuori nel nulla.

Mentre si dirigeva di nuovo verso nord, Lisbeth Salander fece una deviazione impulsiva per la casa di cura di Äppelvikken per andare a salutare sua madre. A parte la visita della vigilia della festa di mezza estate, non la vedeva da Natale e si sentiva rimordere la coscienza perché trovava così raramente tempo per lei. Una nuova visita nel giro di qualche settimana appena era un record.

Sua madre era seduta nella sala comune. Lisbeth si fermò circa un'ora e la portò a fare una passeggiata fino al laghetto nel parco fuori della casa di cura. Sua madre continuava a confondere Lisbeth con la sorella. Come al solito non era perfettamente presente ma sembrava preoccupata per quella visita inattesa.

Quando Lisbeth si congedò, non voleva più lasciarle andare la mano. Lisbeth promise che sarebbe tornata presto a trovarla, ma la madre la seguì con uno sguardo triste e preoccupato.

Era come se avesse avuto il presentimento di una catastrofe incombente.

Mikael trascorse due ore nel giardino dietro lo chalet a sfogliare gli Apocrifi, senza arrivare a nessun'altra conclusione se non che stava sprecando il suo tempo.

Fu colpito da un pensiero. Si domandò all'improvviso in che senso fosse stata religiosa Harriet Vanger. L'interesse per gli studi biblici era sorto nell'ultimo anno prima della sua scomparsa. Aveva collegato un certo numero di citazioni bibliche a una serie di omicidi, aveva letto la Bibbia con meticolosità ma anche gli Apocrifi, e si era interessata al cattolicesimo.

Forse in realtà aveva condotto lo stesso lavoro d'indagine che avrebbero svolto Mikael Blomkvist e Lisbeth Salander trentasette anni più tardi – era una caccia all'assassino piuttosto che la religiosità ad avere spronato il suo interesse? Il pastore Falk aveva accennato che la ragazza – ai suoi occhi – era stata piuttosto una persona alla ricerca, e non una buona cristiana.

Fu interrotto nelle sue riflessioni da Erika che lo chiamava sul cellulare.

«Volevo solo avvisarti che io e Greger la settimana prossima andiamo in vacanza. Sto via quattro settimane.»

«Dove andate?»

«New York. Greger ha una mostra e poi pensavamo di andare ai Caraibi. Un conoscente di Greger ci ha dato in prestito una casa ad Antigua e ci fermeremo lì un paio di settimane.»

«Suona magnifico. Divertiti. E salutami Greger.»

«Sono tre anni che non mi prendo una vera vacanza. Il nuovo numero è pronto e abbiamo già quasi preparato tutto il prossimo. Vorrei che potessi sostituirmi tu, ma Christer ha promesso che ci penserà lui.»

«Può sempre telefonarmi se ha bisogno di aiuto. Come va con Janne Dahlman?»

Lei esitò un momento.

«Anche lui va in ferie la settimana prossima. Ho cacciato dentro Henry come segretario di redazione temporaneo. Ci penseranno lui e Christer a mandare avanti la baracca.»

«Okay.»

«Non mi fido di Dahlman. Ma si sta comportando bene. Sarò di ritorno il 7 di agosto.»

Alle sette Mikael aveva cercato di telefonare a Cecilia già cinque volte. Le aveva anche inviato un sms dicendole di chiamarlo, ma senza ricevere risposta.

Chiuse con un colpo secco gli Apocrifi, si infilò la tuta e chiuse la porta a chiave prima di partire per la sua corsa campestre quotidiana.

Seguì la stretta strada lungo la riva prima di piegare verso l'interno del bosco. Superò sterpaglie e ceppi sradicati più veloce che poté e arrivò trafelato alla Fortificazione, con un ritmo di polso davvero troppo alto. Si fermò a una delle vecchie postazioni di tiro e fece qualche minuto di stretching.

D'un tratto sentì un colpo secco al tempo stesso che una pallottola si conficcava in un muro di cemento grigio a qualche centimetro dalla sua testa. Poi avvertì un dolore nel punto in cui una scheggia aveva inciso un taglio profondo.

Per un tempo che gli sembrò eterno, Mikael rimase paralizzato e incapace di rendersi conto di ciò che era accaduto. Poi si gettò precipitosamente dentro la trincea e quasi si ammazzò atterrando sulla spalla. Il secondo sparo risuonò nell'attimo stesso in cui si lanciava a capofitto. La pallottola colpì la base di cemento a cui era stato appoggiato fino a un attimo prima.

Mikael si raddrizzò e si guardò intorno. Si trovava grossomodo al centro della Fortificazione. A destra e a sinistra correvano stretti passaggi profondi circa un metro e invasi dalle erbacce, che portavano a postazioni sparse lungo una linea di circa duecentocinquanta metri. Piegato in due, cominciò a correre verso sud attraverso il labirinto.

D'improvviso sentì l'eco dell'inimitabile voce del capitano Adolfsson durante un'esercitazione invernale alla scuola militare di Kiruna. *Per tutti i diavoli, Blomkvist, tieni giù la testa se non vuoi che ti sparino via il culo.* Ancora adesso, vent'anni dopo, ricordava le esercitazioni supplementari che il capitano Adolfsson usava ordinare.

Dopo una sessantina di metri si fermò con il cuore che martellava e riprese fiato. Non riusciva a sentire altri rumori che quello del suo stesso respiro. *L'occhio umano percepisce il movimento molto più in fretta di forme e figure. Muoviti lentamente quando esplori.* Mikael alzò piano lo sguardo qualche centimetro sopra il bordo del riparo. Aveva il sole completamente in faccia che gli rendeva impossibile distinguere i dettagli, ma non riuscì a vedere nessun movimento.

Abbassò di nuovo la testa e continuò fino all'ultima postazione. *Non ha nessuna importanza quanto le armi del ne-*

mico siano buone. Se non ti può vedere, non ti può neanche colpire. Riparo, riparo, riparo. Fa' in modo di non essere mai esposto.

Ora Mikael si trovava a circa trecento metri dal confine del fondo di Östergården. A quaranta metri da lui c'era una boscaglia quasi impenetrabile invasa dal sottobosco. Ma per raggiungerla avrebbe dovuto abbandonare il riparo della postazione e scendere lungo una scarpata su cui sarebbe stato completamente esposto. Era l'unica via d'uscita. Alle spalle aveva il mare.

Mikael si accovacciò e si mise a riflettere. D'un tratto fu consapevole del dolore alla tempia e scoprì che sanguinava copiosamente e che aveva la T-shirt inzuppata di sangue. Un frammento della pallottola o della piattaforma di cemento aveva prodotto una ferita profonda all'attaccatura dei capelli. *Le ferite alla testa non smettono mai di sanguinare* pensò prima di concentrarsi di nuovo sulla situazione. Uno sparo avrebbe potuto essere stato un avvertimento. Due spari significavano che qualcuno aveva cercato di ucciderlo. Non sapeva se il cecchino fosse ancora là fuori e avesse ricaricato l'arma in attesa che lui uscisse allo scoperto.

Cercò di calmarsi e di pensare razionalmente. Si trattava di scegliere se aspettare o andarsene in qualche modo da quel posto. Se il cecchino era ancora lì, la seconda alternativa era decisamente inopportuna. Ma se aspettava, il cecchino poteva salire con tutta calma alla Fortificazione, cercarlo e poi sparargli da distanza ravvicinata.

Lui (o forse lei?) non può sapere se sono andato a destra o a sinistra. Un fucile, forse una carabina per la caccia all'alce. Probabilmente dotata di cannocchiale. Significava che il cecchino aveva un campo visivo ristretto e che cercava Mikael attraverso la lente.

Se ti trovi negli impicci, prendi l'iniziativa. È meglio che aspettare. Si mise all'erta e tese l'orecchio per un paio di minuti, quindi uscì dal riparo e corse giù per la scarpata più veloce che poteva.

Un terzo sparo esplose quando era a metà strada verso la boscaglia, ma la pallottola lo mancò ampiamente. L'attimo dopo si gettava a capofitto nella cortina di sottobosco e rotolava attraverso un mare di ortiche. Fu subito in piedi e cominciò ad allontanarsi dal cecchino, tenendosi piegato. Dopo una cinquantina di metri si fermò e rimase in ascolto. Sentì il rumore di un ramo che si spezzava in un punto fra lui e la Fortificazione. Si lasciò scivolare cautamente sulla pancia.

Avanzare strisciando era un'altra delle espressioni preferite del capitano Adolfsson. Mikael superò i successivi centocinquanta metri appiattito nel sottobosco. Si muoveva senza fare rumore, prestando particolare attenzione a non spezzare rami e rametti. In due occasioni sentì uno scricchiolio nel folto della boscaglia. Il primo sembrava arrivare dalle sue immediate vicinanze, forse venti metri a destra del punto in cui si trovava. Si irrigidì e rimase steso immobile. Dopo un momento alzò cautamente la testa ma non riuscì a scorgere nessuno. Rimase a lungo fermo con i nervi tesi, pronto alla fuga o a un disperato contrattacco se il nemico gli fosse finito addosso. Il successivo rumore che sentì veniva da una distanza considerevolmente maggiore. Dopo di che, silenzio.

Sa che sono qui. Ma si sarà appostato da qualche parte in attesa che io cominci a muovermi, oppure si sarà ritirato?

Continuò a spostarsi attraverso il sottobosco finché arrivò alla recinzione dei pascoli di Östergården.

Quello sarebbe stato il successivo attimo critico. Un sentiero correva lungo l'esterno della recinzione. Rimase lungo disteso per terra, esplorando tutt'intorno. Riusciva a intravedere le case dritto avanti a sé, a circa quattrocento metri su un leggero declivio, e a destra delle case distinse una dozzina di mucche al pascolo. *Perché nessuno aveva udito gli spari ed era venuto a controllare? Estate. Non è detto che in questo momento ci sia qualcuno in casa.*

Di uscire nel pascolo non se ne parlava – lì sarebbe stato completamente allo scoperto – ma il sentiero lungo lo steccato d'altra parte era il posto in cui lui stesso si sarebbe piazzato per avere campo libero per sparare. Si ritirò cautamente nella boscaglia finché questa cedette il posto a un rado bosco di pini.

Mikael tornò a casa facendo il giro lungo intorno ai terreni di Östergården e al Söderberget. Quando passò davanti a Östergården constatò che la macchina di Aronsson non c'era e che la casa era vuota. In cima al Söderberget si fermò a guardare Hedeby. Nelle vecchie casette dei pescatori intorno al porticciolo c'erano già dei turisti; alcune donne erano sedute a chiacchierare in costume da bagno su un pontile. Si sentiva il profumo di un barbecue. Un gruppetto di bambini sguazzava accanto all'imbarcadero del porticciolo.

Mikael guardò l'ora. Le otto appena passate. Erano trascorsi cinquanta minuti da quando erano stati esplosi i colpi di fucile. Gunnar Nilsson annaffiava il prato di casa sua a torso nudo e in short. *Da quanto tempo sei lì?* La casa di Henrik Vanger era vuota, a parte la governante Anna Nygren. La casa di Harald sembrava deserta come sempre. D'un tratto, scorse Isabella nel giardino dietro casa sua. Era seduta e sembrava intenta a conversare con qualcuno. A Mikael bastò un secondo per riconoscere Gerda Vanger, l'eterna malata nata nel 1922 che viveva con il figlio Alexander in una delle case dopo quella di Henrik. Non l'aveva mai incontrata di persona, ma in qualche rara occasione l'aveva vista in giardino. La casa di Cecilia pareva disabitata, ma d'un tratto Mikael vide una luce accendersi nella cucina. *È a casa. Forse il cecchino era una donna?* Che Cecilia sapesse maneggiare un fucile era cosa su cui non aveva il minimo dubbio. Più oltre poté vedere l'automobile di Martin sullo spiazzo davanti alla sua villa. *Da quanto tempo sei rincasato?*

Oppure si trattava di qualcun altro, a cui non aveva nemmeno pensato? Frode? Alexander? Troppe possibilità.

Scese dal Söderberget, seguì la strada che portava al villaggio e andò direttamente a casa senza incontrare nessuno. La prima cosa di cui si accorse fu che la porta dello chalet era socchiusa. Poi sentì profumo di caffè e intravide Lisbeth Salander attraverso la finestra della cucina.

Lisbeth udì il rumore dei passi di Mikael nel vestibolo e si voltò verso di lui. Rimase pietrificata. Aveva un aspetto spaventoso, con la faccia tutta coperta di sangue che cominciava ad aggrumarsi. Anche la parte sinistra della sua T-shirt bianca era intrisa di sangue. Si teneva premuto un brandello di stoffa contro la testa.

«È una ferita al cuoio capelluto che sanguina maledettamente, ma non è nulla di grave» disse Mikael prima che lei avesse fatto in tempo a dire qualcosa.

Lisbeth si girò e tirò fuori la scatola del pronto soccorso che stava nella dispensa, ma che conteneva soltanto due pacchetti di cerotti, un repellente contro le zanzare e del nastro chirurgico. Lui si tolse la tuta e la lasciò sul pavimento, poi andò in bagno a guardarsi allo specchio.

La ferita sulla tempia era un taglio lungo circa tre centimetri, così profondo da consentirgli di sollevare uno spesso lembo di carne. Sanguinava ancora e avrebbe avuto bisogno di essere cucito, ma probabilmente, pensava, si sarebbe rimarginato anche con del nastro chirurgico. Inumidì un asciugamano e si deterse la faccia.

Tenne l'asciugamano premuto contro la tempia mentre si infilava sotto la doccia e chiudeva gli occhi. Poi tirò un pugno così forte contro le piastrelle che si sbucciò le nocche. *Fuck you* pensò. *Ti prenderò.*

Quando Lisbeth gli sfiorò il braccio, trasalì come se avesse ricevuto una scossa e la fissò con uno sguardo talmente carico d'ira che lei arretrò involontariamente di un passo. Gli passò una saponetta e si ritirò in cucina senza dire una parola.

Finito di fare la doccia, Mikael applicò tre pezzetti di nastro chirurgico sulla ferita. Andò in camera da letto, si infilò un paio di jeans e una T-shirt puliti e prese con sé la cartelletta con le fotografie. Era talmente arrabbiato che quasi tremava.

«Tu rimani qui» ruggì a Lisbeth Salander.

Andò fino a casa di Cecilia e si attaccò al campanello. Dovette passare più di un minuto e mezzo prima che lei si decidesse ad aprire.

«Non voglio incontrarti» gli disse. Poi vide la sua faccia, dove il sangue aveva già cominciato a stillare attraverso il nastro. «Che cosa ti sei fatto?»

«Fammi entrare. Dobbiamo parlare.»

Lei esitò.

«Non abbiamo niente di cui parlare.»

«Adesso ce l'abbiamo qualcosa di cui parlare, e puoi discuterne o qui fuori sulle scale oppure dentro in cucina.»

La voce di Mikael era così risoluta che Cecilia si fece da parte e lo lasciò entrare. Lui si diresse a passo di carica verso il tavolo della cucina.

«Che cosa ti sei fatto?» domandò lei nuovamente.

«Tu sostieni che il mio cercare la verità su Harriet sia una futile terapia occupazionale per Henrik. È possibile, ma un'ora fa qualcuno ha cercato di farmi saltare le cervella e la notte scorsa qualcuno ha lasciato un gatto squartato sulla mia veranda.»

Cecilia aprì la bocca, ma Mikael la bloccò.

«Cecilia, a me non importa un fico secco delle tue inibizioni e di quello che pensi e del fatto che di punto in bianco sembri odiare la mia semplice vista. D'ora in avanti girerò alla larga da te e non hai da temere che ti scocci o che ti stia alle costole. In questo preciso momento vorrei non aver mai sentito parlare né di te né di nessun altro della famiglia Vanger. Ma voglio avere una risposta alle mie domande. E più in fretta rispondi, più in fretta ti libererai di me.»

«Che cosa vuoi sapere?»

«Uno: dov'eri un'ora fa?»

Cecilia si fece scura in volto.

«Un'ora fa ero in centro a Hedestad. Sono tornata a casa da mezz'ora.»

«Qualcuno lo può testimoniare?»

«Non so. Ma non devo certo rendere conto a te.»

«Due: perché apristi la finestra della stanza di Harriet Vanger il giorno in cui scomparve?»

«Cosa?»

«Hai sentito quello che ho detto. In tutti questi anni, Henrik ha cercato di scoprire chi avesse aperto la finestra della camera di Harriet proprio nei minuti critici in cui lei sparì. Tutti hanno negato di averlo fatto. Qualcuno mente.»

«E cosa diavolo ti fa credere che sia stata io?»

«Questa fotografia» disse Mikael, gettando la foto offuscata sul tavolo della cucina.

Cecilia si avvicinò al tavolo e la osservò. Mikael credette di leggere stupore e paura sul suo volto. La donna alzò lo sguardo su di lui. Mikael avvertì d'improvviso che un piccolo rivolo di sangue gli stava scorrendo lungo la guancia e andava a gocciolargli sulla maglietta.

«C'erano una sessantina di persone sull'isola quel giorno» disse. «Ventotto erano donne. Cinque o sei avevano i capelli biondi lunghi fino alle spalle. Solo una di queste indossava un abito chiaro.»

Lei fissò intensamente l'immagine.

«E tu credi che dovrei essere io?»

«Se non sei tu, vorrei tanto sapere chi pensi che possa essere. Questa immagine non è mai stata diffusa prima. Io ne sono in possesso ormai da diverse settimane, e ho tentato invano di parlarne con te. Probabilmente sarò un idiota, ma non l'ho mostrata a Henrik né a nessun altro, perché avevo paura di attirare sospetti su di te o di farti del male. Ma devo avere una risposta.»

«L'avrai.» Tenne la foto davanti a sé e poi gliela passò. «Quel giorno non entrai nella stanza di Harriet. Quella nella foto non sono io. Non ho avuto nulla a che fare con la sua scomparsa.»

Si avviò verso la porta.

«Hai avuto la tua risposta. Adesso voglio che tu te ne vada. E credo che dovresti farti guardare quella ferita da un medico.»

Lisbeth Salander lo accompagnò all'ospedale di Hedestad. Bastarono due punti e un bel cerotto a chiudere la ferita. Gli diedero anche una pomata al cortisone per le eruzioni cutanee provocate dalle ortiche sul collo e sulle mani.

Quando lasciarono l'ospedale, Mikael meditò a lungo se andare o no alla polizia. Ma poi si vide davanti i titoli dei giornali: *Giornalista condannato per diffamazione preso a fucilate.* Scosse la testa. «Portami a casa» disse a Lisbeth.

Quando fecero ritorno sull'isola era buio, il che era perfetto per Lisbeth Salander. Mise un borsone sportivo sul tavolo della cucina.

«Ho preso in prestito l'attrezzatura alla Milton Security, ed è ora di farne buon uso. Intanto tu metti su il caffè.»

Piazzò quattro rilevatori di movimento a batteria intorno

alla casa, e spiegò che se qualcuno si fosse avvicinato a più di sei o sette metri, un segnale radio avrebbe messo in funzione un allarme che aveva installato nella camera da letto di Mikael. Al tempo stesso, due videocamere sensibili alla luce che aveva sistemato su degli alberi davanti e dietro lo chalet avrebbero cominciato a inviare segnali a un portatile dentro il guardaroba della veranda. Camuffò le videocamere con della stoffa scura in modo che restassero liberi solo gli obiettivi.

Una terza videocamera la piazzò in un nido artificiale sopra la porta. Per far passare il cavo fece un buco col trapano dritto attraverso la parete. L'obiettivo era puntato verso la strada e il sentiero che andava dal cancello alla porta d'ingresso. Scattava un'immagine al secondo e le immagazzinava sull'hard disk di un altro portatile all'interno del guardaroba.

Quindi mise uno zerbino sensibile alla pressione nella veranda. Se qualcuno fosse riuscito ad aggirare i rilevatori di movimento e a entrare in casa, sarebbe partita una sirena da 115 decibel. Lisbeth gli fece vedere come spegnere i rilevatori con la chiave di una scatoletta che aveva sistemato nel guardaroba. Aveva anche preso in prestito un binocolo notturno che mise sul tavolo dello studio.

«Tu non lasci molto al caso» disse Mikael, versandole il caffè.

«Ancora una cosa. Basta corse campestri finché non avremo risolto questa storia.»

«Credimi. Ho perso interesse per il jogging.»

«Non è uno scherzo. Questa faccenda è cominciata come un enigma storico ma ieri c'era un gatto morto sulle scale e oggi c'è stato chi ha cercato di farti saltare le cervella. Siamo sulle tracce di qualcuno.»

Consumarono una cena tardiva a base di affettato e insalata di patate. Mikael si sentiva d'improvviso stanco morto

493

23.
Venerdì 11 luglio

Mikael fu svegliato alle sei dal sole che gli batteva in faccia attraverso una fessura delle tende. La testa gli doleva in maniera diffusa e sentiva male quando toccava il cerotto. Lisbeth Salander era stesa sulla pancia, con un braccio sopra di lui. Guardò il drago che le correva lungo tutta la schiena, dalla scapola destra fino alla natica.

Contò i suoi tatuaggi. A parte il drago sulla schiena e la vespa sul collo, aveva una serpentina intorno a una caviglia, un'altra intorno al bicipite del braccio sinistro, un segno cinese sul fianco e una rosa sulla coscia. A eccezione del drago, i tatuaggi erano piccoli e discreti.

Mikael scese cautamente dal letto e tirò la tenda. Andò alla toilette e quindi ritornò in punta di piedi in camera e cercò di infilarsi nel letto senza svegliarla.

Un paio d'ore più tardi fecero colazione fuori in giardino. Lisbeth guardò Mikael.

«Abbiamo un mistero da risolvere. Come facciamo?»

«Raccogliamo i dati che abbiamo. Cerchiamone di nuovi.»

«Un dato di fatto è che qualcuno nelle nostre vicinanze ti sta dando la caccia.»

«La domanda è solo: perché? È perché stiamo per risolvere il mistero di Harriet o perché abbiamo trovato uno sconosciuto serial killer?»

«Le due cose devono essere collegate.»

Mikael annuì.

«Se Harriet era riuscita a scoprire che c'era un serial killer, doveva essere qualcuno a lei vicino. Se prendiamo in considerazione la galleria di personaggi degli anni sessanta, troviamo almeno due dozzine di possibili candidati. Ma oggi non ne rimane quasi più nessuno oltre a Harald Vanger, e io semplicemente non credo che sia lui, a novantadue anni, a correre in giro armato di fucile per il bosco di Fröskogen. Non riuscirebbe quasi a sollevarla, una carabina. I personaggi sono o troppo vecchi per essere pericolosi oggi, oppure troppo giovani per esserlo stati negli anni cinquanta. E così torniamo di nuovo al punto di partenza.»

«Se non si tratta invece di due persone che collaborano. Una vecchia e una giovane.»

«Harald e Cecilia. Non credo. Penso che lei abbia detto la verità, sostenendo che non era lei alla finestra.»

«E chi era allora?»

Avviarono l'iBook di Mikael e dedicarono l'ora successiva a esaminare dettagliatamente ancora una volta tutte le persone che comparivano nelle foto dell'incidente sul ponte.

«Non posso immaginare nient'altro se non che tutta la gente del villaggio dev'essere scesa giù a guardare. Era settembre. La maggior parte degli spettatori indossa giacche o maglioni. C'è solo una persona che ha i capelli lunghi e biondi e un abito chiaro.»

«Cecilia Vanger compare in moltissime foto. A quanto pare si muoveva avanti e indietro. Fra le case e la folla che osservava l'incidente. Qui sta parlando con Isabella. Qui è insieme al pastore Falk. Qui è con Greger Vanger, il fratello di mezzo.»

«Aspetta» disse Mikael all'improvviso. «Che cos'ha Greger in mano?»

«Qualcosa di quadrato. Sembra un qualche genere di scatola.»

«Ma è una Hasselblad. Dunque anche lui aveva una macchina fotografica.»

Fecero passare le immagini ancora una volta. Greger compariva in diverse fotografie, ma era spesso seminascosto. Però in una foto si vedeva chiaramente che aveva in mano una scatola quadrata.

«Credo che tu abbia ragione. È una macchina fotografica.»

«Il che significa che dobbiamo cominciare un'altra caccia alla foto.»

«Okay, per ora lasciamo stare» disse Lisbeth Salander. «Fammi formulare un'ipotesi.»

«Prego.»

«Che ne diresti di qualcuno della nuova generazione che sa che qualcuno della vecchia generazione è un serial killer, ma non vuole che lo si scopra? L'onore della famiglia e via dicendo. Significherebbe che ci sono due persone implicate, ma che non collaborano. L'assassino può essere morto da tempo mentre quello che ci tormenta vuole solo che abbandoniamo tutto quanto e ce ne torniamo a casa.»

«Ci ho pensato» rispose Mikael. «Ma perché, in tal caso, mettere un gatto squartato sulla nostra veranda? È un riferimento diretto agli omicidi.» Mikael picchiettò sulla Bibbia di Harriet. «Di nuovo una parodia della legge sugli olocausti.»

Lisbeth Salander si lasciò andare contro lo schienale e alzò lo sguardo verso la chiesa, mentre citava pensierosa la Bibbia. Sembrava che stesse parlando fra sé.

«Poi immolerà il capo di grosso bestiame davanti al Signore e i sacerdoti, figli di Aronne, offriranno il sangue e lo spargeranno intorno all'altare, che è all'ingresso della tenda del convegno. Scorticherà la vittima e la taglierà a pezzi.»

Tacque, e di colpo fu consapevole che Mikael la stava guardando con espressione tesa. Aprì la Bibbia al Levitico.

«Conosci anche il versetto 12?»

Lisbeth rimase in silenzio.

«La taglierà...» cominciò Mikael, spronandola con un cenno del capo.

«La taglierà a pezzi, con la testa e il grasso; e il sacerdote li disporrà sulla legna, collocata sul fuoco dell'altare.» La sua voce era gelida.

«E il verso successivo?»

Lei si alzò di scatto.

«Lisbeth, tu hai una memoria fotografica» sbottò Mikael, esterrefatto. «È per questo che leggi le pagine dell'inchiesta in dieci secondi.»

La reazione fu quasi esplosiva. Il suo sguardo inchiodò Mikael con tale furore da lasciarlo a bocca aperta. Poi i suoi occhi si colmarono di disperazione e lei fece un repentino dietro front e corse verso il cancello.

«Lisbeth» le gridò dietro Mikael, sempre più stupefatto.

La ragazza scomparve su per la provinciale.

Mikael portò in casa il suo computer, inserì l'allarme e chiuse a chiave la porta d'ingresso prima di andare a cercarla. La trovò venti minuti più tardi, su un pontile del porticciolo, dove era seduta con i piedi nell'acqua, a fumare una sigaretta. Lei lo sentì arrivare e lui vide le sue spalle irrigidirsi. Si fermò a due metri da lei.

«Non so dove ho sbagliato, ma non era mia intenzione farti arrabbiare.»

Lei non rispose.

Lui si avvicinò e si sedette al suo fianco e le appoggiò cauto una mano sulla spalla.

«Lisbeth, ti prego, parlami.»

Lei girò la testa e lo guardò.

«Non c'è niente di cui parlare» disse. «Io sono un *freak*, e basta.»

«Io sarei felice di avere la metà della tua buona memoria.»

Lei gettò il mozzicone nell'acqua.

Mikael rimase a lungo in silenzio. *Che devo dire? Sei una ragazza assolutamente normale. Non fa niente se sei un po' diversa. Che immagine hai di te stessa, in realtà?*

«Ho pensato che eri diversa fin dal primo momento in cui ti ho vista» le disse infine. «E la sai una cosa? Era da un sacco di tempo che non provavo una simpatia spontanea per una persona fin dall'inizio.»

Un gruppetto di bambini uscì da una casa dall'altra parte del porticciolo e si gettò in acqua. Eugen Norman, il pittore con cui Mikael non aveva ancora scambiato una parola, era seduto su una sedia fuori di casa sua e succhiava una pipa osservando Mikael e Lisbeth.

«Io vorrei tanto esserti amico, se tu mi vuoi come amico» disse Mikael. «Ma devi essere tu a deciderlo. Io torno a casa e preparo dell'altro caffè. Vieni giù quando te la senti.»

Si alzò e la lasciò in pace. Aveva fatto in tempo ad arrivare a metà discesa quando sentì i suoi passi dietro di sé. Ritornarono a casa insieme senza dire nulla.

Lei lo bloccò proprio quando furono davanti allo chalet.

«Mi sta venendo in mente una cosa... Abbiamo parlato del fatto che tutto sembra una parodia della Bibbia. È vero che ha squartato un gatto, ma suppongo che procurarsi un toro fosse troppo difficile. Però segue la storia di base. Mi domando...»

Alzò gli occhi verso la chiesa.

«*... e i sacerdoti, figli di Aronne, offriranno il sangue e lo*

499

spargeranno intorno all'altare, che è all'ingresso della tenda del convegno...»

Attraversarono il ponte, salirono alla chiesa e si guardarono intorno. Mikael abbassò la maniglia della porta, ma era chiusa a chiave. Gironzolarono un po' intorno guardando le lapidi a casaccio e arrivarono alla cappella che sorgeva un po' più in basso, verso l'acqua. Mikael spalancò gli occhi. Non era una cappella, ma una cripta. Sopra la porta poteva leggere il nome Vanger scolpito nella pietra e una strofa in latino, di cui non sapeva il significato.

«Vuol dire riposino fino alla fine del tempo» disse Lisbeth.

Mikael la guardò. Lei alzò le spalle.

«Ho visto quel verso da qualche parte» disse.

Mikael scoppiò in una risata improvvisa. Lei si irrigidì e assunse un'espressione furibonda, ma poi si rese conto che non rideva di lei ma del lato comico della situazione e si rilassò.

Mikael provò ad abbassare la maniglia. La porta era chiusa a chiave. Rifletté un momento e disse a Lisbeth di sedersi lì un attimo ad aspettarlo. Poi andò a bussare da Anna Nygren. Le spiegò che voleva dare un'occhiata alla cappella mortuaria della famiglia Vanger e si chiedeva dove Henrik tenesse le chiavi. Anna assunse un'aria esitante ma si arrese quando Mikael le ricordò che lui lavorava alle dirette dipendenze di Henrik. Anna andò a prendere la chiave dalla scrivania del vecchio.

Non appena ebbero aperto la porta, Mikael e Lisbeth seppero che avevano avuto ragione. Il puzzo di carne bruciata e di resti carbonizzati ammorbava l'aria. Ma il torturatore di gatti non aveva acceso nessun fuoco. In un angolo c'era una lampada per saldare del genere usato dagli sciatori per sciolinare gli sci. Lisbeth tirò fuori la macchina fotografica digitale da una tasca della gonna di jeans e scattò qualche foto. Poi prese con sé la lampada.

«Può diventare materiale probatorio. Forse ci ha lasciato le impronte digitali» disse.

«Certo, possiamo pregare tutti i membri della famiglia Vanger di farsi prendere le impronte digitali» disse Mikael sarcastico. «Sarebbe divertente vederti cercare di ottenere quelle di Isabella.»

«Il modo c'è sempre» rispose Lisbeth.

C'era un bel po' di sangue sul pavimento e c'erano anche delle forbici da lamiera che probabilmente erano state usate per tagliare la testa al gatto.

Mikael si guardò intorno. Una tomba principale rialzata custodiva le spoglie di Alexandre Vangeersad e quattro altre sepolture sul pavimento ospitavano i primi membri della famiglia. Poi i Vanger erano passati evidentemente alla cremazione. Una trentina di loculi sulla parete recavano i nomi dei vari membri del clan. Mikael seguì la cronaca familiare nel tempo e si domandò dove avessero sepolto i membri della famiglia che non trovavano posto nella cappella – quelli che forse non erano ritenuti sufficientemente importanti.

«Ora lo sappiamo» disse Mikael mentre riattraversavano il ponte. «Stiamo dando la caccia a un pazzo vero e proprio.»

«Che cosa vorresti dire?»

Mikael si fermò al centro esatto del ponte e si poggiò contro la spalletta.

«Se fosse stato un comune pazzoide che cercava di spaventarci, avrebbe portato il gatto in garage o addirittura fuori nel bosco. Invece è andato alla cappella mortuaria di famiglia. Evidentemente lo sentiva come un obbligo. Pensa ai rischi che deve aver corso. È estate e la gente è fuori a passeggiare fino a tardi. La strada sopra il cimitero è una scorciatoia fra le zone nord e sud di Hedeby. Anche se ha chiuso la porta, il gatto deve aver fatto casino e poi dev'esserci stato puzzo di bruciato.»

«Parli sempre al maschile.»

«Non credo che l'altra notte Cecilia Vanger se ne sia andata in giro con una lampada per saldare.»

Lisbeth alzò le spalle.

«Io non mi fido di nessuno di questi personaggi, compresi Frode e il tuo Henrik. È gente che ti fregherà, se ne avrà l'occasione. Allora, cosa facciamo adesso?»

Ci fu un attimo di silenzio. Poi Mikael fu costretto a chiedere: «Io ho scoperto un bel po' di segreti su di te. Quanti sono a sapere che sei una hacker?»

«Nessuno.»

«Nessuno tranne me, vuoi dire.»

«Dove vuoi arrivare?»

«Voglio sapere se fra noi è tutto okay. Se ti fidi di me.»

Lei lo guardò un lungo momento. Alla fine alzò di nuovo le spalle.

«Non dipende da me.»

«Ti fidi di me?» si intestardì Mikael.

«Per ora» rispose lei.

«Bene. Facciamo una passeggiata fino a casa di Dirch Frode.»

La moglie dell'avvocato Frode, che vedeva Lisbeth Salander per la prima volta, la guardò sgranando gli occhi al tempo stesso in cui sorrideva cortesemente e li accompagnava nel giardino sul retro. Frode si illuminò quando vide Lisbeth. Si alzò e la salutò tutto compito.

«Che piacere vederla» disse. «Ho avuto la coscienza sporca per non averle espresso a dovere la mia gratitudine per l'eccellente lavoro che ha fatto per noi. Sia l'inverno scorso che adesso.»

Lisbeth gli lanciò un'occhiata sospettosa.

«Ho avuto il mio compenso» disse.

«Non è quello. È che avevo dei preconcetti su di lei, quando l'ho vista. È di questo che volevo scusarmi.»

Mikael rimase sorpreso. Dirch Frode era capace di chiedere scusa a una venticinquenne piena di piercing e tatuaggi per qualcosa di cui non aveva nessuna necessità di scusarsi. L'avvocato avanzò d'improvviso di un paio di gradini nella considerazione di Mikael. Lisbeth Salander continuò a guardare in avanti e lo ignorò.

Frode si rivolse a Mikael.

«Che cosa hai fatto sulla testa?»

Si sedettero. Mikael riassunse gli sviluppi delle ultime ventiquattr'ore. Quando raccontò che qualcuno gli aveva sparato contro tre colpi su alla Fortificazione, Frode fece un balzo sulla sedia.

«Ma questa è pura follia.» Fece una pausa e puntò gli occhi su Mikael. «Mi spiace, ma questa storia deve finire. Non posso mettere a repentaglio le vostre vite. Devo parlare con Henrik e rompere il contratto.»

«Siediti» disse Mikael.

«Tu non capisci...»

«Quello che capisco è che io e Lisbeth siamo arrivati così vicino alla verità che la persona che sta dietro a tutto questo agisce nel panico, da squilibrato. Abbiamo qualche domanda. Anzitutto: quante chiavi esistono della cappella di famiglia dei Vanger, e quali persone ne sono in possesso?»

Frode rifletté un momento.

«A dire la verità non lo so. Sarei propenso a credere che diversi membri della famiglia abbiano accesso alla cappella. So che Henrik ha la chiave e che Isabella ogni tanto ci va, ma non so se abbia una chiave propria o la prenda in prestito da Henrik.»

«Okay. Tu fai ancora parte del consiglio d'amministrazione del Gruppo Vanger. Esiste un archivio aziendale? Una biblioteca o qualcosa del genere, dove si conservano ritagli di giornale e informazioni sull'azienda attraverso gli anni?»

«Sì, esiste. Negli uffici della sede centrale a Hedestad.»

«Abbiamo bisogno di potervi accedere. Ci sono anche vecchi giornali aziendali e cose del genere?»

«Ancora una volta devo rispondere che non lo so. Io stesso non visito l'archivio da almeno trent'anni. Ma puoi parlare con una signora che si chiama Bodil Lindgren e che è la responsabile della conservazione di tutti i documenti del gruppo.»

«Potresti chiamarla e fare in modo che Lisbeth abbia la possibilità di visitare l'archivio già questo pomeriggio? Vorrebbe leggere tutti i vecchi ritagli sul Gruppo Vanger. È di estrema importanza che abbia accesso a tutto quello che può avere qualche interesse.»

«Dovrei essere in grado di farlo. Altro?»

«Sì, Greger Vanger aveva una Hasselblad in mano il giorno in cui successe l'incidente sul ponte. Significa che anche lui può aver fatto delle foto. Dove potrebbero essere finite dopo la sua morte?»

«Difficile dirlo, ma l'ipotesi più naturale è che le abbiano la vedova oppure il figlio.»

«Potresti...»

«Telefono ad Alexander e glielo domando.»

«Che cosa devo cercare?» volle sapere Lisbeth Salander quando lasciarono Frode e attraversarono il ponte per tornare sull'isola.

«Ritagli della stampa e giornali aziendali. Voglio che tu legga tutto quello che riesci a trovare in connessione con le date degli omicidi commessi negli anni cinquanta e sessanta. Annota tutto quello a cui reagisci o che ti sembra anche minimamente strano. Credo che sia meglio se te ne occupi tu. Hai una memoria migliore della mia, a quanto ho capito.»

Lei gli tirò un pugno nel fianco. Cinque minuti più tardi la sua motocicletta rombava sul ponte.

Mikael strinse la mano ad Alexander Vanger. Durante la maggior parte del tempo che Mikael aveva passato a Hedeby Alexander era stato via, e il giornalista l'aveva incontrato solo di sfuggita. Aveva vent'anni quando Harriet era scomparsa.

«Dirch Frode ha detto che voleva dare un'occhiata a delle vecchie fotografie.»

«Suo padre possedeva una Hasselblad.»

«Esatto. C'è ancora, ma nessuno la usa più.»

«Lei sa che sto facendo ricerche su ciò che accadde a Harriet, su incarico di Henrik.»

«Mi è sembrato di capirlo. E ci sono parecchie persone che non ne sono molto entusiaste.»

«Pazienza. È ovvio che non è certo obbligato a farmi vedere alcunché.»

«Che cosa vorrebbe vedere?»

«Se suo padre ha fatto delle foto il giorno in cui Harriet scomparve.»

Andarono in soffitta. Ci volle qualche minuto prima che Alexander riuscisse a localizzare uno scatolone contenente una quantità di fotografie tutte mescolate.

«Può portarsi a casa tutto lo scatolone» disse. «Se qualche foto del genere esiste, è lì dentro.»

Mikael passò un'ora a smistare le fotografie dello scatolone lasciato da Greger Vanger. Come illustrazione della cronaca familiare lo scatolone conteneva dei buoni bocconi, fra l'altro una quantità di immagini di Greger in compagnia del grande leader nazista svedese Sven Olof Lindholm. Queste, Mikael le mise da parte.

Trovò diverse buste con foto che Greger Vanger aveva

scattato di persona e che mostravano diversi parenti e riunioni di famiglia, oltre a una quantità di tipiche fotografie da vacanza di pesca in montagna e di un viaggio in Italia con la famiglia. Fra le altre cose, avevano visitato la torre di Pisa.

A poco a poco trovò anche quattro immagini dell'incidente dell'autocisterna. Nonostante la sua macchina fotografica altamente professionale, Greger Vanger era un fotografo più che modesto. Le immagini zoomavano o sull'autobotte stessa, o mostravano la gente da dietro. In un'unica immagine compariva Cecilia, un po' di profilo.

Mikael passò le foto allo scanner, ma già sapendo che non avrebbero fornito nessun apporto. Riempì di nuovo lo scatolone e mangiò un panino mentre rifletteva. Verso le tre salì da Anna Nygren.

«Mi chiedevo se Henrik avesse altri album di fotografie, oltre a quelli che rientrano nelle sue ricerche su Harriet.»

«Sì, Henrik è sempre stato interessato alla fotografia, fin da quando era giovane, mi è parso di capire. Ha diversi album, su nel suo studio.»

«Potrebbe mostrarmeli?»

Anna Nygren esitò. Una cosa era dare la chiave della cappella mortuaria – lì in ogni caso era Dio a comandare –, un'altra lasciar entrare Mikael nello studio di Henrik Vanger. Lì infatti comandava il superiore di Dio. Mikael suggerì ad Anna di telefonare a Dirch Frode, se aveva dei dubbi. Alla fine acconsentì a farlo entrare. Circa un metro della fascia più bassa della libreria era occupato esclusivamente da raccoglitori pieni di fotografie. Mikael si sedette alla scrivania di Henrik e aprì il primo album.

Henrik Vanger aveva conservato tutte le foto di famiglia possibili e immaginabili. Molte risalivano ad anni in cui lui non era ancora nato. Alcune delle immagini più vecchie erano datate intorno al 1870 e mostravano uomini austeri e donne severe. C'erano foto dei genitori di Henrik e di altri parenti. Una mostrava il padre di Henrik che festeggiava il giorno di mezza estate con alcuni amici a Sandhamn nel 1906. Un'altra foto di Sandhamn mostrava Fredrik Vanger e la moglie Ulrika in compagnia dei pittori Anders Zorn e Albert Engström, seduti a un tavolo con delle bottiglie aperte. Trovò un Henrik adolescente in giacca e cravatta in sella a una bicicletta. Altre immagini mostravano persone dentro la fabbrica e nei locali della direzione. Trovò il comandante Oskar Granath che in piena guerra aveva portato al sicuro Henrik e la sua amata Edith Lobach a Karlskrona.

Anna salì a portargli una tazza di caffè. Lui ringraziò. Arrivò all'epoca moderna e passò immagini su immagini che mostravano Henrik Vanger nel fiore degli anni mentre inaugurava fabbriche o stringeva la mano a Tage Erlander. Una foto dei primi anni sessanta mostrava Henrik con Marcus Wallenberg. I due capitalisti si fissavano corrucciati ed era evidente che fra loro non correva buon sangue.

Continuò a sfogliare e si fermò di colpo a una pagina dove Henrik aveva scritto «Consiglio di famiglia 1966» con il lapis. Due foto a colori mostravano degli uomini che conversavano e fumavano il sigaro. Mikael riconobbe Henrik, Harald, Greger e alcuni dei membri acquisiti del ramo della famiglia facente capo a Johan Vanger. Due immagini mostravano la cena in cui una quarantina di uomini e donne sedevano a tavola e guardavano dritto nell'obiettivo. Mikael si rese conto all'improvviso che le foto erano state scattate dopo che il dramma del ponte si era concluso, ma prima che qualcuno si rendesse conto che Harriet era scomparsa. Studiò i loro volti. Questa era la cena cui lei avrebbe dovuto partecipare. Qualcuno dei signori sapeva già che non c'era più? Le immagini non fornivano nessuna risposta.

Poi Mikael rischiò di strozzarsi con il caffè. Tossì e si raddrizzò di botto sulla sedia.

In fondo alla tavolata, sul lato corto, Cecilia era seduta nel suo abito chiaro e sorrideva verso il fotografo. Accanto a lei era seduta un'altra giovane donna con i capelli lunghi e biondi, e con indosso un identico abito chiaro. Erano così simili che avrebbero potuto essere gemelle. E d'improvviso i pezzetti del puzzle andarono a posto. Non era Cecilia Vanger quella alla finestra della stanza di Harriet, ma sua sorella Anita, di due anni più giovane, quella che adesso abitava a Londra.

Che cos'è che aveva detto Lisbeth? *Cecilia Vanger compare in molte foto. Sembra muoversi avanti e indietro fra diversi gruppi.* Niente affatto. Erano due persone diverse, e solo per un caso non erano mai finite nello stesso fotogramma. Nelle foto in bianco e nero scattate da lontano sembravano identiche. Henrik probabilmente aveva sempre visto la differenza fra le sorelle, ma a Mikael e Lisbeth erano parse così simili che le avevano prese per la stessa persona. E nessuno aveva fatto notare l'errore dal momento che loro non avevano mai pensato di chiedere.

Mikael voltò pagina e si sentì rizzare i peli sulla nuca. Era come se un soffio di vento gelido fosse passato attraverso la stanza.

Erano foto scattate il giorno dopo, quando le ricerche di Harriet erano già iniziate. Un giovane ispettore Gustaf Morell dava istruzioni a un gruppetto formato da due agenti in divisa e da una decina di uomini in stivali che stavano per iniziare una battuta. Henrik Vanger indossava un giaccone impermeabile al ginocchio e un cappello inglese a tesa corta.

All'estrema sinistra dell'immagine c'era un giovane un po' rotondetto con i capelli chiari e semilunghi. Indossava una giacca a vento scura con una banda rossa all'altezza delle spalle. L'immagine era nitida. Mikael lo riconobbe subito, ma per sicurezza prese la foto e scese da Anna Nygren, per domandarle se lo riconoscesse.

«Ma certo, è Martin. In quella foto doveva avere circa diciott'anni.»

Lisbeth Salander lesse da cima a fondo, annata dopo annata, i ritagli stampa sul Gruppo Vanger. Cominciò con il 1949 e andò avanti in ordine cronologico. Il problema era che l'archivio dei ritagli era immenso. Il gruppo era menzionato con cadenza praticamente quotidiana nel periodo in questione – non solo sui giornali nazionali ma soprattutto sulla stampa locale. Si trattava di questioni economiche, sindacali, trattative e minacce di sciopero, aperture di nuove fabbriche e chiusure di impianti, rendiconti annuali, avvicendamenti di direttori, introduzioni di nuove merci... una vera e propria fiumana di notizie. *Clic. Clic. Clic.* Il suo cervello girava al massimo quando metteva a fuoco e registrava l'informazione contenuta in un ritaglio ingiallito.

Dopo circa un'ora le venne un'idea. Andò a cercare la direttrice dell'archivio, Bodil Lindgren, e le chiese se esistesse un quadro generale di dove il Gruppo Vanger avesse fabbriche e imprese negli anni cinquanta e sessanta.

Bodil Lindgren guardò Lisbeth Salander con palese diffidenza e freddezza. Non era per nulla soddisfatta che una persona totalmente estranea avesse avuto il permesso di introdursi nel cuore stesso dell'archivio aziendale e di andare a guardare tutti i documenti che le pareva e piaceva. E per di più una ragazza che pareva una pazza anarchica di quindici anni. Ma Dirch Frode le aveva dato istruzioni che non potevano essere fraintese. Lisbeth Salander doveva poter esaminare tutto quello che le interessava. Ed era urgente. Perciò andò a prendere i rendiconti annuali di tutte le annate che aveva chiesto Lisbeth; ogni rendiconto conteneva una cartina degli avamposti del gruppo sparsi per la Svezia.

Lisbeth gettò un'occhiata alle cartine e notò che il gruppo aveva molti stabilimenti, uffici e punti di vendita. Constatò che in ogni posto dove era stato commesso un omicidio c'era anche un puntino rosso, a volte anche più d'uno, a segnalare la presenza del Gruppo Vanger.

Il primo collegamento lo ottenne per il 1957. Rakel Lunde, Landskrona, fu trovata morta il giorno dopo che la V&C Costruzioni si era aggiudicata un grosso ordine del valore di svariati milioni per la realizzazione di un nuovo impianto centralizzato in loco. V&C stava per Vanger & Carlén, che faceva parte del Gruppo Vanger. Il giornale locale aveva intervistato Gottfried Vanger, che era andato in città per sottoscrivere il contratto.

Lisbeth si ricordò qualcosa che aveva letto nell'inchiesta di polizia conservata nell'archivio regionale a Landskrona. Rakel Lunde, cartomante a tempo perso, faceva la donna delle pulizie. Aveva lavorato alla V&C Costruzioni.

Alle sette di sera Mikael aveva chiamato Lisbeth una dozzina di volte e constatato altrettante volte che il suo cellulare era spento. Evidentemente non voleva essere interrotta mentre esaminava l'archivio.

Gironzolava inquieto per casa. Aveva tirato fuori gli appunti di Henrik sulle attività di Martin al momento della scomparsa di Harriet.

Nel 1966, Martin Vanger frequentava l'ultimo anno di liceo a Uppsala. *Uppsala. Lena Andersson, liceale diciassettenne. Decapitata.*

Henrik gliene aveva accennato in qualche occasione ma Mikael fu costretto a consultare i suoi appunti per trovare il passaggio. Martin era stato un ragazzo piuttosto chiuso. Erano stati in pensiero per lui. Quando suo padre era annegato, Isabella aveva deciso di mandarlo a Uppsala – un cambio di ambiente –, e l'aveva sistemato in casa di Harald Vanger. *Harald e Martin?* Non suonava molto plausibile.

Martin Vanger non aveva trovato posto in macchina per

andare alla riunione di famiglia a Hedestad, e aveva perso il treno. Era arrivato solo nel tardo pomeriggio e di conseguenza era stato fra quelli bloccati dalla parte sbagliata del ponte. Aveva raggiunto l'isola in barca solo dopo le sei di sera; ad accoglierlo, fra gli altri, c'era Henrik Vanger stesso. Per questo motivo, Henrik aveva messo Martin molto in basso nella lista delle persone che potevano avere avuto qualcosa a che fare con la scomparsa di Harriet.

Martin Vanger sosteneva di non avere mai incontrato Harriet quel giorno. Mentiva. Era giunto a Hedestad presto e si era trovato in Järnvägsgatan, faccia a faccia con la sorella. Mikael era in grado di documentare la menzogna grazie a immagini che erano rimaste sepolte per quasi quarant'anni.

Harriet aveva visto il fratello e reagito con uno choc. Era tornata a Hedeby e aveva cercato di parlare con Henrik, ma era scomparsa prima che il colloquio potesse avere luogo. *Che cosa avevi intenzione di raccontargli? Di Uppsala? Ma Lena Andersson, Uppsala, sulla tua lista non c'era. Tu non lo sapevi.*

La storia non quadrava ancora. Harriet era scomparsa intorno alle tre del pomeriggio. Martin a quell'ora era senza dubbio dall'altra parte del ponte. Lo si vedeva nelle fotografie della collinetta della chiesa. Non avrebbe potuto fare del male a Harriet sull'isola. Mancava ancora un pezzo del puzzle. *Un complice? Anita Vanger?*

Dall'esame degli archivi, Lisbeth Salander poté constatare che la posizione di Gottfried Vanger all'interno dell'azienda era cambiata nel corso degli anni. Era nato nel 1927. A vent'anni aveva incontrato Isabella e l'aveva quasi subito messa incinta; Martin Vanger era nato nel 1948, dopo di che non c'era più stato alcun dubbio sulla necessità che i due giovani convolassero a nozze.

All'età di ventidue anni era stato fatto entrare negli uffici della sede centrale del gruppo da Henrik Vanger. Gottfried era indubbiamente capace e forse era visto come un giovane su cui puntare. A venticinque anni sedeva già nel consiglio d'amministrazione, come direttore aggiunto del settore sviluppo. Una stella nascente.

Ma verso la metà degli anni cinquanta la sua carriera si bloccò. *Beveva. Il matrimonio con Isabella era agli sgoccioli. I figli, Harriet e Martin, soffrivano. Henrik intervenne.* La carriera di Gottfried aveva raggiunto il suo apice. Nel 1956 fu creato un nuovo posto di direttore aggiunto per lo sviluppo. Adesso i direttori aggiunti erano due – uno dei quali lavorava mentre Gottfried beveva e si assentava per lunghi periodi.

Ma Gottfried era ancora un Vanger, e per di più affascinante e dotato di parlantina. A partire dal 1957 il suo compito sembrava essere consistito nel girare il paese in lungo e in largo a inaugurare stabilimenti, risolvere conflitti locali e diffondere un'immagine di effettivo interessamento da parte della direzione centrale. *Mandiamo uno dei nostri figli per ascoltare i vostri problemi. Vi prendiamo sul serio.*

L'altro collegamento lo trovò alle sei e mezza di sera. Gottfried Vanger aveva partecipato a una trattativa a Karlstad, dove il Gruppo Vanger aveva acquistato una ditta locale di legname. Il giorno seguente era stata trovata uccisa la contadina Magda Lovisa Sjöberg.

Solo quindici minuti più tardi scoprì il terzo collegamento. Uddevalla 1962. Il giorno stesso in cui Lea Persson era scomparsa, il giornale locale aveva intervistato Gottfried Vanger su un possibile ampliamento del porto.

Quando Bodil Lindgren alle sette voleva chiudere e andare a casa, Lisbeth Salander le sibilò che non aveva ancora finito. Lei poteva senz'altro andarsene a casa, purché le lasciasse una chiave con cui chiudere. A quel punto Bodil

512

Lindgren era così irritata per il fatto che una ragazzina potesse fare la voce grossa con lei, che telefonò a casa di Dirch Frode per chiedere istruzioni. Frode decise su due piedi che Lisbeth poteva fermarsi anche tutta la notte, se voleva. La signora Lindgren poteva essere tanto gentile da informarne i guardiani, in modo che potessero farla uscire quando se ne fosse voluta andare?

Tre ore più tardi, Lisbeth era arrivata a constatare che Gottfried Vanger era stato presente nella zona per almeno cinque degli otto omicidi, nei giorni immediatamente precedenti o successivi all'accadimento. Le mancavano dati sugli omicidi del 1949 e del 1954. Studiò una sua immagine in un ritaglio di giornale. Un bell'uomo snello con i capelli biondo scuro; somigliava moltissimo al Clark Gable di *Via col vento*.

Nel 1949 Gottfried aveva ventidue anni. Il primo omicidio era avvenuto in casa. A Hedestad. Rebecka Jacobsson, impiegata nell'azienda dei Vanger. Dove vi incontravate? Che cosa le promettesti?

Lisbeth Salander si morse il labbro inferiore. Il problema era ovviamente che Gottfried Vanger era annegato ubriaco nel 1965, mentre l'ultimo omicidio era stato commesso a Uppsala nel febbraio del 1966. Si domandò se non avesse avuto torto a inserire la diciassettenne liceale Lena Andersson nella lista. *No. Non era esattamente la stessa mano, ma era la stessa parodia biblica. Deve esserci una connessione.*

Alle nove aveva cominciato a far buio. L'aria era più fresca e stava cadendo una pioggia sottile. Mikael era seduto in cucina e tamburellava sul tavolo quando la Volvo di Martin Vanger passò sul ponte scomparendo verso il promontorio. In qualche modo, portò la questione alle estreme conseguenze.

Mikael non sapeva che cosa fare. Tutto il suo corpo bruciava dalla voglia di fare domande – un confronto faccia a faccia. Di certo non era un atteggiamento saggio, se davvero sospettava che Martin Vanger fosse un folle assassino che aveva ucciso sua sorella e una ragazza a Uppsala, e che per giunta aveva cercato di ammazzare anche lui a fucilate. Ma Martin era una calamita. E non sapeva che Mikael sapeva, e forse sarebbe potuto andare da lui con il pretesto di... ecco, magari di restituire la chiave della casetta di Gottfried? Mikael chiuse a chiave la porta e si avviò a passi lenti verso il promontorio.

La casa di Harald era come al solito immersa nel buio. Quella di Henrik era buia a eccezione di una stanza affacciata sul cortile. Anna era andata a coricarsi. La casa di Isabella era buia. Cecilia non c'era. La luce era accesa al primo piano della casa di Alexander, ma nelle due case abitate da gente che non faceva parte della famiglia Vanger era tutto spento. Non c'era in giro un'anima viva.

Si fermò incerto davanti alla villa di Martin, tirò fuori il cellulare e compose il numero di Lisbeth Salander. Ancora nessuna risposta. Spense il cellulare in modo che non suonasse.

Al pianterreno la luce era accesa. Mikael attraversò il prato e si fermò a qualche metro dalla finestra della cucina, ma non riuscì a scorgere nessun movimento. Proseguì girando intorno alla casa e fermandosi accanto a ogni finestra, ma di Martin Vanger nessuna traccia. Scoprì però che il portellone del garage era socchiuso. *Non comportarti da maledetto idiota.* Non poté resistere alla tentazione di dare una rapida occhiata.

La prima cosa che vide, su un bancone da falegname, fu una scatola aperta di munizioni da carabina. Quindi scorse due taniche di benzina sul pavimento sotto il bancone. *Preparativi per una nuova visita notturna, Martin?*

«Entra Mikael. Ti ho visto sulla strada.»

Il cuore di Mikael si fermò. Voltò lentamente la testa e vide Martin nella penombra, accanto a una porta che conduceva dentro casa.

«Non riuscivi semplicemente a tenerti lontano, vero?» La voce era tranquilla, quasi amichevole.

«Salve, Martin» rispose Mikael.

«Entra» ripeté Martin Vanger. «Da questa parte.»

Fece un passo avanti e di lato e tese la mano sinistra in un gesto di invito. Alzò la mano destra e Mikael colse il riflesso di un metallo opaco.

«Ho una Glock in mano. Non fare sciocchezze. Da questa distanza non posso mancarti.»

Mikael si avvicinò piano. Quando arrivò davanti a Martin si fermò e lo guardò negli occhi.

«Sono stato costretto a venire qui. Ci sono così tante domande.»

«Lo capisco. Passa.»

Mikael entrò lentamente in casa. Il passaggio conduceva al disimpegno verso la cucina, ma prima che vi arrivasse Martin lo fermò sfiorandogli la spalla.

«No, non così in là. A destra qui. Apri la porta.»

La cantina. Quando Mikael fu a metà strada lungo le scale, Martin girò un interruttore e si accesero delle luci. A destra c'era il locale della caldaia. Dritto davanti a sé Mikael sentì profumo di detersivi. Martin lo guidò a sinistra, dentro un ripostiglio con vecchi mobili e scatoloni. In fondo c'era un'ulteriore porta. Blindata, e con serratura di sicurezza.

«Qui» disse Martin, e gettò a Mikael un mazzo di chiavi. «Apri.»

Mikael aprì la porta.

«C'è un interruttore sulla sinistra.»

Mikael aveva aperto la porta dell'inferno.

Alle nove Lisbeth andò a prendersi un caffè e un tramezzino chiuso dentro un involucro di plastica da una macchina distributrice nel corridoio fuori dell'archivio. Continuò a sfogliare vecchie carte e cercò di trovare qualche traccia di Gottfried Vanger a Kalmar nel 1954. Non ci riuscì.

Valutò se telefonare a Mikael, ma poi decise di passare anche i giornali aziendali prima di concludere la serata.

La stanza misurava circa cinque metri per dieci. Mikael suppose che geograficamente si trovasse sotto il lato corto della villa rivolto a nord.

Martin Vanger aveva allestito la sua camera di tortura personale con cura. A sinistra catene, ganci metallici sul soffitto e sul pavimento, un tavolo con cinghie di cuoio dove poteva legare le sue vittime. E poi attrezzature video. Uno studio di registrazione. In fondo al locale c'era una gabbia d'acciaio dove i suoi ospiti potevano essere tenuti rinchiusi per periodi più lunghi. A destra della porta, letto e un angolo tv. Su una mensola Mikael poté scorgere una quantità di videocassette.

Non appena furono entrati, Martin puntò la pistola contro Mikael e gli ordinò di stendersi supino sul pavimento. Mikael si rifiutò.

«Okay» disse Martin. «Allora ti sparerò alle ginocchia.»

Puntò l'arma. Mikael capitolò. Non aveva scelta.

Aveva sperato che Martin allentasse la vigilanza per una frazione di secondo – sapeva che avrebbe potuto vincere qualsiasi scontro fisico con lui. Aveva avuto una vaga possibilità, quando Martin gli aveva poggiato la mano sulla spalla, ma aveva esitato. Dopo quel momento, Martin non gli era più venuto vicino. Senza rotule non avrebbe avuto nessuna chance. Si stese sul pavimento.

Martin si avvicinò da dietro e disse a Mikael di mettere

le mani sulla schiena. Gliele bloccò con delle manette. Quindi gli tirò un calcio all'inguine e continuò a colpirlo con violenza.

Ciò che accadde in seguito fu un autentico incubo. Martin Vanger oscillava fra razionalità e follia. In certi momenti appariva lucido e tranquillo. L'attimo dopo andava avanti e indietro per la cantina come un animale in gabbia. Prese a calci Mikael diverse volte. Tutto ciò che il giornalista poteva fare era cercare di proteggersi la testa e prendere i colpi nelle parti molli del corpo. Dopo qualche minuto aveva dolori lancinanti in una dozzina di punti dove si erano aperte ferite e scorticature.

Nel corso della prima mezz'ora Martin non disse una parola e rimase chiuso in se stesso. Poi parve calmarsi. Andò a prendere una catena e la girò intorno al collo di Mikael, legandola con un lucchetto a un gancio del pavimento. Lasciò Mikael solo per circa un quarto d'ora. Quando fece ritorno, aveva con sé una bottiglia da un litro di acqua da tavola. Si sedette su una sedia e bevendo osservava Mikael.

«Posso avere un goccio d'acqua?» chiese Mikael.

Martin si chinò e con gesto magnanimo lo lasciò bere dalla bottiglia. Mikael ingollò avidamente.

«Grazie.»

«Gentile come sempre, *Kalle Blomkvist*.»

«Perché tutti quei calci?» domandò Mikael.

«Perché mi mandi in bestia. Tu meriti di essere punito. Perché non te ne sei tornato semplicemente a casa? C'era bisogno di te, a *Millennium*. Dicevo sul serio – ne avremmo potuto fare un grande giornale. Avremmo potuto lavorare insieme per molti, molti anni.»

Mikael fece una smorfia e cercò di sistemarsi in una posizione più comoda. Era indifeso. Tutto ciò che gli restava era la voce.

«Suppongo che tu voglia dire che quella possibilità ormai è svanita» disse Mikael.

Martin Vanger rise.

«Mi spiace, Mikael. Ma naturalmente capisci che morirai quaggiù.»

Mikael annuì.

«Come cavolo avete fatto ad arrivare a me, tu e quella specie di spettro anoressico che hai trascinato in questa storia?»

«Hai mentito a proposito di ciò che facesti il giorno della scomparsa di Harriet. Sono in grado di dimostrare che eri a Hedestad alla sfilata. Fosti fotografato mentre guardavi Harriet.»

«È per questo che sei andato su a Norsjö?»

«Sì, per recuperare la fotografia. Era stata scattata da una coppia che si trovava a Hedestad per caso. Vi avevano fatto solo una sosta.»

Martin scosse la testa.

«No, non è vero» disse.

Mikael pensava intensamente a cosa tirare fuori per riuscire a impedire o almeno a procrastinare la sua esecuzione.

«Dov'è la foto adesso?»

«Il negativo? È nella mia cassetta di sicurezza alla Handelsbanken qui a Hedestad... non sapevi che mi fossi procurato una cassetta di sicurezza?» Continuò a mentire spudoratamente. «Le copie sono sparse un po' qua un po' là. Sia nel mio computer che in quello di Lisbeth, nel server delle immagini a *Millennium*, e nel server della Milton Security dove lavora Lisbeth.»

Martin aspettava e cercava di stabilire se Mikael stesse bluffando oppure no.

«Quanto sa Lisbeth Salander?»

Mikael esitò. Al momento, Lisbeth era la sua unica speranza di salvezza. Che cosa avrebbe fatto quando, tornata a casa, avesse scoperto che lui era scomparso? Aveva messo la foto di Martin nella giacca a vento che aveva lasciato sul tavolo in cucina. Avrebbe fatto il collegamento? Avrebbe dato l'allarme? *Non è il tipo che telefona alla polizia.* L'incubo era che venisse a suonare alla porta di Martin Vanger pretendendo di sapere dov'era Mikael.

«Rispondi» disse Martin con voce gelida.

«Ci sto pensando. Lisbeth sa più o meno quello che so io, forse perfino di più. Scommetterei che sa di più. È molto acuta. È stata lei a fare il collegamento con Lena Andersson.»

«Lena Andersson?» Martin sembrava sinceramente perplesso.

«La diciassettenne che torturasti a morte a Uppsala nel febbraio del 1966. Non dire che te n'eri dimenticato.»

Lo sguardo di Martin si schiarì. Per la prima volta appariva leggermente turbato. Non sapeva che qualcuno avesse fatto quel collegamento – Lena Andersson non c'era, nell'agenda di Harriet.

«Martin» disse Mikael con la voce più ferma che poteva. «Martin, è finita. Mi potrai anche uccidere, ma è finita. Sono in troppi a sapere e questa volta ti beccheranno.»

Martin Vanger si riprese subito e cominciò di nuovo ad andare avanti e indietro per la stanza. D'improvviso picchiò il pugno contro la parete. *Devo ricordarmi che è irrazionale. Il gatto. Avrebbe potuto portare il gatto quaggiù, ma è andato alla cappella di famiglia. Non agisce in maniera razionale.* Martin si fermò di botto.

«Io credo che tu stia mentendo. Siete solo tu e lei a sapere qualcosa. Non avete parlato con nessuno, altrimenti la polizia sarebbe già stata qui. Un bel fuoco allo chalet e le prove non ci saranno più.»

«E se ti sbagli?»

D'un tratto Martin sorrise.

«Se mi sbaglio allora è davvero finita. Ma non lo credo. Punto sul fatto che tu stia bluffando. Che scelta ho?» Rifletté. «L'anello debole è quella dannata troietta. Devo trovarla.»

«È partita per Stoccolma all'ora di pranzo.»

Martin Vanger scoppiò a ridere.

«Ma davvero? Perché allora ha passato tutta la sera negli archivi del Gruppo Vanger?»

Il cuore di Mikael fece un doppio balzo. *Lo sapeva. L'ha saputo tutto il tempo.*

«Giusto. Doveva passare dall'archivio e poi andare a Stoccolma» rispose Mikael più calmo che poté. «Non sapevo che si sarebbe fermata così tanto.»

«Piantala adesso. La direttrice dell'archivio mi ha comunicato che Dirch Frode le aveva dato ordine di lasciare che Lisbeth si fermasse quanto voleva. Significa che stanotte prima o poi tornerà a casa. Il guardiano mi telefonerà non appena lascerà gli uffici.»

Parte quarta

Cambio della guardia
11 luglio - 30 dicembre

In Svezia il 92% delle donne vittime di violenza sessuale non ha denunciato alla polizia l'ultima aggressione subita.

24.
Venerdì 11 luglio - sabato 12 luglio

Martin Vanger si chinò e perquisì le tasche di Mikael. Trovò la chiave.

«Siete stati astuti a cambiare la serratura» commentò. «Mi occuperò io della tua ragazza, quando tornerà a casa.»

Mikael non rispose. Rammentò a se stesso che Martin era un esperto negoziatore che aveva affinato l'arte in molti duelli professionali. Aveva già visto gente che bluffava.

«Perché?»

«Perché cosa?»

«Perché tutto questo?» Mikael accennò con la testa alla stanza in generale.

Martin si chinò, mise una mano sotto il mento di Mikael e gli sollevò il capo in modo che i loro sguardi si incontrassero.

«Perché è così facile» rispose. «Di donne che spariscono ce n'è in continuazione. E nessuno che le reclama. Immigrate. Prostitute dalla Russia. Sono migliaia le persone che transitano ogni anno dalla Svezia.»

Mollò la testa di Mikael e si rialzò, quasi orgoglioso di poter spiegare.

Le parole di Martin Vanger colpirono Mikael come un pugno.

Santo Iddio. Questo non è un mistero storico. Martin Van-

*ger ammazza donne ai nostri giorni. E io mi sono cacciato
ignaro dritto nel...*

«In questo momento non ho nessun'ospite. Ma forse può
farti piacere sapere che mentre tu e Henrik stavate a parlare di corbellerie durante l'inverno e la primavera, quaggiù
c'era una ragazza. Si chiamava Irina e veniva dalla Bielorussia. Mentre tu eri di sopra a cenare con me, lei stava dentro
quella gabbia. Era stata una serata piacevole, non è vero?»

Martin saltò a sedere sul tavolo e lasciò ciondolare le gambe. Mikael chiuse gli occhi. Avvertì un improvviso rigurgito
acido in gola e deglutì energicamente.

«Che cosa ne fai dei cadaveri?»

«Ho la barca ancorata proprio qui sotto. Li porto fuori
al largo. A differenza di mio padre, non lascio tracce dietro
di me. Ma anche lui era furbo. Seminava le sue vittime per
tutto il paese.»

I frammenti del puzzle cominciavano ad andare a posto
nella mente di Mikael.

*Gottfried Vanger. Dal 1949 al 1965. Poi gli è subentrato
Martin Vanger, nel 1966 a Uppsala.*

«Tu ammiri tuo padre.»

«È stato lui a insegnarmi. Mi ha iniziato quando avevo
quattordici anni.»

«Uddevalla. Lea Persson.»

«Esatto. C'ero anch'io. Ero solo uno spettatore, ma c'e-
ro.»

«1964, Sara Witt a Ronneby.»

«Allora avevo sedici anni. Era la prima volta che andavo
con una donna. Gottfried mi insegnò come fare. Fui io a
strangolarla.»

E se ne vanta. Buon Dio, che famiglia malata.

«Penso che ti renderai conto che tutto questo è insano.»

Martin fece una leggera alzata di spalle.

«Non credo che tu possa capire il senso di onnipotenza

divina che ti dà l'avere il controllo assoluto della vita e della morte di un'altra persona.»

«Tu provi piacere a torturare e uccidere donne, Martin.»

Il gran capo del Gruppo Vanger rifletté un momento, lo sguardo fisso su un punto della parete alle spalle di Mikael. Poi sulle sue labbra balenò l'affascinante sorriso.

«In effetti non credo. Se dovessi fare un'analisi intellettuale della mia condizione, direi che sono più uno stupratore seriale che un omicida seriale. Un rapitore seriale. L'uccidere viene, per così dire, come conseguenza naturale del fatto che devo occultare il mio crimine. Capisci?»

Mikael non sapeva come rispondere e si limitò ad annuire.

«È ovvio che le mie attività non sono socialmente accettabili ma la mia è in primo luogo una violazione delle convenzioni sociali. La morte viene solo alla fine del soggiorno delle mie vittime qua dentro, quando mi sono stancato di loro. È sempre così affascinante vedere la loro delusione.»

«Delusione?» ripeté Mikael esterrefatto.

«Esatto. *Delusione*. Loro credono che mostrandosi condiscendenti potranno sopravvivere. Si adeguano alle mie regole. Cominciano a fidarsi di me e sviluppano con me una sorta di complicità, sperando fino all'ultimo che questa complicità significhi qualcosa. La delusione arriva quando d'improvviso scoprono di essere state imbrogliate.»

Martin Vanger girò intorno al tavolo e si chinò verso la gabbia d'acciaio.

«Tu con le tue convenzioni piccolo-borghesi non potrai mai capire, ma l'eccitazione sta nel pianificare il rapimento. Non deve essere un'azione impulsiva – quel genere di rapitori finisce sempre per essere preso. È una vera e propria scienza fatta di mille dettagli quella che devo applicare. Devo identificare una preda e tracciare una mappa della sua vita. Chi è? Da dove viene? Come posso arrivare a lei? Come devo agire per trovarmi in qualche modo solo con la mia preda, senza che il mio nome compaia o salti fuori in futuro in qualche indagine di polizia?»

Taci pensò Mikael. Martin Vanger discuteva di rapimenti e omicidi in un tono quasi accademico, più o meno come se avesse un punto di vista divergente su qualche questione teologica.

«Sei davvero interessato a tutto questo, Mikael?»

Si chinò e passò le dita sulla guancia di Mikael. Il suo tocco era delicato, quasi tenero.

«Ti rendi conto che questa storia può finire in un solo modo, vero? Ti disturba se fumo?»

Mikael scosse la testa.

«Puoi anche offrirmene una» rispose.

Martin Vanger l'accontentò. Accese due sigarette e ne infilò una con attenzione fra le labbra di Mikael, gli fece tirare una boccata e gliela resse.

«Grazie» disse Mikael automaticamente.

Martin Vanger rise di nuovo.

«Vedi? Hai già cominciato ad adeguarti al principio dell'adattamento. Io tengo la tua vita nelle mie mani, Mikael. Tu sai che posso ammazzarti in qualsiasi istante. Mi hai chiesto di migliorare la qualità della tua vita e l'hai fatto servendoti di un argomento razionale e di un filo di adulazione. E sei stato ricompensato.»

Mikael annuì. Il suo cuore martellava in maniera quasi insopportabile.

Alle undici e un quarto Lisbeth Salander bevve dell'acqua dalla bottiglia di plastica mentre girava pagina. A differenza di quanto era successo a Mikael qualche ora prima, il liquido non le andò di traverso. Sbarrò gli occhi quando fece il collegamento.

Clic!

Per due ore aveva passato da cima a fondo i giornali aziendali da tutti gli angoli dell'impero dei Vanger. Il più importante si chiamava senza tanti fronzoli *Informazione aziendale* ed esibiva il logo del Gruppo Vanger – una bandiera svedese che ondeggiava nel vento e la cui punta formava una freccia. Il giornale era palesemente confezionato dalla sezione pubblicitaria della direzione aziendale e conteneva propaganda che doveva contribuire a far sentire i dipendenti membri di un'unica grande famiglia.

Nel febbraio del 1967, giusto in tempo per la settimana bianca, Henrik Vanger aveva offerto con gesto magnanimo a cinquanta impiegati della sede centrale una settimana di vacanza con le famiglie sulle montagne dello Härjedalen. L'invito scaturiva dal fatto che il gruppo aveva ottenuto dei risultati record l'anno precedente – voleva essere un grazie per molte ore di intenso lavoro. Il reparto pubbliche relazioni si era accodato e aveva fatto un reportage fotografico dal paesino requisito allo scopo.

Molte immagini corredate da commenti divertenti venivano dalle piste da sci. Alcune dai raduni al bar, con impiegati che ridevano con le guance arrossate, sollevando grossi boccali di birra. Due erano di una piccola cerimonia mattutina in cui Henrik Vanger nominava la quarantunenne Ulla-Britt Mogren migliore impiegata dell'anno. La donna ebbe un bonus di cinquecento corone e un brindisi.

La premiazione aveva avuto luogo sulla terrazza dell'albergo, chiaramente prima che la gente tornasse a lanciarsi di nuovo giù per le piste. Nella foto si vedevano una ventina di persone.

Sulla destra, subito dietro Henrik Vanger, c'era un uomo biondo con i capelli lunghi. Indossava una giacca a vento scura con una fascia rossa ben marcata all'altezza delle spalle. Siccome il giornale era in bianco e nero i colori non si vedevano, ma Lisbeth Salander era pronta a scommetterci la testa che la fascia sulle spalle fosse proprio rossa.

La didascalia spiegava il contesto: *Ultimo sulla destra il diciannovenne Martin Vanger, che studia a Uppsala. Si parla già di lui come di una futura promessa all'interno della direzione aziendale.*

«Beccato» disse Lisbeth Salander a bassa voce.

Spense la lampada e lasciò i giornali aziendali sparsi in disordine sulla scrivania – *così quella troia della Lindgren avrà qualcosa da fare domani.*

Uscì nel parcheggio attraverso una porta di servizio. A metà strada verso la motocicletta si ricordò che aveva promesso al guardiano di avvisare quando se ne fosse andata. Si fermò e gettò un'occhiata al parcheggio. Il guardiano stava dall'altra parte dell'edificio. Significava che sarebbe stata costretta a tornare indietro e a fare tutto il giro. *Chi se ne frega* decise.

Quando arrivò accanto alla moto accese il cellulare e fece il numero di Mikael. Una voce registrata le disse che l'abbonato al momento non era raggiungibile. Scoprì che Mikael aveva cercato di chiamarla non meno di tredici volte fra le tre e mezza e le nove. Nelle ultime due ore non aveva telefonato.

Lisbeth fece il numero del telefono fisso dello chalet, ma non ottenne risposta. Aggrottò le sopracciglia, agganciò la borsa con il computer al portapacchi, infilò il casco e avviò la moto. Il tragitto dagli uffici della sede centrale all'ingresso della zona industriale di Hedestad fino all'isola di Hedeby durò dieci minuti. La luce in cucina era accesa ma lo chalet era vuoto.

Lisbeth Salander uscì e si guardò intorno. Il suo primo pensiero fu che Mikael fosse andato a casa di Dirch Frode, ma già dal ponte poté constatare che le luci nella villa di

Frode dall'altra parte erano spente. Guardò l'ora: mancavano venti minuti a mezzanotte.

Ritornò a casa, aprì il guardaroba e tirò fuori i due pc che immagazzinavano le immagini registrate dalle telecamere di controllo che aveva installato all'esterno. Le ci volle un momento a seguire lo sviluppo degli avvenimenti.

Alle 15.32 Mikael era tornato allo chalet.

Alle 16.03 era uscito a bere il caffè in giardino. Aveva con sé un fascicolo che aveva esaminato. Nell'ora che aveva passato in giardino aveva fatto tre brevi telefonate. Tutte e tre corrispondevano al minuto alle chiamate cui lei non aveva risposto.

Alle 17.21 Mikael aveva fatto una passeggiata. Dopo meno di un quarto d'ora era già di ritorno.

Alle 18.20 era andato fino al cancello e aveva guardato verso il ponte.

Alle 21.03 era uscito. E non era più ritornato.

Lisbeth fece passare le immagini dell'altro pc, quello che fotografava il cancello e la strada fuori. Poté vedere quali persone erano andate avanti e indietro nel corso della giornata.

Alle 19.12 Gunnar Nilsson era tornato a casa.

Alle 19.42 qualcuno a bordo della Saab dei proprietari di Östergården era passato diretto verso Hedestad.

Alle 20.02 la macchina era tornata indietro – un salto al chiosco della stazione di servizio?

Poi non accadde più nulla fino alle 21 in punto, ora in cui era transitata la macchina di Martin Vanger. Tre minuti più tardi Mikael aveva lasciato lo chalet.

Meno di un'ora dopo, alle 21.50, Martin Vanger era comparso d'un tratto nel campo dell'obiettivo. Si era fermato accanto al cancello per oltre un minuto osservando lo chalet, e aveva sbirciato attraverso la finestra della cucina. Era salito sulla veranda e aveva provato la porta, poi aveva estratto una chiave. Doveva aver scoperto che la serratura era stata cambiata ed era rimasto immobile un attimo prima di fare dietro front e allontanarsi dallo chalet.

Lisbeth Salander avvertì un gelo improvviso diffondersi all'altezza del diaframma.

Martin Vanger aveva lasciato di nuovo solo Mikael per un lungo momento. Lui stava steso immobile nella sua scomoda posizione, con le mani bloccate dietro la schiena e il collo legato con una catena al gancio del pavimento. Toccò con le dita le manette ma seppe che non sarebbe stato in grado di aprirle. Erano talmente strette che gli avevano fatto perdere la sensibilità nelle mani.

Non aveva nessuna chance. Chiuse gli occhi.

Non sapeva quanto tempo fosse passato quando udì nuovamente i passi di Martin. L'industriale entrò nel suo campo visivo. Aveva un'aria preoccupata.

«Scomodo?» domandò.

«Sì» rispose Mikael.

«Colpa tua. Saresti dovuto tornare a casa.»

«Perché uccidi?»

«È una scelta che ho fatto. Potrei discutere con te tutta la notte degli aspetti morali e intellettuali del mio agire, ma non cambierebbe il fatto. Cerca di vederla così: un essere umano è un guscio di pelle che tiene a posto cellule, sangue e componenti chimiche. Pochi finiscono nei libri di storia. La stragrande maggioranza soccombe e sparisce senza lasciare traccia.»

«Tu uccidi donne.»

«Noi che uccidiamo per rispondere al nostro piacere – è ovvio che non sono il solo a coltivare questo hobby –, noi viviamo una vita completa.»

«Ma perché Harriet? La tua stessa sorella?»

Il volto di Martin d'improvviso si trasfigurò. In un balzo fu accanto a Mikael e lo afferrò per i capelli.

«Che cosa le è successo?»

«Che cosa vorresti dire?» ansimò Mikael.

Cercò di voltare la testa per attenuare il dolore al cuoio capelluto. La catena gli tirò immediatamente intorno al collo.

«Tu e Lisbeth Salander. Che cosa avete scoperto?»

«Lasciami andare. Parliamo.»

Martin mollò la presa e si sedette a gambe incrociate davanti a Mikael. Tutto d'un tratto estrasse un coltello, e ne appoggiò la punta contro la pelle appena sotto l'occhio di Mikael. Il giornalista fu costretto a incontrare lo sguardo di Martin Vanger.

«Che cosa diavolo le è successo?»

«Non capisco. Credevo che l'avessi uccisa tu.»

Martin fissò Mikael per un lungo momento. Poi si rilassò. Si alzò e cominciò a girare per la stanza mentre pensava. Lasciò cadere il coltello sul pavimento e rise, girandosi verso Mikael.

«Harriet, Harriet, sempre questa dannata Harriet. Cercammo... di parlare con lei. Gottfried cercò di insegnarle. Pensavamo che fosse una di noi e che avrebbe fatto il suo dovere, ma lei era solo una comune... *troia*. Credevo di averla sotto controllo, ma lei aveva intenzione di raccontarlo a Henrik e capii che non potevo fidarmi. Prima o poi gli avrebbe raccontato di me.»

«E così l'hai uccisa.»

«Io *volevo* ucciderla. *Pensavo* di farlo, ma arrivai in ritardo. Non potei venire sull'isola, restai bloccato dall'altra parte.»

Il cervello di Mikael cercò di assimilare l'informazione, ma era come se gli si parasse davanti un cartello con scritto *information overload*. Martin non sapeva che cosa fosse successo a sua sorella.

Martin tirò fuori il cellulare dalla tasca della giacca, controllò il display e mise il telefono sulla sedia accanto alla pistola.

«È ora di concludere. Devo avere il tempo di occuparmi anche della tua cornacchia anoressica, stanotte.»

Aprì un armadietto, ne tolse una stretta cinghia di cuoio e la mise come un cappio intorno al collo di Mikael. Staccò il gancio che lo teneva incatenato al pavimento, lo mise in piedi e lo spinse contro il muro. Passò la cinghia di cuoio attraverso un gancio sopra la testa di Mikael e tirò in modo da costringerlo a stare in punta di piedi.

«È troppo stretto? Non riesci a respirare?» Allentò di qualche centimetro e fissò l'estremità della cinghia un po' più in basso sulla parete. «Non voglio che tu muoia subito soffocato.»

Il cappio gli penetrava così a fondo nel collo, che Mikael era incapace di parlare. Martin Vanger lo studiò con attenzione.

Tutto d'un tratto gli sbottonò i pantaloni e glieli abbassò insieme alle mutande. Mikael perse l'appoggio e dondolò qualche secondo appeso al cappio prima che le dita dei suoi piedi riprendessero il contatto col pavimento. Martin si avvicinò a un armadietto e prese un paio di forbici. Tagliò la T-shirt di Mikael e gettò i brandelli in un mucchietto sul pavimento. Poi si piazzò a una certa distanza da Mikael e squadrò la sua vittima.

«Non ho mai avuto un ragazzo quaggiù» disse con voce seria. «Non ho mai toccato nessun altro uomo... oltre a mio padre. Era mio dovere.»

Mikael si sentiva martellare le tempie. Non poteva scaricare il peso del corpo sui piedi senza strozzarsi. Cercò di aggrapparsi con le dita alla parete di cemento alle sue spalle, ma non c'era nulla a cui afferrarsi.

«È ora» disse Martin Vanger.

Mise la mano sulla cinghia e spinse verso il basso. Mikael sentì il cappio penetrargli più profondamente nel collo.

«Mi sono sempre chiesto che sapore abbia un uomo.»

Aumentò la pressione sul cappio, si chinò di colpo in avanti e baciò Mikael sulla bocca nell'attimo stesso in cui una voce gelida squarciava il silenzio della stanza.

«Ehi tu, porco schifoso, in questo buco ce l'ho io il monopolio su quello lì.»

Mikael udì la voce di Lisbeth attraverso una nebbiolina rossa. Riuscì a mettere a fuoco lo sguardo e la vide in piedi contro lo stipite della porta. Guardava Martin senza espressione.

«No... scappa» riuscì a gracchiare.

Mikael non vide l'espressione di Martin, ma poté quasi percepire fisicamente il suo choc quando piroettò su se stesso. Per un secondo il tempo si fermò. Poi Martin allungò la mano verso la pistola che aveva lasciato sullo sgabello.

Lisbeth Salander fece tre rapidi passi in avanti e sollevò una mazza da golf che aveva tenuto nascosta dietro la schiena. Il ferro descrisse un ampio arco e colpì Martin sulla clavicola, vicino alla spalla. Il colpo aveva una forza spaventosa e Mikael poté sentire il rumore di qualcosa che si spezzava. Martin urlò.

«Ti piace soffrire?» domandò Lisbeth Salander.

La sua voce era ruvida come carta vetrata. Finché fosse vissuto, Mikael non avrebbe mai dimenticato l'espressione che aveva quando partì all'attacco. I denti erano scoperti, come quelli di un predatore. Gli occhi neri come il carbone e luccicanti. Si muoveva veloce come un ragno e appariva concentrata solo sulla sua preda quando fece roteare di nuovo la mazza da golf e colpì Martin sulle costole.

Lui inciampò sopra la sedia e cadde. La pistola rotolò sul pavimento davanti ai piedi di Lisbeth. Lei l'allontanò con un calcio.

Poi lo colpì una terza volta, proprio mentre cercava di rimettersi in piedi. Lo centrò con uno schiocco sull'anca. Un gemito spaventoso salì dalla gola di Martin Vanger. Il quarto colpo gli arrivò sulla scapola.

«Lis... errth...» gracchiò Mikael.

Stava per perdere i sensi e il dolore alle tempie era quasi insopportabile.

Lei si voltò verso di lui e vide che era rosso come un pomodoro, aveva gli occhi sbarrati e la lingua stava per uscirgli dalle labbra.

Si guardò rapidamente intorno e vide il coltello sul pavimento. Poi gettò un'occhiata a Martin che si era rialzato sulle ginocchia e cercava di allontanarsi da lei strisciando, con un braccio che gli pendeva floscio. Per qualche secondo non avrebbe costituito un problema. Lisbeth mollò la mazza da golf e raccolse il coltello. Era ben appuntito ma non molto affilato. Si mise in punta di piedi e cominciò a lavorare febbrilmente per tagliare la cinghia di cuoio. Ci vollero diversi secondi prima che Mikael potesse finalmente afflosciarsi sul pavimento. Ma il cappio gli si era stretto intorno al collo.

Lisbeth Salander gettò ancora un'occhiata a Martin. Si era messo in piedi ma stava piegato in due. Lo ignorò e cercò di allargare il cappio con le dita. Non osava tagliare, ma alla fine si arrese e ci infilò sotto la punta del coltello, graffiando il collo di Mikael nel tentativo di allentare la stretta. Finalmente il cappio cedette e Mikael fece qualche respiro rantoloso.

Per un istante Mikael sperimentò l'incredibile sensazione che corpo e anima si ricomponessero. La vista era perfetta e gli consentiva di distinguere ogni singolo granello di polvere nella stanza. L'udito era perfetto e gli permetteva di notare ogni respiro e il fruscio degli indumenti come se gli arrivassero attraverso gli auricolari. Sentiva l'odore del sudore di Lisbeth Salander e della pelle della sua giacca. Poi l'illusione si spezzò quando il sangue tornò a scorrergli nella testa e il suo viso riacquistò il colorito normale.

Lisbeth Salander girò il capo nell'attimo stesso in cui Martin Vanger scompariva attraverso la porta. Si alzò rapida e afferrò la pistola – controllò il caricatore e tolse la sicura. Mikael notò che sembrava aver maneggiato un'arma in precedenza. La ragazza si guardò intorno e mise a fuoco le chiavi delle manette che giacevano in vista sul tavolo.

«Vado a prenderlo» disse, precipitandosi verso la porta. Afferrò le chiavi nella corsa e le lanciò sul pavimento accanto a Mikael.

Mikael cercò di gridarle dietro di aspettare ma riuscì a emettere solo un suono raschiante quando lei era già sparita attraverso la porta.

Lisbeth non aveva dimenticato che Martin teneva un fucile da qualche parte, e si fermò con la pistola sollevata davanti a sé, pronta a sparare, quando uscì nel passaggio fra il garage e la cucina. Tese l'orecchio ma non riuscì a captare nessun rumore che potesse rivelare dove si trovasse la sua preda. Istintivamente si ritirò verso la cucina e vi era quasi arrivata quando sentì l'automobile avviarsi fuori sul piazzale.

Tornò indietro a precipizio e schizzò fuori del portellone del garage. Fece in tempo a scorgere un paio di luci di posizione passare davanti alla casa di Henrik Vanger e svoltare verso il ponte, e si mise a correre con tutta la forza che le consentivano le gambe. Infilò la pistola nella tasca della giacca e non si preoccupò del casco quando avviò la motocicletta. Qualche secondo più tardi filava attraverso il ponte.

Lui aveva forse novanta secondi di vantaggio quando lei arrivò alla rotonda all'entrata della E4. Non riusciva a vederlo. Frenò e spense il motore, restando in ascolto.

Il cielo era coperto di nubi pesanti. All'orizzonte vide un

accenno di aurora. Poi sentì il rumore di un motore e colse un barlume della macchina di Martin Vanger sull'autostrada in direzione sud. Lisbeth avviò di nuovo la moto, inserì la marcia e passò sotto il viadotto. Quando entrò in autostrada attraverso la curva era già a ottanta chilometri all'ora. Davanti a lei c'era un rettilineo. Non vide segni di traffico e aprì il gas al massimo, volando in avanti. Quando la strada cominciò a incurvarsi seguendo un lungo crinale sfiorava i centosettanta chilometri orari, che era più o meno la velocità massima che la sua motocicletta truccata in casa poteva raggiungere in discesa. Dopo due minuti vide la macchina di Martin a circa quattrocento metri davanti a sé.

Analisi delle conseguenze. Che cosa faccio adesso?

Decelerò fino a centoventi e tenne il passo con lui. Lo perdette di vista per qualche secondo quando percorsero alcune curve molto strette. Poi uscirono su un lungo rettilineo. Era distanziata di circa duecento metri.

Lui doveva aver visto le luci della sua motocicletta e aumentò la velocità quando ebbero superato una lunga curva. Lei andava a tutto gas ma nelle curve perdeva terreno.

Vide le luci del camion da lontano. Anche Martin le vide. Tutto d'un tratto aumentò ulteriormente la velocità e scivolò nella corsia opposta quando mancavano circa centocinquanta metri a incrociarlo. Lisbeth vide il camion frenare e segnalare freneticamente coi fari, ma lui colmò la distanza in pochi secondi e la collisione fu inevitabile. Martin Vanger si schiantò contro il camion con un boato terrificante.

Istintivamente Lisbeth Salander frenò. Poi vide che il rimorchio cominciava a disporsi di traverso alla sua corsia. Alla velocità che stava tenendo le ci vollero due secondi a raggiungere il luogo dell'incidente. Diede più gas e si spostò sul margine della strada, riuscendo a evitare il camion di pochi metri mentre passava. Con la coda dell'occhio vide le fiamme che si levavano dalla parte anteriore del mezzo.

Proseguì per altri centocinquanta metri, poi si fermò e fece dietro front. Vide l'autista del camion saltare giù dalla cabina dal lato del passeggero. Allora diede di nuovo gas. All'altezza di Åkerby, due chilometri più a sud, prese a sinistra e seguì la vecchia provinciale che correva parallela all'autostrada, e tornò verso nord. Passò davanti al luogo dell'incidente su un'altura e vide che due macchine si erano fermate. Quel che restava della vettura di Martin, che era incuneato e appiattito sotto il camion, era avvolto dalle fiamme. Un uomo cercava di spegnerle con l'aiuto di un piccolo estintore.

Lei diede gas e ben presto fu di nuovo a Hedeby. Passò sul ponte a bassa andatura, parcheggiò fuori dello chalet e fece ritorno alla casa di Martin Vanger.

Mikael stava ancora lottando con le manette. Aveva le mani talmente intorpidite che non riusciva ad afferrare le chiavi. Lisbeth gli aprì le manette e lo sorresse mentre il sangue riprendeva a circolargli.

«Martin?» domandò Mikael con voce roca.

«Morto. È andato a schiantarsi contro un camion a centocinquanta all'ora, qualche chilometro più a sud lungo la E4.»

Mikael la guardò a occhi spalancati. Era stata via appena qualche minuto.

«Dobbiamo... telefonare alla polizia» gracchiò Mikael. D'improvviso fu colto da un attacco di tosse.

«Perché?» si domandò Lisbeth Salander.

Per dieci minuti Mikael fu incapace di alzarsi. Rimase seduto sul pavimento, nudo e poggiato contro la parete. Si massaggiò il collo e sollevò la bottiglia dell'acqua con dita ancora goffe. Lisbeth aspettò con pazienza che gli ritornasse la sensibilità. Utilizzò il tempo per riflettere.

«Vestiti.»

Usò la T-shirt tagliata di Mikael per togliere le impronte digitali dalle manette, dal coltello e dalla mazza da golf. Poi prese con sé la bottiglia di plastica.

«Che fai?»

«Vestiti. Sta facendo chiaro. Sbrigati.»

Mikael si raddrizzò incerto e riuscì a infilarsi mutande e jeans, e poi le scarpe da corsa. Lisbeth si cacciò le sue calze nella tasca della giacca e lo bloccò.

«Che cosa hai toccato esattamente quaggiù in cantina?»

Mikael si guardò intorno. Cercò di ricordare. Alla fine disse che non aveva toccato nulla tranne la porta e le chiavi. Lisbeth trovò le chiavi nella giacca di Martin Vanger che era appesa allo schienale della sedia. Passò con cura la maniglia della porta e l'interruttore e spense la lampada. Guidò Mikael su per la scala della cantina e lo pregò di aspettare mentre depositava nuovamente la mazza da golf al suo posto. Quando tornò aveva con sé una T-shirt scura che era appartenuta a Martin Vanger.

«Mettitela. Non voglio che qualcuno ti veda correre in giro a torso nudo stanotte.»

Mikael si rese conto di trovarsi in stato di choc. Lisbeth aveva preso il controllo della situazione e lui obbediva supinamente ai suoi ordini. Lo condusse fuori dalla casa di Martin Vanger, sorreggendolo tutto il tempo. Non appena furono entrati dalla porta dello chalet lo fermò.

«Se qualcuno ci avesse visti e dovesse chiedere che cosa facevamo in giro stanotte, abbiamo fatto una passeggiata fino al promontorio e ci siamo fermati là a fare sesso.»

«Lisbeth, io non posso...»

«Infilati sotto la doccia. Subito.»

Lo aiutò a spogliarsi e lo mandò in bagno. Poi mise su il caffè e preparò rapidamente una mezza dozzina di spessi tramezzini con formaggio e cetrioli sotto sale. Era seduta al tavolo della cucina intenta a pensare quando Mikael ritornò zoppicando nella stanza. Lei esaminò le ecchimosi e le abrasioni che si vedevano sul corpo di lui. Il cappio era penetrato così a fondo che aveva lasciato un segno rosso scuro intorno alla gola, e il coltello aveva prodotto una lacerazione nella pelle sul lato sinistro del collo.

«Vieni» disse lei. «Stenditi sul letto.»

Andò a prendere dei cerotti e coprì la ferita con una compressa di garza. Poi versò il caffè e gli allungò un tramezzino.

«Non ho fame» disse Mikael.

«Mangia» ordinò Lisbeth Salander, dando un grosso morso a un tramezzino al formaggio.

Mikael chiuse gli occhi un momento. Poi si mise seduto e prese un boccone. La gola gli faceva così male che solo a fatica riuscì a deglutire.

Lisbeth si levò la giacca di pelle e andò a prendere un vasetto di balsamo dal suo nécessaire.

«Lascia raffreddare un po' il caffè. Stenditi sulla pancia.»

Dedicò cinque minuti a massaggiargli la schiena e a spalmarlo con l'unguento. Poi lo fece voltare e proseguì il trattamento sul davanti.

«Avrai dei bei lividi per un po' di tempo.»

«Lisbeth, dobbiamo telefonare alla polizia.»

«No» rispose lei, con una voce così accalorata che Mikael aprì gli occhi stupito e la guardò. «Se telefoni alla polizia, io me ne vado. Non voglio avere niente a che fare con loro. Martin Vanger è morto. Morto in un incidente stradale. Era solo in macchina. Ci sono testimoni. Lascia che sia la polizia o qualcun altro a scoprire quella dannata camera della tortura. Tu e io siamo altrettanto ignari della sua esistenza quanto tutti gli altri che abitano in questo buco.»

«Perché?»

Lei ignorò la domanda e gli massaggiò le cosce dolenti.

25.
Sabato 12 luglio - lunedì 14 luglio

Mikael si svegliò di soprassalto alle cinque del mattino e armeggiò spasmodicamente intorno al collo per strapparsi il cappio. Lisbeth lo raggiunse, gli afferrò le mani e lo tenne fermo. Lui aprì gli occhi e la guardò senza metterla a fuoco.

«Non sapevo che giocassi a golf» mormorò chiudendo di nuovo gli occhi. Lei gli rimase seduta accanto per un paio di minuti finché fu sicura che si fosse riaddormentato. Mentre Mikael dormiva, Lisbeth era tornata nella cantina di Martin Vanger per esplorare il luogo del delitto. Oltre agli strumenti di tortura aveva trovato un'estesa raccolta di riviste di pornografia violenta e una quantità di fotografie polaroid incollate in diversi album.

Non aveva trovato nessun diario. Ma aveva scoperto due raccoglitori formato A4 con foto tessera di donne e appunti scritti a mano. Aveva preso con sé i raccoglitori in una borsa di nylon, insieme al portatile Dell di Martin Vanger che aveva trovato sul tavolo dell'atrio al piano di sopra. Dopo che Mikael si fu riaddormentato, Lisbeth continuò l'esame del computer e dei raccoglitori di Martin Vanger. Quando infine spense il computer erano già le sei del mattino passate. Si accese una sigaretta e si mordicchiò pensierosa il labbro inferiore.

Insieme a Mikael Blomkvist aveva intrapreso la caccia a

quello che credevano fosse un serial killer del passato. Ma avevano trovato qualcosa di completamente diverso. Poteva a malapena immaginare gli orrori che dovevano aver avuto luogo nella cantina di Martin Vanger, nel bel mezzo di quell'ordinato idillio campestre.

Cercò di capire.

Martin Vanger aveva cominciato a uccidere donne negli anni sessanta, negli ultimi quindici anni con una periodicità di circa una o due vittime l'anno. Gli omicidi erano stati così discreti e bene organizzati che nessuno si era nemmeno reso conto che ci fosse in attività un serial killer. Come era stato possibile?

Il contenuto dei raccoglitori forniva parzialmente una risposta alla domanda.

Le sue vittime erano donne anonime, spesso ragazze straniere arrivate da poco che non avevano amici e contatti sociali in Svezia. C'erano anche prostitute ed emarginate sociali con alle spalle abusi di stupefacenti o altri problemi.

Dai suoi studi sulla psicologia del sadismo sessuale, Lisbeth Salander aveva imparato che quel genere di assassini amava collezionare souvenir delle vittime. Tali souvenir fungevano da ricordi che l'assassino poteva utilizzare per ricreare una parte del godimento che aveva sperimentato. Martin Vanger aveva sviluppato questa caratteristica tenendo una sorta di libro giornale dove aveva catalogato e valutato le sue vittime. Aveva commentato e descritto le loro sofferenze. Aveva documentato le sue uccisioni con filmati e fotografie.

La violenza e l'uccisione erano uno scopo, ma Lisbeth giunse alla conclusione che in realtà l'interesse principale di Martin Vanger fosse la caccia. Nel suo portatile aveva creato un database dove aveva registrato centinaia di donne. C'erano dipendenti del Gruppo Vanger, cameriere dei ristoranti che frequentava abitualmente, receptionist di alberghi, impiegate della previdenza sociale, segretarie di uomini d'affari e una quantità di altre donne. Sembrava che Martin Vanger registrasse e catalogasse a grandi linee ogni singola donna con cui veniva in contatto.

Martin Vanger aveva ucciso solo una frazione di queste donne, ma tutte le donne nelle sue vicinanze erano vittime potenziali che lui registrava e studiava. La catalogazione aveva il carattere di un hobby appassionato, cui doveva aver dedicato un numero infinito di ore.

È sposata oppure vive sola? Ha figli e famiglia? Dove lavora? Dove abita? Che automobile guida? Che livello di istruzione ha? Colore dei capelli? Colore della pelle? Corporatura?

Lisbeth giunse alla conclusione che la raccolta di dati personali delle vittime potenziali doveva aver costituito un elemento importante nelle fantasie erotiche di Martin Vanger. Lui era in primo luogo un cacciatore e solo in secondo luogo un assassino.

Quando ebbe terminato di leggere, scoprì dentro uno dei raccoglitori una piccola busta. Ne cavò fuori due foto polaroid sgualcite e sbiadite. Nella prima si vedeva una ragazza dai capelli scuri seduta a un tavolo. La ragazza indossava calzoni scuri e sul torso nudo spiccavano due piccoli seni appuntiti. Aveva il viso girato dall'altra parte e stava sollevando un braccio a proteggersi, come se il fotografo l'avesse sorpresa puntandole contro d'improvviso l'obiettivo. Nella seconda immagine era nuda anche dalla cintola in giù. Era stesa prona su un letto dal copriletto blu. Anche stavolta il viso era nascosto.

Lisbeth infilò la busta con le foto nella tasca della giacca. Quindi portò i raccoglitori accanto alla stufa di ghisa e accese un fiammifero. Quando ebbe finito di bruciare tutto il contenuto rimescolò le ceneri. Piovigginava ancora quando fece una breve passeggiata e lasciò cadere discretamente il portatile di Martin Vanger nell'acqua sotto il ponte.

Quando Dirch Frode spalancò la porta alle sette e mezza del mattino, Lisbeth era seduta al tavolo della cucina e fumava una sigaretta davanti a una tazza di caffè. Frode era cinereo in volto e aveva l'aria di avere avuto un risveglio brutale.

«Dov'è Mikael?» domandò.

«Dorme ancora.»

Dirch Frode prese una sedia e si sedette. Lisbeth versò il caffè e gliene mise davanti una tazza.

«Martin... Ho appena saputo che Martin è morto in un incidente stanotte.»

«Triste» commentò Lisbeth Salander, prendendo un sorso di caffè.

Dirch Frode alzò lo sguardo. Dapprima la fissò senza capire. Poi i suoi occhi si dilatarono.

«Cosa...?»

«Si è scontrato. Spaventoso.»

«Lei sa come è successo?»

«Ha diretto la macchina in pieno contro un camion. Si è suicidato. La pressione, lo stress e un impero finanziario vacillante – era diventato troppo, per lui. Almeno è ciò che sospetto ci sarà scritto sui giornali.»

Dirch Frode aveva l'aria di uno che sta per avere un ictus. Si alzò di scatto, andò verso la camera da letto e aprì la porta.

«Lo lasci dormire» disse Lisbeth in tono brusco.

Frode guardò la figura addormentata. Vide i lividi sulla faccia e le ecchimosi sul torso. Poi scorse la striscia rosso vivo dove il cappio aveva stretto il collo. Lisbeth gli toccò il braccio e richiuse la porta. Frode indietreggiò e si abbandonò lentamente sulla cassapanca.

Lisbeth Salander gli raccontò succintamente ciò che era accaduto nel corso della notte. Gli fece una descrizione dettagliata della camera della tortura di Martin e di come avesse trovato Mikael con un cappio intorno al collo con l'amministratore delegato del Gruppo Vanger di fronte. Raccontò che cosa aveva trovato nell'archivio dell'azienda il giorno prima e come fosse riuscita a collegare il padre di Martin ad almeno sette omicidi di donne.

Dirch Frode non la interruppe una sola volta. Quando ebbe finito di parlare rimase seduto in silenzio per diversi minuti prima di tirare un respiro profondo e scuotere piano la testa.

«Che cosa dobbiamo fare?»

«Non è un problema mio» rispose Lisbeth Salander con voce priva di espressione.

«Ma...»

«Per quanto mi riguarda, non ho mai messo piede a Hedestad.»

«Non capisco.»

«Non voglio per nessun motivo comparire in nessun verbale di polizia. Io in questo contesto non esisto. Se dovesse venire fuori il mio nome in relazione a questa storia, negherò di essere mai stata qui e non risponderò alla benché minima domanda.»

Dirch Frode la guardò attento.

«Continuo a non capire.»

«Non ce n'è bisogno.»

«Come devo muovermi allora?»

«Questo lo decida da solo, purché lasci me e Mikael fuori.»

Dirch Frode era pallido come un morto.

«Si metta in questo abito mentale: l'unica cosa che sa è che Martin Vanger è deceduto in un incidente automobilistico. Non ha la minima idea che lui sia anche un pazzo assassino e non ha mai sentito parlare della stanza che si trova nella sua cantina.»

Mise le chiavi sul tavolo in mezzo a loro.

«Avrà tutto il tempo prima che qualcuno sgomberi la cantina di Martin e scopra la stanza. Può darsi che non succeda nell'immediato.»

«Dobbiamo andare alla polizia con questa storia.»

«Non noi. Può andarci lei, se vuole. Sta a lei decidere.»

«Non si può mettere tutto a tacere.»

«Io non le sto dicendo di mettere tutto a tacere, ma solo di lasciare me e Mikael fuori. Quando scoprirà la stanza tirerà le sue conclusioni e deciderà da sé a chi lo vorrà raccontare.»

«Se quello che mi ha detto è vero, significa che Martin ha rapito e ucciso delle donne... devono esserci famiglie che sono disperate non sapendo che fine hanno fatto le loro congiunte. Non possiamo semplicemente...»

«È giusto. Ma c'è un problema. I cadaveri non ci sono più. Forse potrà trovare passaporti o carte d'identità in qualche cassetto. Forse qualcuna delle vittime potrebbe essere identificata attraverso i filmati. Ma non è necessario che prenda una decisione oggi stesso. Ci rifletta su.»

Dirch Frode sembrava in preda al panico.

«Mio Dio, questo sarà il colpo di grazia, per l'azienda. Quante famiglie resterebbero senza un lavoro se dovesse risapersi che Martin...»

Frode dondolava avanti e indietro, posto di fronte a quel dilemma morale.

«Quello è un aspetto. Suppongo che Isabella subentrerà al figlio. Non credo opportuno che sia lei la prima a essere informata dell'hobby di Martin.»

«Devo andare a vedere...»

«Io penso che debba tenersi alla larga da quella stanza, per oggi» disse Lisbeth con voce dura. «Ha un sacco di incombenze. Deve andare a informare Henrik, e deve convocare il consiglio d'amministrazione per una riunione straordinaria, e deve fare tutto quello che avreste fatto se il vostro amministratore delegato fosse morto in circostanze assolutamente normali.»

Dirch Frode valutò le sue parole. Il cuore gli martellava. Lui era il vecchio avvocato che risolveva i problemi e dal quale ci si aspettava che avesse un piano bell'e pronto per affrontare qualsiasi ostacolo, mentre invece si sentiva soltanto inerme. D'un tratto si rese conto che stava lì a prendere istruzioni da una ragazzina. In qualche modo lei aveva preso il controllo della situazione e stabilito le linee di condotta che lui stesso non era in grado di formulare.

«E Harriet...?»

«Io e Mikael non abbiamo ancora finito. Ma può riferire a Henrik Vanger che credo che risolveremo anche questa storia.»

La notizia dell'improvvisa scomparsa di Martin Vanger stava aprendo il giornale radio delle nove quando Mikael si svegliò. Degli avvenimenti della notte non veniva fatta nessuna menzione a parte il fatto che, per cause sconosciute, l'industriale aveva invaso la corsia opposta della strada a velocità sostenuta.

Era solo a bordo della sua automobile. L'emittente locale trasmise un lungo servizio improntato a preoccupazione per il futuro del Gruppo Vanger e per le conseguenze economiche che il decesso avrebbe avuto sull'azienda.

Un comunicato della TT messo insieme in fretta e furia titolava *Un paese sotto choc* e riassumeva i pressanti problemi del Gruppo Vanger. Non sfuggiva a nessuno che nella sola Hedestad oltre tremila dei ventunomila abitanti erano impiegati nel gruppo o in altro modo dipendevano dalla prosperità dell'azienda. L'amministratore delegato del gruppo era morto e il suo predecessore era un anziano attualmente ricoverato in ospedale a seguito di un attacco cardiaco. Mancava un erede naturale. Tutto ciò in un momento che appariva come il più critico della storia dell'azienda.

Mikael Blomkvist avrebbe avuto la possibilità di recarsi alla stazione di polizia di Hedestad a spiegare che cosa era successo veramente durante la notte, ma Lisbeth Salander aveva già messo in moto un processo: il semplice fatto di non aver telefonato subito alla polizia rendeva di ora in ora più difficile poterlo fare. Mikael trascorse la mattinata in cupo silenzio sulla cassapanca della cucina, a guardare la pioggia e le nubi pesanti fuori. Verso le dieci venne un acquazzone più intenso accompagnato da un temporale, ma all'ora di pranzo cessò di piovere e il vento si calmò un po'. Uscì ad asciugare i mobili da giardino e si sedette all'aperto con una tazza di caffè. Indossava una camicia con il colletto rialzato.

La scomparsa di Martin gettò naturalmente un'ombra sulla vita quotidiana di Hedeby. Fuori della casa di Isabella si fermavano macchine a mano a mano che il clan si radunava per porgere le condoglianze. Lisbeth osservava la processione senza segni di emozione. Mikael sedeva corrucciato e in silenzio.

«Come stai?» gli domandò lei alla fine.

Mikael rimase un attimo a pensare a come rispondere.

«Credo di essere ancora sotto choc» disse poi. «Ero inerme. Per molte ore ho creduto che sarei morto. Ero angosciato e non potevo fare assolutamente nulla.»

Allungò una mano e l'appoggiò sul ginocchio della ragazza.

«Grazie» disse. «Se non fossi arrivata tu, mi avrebbe ammazzato.»

Lisbeth gli indirizzò un sorriso storto.

«Anche se... non riesco proprio a capacitarmi di come tu possa essere stata così idiota da attaccarlo da sola. Io stavo lì steso per terra e pregavo che tu vedessi le fotografie e facessi due più due e telefonassi alla polizia.»

«Se avessi aspettato la polizia, probabilmente non ne saresti uscito vivo. Non potevo permettere che quel bastardo ti ammazzasse.»

«Perché non vuoi parlare con la polizia?» volle sapere Mikael.

«Io non parlo con le autorità.»

«Ma perché?»

«Fatti miei. Ma nel tuo caso non credo che sarebbe una buona credenziale essere sputtanato come il giornalista che fu spogliato da Martin Vanger, il noto serial killer. Se non ti piace *Kalle Blomkvist* potresti cominciare a immaginarti qualche epiteto nuovo di zecca.»

Mikael la scrutò e poi lasciò cadere l'argomento.

«Abbiamo un problema» disse Lisbeth.

Mikael annuì. «Che cosa accadde a Harriet?»

Lisbeth mise le due foto polaroid sul tavolo davanti a lui. Gli spiegò dove le aveva trovate. Mikael studiò le immagini con molta attenzione per un momento, prima di alzare lo sguardo.

«Potrebbe essere lei» disse alla fine. «Non ci giurerei, ma la corporatura e i capelli ricordano tutte le immagini di lei che ho visto.»

Mikael e Lisbeth rimasero seduti in giardino un'ora a mettere insieme i dettagli. Scoprirono che tutti e due, in maniera autonoma, avevano identificato in Martin Vanger l'anello mancante.

Lisbeth non aveva trovato la foto che Mikael aveva lasciato nella giacca sul tavolo in cucina. Dopo aver studiato le immagini registrate dalle telecamere di sorveglianza, aveva invece tratto la conclusione che Mikael dovesse aver fatto qualche sciocchezza. Aveva raggiunto la villa di Martin dal sentiero che correva lungo la riva e aveva guardato dentro tutte le finestre senza vedere anima viva. Con circospezione aveva saggiato tutte le porte e le finestre del pianterreno. Alla fine si era arrampicata fino a una porta finestra del primo piano che era aperta. Ci aveva messo un bel po' di tempo, dopo di che aveva esplorato la grande casa stanza dopo stanza, muovendosi con estrema circospezione. Alla fine aveva scoperto la scala che scendeva in cantina. Martin era stato un po' negligente; aveva lasciato socchiusa la porta della sua camera degli orrori e così lei aveva potuto farsi una chiara idea della situazione.

Mikael le chiese quanto avesse sentito di ciò che aveva detto Martin.

«Non molto. Sono arrivata mentre lui ti stava domandando che cosa fosse accaduto a Harriet, subito prima di appenderti al cappio. Vi ho lasciati qualche minuto per andare a cercare un'arma. Ho trovato le mazze da golf in un armadio.»

«Martin non aveva idea di cosa fosse accaduto a Harriet» disse Mikael.

«Tu gli credi?»

«Sì» disse Mikael senza esitare. «Martin Vanger era più matto di una puzzola fuori di testa... chissà poi dove li vado a pescare questi paragoni... ma ammetteva tutti i crimini che aveva commesso. Parlava liberamente. Credo che in effetti volesse farmi impressione. Ma riguardo a Harriet era ansioso di scoprire che cosa le fosse veramente successo, proprio quanto Henrik Vanger.»

«Dunque... dove ci porta questo?»

«Sappiamo che Gottfried Vanger era responsabile della prima serie di delitti, quelli commessi fra il 1949 e il 1965.»

«Okay. E che aveva fatto di Martin il suo allievo.»

«Altro che famiglia in difficoltà» disse Mikael. «Martin in realtà non aveva nessuna scelta.»

Lisbeth Salander gettò a Mikael una strana occhiata.

«Ciò che Martin mi ha raccontato – anche se in maniera frammentaria – era che il padre aveva cominciato a istruirlo già all'epoca della pubertà. Aveva assistito all'uccisione di Lea a Uddevalla nel 1962, quando aveva quattordici anni. Aveva partecipato all'omicidio di Sara nel 1964. Quella volta attivamente. E allora di anni ne aveva sedici.»

«E...?»

«Mi ha detto che non era omosessuale e che non aveva mai toccato un uomo – tranne suo padre. Questo mi induce a credere che... be', l'unica conclusione possibile è che suo padre lo violentava. Gli abusi sessuali devono essersi protratti a lungo. Lui fu per così dire educato da suo padre.»

«Cazzate» disse Lisbeth Salander.

La sua voce si era fatta d'un tratto dura come selce. Mikael la guardò stupefatto. Lo sguardo di lei era fermo. Non c'era nemmeno un vago accenno di compassione.

«Martin aveva esattamente le stesse possibilità di tutti gli altri di reagire. Ha fatto la sua scelta. Lui uccideva e stuprava perché gli piaceva.»

«Okay, non ti voglio contraddire. Ma Martin era un ragazzo sottomesso e plagiato dal padre, proprio come Gottfried era stato sottomesso al proprio di padre, il nazista.»

«Aha, allora tu dai per scontato che Martin non avesse una volontà propria e che gli esseri umani diventano ciò che sono stati educati a diventare.»

Mikael fece un cauto sorriso. «È forse un punto dolente?»

Gli occhi di Lisbeth Salander si infiammarono repentinamente di collera trattenuta. Mikael continuò in fretta: «Non voglio sostenere che gli esseri umani ricevano un'impronta soltanto dall'educazione, ma credo che l'educazione giochi un ruolo importante. Il padre di Gottfried lo percosse duramente per anni. E sono cose che lasciano il segno.»

«Cazzate» ripeté Lisbeth Salander. «Gottfried non è certo l'unico a essere stato malmenato da piccolo. Questo non gli dà carta bianca per andare in giro ad ammazzare donne. Quella scelta l'ha fatta da solo. E lo stesso vale per Martin.»

Mikael alzò la mano.

«Non litighiamo.»

«Io non litigo. Trovo solo che sia patetico che i farabutti abbiano sempre qualcun altro da incolpare.»

«Okay. Avevano una responsabilità personale. Lo chiariremo più avanti. Il punto è che Gottfried morì quando Martin aveva diciassette anni e non lasciò nessuno che gli facesse da guida. Quindi Martin cercò di seguire le orme del padre. Nel febbraio del 1966 a Uppsala.»

Mikael si allungò a prendere una delle sigarette di Lisbeth.

«Non ho intenzione di cominciare nemmeno a speculare su quali impulsi Gottfried cercasse di soddisfare e come lui stesso interpretasse ciò che faceva. C'era di mezzo un qualche pasticcio biblico, nel quale forse solo uno psichiatra riuscirebbe a mettere ordine, che in qualche modo tratta di punizione e purificazione. Non importa esattamente di cosa. Lui era comunque un serial killer.»

Rifletté un secondo prima di continuare.

«Gottfried voleva uccidere donne e mascherava le sue azioni con una sorta di ragionamento pseudo-religioso. Ma Martin non fingeva nemmeno di avere una giustificazione. Era organizzato e uccideva in maniera sistematica. Inoltre disponeva di denaro da investire nel suo hobby. Ed era più astuto di suo padre. Ogni volta Gottfried lasciava dietro di sé un cadavere, e ciò comportava un'indagine di polizia e il rischio che qualcuno arrivasse sulle sue tracce, o almeno che collegasse gli omicidi.»

«Martin Vanger costruì la sua villa negli anni settanta» disse Lisbeth riflettendo.

«Credo che Henrik abbia accennato che fu nel 1978. Probabilmente fece allestire una specie di caveau per documenti importanti o qualcosa del genere. Una stanza insonorizzata, senza finestre e con la porta blindata.»

«Ha avuto quella stanza per circa venticinque anni.»

Tacquero un momento mentre Mikael rifletteva sugli orrori che dovevano essersi consumati nel bel mezzo dell'idillica isola di Hedeby per un quarto di secolo. Lisbeth non ebbe bisogno di pensarci, lei aveva visto la raccolta delle videocassette. Notò che Mikael si toccava con gesto automatico intorno al collo.

«Gottfried odiava le donne e insegnò a suo figlio a odiarle anche lui, al tempo stesso in cui lo violentava. Ma c'era anche qualcosa di più sottile... credo che Gottfried fantasticasse che i suoi figli potessero condividere la sua a dir poco pervertita visione del mondo. Quando gli domandai di Harriet, sua sorella, Martin disse: *Cercammo di parlare con lei. Ma lei era solo una normale troia. Aveva intenzione di raccontarlo a Henrik.*»

Lisbeth annuì. «Lo ho sentito. Era più o meno quando sono arrivata giù in cantina. E significa che sappiamo di che cosa avrebbe trattato il mancato colloquio con Henrik.»

Mikael corrugò la fronte.

«Non esattamente.» Rifletté un momento. «Pensa alla cronologia. Noi non sappiamo quando Gottfried violentò suo figlio per la prima volta, ma portò con sé Martin quando uccise Lea Persson a Uddevalla nel 1962. Nel 1965 annegò. Prima di allora, lui e Martin avevano cercato di *parlare* con Harriet. Quale filo conduttore ci fornisce tutto questo?»

«Gottfried non prendeva di mira solo Martin. Ma anche Harriet.»

Mikael annuì. «Gottfried era il maestro. Martin l'allievo. Harriet il loro... cosa? giocattolo?»

«Gottfried insegnò a Martin a scopare sua sorella.» Lisbeth indicò le foto polaroid. «È difficile stabilire il suo atteggiamento da queste due immagini dal momento che il viso non si vede, però lei cerca di nascondersi all'obiettivo.»

«Diciamo che sia cominciata quando lei aveva quattordici anni, nel 1964. Lei si difendeva – *non poteva accettare*, come si espresse Martin. Era quello che minacciava di rivelare. Martin di sicuro non aveva molto da dire, ma si adeguava a suo padre; però lui e Gottfried avevano creato una sorta di... patto nel quale cercavano di coinvolgere Harriet.»

Lisbeth annuì. «Nei tuoi appunti hai scritto che Henrik Vanger aveva fatto trasferire Harriet in casa sua nell'inverno del 1964.»

«Henrik vedeva che c'era qualcosa che non andava nella famiglia della ragazza. Credeva che la causa fossero le liti e i disaccordi fra Gottfried e Isabella, e la prese presso di sé perché potesse concentrarsi in pace sui suoi studi.»

«Un bell'ostacolo per Gottfried e Martin. Non avevano più tanta facilità ad avvicinarla e a controllare la sua vita. Ma di quando in quando... dove avvenivano gli abusi?»

«Dev'essere successo nella casetta di Gottfried. Sono quasi sicuro che queste foto siano state scattate laggiù – non è difficile controllare. La casetta è in un posto perfetto, isolata e lontana dal villaggio. Poi Gottfried si ubriacò un'ultima volta e annegò banalmente.»

Lisbeth annuì pensierosa. «Il padre di Harriet faceva o tentava di fare sesso con lei, ma probabilmente non la iniziò agli omicidi.»

Mikael si rese conto che quello era un punto debole. Harriet aveva annotato i nomi delle vittime di Gottfried collegandoli con le citazioni bibliche, ma il suo interesse per gli studi biblici era sorto solo nell'ultimo anno, quando Gottfried era già morto. Mikael rifletté un momento e cercò di trovare una spiegazione logica.

«Da qualche parte Harriet deve aver scoperto che Gottfried non era soltanto un padre incestuoso ma anche un pazzo serial killer» disse.

«Non sappiamo quando scoprì gli omicidi. Può essere stato subito prima che Gottfried annegasse. Può essere stato perfino dopo che era annegato, se magari lui aveva tenuto un diario oppure articoli di giornale sugli omicidi. Qualcosa la mise sulla pista giusta.»

«Ma non era quello che minacciava di raccontare a Henrik» completò Mikael.

«Era di Martin» disse Lisbeth. «Suo padre era morto, ma Martin continuava a tormentarla.»

«Esatto.» Mikael annuì.

«Però impiegò un anno a decidersi.»

«Che cosa faresti tu se scoprissi che tuo padre era un serial killer che sodomizzava tuo fratello?»

«Lo ammazzerei come un cane» disse Lisbeth con una voce così tranquilla che Mikael suppose che stesse scherzando. D'un tratto si vide di fronte il suo volto quando aveva attaccato Martin Vanger, e fece un sorriso senza allegria.

«Okay, ma Harriet non era te. Gottfried morì nel 1965, prima che lei avesse avuto il tempo di fare qualcosa. Ha anche una sua logica. Quando Gottfried morì, Isabella mandò Martin a Uppsala. Forse lui tornava a casa per Natale e per qualche vacanza, ma durante l'anno che seguì non incontrò Harriet molto di frequente. Lei riuscì a tenerlo a distanza.»

«E cominciò a studiare la Bibbia.»

«E alla luce di ciò che sappiamo adesso, non deve essere stato necessariamente per motivi religiosi. Forse voleva semplicemente capire a che cosa si era dedicato suo padre. Ci pensò fino alla Giornata dei bambini del 1966. Quando vide suo fratello in Järnvägsgatan e seppe che era tornato.

Non sappiamo se si siano parlati e se lui le abbia detto qualcosa. Ma qualunque cosa sia accaduta, Harriet ebbe l'impulso di andare subito a casa per parlare con Henrik.»

«E quindi scomparve.»

Quando ebbero ripercorso la catena degli eventi, non fu difficile capire come configurare il resto del puzzle. Mikael e Lisbeth fecero i bagagli. Prima di partire, Mikael telefonò a Dirch Frode e spiegò che lui e Lisbeth dovevano assentarsi per un po' ma che voleva assolutamente fare in tempo a incontrare Henrik Vanger prima di partire.

Mikael volle sapere che cosa Frode avesse raccontato a Henrik. L'avvocato aveva una voce così forzata che Mikael cominciò a preoccuparsi. Dopo un momento, Frode spiegò che aveva solo raccontato che Martin era morto in un incidente d'auto.

Quando Mikael parcheggiò fuori dell'ospedale di Hedestad aveva ricominciato a tuonare e il cielo si era di nuovo coperto di pesanti nubi di pioggia. Mentre si affrettava ad attraversare il parcheggio, cominciò a gocciolare.

Henrik Vanger era seduto a un tavolo accanto alla finestra della sua stanza, in giacca da camera. Non c'era dubbio che la malattia avesse lasciato il segno, ma il vecchio aveva ripreso un po' di colorito e sembrava comunque sulla via del miglioramento. Si strinsero la mano. Mikael pregò l'infermiera privata di lasciarli soli qualche minuto.

«Ti sei tenuto alla larga» disse Henrik Vanger.

Mikael annuì. «Intenzionalmente. La tua famiglia non vuole che mi faccia vedere da queste parti, ma oggi sono tutti da Isabella.»

«Povero Martin» disse Henrik.

«Henrik, tu mi hai incaricato di scoprire la verità su ciò che successe a Harriet. Ti eri aspettato che questa verità non facesse male?»

Il vecchio lo guardò. Poi i suoi occhi si dilatarono.

«Martin?»

«Lui è una parte della storia.»

Henrik Vanger chiuse gli occhi.

«Adesso ho una domanda da porti.»

«Quale?»

«Vuoi ancora sapere ciò che accadde? Anche se ti farà male e anche se la verità è peggiore di quanto ti fossi immaginato?»

Henrik Vanger guardò a lungo Mikael. Poi annuì.

«Io voglio sapere. Era questo il senso del tuo incarico.»

«Okay. Credo di sapere che cosa accadde a Harriet. Ma mi manca ancora un piccolo frammento del puzzle.»

«Racconta.»

«No. Non oggi. Ciò che adesso voglio che tu faccia è che continui a riposare. Il dottore dice che la crisi è superata e che sei in via di guarigione.»

«Non trattarmi come un bambino.»

«Non sono ancora arrivato in porto. Ora come ora ho soltanto delle congetture. Per questo sono in partenza, per andare a cercare l'ultimo pezzo del puzzle. La prossima volta che mi vedrai, ti racconterò tutta la storia. Potrà passare un po' di tempo. Ma voglio che tu sappia che tornerò e che saprai la verità.»

Lisbeth coprì la motocicletta con un telone impermeabile, la lasciò sul lato in ombra dello chalet e salì accanto a Mikael sulla macchina presa a prestito. Il temporale era ritornato con rinnovata energia e subito a sud di Gävle furono investiti da un acquazzone così violento che Mikael non riusciva quasi a vedere la strada. Per non rischiare, si fermarono a una stazione di servizio. Mentre aspettavano che cessasse un po' presero un caffè, e arrivarono a Stoccolma solo verso le sette di sera. Mikael diede a Lisbeth il codice per aprire il portone di casa sua e la lasciò alla fermata del metrò. Quando entrò, il suo appartamento gli parve estraneo.

Passò l'aspirapolvere e fece un po' d'ordine mentre Lisbeth faceva una commissione da *Plague* a Sundbyberg. Bussò alla porta di Mikael a mezzanotte e dedicò dieci minuti a esaminare con attenzione ogni angolo dell'appartamento. Quindi si fermò a lungo accanto alla finestra, ad ammirare il panorama verso Slussen.

La zona notte era schermata da una fila di guardaroba e librerie dell'Ikea. Si spogliarono e dormirono qualche ora.

Alle dodici del giorno dopo atterravano all'aeroporto di Gatwick a Londra. Furono accolti dalla pioggia. Mikael aveva prenotato una stanza presso l'Hotel James di Hyde Park, un ottimo albergo in confronto alle catapecchie di Bayswater in cui era sempre finito nelle sue precedenti visite londinesi. Il conto sarebbe rientrato nell'elenco delle spese a carico di Dirch Frode.

Alle cinque del pomeriggio erano in piedi al bancone del bar quando furono avvicinati da un uomo sulla trentina. Aveva la testa quasi calva e la barba bionda, e indossava una giacca troppo larga, jeans e scarpe da vela.

«*Wasp?*» domandò.

«*Trinity?*» replicò lei. Entrambi annuirono. L'uomo non chiese come si chiamasse Mikael.

Il partner di *Trinity* fu presentato come *Bob the Dog*. Stava aspettando a bordo di un vecchio furgone Volkswagen dietro l'angolo. Entrarono attraverso le porte scorrevoli e si sedettero sui sedili fissati alle pareti. Mentre *Bob* navigava attraverso il traffico londinese, *Wasp* e *Trinity* discutevano.

«*Plague* ha detto che si trattava di un *crash-bang job*.»

«Intercettazione telefonica e controllo della posta elettronica di un computer. Può essere una cosa molto veloce oppure possono volerci un paio di giorni, a seconda di quanta pressione farà.» Lisbeth fece segno col pollice verso Mikael. «Ce la potete fare?»

«Un gioco da ragazzi» rispose *Trinity*.

Anita Vanger abitava in una piccola casa a schiera nell'elegante sobborgo di St. Albans, a un'ora circa di macchina in direzione nord. Dal furgone la videro tornare a casa e aprire la porta con la chiave verso le sette di sera. Aspettarono che avesse fatto la doccia, mangiato un boccone e si fosse seduta davanti alla tv prima che Mikael andasse a suonare alla porta.

Una copia quasi identica di Cecilia Vanger aprì, il volto atteggiato a un cortese punto interrogativo.

«Salve Anita. Mi chiamo Mikael Blomkvist. Mi manda Henrik Vanger. Suppongo che abbia sentito la notizia di Martin.»

L'espressione della donna mutò da stupore a vigilanza. Non appena sentì il nome, capì esattamente chi fosse. Era stata in contatto con Cecilia, che verosimilmente aveva espresso una certa irritazione nei confronti di Mikael. Ma il nome di Henrik Vanger comportava che fosse costretta ad aprire la porta. Invitò Mikael ad accomodarsi in soggiorno. Lui si guardò intorno. La casa di Anita Vanger era arredata con gusto da una persona che aveva denaro e una vita professionale, ma che si comportava con discrezione. Notò un disegno firmato di Anders Zorn sopra un caminetto che era stato trasformato in elemento a gas.

«Mi scusi se la disturbo così senza preavviso, ma mi trovavo già a Londra e ho cercato di chiamarla nel corso della giornata.»

«Capisco. Di che cosa si tratta?» La voce era sulla difensiva.

«Ha intenzione di andare al funerale?»

«No, io e Martin non eravamo in rapporti particolarmente stretti, e non posso assentarmi.»

Mikael annuì. Erano trent'anni che Anita Vanger si teneva lontana in tutti i modi da Hedestad. Da quando suo padre si era trasferito di nuovo all'isola di Hedeby, lei non vi aveva quasi mai messo piede.

«Voglio sapere che cosa accadde a Harriet Vanger. È tempo che la verità venga a galla.»

«Harriet? Non capisco di che cosa stia parlando.»

Mikael sorrise del suo finto stupore.

«Lei era l'amica più intima di Harriet nell'ambito della famiglia. Fu a lei che si rivolse per raccontare la sua storia spaventosa.»

«Lei è completamente pazzo» disse Anita.

«Può darsi» ribatté Mikael in tono leggero. «Anita, lei si trovava nella stanza di Harriet quel giorno. Ho una foto che lo prova. Fra qualche giorno farò il mio resoconto a Henrik e dopo ci penserà lui. Perché non raccontarmi che cosa accadde?»

Anita Vanger si alzò.

«Se ne vada immediatamente da casa mia.»

Mikael si alzò.

«Okay, ma prima o poi dovrà parlare con me.»

«Io non ho niente da dirle.»

«Martin è morto» sottolineò Mikael. «A lei Martin non è mai piaciuto. Credo che si sia trasferita a Londra non solo per evitare di incontrare suo padre, ma anche per non dover incontrare Martin. Ciò significa che anche lei sapeva, e l'unica persona che poteva averle raccontato tutto era Harriet. La domanda è solo che cosa abbia fatto di questa informazione.»

Anita Vanger gli sbatté la porta in faccia.

Lisbeth Salander sorrise soddisfatta a Mikael mentre lo liberava del microfono che aveva sotto la camicia.

«Ha sollevato la cornetta del telefono neanche trenta secondi dopo aver chiuso la porta» disse Lisbeth.

«Il prefisso internazionale è quello dell'Australia» riferì *Trinity* lasciando cadere le cuffie sul piccolo tavolo da lavoro all'interno del furgone. «Devo controllare quale sia il prefisso locale.» Batté sui tasti del suo portatile.

«Okay, ha chiamato questo numero, che corrisponde a un telefono di un posto che si chiama Tennant Creek, a nord di Alice Springs nel Northern Territory. Vuoi ascoltare la conversazione?»

Mikael annuì. «Che ore sono adesso in Australia?»

«Più o meno le cinque del mattino.» *Trinity* avviò il riproduttore digitale e lo collegò a un altoparlante. Mikael poté sentire otto squilli prima che qualcuno rispondesse al telefono. La conversazione si svolse in inglese.

«Ciao. Sono io.»

«Umm... è vero che sono mattiniera, ma...»

«Avevo pensato di chiamarti ieri... Martin è morto. Si è schiantato in macchina l'altro giorno.»

Silenzio. Poi qualcosa che somigliava a uno schiarimento di voce ma che poteva essere anche interpretato come un: «Bene...»

«Però abbiamo un problema. Un disgustoso giornalista che Henrik ha assunto è appena venuto a bussare da me. Sta facendo domande su quello che è successo nel 1966. Penso che sappia qualcosa.»

Di nuovo silenzio. Poi una voce autoritaria.

«Anita. Metti giù adesso. Per un po' non dobbiamo avere contatti.»

«Ma...»

«Scrivimi. Raccontami che cosa è successo.» Dopo di che la conversazione fu interrotta.

«Tipa sveglia» commentò Lisbeth Salander in tono ammirato.

Ritornarono in albergo poco prima delle undici di sera. La receptionist li aiutò a fare una prenotazione sul primo volo per l'Australia. Dopo un momento avevano due posti su un aereo che sarebbe partito solo alle 19.05 della sera successiva con destinazione Canberra, New South Wales.

Sistemati tutti i dettagli, si spogliarono e crollarono a letto.

Era la prima volta che Lisbeth Salander visitava Londra, e passarono la mattinata passeggiando per Tottenham Court Road e Soho. Si fermarono a prendere un caffè macchiato in Old Compton Street. Alle tre ritornarono in albergo per prendere i bagagli. Mentre Mikael saldava il conto, Lisbeth accese il cellulare e scoprì di avere ricevuto un sms.

«Dragan Armanskij vuole che lo chiami.»

Chiese di poter usare un telefono alla reception e chiamò il suo capo. Mikael era un po' distante e d'un tratto vide Lisbeth girarsi verso di lui con un'espressione pietrificata sul volto. Immediatamente le fu accanto.

«Cosa?»

«Mia madre è morta. Devo ritornare a casa.»

Lisbeth aveva un'aria così confusa che Mikael la strinse fra le braccia. Lei lo spinse via.

Presero un caffè al bar dell'albergo. Quando Mikael disse che avrebbe cancellato le prenotazioni per l'Australia e sarebbe tornato a Stoccolma con lei, Lisbeth scosse la testa.

«No» disse in tono deciso. «Non possiamo mandare a gambe all'aria il lavoro adesso. Vorrà dire che andrai in Australia da solo.»

Si separarono fuori dell'hotel e presero l'autobus per i rispettivi aeroporti.

26.
Martedì 15 luglio - giovedì 17 luglio

Mikael raggiunse Alice Springs da Canberra con un volo interno, la sua unica alternativa, dal momento che era arrivato nel tardo pomeriggio. Ora aveva da scegliere se noleggiare un piccolo aereo oppure una macchina per coprire il restante tragitto di quattrocento chilometri verso nord. Scelse la seconda.

Una persona sconosciuta che si firmava biblicamente *Joshua*, e che faceva parte della misteriosa rete internazionale di *Plague* o forse di *Trinity*, aveva lasciato una busta che aspettava Mikael al banco delle informazioni dell'aeroporto al suo arrivo a Canberra.

Il numero di telefono chiamato da Anita corrispondeva a una fattoria detta Cochran Farm. Un breve *post scriptum* informava che si trattava di una fattoria dove allevavano pecore.

Un riassunto scaricato da Internet forniva qualche dettaglio sull'industria degli ovini in Australia. L'Australia ha diciotto milioni di abitanti, di cui cinquantatremila sono allevatori di pecore che controllano circa centoventi milioni di capi di bestiame. La sola esportazione della lana raggiunge un fatturato di circa tre miliardi e mezzo di dollari l'anno. A questo si aggiunge un'esportazione di settecento milioni di tonnellate di carne ovina e di pellami per l'industria dell'abbigliamento. La produzione di lana e di carne costituisce uno dei settori economici più importanti del paese.

Cochran Farm, fondata nel 1891 da un certo Jeremy Cochran, era la quinta fattoria per estensione del paese, con circa sessantamila pecore di razza merino, che fornivano una lana particolarmente pregiata. A parte le pecore, l'azienda allevava anche bovini, maiali e polli.

Mikael constatò che Cochran Farm era una grande impresa con un enorme giro d'affari, basato sull'esportazione negli Usa, in Giappone, Cina ed Europa.

Le biografie personali allegate erano ancora più affascinanti.

Nel 1972, Cochran Farm era passata in eredità da un Raymond Cochran a uno Spencer Cochran, che aveva studiato a Oxford in Inghilterra. Spencer era morto nel 1994 e da allora la fattoria era stata gestita dalla sua vedova. Questa compariva in un'immagine sfuocata scaricata dal sito Internet di Cochran Farm, che mostrava una donna bionda dai capelli corti, il volto un po' girato di lato, intenta ad accarezzare una pecora. Secondo *Joshua*, la coppia si era sposata in Italia nel 1971.

Il nome della donna era Anita Cochran.

Mikael pernottò in un buco arido dal nome promettente di Wannado. Presso il pub locale mangiò arrosto di agnello e ingollò tre pinte di birra insieme a talenti del posto che lo chiamavano *mate* e parlavano con uno strano accento. Si sentiva come se fosse finito sul set di *Crocodile Dundee*.

Prima di addormentarsi a notte inoltrata telefonò a Erika Berger a New York.

«Mi spiace, Ricky, ma sono stato talmente occupato che non ho avuto il tempo di chiamarti.»

«Che cosa diavolo sta succedendo a Hedestad?» esplose lei. «Christer ha telefonato dicendo che Martin Vanger è morto in un incidente d'auto.»

«È una lunga storia.»

«E perché tu non rispondi al telefono? Ti ho cercato come una pazza negli ultimi giorni.»

«Quaggiù non funziona.»

«Dove cavolo sei andato a cacciarti?»

«In questo preciso momento sono a circa duecento chilometri da Alice Springs, verso nord. In Australia, dunque.»

Raramente Mikael era riuscito a sorprendere Erika, in ogni senso. Questa volta lei rimase zitta per quasi dieci secondi.

«E che cosa ci fai in Australia? Se posso chiedere.»

«Sto per concludere il lavoro. Sarò di ritorno in Svezia fra qualche giorno. Ho chiamato solo per raccontarti che l'incarico affidatomi da Henrik Vanger sarà presto portato a termine.»

«Non mi vorrai dire che hai scoperto che cosa è successo a Harriet?»

«Così sembrerebbe.»

Arrivò a Cochran Farm verso le dodici del giorno seguente, solo per apprendere che Anita Cochran si trovava in una zona di produzione in un posto che si chiamava Makawaka e che distava altri centoventi chilometri verso ovest.

Si erano fatte le quattro del pomeriggio prima che Mikael fosse riuscito a giungere a destinazione attraverso una serie infinita di *backroads*. Si fermò davanti a un cancello dove un gruppo di allevatori si era radunato intorno al cofano di una jeep a bere il caffè. Mikael smontò dalla sua macchina, si presentò e spiegò che stava cercando Anita Cochran. Tutti sbirciarono verso un uomo muscoloso sulla trentina che evidentemente era quello del gruppo che prendeva le decisioni. Era a torso nudo e abbronzato tranne dove aveva indossato la T-shirt. In testa portava un cappello da cowboy.

«*Well mate*, il capo è a qualche miglio in quella direzione» disse indicando col pollice.

Gettò un'occhiata scettica all'automobile di Mikael e aggiunse che probabilmente non era una grande idea proseguire con una macchinina giocattolo giapponese. Alla fine l'abbronzato e atletico cowboy disse che in ogni caso anche lui era diretto là e poteva dargli un passaggio sulla sua jeep, l'unico veicolo adatto per quel terreno accidentato. Mikael ringraziò e prese con sé il portatile.

L'uomo disse di chiamarsi Jeff e raccontò che era *studs manager at the station*. Mikael lo pregò di tradurre. Jeff lo guardò con la coda dell'occhio e constatò che Mikael non era del posto. Spiegò che uno *studs manager* era più o meno il corrispondente di un capo cassiere in una banca, anche se lui amministrava pecore, e che *station* era il termine australiano per ranch.

Continuarono a chiacchierare mentre Jeff conduceva tranquillamente la jeep a venti all'ora attraverso una gola con una pendenza di venti gradi. Mikael ringraziò la sua buona stella per non aver cercato di avventurarsi con la sua macchina a nolo. Domandò che cosa ci fosse alla fine della gola e gli fu risposto che c'era pascolo per settecento pecore.

«Mi sembra di aver capito che Cochran Farm sia una delle più grandi tenute.»

«Siamo una delle più grandi in Australia» rispose Jeff con un certo orgoglio nella voce. «Abbiamo circa novemila pecore qui nel distretto di Makawaka, ma abbiamo *stations* sia nel New South Wales sia nell'Australia Occidentale. Complessivamente abbiamo circa sessantatremila pecore.»

Uscirono dalla gola in un paesaggio mosso ma più accessibile. Tutto d'un tratto Mikael udì degli spari. Vide cadaveri di pecore, grandi fuochi e una dozzina di uomini. Tutti sembravano avere in mano fucili. Evidentemente era in corso la macellazione.

Senza volerlo, Mikael l'associò al sacrificio biblico.

Poi vide una donna bionda con i capelli corti, in jeans e camicia a quadretti bianchi e rossi. Jeff parcheggiò a qualche metro da lei.

«Ciao capo. Abbiamo portato un turista» disse.

Mikael smontò dalla jeep e la guardò. Lei ricambiò l'occhiata con espressione interrogativa.

«Salve Harriet. È un bel po' che non ci vediamo» disse Mikael in svedese.

Nessuno degli uomini che lavoravano per Anita Cochran capì che cosa avesse detto, ma poterono vedere la reazione di lei. La donna arretrò di un passo e assunse un'espressione terrorizzata. Gli uomini di Anita Cochran avevano un atteggiamento protettivo verso il loro capo. Notarono la reazione, smisero di sogghignare e si stiracchiarono, pronti a intervenire contro il bizzarro straniero, che evidentemente stava causando disagio al loro capo. La gentilezza di Jeff era d'un tratto come svanita quando mosse un passo verso Mikael.

Mikael divenne consapevole di trovarsi in una gola inaccessibile dall'altra parte del globo, circondato da allevatori di pecore sudati con in mano un fucile. Una parola di Anita Cochran e l'avrebbero fatto a brandelli.

Poi l'attimo passò. Harriet Vanger fece un cenno con la mano e gli uomini arretrarono di qualche passo. Si avvicinò a Mikael e incontrò il suo sguardo. Era tutta sudata e aveva il viso impolverato. Mikael notò che i suoi capelli biondi avevano una radice più scura. Era invecchiata e aveva il viso più magro, ma era diventata esattamente la bella donna che la fotografia della cresima aveva promesso.

«Ci siamo già conosciuti?» domandò Harriet Vanger.

«Sì. Mi chiamo Mikael Blomkvist. Sei stata la mia babysitter un'estate quando io avevo tre anni. Tu dovevi averne dodici o tredici.»

Passò qualche secondo, poi lo sguardo della donna si

schiarì e Mikael capì che d'improvviso si era ricordata di lui. Appariva esterrefatta.

«Che cosa vuoi?»

«Harriet, io non sono tuo nemico. Non sono qui per farti del male. Ma tu e io dobbiamo parlare.»

Lei si rivolse a Jeff e gli disse di prendere il suo posto, poi fece cenno a Mikael di seguirla. Percorsero circa duecento metri fino a un gruppo di tende bianche piantate all'ombra di un boschetto. Gli indicò una sedia da campeggio accanto a un tavolino sgangherato, versò dell'acqua in una catinella e si sciacquò la faccia, si asciugò, entrò nella tenda e si cambiò la camicia. Poi prese due birre da una ghiacciaia portatile e si sedette di fronte a Mikael.

«Okay. Parla allora.»

«Perché state ammazzando le pecore?»

«Abbiamo un'epidemia contagiosa. La maggior parte di queste pecore è probabilmente del tutto sana, ma non possiamo rischiare che l'epidemia si diffonda. Saremo costretti a macellare oltre seicento capi entro la prossima settimana. Perciò non sono di buon umore.»

Mikael annuì.

«Tuo fratello si è schiantato in macchina qualche giorno fa.»

«L'ho saputo.»

«Da Anita Vanger quando ti ha telefonato.»

Lei lo scrutò un lungo momento con sguardo indagatore. Poi annuì. Si rendeva conto dell'inutilità di negare l'evidenza.

«Come hai fatto a trovarmi?»

«Tenevamo sotto controllo il telefono di Anita.» Anche Mikael riteneva che non ci fosse motivo di mentire. «Ho incontrato tuo fratello qualche minuto prima che morisse.»

Harriet Vanger corrugò le sopracciglia. Lui incrociò il suo sguardo. Poi si levò la stupida sciarpa che utilizzava, abbassò il colletto della camicia e le mostrò il segno del cappio. Era ancora rosso e infiammato e probabilmente gli sarebbe rimasta una cicatrice, in ricordo di Martin Vanger.

«Tuo fratello mi aveva appeso a un cappio quando è comparsa la mia collega e l'ha conciato per le feste.»

Qualcosa si accese negli occhi di Harriet.

«Credo che sia meglio che mi racconti la storia dall'inizio.»

Ci volle oltre un'ora. Mikael cominciò col raccontare chi era e di che cosa si occupava. Descrisse come avesse avuto l'incarico da Henrik Vanger e perché gli fosse calzato a pennello di trasferirsi a Hedeby. Riassunse come l'inchiesta di polizia si fosse arenata e come Henrik Vanger avesse condotto delle indagini private per tutti quegli anni, convinto che qualcuno della famiglia avesse assassinato Harriet. Avviò il suo computer e spiegò come avesse scovato le foto di Järnvägsgatan e come lui e Lisbeth avessero cominciato a seguire le tracce di un serial killer che si era dimostrato essere due persone.

Mentre parlava calò il crepuscolo. Gli uomini smisero di lavorare, furono accesi i fuochi del bivacco e le pentole cominciarono a sobbollire. Mikael notò che Jeff si teneva nelle vicinanze del suo capo e controllava con sguardo sospettoso. Il cuoco servì il cibo a Harriet e Mikael. Aprirono un'altra birra ciascuno. Quando Mikael ebbe terminato di raccontare, Harriet rimase seduta in silenzio un momento.

«Santo Iddio» disse.

«Ti sfuggì l'omicidio di Uppsala.»

«Non lo cercai nemmeno. Ero così felice che mio padre fosse morto e che quella violenza fosse finita. Non mi passò mai per la mente che Martin...» Tacque. «Sono contenta che sia morto.»

«Ti capisco.»

«Ma il tuo racconto non spiega come avete fatto a capire che ero ancora viva.»

«Una volta scoperto ciò che era accaduto, non è stato così difficile immaginare il resto. Per poter sparire dovevi aver avuto un aiuto. Anita era la tua confidente e l'unica cui si potesse pensare. Eravate diventate amiche e lei aveva passato l'estate con te. Avevate abitato anche nella casetta di Gottfried. Se c'era qualcuno con cui ti eri confidata, era lei – e lei aveva giusto appena preso la patente.»

Harriet lo guardò impassibile.

«E adesso che sai che sono viva, che cosa pensi di fare?»

«Lo racconterò a Henrik. Lui merita di poter finalmente sapere.»

«E dopo? Tu sei giornalista.»

«Harriet, non ho intenzione di metterti in piazza. Ho già commesso così tante negligenze professionali in questa faccenda, che l'ordine dei giornalisti probabilmente mi caccerebbe se ne venisse a conoscenza.» Cercò di scherzare. «Una più una meno non ha grande importanza, e non voglio far arrabbiare la mia vecchia baby-sitter.»

Lei non si mostrò divertita.

«Quanti sono a sapere la verità?»

«Che sei viva? Per ora soltanto tu e io e Anita e la mia collaboratrice Lisbeth. Dirch Frode conosce più o meno i due terzi della storia, ma è ancora convinto che tu sia morta negli anni sessanta.»

Harriet sembrava riflettere su qualcosa. Teneva lo sguardo fisso nel buio. Mikael ebbe di nuovo la sgradevole sensazione di trovarsi in una situazione esposta, e ricordò a se stesso che Harriet aveva un fucile appoggiato contro la tenda a mezzo metro da sé. Poi si riscosse e smise di lavorare di fantasia. Cambiò argomento.

«Ma come sei finita ad allevare pecore in Australia? Ho

già capito che Anita ti fece uscire di nascosto dall'isola di Hedeby, probabilmente dentro il baule della sua macchina quando il ponte fu riaperto il giorno dopo l'incidente.»

«In effetti ero semplicemente stesa sotto il sedile posteriore, coperta da un plaid. Ma non ci fu nessuno che controllò. Andai da Anita quando arrivò sull'isola e le spiegai che dovevo fuggire. Hai visto giusto immaginando che mi ero confidata con lei. Anita mi ha aiutata ed è stata un'amica leale in tutti questi anni.»

«Come arrivasti in Australia?»

«Stetti qualche settimana nell'alloggio da studente di Anita a Stoccolma, prima di lasciare la Svezia. Anita disponeva di denaro proprio che mi mise generosamente a disposizione. Mi diede anche il suo passaporto. Eravamo quasi identiche e l'unica cosa che dovetti fare fu di tingermi i capelli di biondo. Per quattro anni abitai in un convento in Italia – non facevo la suora, era uno di quei conventi dove si può prendere una stanza per pochi soldi e stare in pace a meditare. Poi per un caso conobbi Spencer Cochran. Aveva qualche anno più di me, era fresco di laurea in Inghilterra e stava girando un po' per l'Europa. Mi innamorai. E lui anche. Tutto qui. *Anita* Vanger si sposò con lui nel 1971. Non me ne sono mai pentita. Era un uomo meraviglioso. Purtroppo è morto otto anni fa e io di colpo sono diventata la proprietaria della fattoria.»

«Ma il passaporto – qualcuno deve pur avere scoperto che esistevano due Anita Vanger!»

«No, e perché mai? Una svedese che si chiama Anita Vanger e che è sposata con Spencer Cochran. Che abiti a Londra oppure in Australia non ha nessuna importanza. A Londra è la moglie separata di Spencer Cochran. In Australia è la sua consorte a tutti gli effetti. Canberra e Londra non hanno registri informatici in comune. Inoltre ottenni ben presto il passaporto australiano sotto il nome di Cochran. È una soluzione che funziona perfettamente. L'unica cosa che avrebbe potuto mandare tutto a gambe all'aria sarebbe stata che Anita si fosse a sua volta sposata. Il mio matrimonio infatti è registrato all'anagrafe svedese.»

«Ma lei non l'ha mai fatto.»

«Sostiene di non aver mai trovato nessuno. Ma io lo so che l'ha fatto per me. È stata una vera amica.»

«Che cosa ci faceva nella tua stanza?»

«Non ero del tutto in me quel giorno. Avevo paura di Martin, ma finché lui era a Uppsala potevo evitare di pensarci. Poi me lo sono visto davanti per strada a Hedestad e ho capito che non sarei mai stata al sicuro in tutta la mia vita. Non sapevo se raccontarlo a Henrik oppure fuggire. Quando vidi che Henrik non aveva tempo, mi misi a girare inquieta per il villaggio. Capisco naturalmente che quell'incidente sul ponte mise in ombra tutto il resto per gli altri, ma non per me. Io avevo già i miei problemi e non mi accorsi quasi dell'incidente. Tutto mi sembrava irreale. Poi mi imbattei in Anita, che abitava in una piccola foresteria nel giardino di Gerda e Alexander. Fu allora che mi decisi e che le chiesi di aiutarmi. Rimasi da lei tutto il tempo, senza avere il coraggio di uscire. Ma c'era una cosa che dovevo recuperare – avevo annotato tutto ciò che era successo in un diario, e poi avevo bisogno di qualche vestito. Fu Anita ad andare a prendere tutto.»

«Suppongo che non poté resistere alla tentazione di aprire la finestra e dare un'occhiata al luogo dell'incidente.» Mikael rifletté un momento. «Quello che non capisco è perché non sei andata da Henrik proprio come avevi pensato di fare.»

«Tu cosa credi?»

«In effetti non lo so. Sono convinto che Henrik ti avrebbe aiutata. Martin sarebbe stato reso subito inoffensivo e Henrik naturalmente ti avrebbe coperta. Avrebbe affrontato tutto in modo molto discreto, con qualche forma di terapia o di cura.»

«Tu non hai capito come stavano le cose.»

Fino a quel momento, Mikael aveva soltanto discusso gli abusi sessuali di Gottfried su Martin, ma aveva lasciato in sospeso il ruolo di Harriet.

«Gottfried usava violenza a Martin» disse Mikael con cautela. «Sospetto che lo facesse anche con te.»

Harriet Vanger non mosse un muscolo. Poi fece un respiro profondo e affondò il viso fra le mani. In tre secondi Jeff le fu accanto, a domandare se fosse tutto a posto. Harriet Vanger lo guardò e gli rivolse un pallido sorriso. Poi sorprese Mikael alzandosi e abbracciando e baciando sulla guancia il suo *studs manager*. Quindi si rivolse a Mikael tenendo un braccio intorno alle spalle di Jeff.

«Jeff, questo è Mikael, un vecchio... amico dei tempi che furono. È venuto a portare problemi e cattive notizie, ma non spareremo al messaggero. Mikael, questo è Jeff Cochran, il mio figliolo maggiore. Ho anche un altro figlio e una figlia.»

Mikael annuì. Jeff era sulla trentina; Harriet Vanger doveva essere rimasta incinta abbastanza in fretta dopo il matrimonio con Spencer Cochran. Si alzò e tese la mano a Jeff e disse che era spiacente di aver turbato sua madre, ma che purtroppo era necessario. Harriet scambiò qualche parola con Jeff e poi lo mandò via. Quindi si sedette di nuovo con Mikael e parve prendere una decisione.

«Basta menzogne. Suppongo che sia finita. In qualche modo, ho atteso questo giorno fin dal 1966. Per molti anni il mio incubo è stato che qualcuno come te mi avvicinasse e pronunciasse il mio nome. E sai una cosa? Tutto d'un tratto non me ne importa più. Il mio reato è caduto in prescrizione. E me ne infischio di quello che la gente pensa di me.»

«Reato?» domandò Mikael.

Lei lo guardò con aria di sfida, ma lui continuava a non capire di che cosa stesse parlando.

«Avevo sedici anni. Ero spaventata. Mi vergognavo. Ero disperata. Ero sola. Gli unici che conoscevano la verità erano Anita e Martin. Ad Anita avevo raccontato degli abusi sessuali, ma non ero riuscita a raccontare che mio padre era anche un pazzo assassino. Questo Anita non l'ha mai saputo. Ma le raccontai del delitto che io stessa avevo commesso e che era così spaventoso che alla fin fine mi impediva di confidarmi con Henrik. Pregavo Dio di perdonarmi. E mi seppellii in un convento per diversi anni.»

«Harriet, tuo padre era uno stupratore e un assassino. Tu non ne avevi nessuna colpa.»

«Lo so. Mio padre abusò di me per un anno. Io facevo di tutto per evitare che... ma lui era mio padre e non potevo improvvisamente rifiutarmi di avere a che fare con lui senza spiegare perché. Perciò sorridevo e recitavo la mia parte e fingevo che tutto andasse bene, cercando di fare in modo che ci fosse sempre qualcun altro nelle vicinanze quando mi incontravo con lui. Mamma ovviamente sapeva quello che lui faceva ma non se ne curava.»

«Isabella sapeva?» esclamò Mikael sgomento.

La voce di Harriet Vanger si colorò di una nuova durezza.

«Naturale che lo sapeva. Nella nostra famiglia non succedeva niente che Isabella non sapesse. Ma fingeva sempre di ignorare le cose sgradevoli o che potessero metterla in cattiva luce. Mio padre avrebbe potuto violentarmi in soggiorno sotto i suoi occhi senza che lei ci facesse caso. Era incapace di riconoscere che c'era qualcosa che non andava, nella mia o nella sua vita.»

«L'ho conosciuta. È un'autentica strega.»

«Lo è sempre stata. Mi sono sempre interrogata sulla relazione che c'era fra lei e mio padre. Mi è sembrato di capire che dopo la mia nascita non avessero quasi più avuto rapporti. Mio padre aveva altre donne, ma in qualche strano modo aveva paura di Isabella. Se ne teneva alla larga ma non riusciva a separarsene.»

«Non si divorzia nella famiglia Vanger.»

Per la prima volta lei rise.

«No, non si fa. Ma la verità è che non riuscivo a decidermi a raccontare. Tutto il mondo avrebbe saputo. I miei compagni di classe, tutti quelli della famiglia...»

Mikael appoggiò una mano su quella di lei. «Harriet, mi dispiace immensamente.»

«Avevo quattordici anni la prima volta che mi violentò. E nell'anno che seguì mi portava nella sua casetta. In diverse occasioni c'era anche Martin. Costringeva sia me che Martin a fare delle cose con lui. E mi teneva ferma mentre Martin si... soddisfaceva su di me. E quando mio padre morì, Martin era lì pronto a subentrargli. Si aspettava che diventassi la sua amante e riteneva che fosse naturale che mi sottomettessi. E a quel punto non avevo più alcuna scelta. Ero costretta a fare come diceva. Mi ero liberata di un torturatore solo per finire nelle grinfie di un altro e tutto ciò che potevo fare era evitare di rimanere sola con lui.»

«Henrik avrebbe...»

«Tu continui a non capire.»

Harriet aveva alzato la voce. Mikael vide che alcuni degli uomini nella tenda accanto gli lanciavano occhiate. Lei abbassò di nuovo il tono e si chinò verso di lui.

«Tutte le carte sono in tavola. Il resto te lo puoi immaginare.»

Si alzò e andò a prendere altre due birre. Quando fece ritorno, Mikael le disse una sola parola: «Gottfried?»

Lei annuì.

«Il 7 agosto 1965 mio padre mi aveva costretta a seguirlo alla casetta. Henrik era via. Papà si mise a bere e cercò di prendermi con la forza. Ma non riusciva neanche a farselo drizzare e cominciò a delirare. Lui era sempre... volgare e violento con me quando eravamo soli, ma quella volta passò il limite. *Mi orinò addosso.* Poi mi disse quello che avrebbe voluto fare con me. Nel corso della serata raccontò delle donne che aveva ucciso. Se ne vantava. Citava la Bibbia. Andò avanti diverse ore. Non capivo la metà di ciò che diceva ma mi rendevo conto che era completamente pazzo.»

Prese un sorso di birra.

«Verso mezzanotte esplose. Andò completamente fuori di senno. Eravamo sul soppalco. Mi mise una T-shirt attorno al collo e tirò con tutte le sue forze. Mi si annebbiò la vista. Non ho il minimo dubbio che cercasse veramente di uccidermi, e per la prima volta quella notte riuscì a portare a termine lo stupro.»

Harriet Vanger guardò Mikael. I suoi occhi avevano un'espressione supplichevole.

«Ma era talmente ubriaco che in qualche modo riuscii a liberarmi. Saltai giù dal soppalco e fuggii in preda al panico. Ero nuda e corsi senza pensare e finii sul pontile. Lui mi inseguì barcollando.»

Mikael desiderò all'improvviso che non raccontasse più nulla.

«Ero abbastanza forte da riuscire a spingere in acqua un uomo ubriaco. Usai un remo per tenerlo sotto la superficie finché smise di agitarsi. Ci vollero solo pochi secondi.»

D'un tratto il silenzio fu assordante quando lei fece una pausa.

«E quando alzai gli occhi, Martin era lì. Aveva un'aria terrorizzata e al tempo stesso ghignava. Non so per quanto tempo fosse stato a spiarci. Da quel momento fui nelle sue mani. Mi raggiunse e mi afferrò per i capelli e mi trascinò dentro casa, fino al letto di Gottfried. Mi legò e mi violentò mentre nostro padre galleggiava ancora nell'acqua giù accanto al pontile, e io non potevo nemmeno opporre resistenza.»

Mikael chiuse gli occhi. D'improvviso si vergognò e desiderò di aver lasciato Harriet Vanger in pace. Ma la voce della donna aveva acquisito una nuova forza.

«Da quel giorno fui in suo potere. Facevo ciò che mi diceva di fare. Ero come paralizzata e ciò che mi salvò fu che Isabella si mise in testa che Martin aveva bisogno di un cambiamento dopo la tragica morte di suo padre e lo spedì a Uppsala. Naturalmente era perché sapeva quello che faceva con me, ed era il suo modo di risolvere il problema. Puoi immaginare quanto Martin fosse deluso.»

Mikael annuì.

«Nel corso dell'anno che seguì lui tornò a casa solo per Natale e io riuscii a tenermi lontana. Accompagnai Henrik in un viaggio a Copenaghen. E quando arrivarono le vacanze estive c'era Anita. Mi confidai con lei e lei non mi abbandonò mai e fece in modo che lui non mi si avvicinasse.»

«Poi lo incontrasti in Järnvägsgatan.»

Lei annuì.

«Mi avevano detto che non avrebbe partecipato alla riunione di famiglia, che sarebbe rimasto a Uppsala. Ma poi evidentemente cambiò idea e d'improvviso era lì dall'altra parte della strada, che mi fissava. E sorrideva. Mi pareva di essere finita in un incubo. Avevo ucciso mio padre e capivo che non mi sarei mai liberata di mio fratello. Avevo pensato di togliermi la vita. Scelsi di fuggire.»

Guardò Mikael con un'espressione quasi divertita.

«In effetti è piacevole poter raccontare la verità. Ora sai. Come pensi di utilizzare queste informazioni?»

27.
Sabato 26 luglio - lunedì 28 luglio

Mikael passò a prendere Lisbeth Salander in Lundagatan alle dieci del mattino e la portò al crematorio del cimitero. Le fece compagnia durante la cerimonia di com-
memorazione. Lisbeth e Mikael furono a lungo gli unici
presenti insieme al prete, una donna, ma quando iniziò il
rito funebre Dragan Armanskij scivolò inaspettatamente attraverso la porta. Fece un cenno di saluto a Mikael e si
piazzò dietro Lisbeth, posandole piano una mano sulla
spalla. Lei annuì senza guardarlo, proprio come se sapesse
chi si era messo dietro di lei. Dopo di che ignorò sia lui sia
Mikael.

Lisbeth non aveva raccontato nulla di sua madre, ma l'officiante aveva evidentemente parlato con qualcuno alla casa
di cura e Mikael capì che doveva essere morta in seguito a
un'emorragia cerebrale. Lisbeth non disse una sola parola
per tutta la durata della cerimonia. L'officiante perse il filo
un paio di volte quando si rivolse direttamente a Lisbeth,
che la guardò dritto negli occhi senza rispondere. Quando
tutto finì fece dietro front e se ne andò senza ringraziare né
salutare. Mikael e Dragan fecero entrambi un sospiro e si
scambiarono un'occhiata. Non avevano idea di che cosa
si muovesse nella testa della ragazza.

«Sta molto male» disse Dragan.

«Già, me ne sono accorto» rispose Mikael. «È un bene che sia venuto.»

«Non ne sono affatto sicuro.»

Armanskij fissò Mikael con sguardo penetrante.

«Tornate su al nord? Cerchi di tenerla d'occhio.»

Mikael promise che l'avrebbe fatto. Si congedarono fuori della chiesa. Lisbeth era già seduta in macchina ad aspettare.

Era costretta a seguirlo a Hedestad per recuperare la motocicletta e le attrezzature che aveva preso in prestito dalla Milton Security. Solo dopo che ebbero superato Uppsala ruppe il silenzio e domandò come fosse andato il viaggio in Australia. Mikael era arrivato ad Arlanda la sera prima e aveva dormito solo qualche ora. Durante il tragitto riferì ciò che gli aveva raccontato Harriet Vanger. Lisbeth Salander rimase seduta in silenzio mezz'ora prima di aprire bocca.

«Bastarda» disse.

«Chi?»

«Quella dannata Harriet. Se avesse fatto qualcosa nel 1966, Martin Vanger non avrebbe potuto continuare a stuprare e uccidere per trentasette anni.»

«Harriet sapeva degli omicidi commessi dal padre, ma non aveva la minima idea che anche Martin vi avesse preso parte. Fuggì da un fratello che la violentava, e che minacciava di rivelare che aveva affogato il padre se non avesse fatto quello che diceva lui.»

«Stronzate.»

Quindi rimasero in silenzio fino a Hedestad. Lisbeth era di umore particolarmente nero. Mikael era in ritardo e la fece scendere alla deviazione per l'isola di Hedeby, chiedendole se l'avrebbe trovata al ritorno.

«Pensi di passare la notte qui?» domandò lei.

«Suppongo di sì.»

«Vuoi che io ci sia quando torni?»

Lui scese, girò intorno alla macchina e la strinse fra le

braccia. Lei lo respinse, quasi con violenza. Mikael indietreggiò.

«Lisbeth, tu sei mia amica.»

Lei lo guardò senza espressione.

«Vuoi che mi fermi così hai qualcuno da scopare stanotte?»

Mikael le lanciò una lunga occhiata. Poi si voltò, risalì in macchina e avviò il motore. Abbassò il finestrino. L'ostilità di lei era tangibile.

«Io voglio esserti amico» le disse. «Se non ci credi, non hai bisogno di esserci quando tornerò.»

Henrik Vanger era in piedi e perfettamente vestito quando Dirch Frode fece entrare Mikael nella stanza d'ospedale. Mikael si informò subito sulla sua salute.

«Pensano di lasciarmi uscire per il funerale di Martin domani.»

«Che cosa ti ha raccontato Dirch?»

Henrik Vanger abbassò lo sguardo sul pavimento.

«Mi ha detto di quello che Martin e Gottfried hanno fatto. Ho capito che questa faccenda è assai peggio di quanto avrei mai potuto immaginare.»

«So che cosa accadde a Harriet.»

«Com'è morta?»

«Harriet non è morta. È ancora viva. Se vuoi, avrebbe un gran desiderio di incontrarti.»

Sia Henrik Vanger che Dirch Frode fissarono Mikael come se il loro mondo si fosse appena capovolto.

«C'è voluto un po' a convincerla a venire, ma è viva, sta bene e si trova qui a Hedestad. È arrivata stamattina e può essere qui fra un'ora. Se ti va di incontrarla, voglio dire.»

Ancora una volta Mikael fu costretto a raccontare la storia dal principio alla fine. Henrik ascoltò con estrema concentrazione, come se stesse sentendo il discorso della montagna di un moderno Gesù. Ogni tanto lo interrompeva con una domanda, oppure lo pregava di ripetere qualcosa. Dirch Frode non diceva una parola.

Quando la storia fu terminata, il vecchio restò seduto in silenzio. Nonostante i medici avessero assicurato che si era ripreso dal suo attacco di cuore, Mikael aveva temuto il momento in cui avrebbe dovuto raccontargli la storia – per paura che non reggesse all'emozione. Ma Henrik non mostrò alcun segno di turbamento, al di là del fatto che la sua voce forse era un po' impastata quando ruppe il silenzio.

«Povera Harriet. Se fosse comunque venuta da me!»

Mikael guardò l'ora. Mancavano cinque minuti alle quattro.

«Vuoi incontrarla? Ha ancora paura che tu la respinga dopo aver saputo che cosa ha fatto.»

«E i fiori?» domandò Henrik.

«Gliel'ho chiesto sull'aereo mentre stavamo tornando. C'era un'unica persona nella famiglia cui voleva bene, ed eri tu. Naturalmente era lei a mandarteli. Ha detto che sperava che tu capissi che era viva e che stava bene, senza che le fosse necessario farsi vedere. Ma siccome il suo unico canale d'informazione era Anita, che a Hedestad non veniva mai e che si era trasferita all'estero appena completati gli studi, la sua conoscenza di ciò che avveniva qui è sempre stata molto limitata. Non si è mai resa conto di quanto tu soffrissi, e che credevi che fosse il suo assassino che si prendeva gioco di te.»

«Suppongo che fosse Anita a spedire i fiori.»

«Lavorava per una compagnia aerea e viaggiava in tutto il mondo. Così imbucava dove le capitava di trovarsi.»

«Ma come hai fatto a capire che era stata proprio Anita ad aiutarla?»

«La fotografia dove la si vede alla finestra della stanza di Harriet.»

«Ma poteva anche essere coinvolta nel... poteva essere stata lei a ucciderla. Come hai capito che Harriet era viva?»

Mikael lanciò a Henrik una lunga occhiata. Poi sorrise per la prima volta da che era tornato a Hedestad.

«Anita era coinvolta nella scomparsa di Harriet ma non poteva averla uccisa.»

«Come facevi a esserne sicuro?»

«Perché questo non è mica un dannato giallo a incastro. Se Anita avesse ucciso Harriet, avresti trovato il cadavere da un bel pezzo. Quindi l'unica spiegazione logica era che l'avesse aiutata a fuggire e a tenersi nascosta. Vuoi incontrala, adesso?»

«È naturale che voglio incontrare Harriet.»

Mikael andò a prendere Harriet accanto agli ascensori dell'atrio. All'inizio non la riconobbe; dopo che si erano separati all'aeroporto di Arlanda il giorno prima, la donna aveva riacquistato il suo colore di capelli naturale. Indossava pantaloni neri, camicetta bianca e un'elegante giacca grigia. Era radiosa e Mikael si chinò a stamparle un bacio di incoraggiamento sulla guancia.

Henrik si alzò dalla poltrona quando Mikael aprì la porta a Harriet Vanger. Lei fece un respiro profondo.

«Ciao, Henrik» disse.

Il vecchio la squadrò da capo a piedi. Poi Harriet si avvicinò e lo baciò sulla guancia. Mikael fece un cenno a Dirch Frode e chiusero la porta lasciandoli soli.

Lisbeth Salander non era allo chalet quando Mikael fece ritorno all'isola di Hedeby. Le attrezzature di sorveglianza e la sua motocicletta erano spariti, così come la borsa con il cambio di indumenti e gli articoli da toeletta in bagno. C'era un senso di vuoto.

Mikael fece un mesto giro della casa. D'un tratto appariva estranea e irreale. Lanciò un'occhiata alle montagne di carte nello studiolo, che avrebbe dovuto sistemare negli scatoloni e riportare a Henrik Vanger, ma non se la sentì di cominciare a mettere ordine. Invece andò al Konsum e comperò pane, latte, formaggio e qualcosa per cena. Quando ritornò accese la macchina del caffè, si sedette in giardino e lesse i giornali della sera cercando di non pensare a nulla.

Verso le cinque e mezza passò sul ponte un taxi. Dopo tre minuti ripassò. Mikael intravide Isabella sul sedile posteriore.

Verso le sette si era appisolato sulla sedia quando comparve Dirch Frode e lo svegliò.

«Come va con Henrik e Harriet?» volle sapere Mikael.

«Questa triste storia ha i suoi aspetti positivi» rispose Dirch Frode trattenendo un sorriso. «Isabella è piombata nella stanza di Henrik. Aveva scoperto che eri tornato qui allo chalet ed era completamente fuori di sé. Strillava che era ora di finirla con tutte queste sciocchezze su Harriet, e ti accusava di essere quello che le aveva mandato il figlio a morire con il suo ficcanasare.»

«Be', in fondo credo che abbia ragione.»

«Ha ordinato a Henrik di licenziarti e di provvedere a farti sparire da qui, e di smettere di dare la caccia ai fantasmi.»

«Ohi ohi.»

«Non aveva nemmeno gettato un'occhiata alla donna che era nella stanza a parlare con Henrik. Forse credeva che fosse qualcuno del personale. Non dimenticherò mai l'attimo in cui Harriet si è alzata e ha guardato Isabella dicendo: *Ciao mamma.*»

«Che cosa è successo?»

«Abbiamo dovuto chiamare un dottore per rianimare Isabella. In questo momento sta negando che si tratti vera-

mente di Harriet e asserisce che è un'imbrogliona scovata
da te.»

Dirch Frode stava andando da Cecilia e Alexander per
comunicare la notizia che Harriet era resuscitata. Quindi se
ne andò di fretta e lasciò Mikael nuovamente solo.

Lisbeth Salander si fermò a fare il pieno a un distributore
subito a nord di Uppsala. Aveva guidato concentrata fissan-
do la strada davanti a sé. Pagò rapidamente. Avviò la moto e
si diresse verso l'uscita, dove si fermò di nuovo, indecisa.

Si sentiva ancora giù di corda. Era furibonda quando aveva lasciato Hedeby, ma la collera si era lentamente esaurita
nel corso del viaggio. Non era sicura del perché si sentisse
così arrabbiata nei confronti di Mikael Blomkvist, né se fosse proprio con lui che ce l'aveva.

Pensò a Martin Vanger e alla dannata Harriet Vanger e al
dannato Dirch Frode e a tutta la stramaledetta famiglia Vanger, che da Hedeby governava il suo piccolo impero e tes-
seva intrighi interni. Avevano avuto bisogno di lei. In casi
normali non l'avrebbero nemmeno degnata di un saluto, e
ancor meno avrebbero confidato a lei dei segreti.

Che gentaglia.

Fece un respiro profondo e pensò a sua madre, che aveva cremato quella stessa mattina. Non c'era rimedio. La
morte della madre comportava che la ferita non sarebbe mai
guarita, dal momento che Lisbeth non avrebbe mai avuto
risposta alle domande che avrebbe voluto fare.

Pensò a Dragan Armanskij che era stato seduto dietro di
lei al funerale. Avrebbe dovuto dirgli qualcosa. Almeno dargli una conferma che sapeva che c'era. Ma se l'avesse fatto,
lui l'avrebbe preso come un motivo per cominciare a organizzare la sua vita. Se gli avesse dato un dito, si sarebbe preso tutto il braccio. E non avrebbe mai capito.

Pensò all'avvocato Nils Bjurman, quel bastardo, che era

il suo tutore e che almeno per il momento era stato reso inoffensivo e faceva come gli veniva detto.

Fu sopraffatta da un odio implacabile e strinse i denti.

E pensò a Mikael Blomkvist chiedendosi che cosa avrebbe detto se avesse saputo che lei era sotto tutela e che tutta la sua vita era una schifezza.

Si rese conto che in realtà non era in collera con lui. Mikael era stato solo la persona su cui per avventura aveva scaricato la sua rabbia, quando più che altro avrebbe avuto voglia di ammazzare qualcuno. Essere arrabbiata con lui non aveva senso.

Provava un sentimento ambivalente nei suoi confronti.

Lui aveva ficcato il naso nella sua vita privata e... ma lei si era anche trovata bene a lavorare con lui. Già questa era una sensazione singolare – lavorare *con* qualcuno. Non ci era abituata, ma in effetti era stato un processo indolore. Lui non faceva storie, e non cercava di dirle come doveva vivere la sua vita.

Era lei che lo aveva sedotto, non il contrario.

E per di più era stato soddisfacente.

Allora perché si sentiva come se avesse avuto voglia di tirargli un calcio in faccia?

Sospirò, alzò lo sguardo infelice e guardò un autotreno che passava brontolando sulla E4.

Alle otto, Mikael era ancora seduto in giardino quando sentì lo scoppiettio della motocicletta e vide Lisbeth Salander passare sul ponte. La ragazza parcheggiò e si tolse il casco. Poi si avvicinò al tavolo da giardino e toccò la caraffa termica del caffè, che era vuota e fredda. Mikael la guardò meravigliato. Lei prese la caraffa e andò in cucina. Quando uscì di nuovo si era tolta la tuta di pelle e aveva indossato jeans e una T-shirt con su scritto *I can be a regular bitch Just try me.*

«Credevo che te ne fossi andata» disse Mikael.

«A Uppsala ho fatto dietro front.»

«Un bel giretto.»

«Mi fa male il fondoschiena.»

«Perché sei tornata?»

Lei non rispose. Mikael non insisté e attese mentre bevevano il caffè. Dopo dieci minuti lei ruppe il silenzio.

«Mi piace la tua compagnia» riconobbe recalcitrante.

Erano parole che non aveva mai pronunciato prima.

«È stato... interessante lavorare con te a questo caso.»

«Anche a me è piaciuto lavorare con te» disse Mikael.

«Hmm.»

«La verità è che non ho mai lavorato con un ricercatore così in gamba. Okay, lo so che sei un dannato hacker e che frequenti cerchie sospette dove evidentemente ti basta alzare il telefono per ordinare un'intercettazione telefonica illegale a Londra nel giro di ventiquattr'ore, ma ottieni veramente dei risultati.»

Lei lo guardò per la prima volta da quando si era seduta al tavolo. Quanti segreti conosceva di lei. Come aveva fatto?

«È molto semplice. Conosco i computer. Non ho mai avuto problemi a leggere un testo e capire esattamente cosa c'è scritto.»

«La tua memoria fotografica» disse lui piano.

«Può darsi. Io capisco semplicemente come funziona. Non succede solo con i computer e la rete telefonica ma anche con il motore della mia moto e gli apparecchi televisivi e gli aspirapolvere e i processi chimici e le formule astrofisiche. Io sono una testa matta. Un *freak*.»

Mikael corrugò la fronte. Rimase a lungo in silenzio.

Sindrome di Asperger pensò. *O qualcosa del genere. La capacità di vedere disegni e capire ragionamenti astratti laddove altri vedono solo interferenze.*

Lisbeth teneva gli occhi fissi sul tavolo.

«La maggior parte della gente darebbe non poco per avere un simile dono.»

«Non ne voglio parlare.»

«Okay, lasciamo stare. Perché sei tornata?»

«Non lo so. Forse è stato un errore.»

Lui la scrutò con sguardo indagatore.

«Lisbeth, mi puoi dare una definizione della parola amicizia?»

«Che qualcuno ci piace.»

«Certo, ma cos'è che fa sì che qualcuno ci piaccia?»

Lei alzò le spalle.

«L'amicizia – definizione mia – si fonda su due cose» disse lui d'improvviso. «Rispetto e fiducia. Entrambi i fattori devono essere presenti. E deve esserci reciprocità. Si può avere rispetto per qualcuno, ma se non c'è la fiducia, la confidenza, l'amicizia si guasta.»

Lei continuava a tacere.

«Ho capito che non vuoi parlarmi di te, ma un giorno o l'altro dovrai decidere se ti fidi di me oppure no. Io voglio che siamo amici, ma non posso esserlo in maniera unilaterale.»

«A me piace fare sesso con te.»

«Il sesso non ha niente a che fare con l'amicizia. È vero che gli amici possono fare sesso, ma Lisbeth, se devo scegliere fra sesso e amicizia quando si tratta di te, non ho dubbi su che cosa sceglierei.»

«Non capisco. Vuoi fare sesso con me oppure no?»

Mikael si morse il labbro. Alla fine sospirò.

«Non si dovrebbe fare sesso con gente con cui si lavora» borbottò. «Porta solo complicazioni.»

«Mi sono persa qualcosa, o tu ed Erika Berger finite a letto non appena ne avete l'occasione? E lei inoltre è sposata.»

Mikael rimase un momento in silenzio.

«Io ed Erika... abbiamo una storia iniziata molto tempo

prima che cominciassimo a lavorare insieme. Il fatto che sia sposata non ti riguarda.»

«Ah ecco, tutto d'un tratto sei tu che non vuoi parlare di te. L'amicizia non era una questione di fiducia e confidenza?»

«Sì, ma ciò che voglio dire è che non discuto di una persona amica alle sue spalle. Perché allora tradirei la sua fiducia. Non discuterei nemmeno di te con Erika alle tue spalle.»

Lisbeth Salander rifletté sulle sue parole. Era diventata una conversazione un po' complicata. E a lei le conversazioni complicate non piacevano.

«A me piace fare sesso con te» ripeté.

«Come a me con te... ma sono comunque abbastanza vecchio da poter essere tuo padre.»

«Me ne infischio della tua età.»

«Non puoi infischiartene della nostra differenza di età. Non è una buona premessa per un rapporto duraturo.»

«E chi ha parlato di durata?» disse Lisbeth. «Abbiamo appena portato a termine un caso dove uomini dalla sessualità orrendamente perversa hanno giocato un ruolo primario. Se dipendesse da me, uomini del genere andrebbero sterminati, tutti quanti.»

«In ogni caso non scendi a compromessi.»

«No» disse lei, producendosi nel suo non-sorriso storto. «Ma tu in effetti non sei uno di loro.»

Si alzò.

«Ora vado a farmi una doccia e poi ho intenzione di stendermi nuda nel tuo letto. Se pensi di essere troppo vecchio puoi andare a coricarti nella branda da campeggio.»

Mikael la seguì con lo sguardo. Quali che fossero le inibizioni di Lisbeth Salander, non includevano comunque la vergogna. Riusciva sempre a perdere in tutte le discussioni con lei. Dopo un attimo raccolse le tazze del caffè e andò in camera da letto.

Si alzarono alle dieci, fecero la doccia insieme e andarono a fare colazione fuori in giardino. Alle undici telefonò Dirch Frode, disse che il funerale sarebbe stato alle due del pomeriggio e chiese se pensavano di partecipare.

«Non credo proprio» disse Mikael.

Dirch Frode domandò se poteva passare verso le sei per parlare. Mikael disse che andava bene.

Dedicò qualche ora a riordinare le carte negli scatoloni e a riportarli nello studio di Henrik. Alla fine rimasero soltanto i suoi blocnotes personali e i due fascicoli sull'affare Hans-Erik Wennerström che non apriva più da sei mesi. Sospirò e li infilò nella borsa.

Dirch Frode era in ritardo e non arrivò che verso le otto. Indossava ancora l'abito del funerale e aveva l'aria distrutta quando si sedette sulla cassapanca in cucina e accettò grato la tazza di caffè che Lisbeth gli mise davanti. Lei si sistemò al tavolino e si dedicò al suo computer, mentre Mikael domandava come fosse stata accolta dai parenti la resurrezione di Harriet.

«Si può dire che abbia oscurato la dipartita di Martin. Anche i media hanno avuto sentore della cosa.»

«E come spiegate la situazione?»

«Harriet ha parlato con un giornalista del *Kuriren*. La sua storia è che era scappata di casa perché non andava d'accordo con la famiglia, ma che evidentemente se l'è cavata piuttosto bene nel mondo, dal momento che è alla guida di un'azienda che ha lo stesso fatturato del Gruppo Vanger.»

Mikael fischiò.

«Sapevo che le pecore australiane sono un bel business, ma non sapevo che il ranch andasse così bene.»

«Il suo ranch va a meraviglia, ma non è l'unica fonte di reddito. Le aziende Cochran si occupano di miniere, opali, imprese edili, trasporti, elettronica e un sacco di altre cose.»

«Accidenti. E che cosa succede adesso?»

«Se devo essere sincero non lo so. È arrivata gente tutto il giorno e la famiglia si è radunata per la prima volta da molti anni. Vengono sia dalla parte di Fredrik Vanger sia dalla parte di Johan Vanger e parecchi appartengono alla generazione più giovane – dai vent'anni in giù. Ci saranno almeno una quarantina di Vanger a Hedestad stasera, metà all'ospedale a stancare Henrik e metà all'albergo a parlare con Harriet.»

«Harriet è la più sensazionale. Quanti sono a conoscenza della faccenda di Martin?»

«Finora soltanto io, Henrik e Harriet. Abbiamo fatto una lunga conversazione privata. Questa storia di Martin e delle sue... perversioni eclissa la maggior parte del resto per noi in questo momento. Ha creato una crisi colossale per l'azienda.»

«Posso capire.»

«Non esiste nessun erede naturale, ma Harriet ha intenzione di fermarsi a Hedestad per un po'. Fra le altre cose dobbiamo chiarire chi possiede che cosa e come suddividere i beni ereditari e via dicendo. Lei possiede in effetti una quota ereditaria che sarebbe stata alquanto consistente se fosse stata qui tutto il tempo. È un vero incubo.»

Mikael rise. Dirch Frode non lo imitò.

«Isabella è crollata. È ricoverata in ospedale. Harriet si rifiuta di andarla a trovare.»

«La capisco.»

«Ma Anita arriverà da Londra. Abbiamo indetto un consiglio di famiglia per la prossima settimana. Sarà la prima volta che vi parteciperà in venticinque anni.»

«Chi sarà il nuovo amministratore delegato?»

«Birger ci terrebbe molto ma non può essere preso in

considerazione. Ciò che succederà è che Henrik assumerà temporaneamente il ruolo fino a che verrà scelto un esterno o qualcuno della famiglia...»

Non terminò la frase. Mikael alzò di colpo le sopracciglia.

«Harriet? Non dirai mica sul serio.»

«Perché no? Stiamo parlando di una donna d'affari particolarmente competente e rispettata.»

«Lei ha un'azienda in Australia di cui occuparsi.»

«È vero, ma c'è suo figlio, Jeff Cochran, che può mandare avanti la bottega in sua assenza.»

«Lui è *studs manager*. Se ho capito bene, cerca di fare in modo che le pecore giuste si accoppino fra loro.»

«Ha anche una laurea in Economia a Oxford e una in Legge a Melbourne.»

Mikael pensò all'uomo sudato e muscoloso che a torso nudo l'aveva condotto giù per la gola e cercò di figurarselo in completo gessato. Perché no?

«Questa faccenda non si risolverà certo in un batter d'occhio» disse Dirch Frode. «Ma lei sarebbe un perfetto amministratore delegato. Con il giusto sostegno potrebbe significare un importante nuovo corso per il gruppo.»

«Non ha la conoscenza...»

«È vero. Harriet non può naturalmente comparire qui dopo diversi decenni e cominciare a guidare l'azienda nei dettagli. Ma il Gruppo Vanger è internazionale e potremmo importare un direttore generale americano che non sa una parola di svedese... è il business.»

«Prima o poi dovrete occuparvi di quello che c'è nello scantinato di Martin.»

«Lo so. Ma non possiamo dire nulla senza distruggere completamente Harriet... Sono felice di non essere io a dover prendere una decisione su questo punto.»

«Per l'inferno, Dirch, non potete nascondere che Martin era un serial killer.»

Dirch Frode si agitò in silenzio sulla sedia. Mikael aveva d'improvviso un sapore amaro in bocca.

«Mikael, io mi trovo in una posizione molto... molto scomoda.»

«Racconta.»

«Ho un messaggio per te da parte di Henrik. È molto semplice. Ti ringrazia per il lavoro che hai fatto e dice che considera concluso il contratto. Ciò significa che ti solleva da ogni ulteriore obbligo e che non sei più tenuto ad abitare e lavorare qui a Hedestad eccetera. Dunque puoi ritornare a Stoccolma con effetto immediato e dedicarti ad altro.»

«Vuole che scompaia di scena?»

«Assolutamente no. Vuole che tu vada da lui per parlare del futuro. Dice che spera che il suo impegno alla guida di *Millennium* possa continuare senza limitazioni. Ma...»

Dirch Frode sembrava, se possibile, ancora più a disagio.

«Ma non vuole più che io scriva una storia della famiglia Vanger.»

Dirch Frode annuì. Tirò fuori un blocnotes che aprì e spinse verso Mikael.

«Ti ha scritto questa lettera.»

Caro Mikael!
Ho tutto il rispetto per la tua integrità e non ho intenzione di offenderti cercando di dirti ciò che dovresti scrivere. Tu puoi scrivere e pubblicare esattamente ciò che vuoi, e io non sono intenzionato a esercitare nessun genere di pressione su di te. Il nostro contratto è sempre valido, se intendi farlo rispettare. Hai materiale a sufficienza per concludere la tua storia della famiglia Vanger. Mikael, io non ho mai pregato nessuno in tutta la mia vita. Ho sempre ritenuto che una persona debba seguire la propria morale e le proprie convinzioni. In questo momento però non ho scelta.
Ti prego dunque, sia come amico che come comproprietario di

Millennium, *di astenerti dal rivelare la verità su Gottfried e Martin. So che è sbagliato, ma non vedo nessuna via d'uscita da queste tenebre. Devo scegliere fra due cose dolorose e qui ci sono solo perdenti.*

Ti prego di non scrivere qualcosa che possa ulteriormente danneggiare Harriet. Tu stesso hai sperimentato che cosa significhi essere oggetto di una campagna di stampa. La campagna contro di te è stata di proporzioni abbastanza contenute, ma probabilmente puoi immaginare come si configurerebbe per Harriet se la verità dovesse diventare di dominio pubblico. Ha già sofferto per quarant'anni e non è il caso che soffra ancora per le azioni commesse da suo fratello e da suo padre. E io ti prego di riflettere su quali conseguenze potrebbe avere questa storia per migliaia di dipendenti del gruppo. Distruggerebbe lei e noi tutti.

Henrik.

«Henrik dice anche che se tu pretendi un risarcimento per il danno economico che ti deriverebbe dalla mancata pubblicazione della storia, lui è apertissimo alla discussione. Puoi fare tutte le richieste economiche che vuoi.»

«Henrik Vanger sta cercando di corrompermi. Riferiscigli che avrei preferito che non mi avesse fatto nessuna offerta.»

«Questa situazione è altrettanto dolorosa per Henrik quanto per te. Lui ti vuole molto bene e ti considera suo amico.»

«Henrik Vanger è un dritto» disse Mikael. D'improvviso era infuriato. «Lui vuole mettere a tacere questa storia. Conta sui miei sentimenti e sa che anch'io gli voglio bene. E quello che dice comporta in pratica che io ho tutta la libertà di pubblicare, ma che se lo faccio lui è costretto a rivedere il suo atteggiamento verso *Millennium*.»

«Tutto è cambiato, con l'entrata in scena di Harriet.»

«E adesso Henrik sta sondando il terreno per capire quale sia il mio prezzo. Io non ho intenzione di esporre Harriet, ma *qualcuno* deve dire qualcosa delle donne che sono finite nella cantina di Martin. Dirch, noi non sappiamo nemmeno quante ne abbia massacrate. Chi pensa a dar loro voce?»

Lisbeth Salander alzò improvvisamente lo sguardo dal suo computer. La sua voce era orrendamente vellutata quando si rivolse a Dirch Frode.

«C'è nessuno di voi che pensa di cercare di corrompere me?»

Frode era sbalordito. Ancora una volta era riuscito a ignorare la sua esistenza.

«Se Martin Vanger fosse stato ancora vivo in questo momento, io l'avrei dato in pasto al pubblico» continuò. «Qualsiasi accordo avesse raggiunto Mikael con voi, io avrei inviato ogni singolo dettaglio su di lui al primo giornale della sera. E se avessi potuto, avrei portato giù lui nella sua stanza degli orrori e l'avrei legato su quel tavolo infilandogli degli aghi nei coglioni. Ma purtroppo è morto.»

Poi si rivolse a Mikael.

«Io sono soddisfatta della soluzione. Niente di ciò che faremo potrà riparare il danno che Martin Vanger ha causato alle sue vittime. Tuttavia, si è venuta a creare un'interessante situazione. Tu ti trovi nella posizione di poter continuare a danneggiare delle donne innocenti, non ultima quella Harriet che hai difeso con tanto calore nel nostro viaggio di ritorno. Perciò la domanda che ti faccio è che cosa sia peggio: che Martin Vanger la violentasse laggiù alla casetta oppure che lo faccia tu sui giornali? Eccoti servito un bel dilemma. Forse la commissione etica dell'ordine dei giornalisti ti potrebbe dare un orientamento.»

Fece una pausa. D'un tratto Mikael fu incapace di incontrare lo sguardo di Lisbeth Salander, e preferì fissare il tavolo.

«Ma io non sono una giornalista» disse lei alla fine.

«Che cosa vuoi?» domandò Dirch Frode.

«Martin filmava le sue vittime. Voglio che cerchiate di identificarne il maggior numero possibile e che provvediate affinché le loro famiglie ricevano un giusto risarcimento. E poi voglio che d'ora in avanti il Gruppo Vanger faccia una donazione annua di due milioni di corone al Roks, l'organizzazione che offre un servizio di assistenza alle donne e alle ragazze maltrattate qui in Svezia.»

Dirch Frode valutò il cartellino del prezzo qualche minuto. Quindi assentì.

«Tu Mikael credi di poterci convivere?» domandò poi Lisbeth Salander.

Mikael si sentì di colpo angosciato. Per tutta la sua vita professionale si era dedicato a smascherare ciò che gli altri cercavano di nascondere, e la sua morale gli proibiva di farsi complice nel coprire i crimini orrendi che erano stati commessi nella cantina di Martin Vanger. Il suo lavoro consisteva proprio nello svelare ciò che sapeva. Lui era quello che criticava i colleghi che non dicevano la verità. Eppure adesso era seduto lì a discutere della più macabra copertura di cui avesse mai sentito parlare.

Rimase a lungo in silenzio. Poi assentì anche lui.

«Bene.» Dirch Frode si rivolse a Mikael. «Per quanto riguarda l'offerta di Henrik sul compenso economico...»

«Se la può infilare in quel posto» disse Mikael. «Dirch, ora voglio che tu te ne vada. Capisco la tua posizione, ma in questo momento sono talmente infuriato con te, Henrik e Harriet, che se ti fermi ancora rischiamo di diventare nemici.»

Dirch Frode rimase seduto al tavolo in cucina e non fece il minimo accenno ad alzarsi.

«Non posso ancora andarmene» disse. «Non ho finito. Ho un ulteriore messaggio da darti che non ti piacerà. Henrik insiste perché te ne parli stasera. Domani potrai andare su all'ospedale e dirgliene di tutti i colori, se vuoi.»

Mikael alzò lo sguardo e lo fissò dritto negli occhi.

«Questa è probabilmente la cosa più difficile che abbia mai fatto in vita mia» disse Dirch Frode. «Ma credo che solo un'onestà totale e tutte le carte in tavola possano salvare la situazione, a questo punto.»

«Di che si tratta?»

«Quando Henrik ti convinse ad accettare l'incarico il Natale scorso, né lui né io credevamo che avrebbe condotto a qualche risultato. Era esattamente come ti disse – voleva fare un ultimo tentativo. Aveva analizzato con cura la tua posizione, non da ultimo con l'aiuto del rapporto redatto dalla signorina Salander. Giocò sul tuo isolamento, offrì una buona cifra e usò l'esca giusta.»

«Wennerström» disse Mikael.

Frode annuì.

«Stavate bluffando?»

«No.»

Lisbeth Salander alzò un sopracciglio, interessata.

«Henrik manterrà tutte le sue promesse» disse Dirch Frode. «Si presterà a un'intervista e sferrerà un attacco frontale a Wennerström pubblicamente. Più tardi potrai avere tutti i dettagli, ma a grandi linee la storia è che quando Hans-Erik Wennerström era legato al settore finanziario del Gruppo Vanger utilizzò diversi milioni per speculazioni valutarie. Era molto prima che questo genere di speculazioni diventasse un vero e proprio fenomeno. Lui lo fece senza averne il potere e senza chiedere l'autorizzazione alla direzione del gruppo. Gli affari andarono male e d'improvviso lui si ritrovò con un ammanco di sette milioni che cercò di coprire sia barando con la contabilità, sia facendo speculazioni ancora più azzardate. Fu scoperto e licenziato.»

«Ottenne qualche guadagno personale?»

«Sì, soffiò circa mezzo milione di corone che, ironia della sorte, andarono a costituire la base del Wennerstroem Group. Di tutto questo abbiamo la documentazione. Puoi utilizzare l'informazione come ti pare, e Henrik sosterrà le affermazioni pubblicamente. Ma...»

«Ma l'informazione non ha valore» disse Mikael, picchiando la mano sul tavolo.

Dirch Frode annuì.

«È successo troppi anni fa ed è un capitolo chiuso» disse Mikael.

«Avresti una conferma che Wennerström è un imbroglione.»

«Se diventasse di pubblico dominio Wennerström ne sarebbe irritato, ma non lo danneggerebbe più che un colpo di cerbottana. Alzerebbe le spalle e mescolerebbe le carte emettendo un comunicato stampa in cui direbbe che Henrik Vanger è un vecchio bacucco che cerca di soffiargli qualche affare e poi affermerebbe che in realtà aveva agito dietro ordine di Henrik. Anche se non può dimostrare la sua innocenza, è in grado di produrre sufficienti cortine di fumo perché la storia possa essere congedata con un'alzata di spalle.»

Dirch Frode aveva un'aria infelice.

«Mi avete fregato» disse Mikael alla fine.

«Mikael... non era nelle nostre intenzioni.»

«Colpa mia. Mi sono aggrappato al fuscello e mi sarei dovuto rendere conto che proprio di quello si trattava.» Fece una breve risata. «Henrik è un vecchio squalo. Doveva vendermi un prodotto e mi ha detto quello che volevo sentirmi dire.»

Mikael si alzò e si avvicinò al lavello. Si voltò verso Frode e riassunse ciò che provava in un'unica parola.

«Sparisci.»

«Mikael... mi dispiace che...»

«Dirch. Vattene.»

Lisbeth Salander non sapeva se avvicinarsi a Mikael oppure lasciarlo in pace. Fu lui stesso a risolvere il problema afferrando la giacca senza dire una parola e uscendo sbattendosi la porta alle spalle.

Per più di un'ora lei andò avanti e indietro per la cucina. Si sentiva così di malumore che si mise a lavare i piatti – un compito che altrimenti lasciava volentieri a Mikael. Di tanto in tanto andava alla finestra e lo cercava con lo sguardo. Alla fine divenne talmente inquieta che si infilò la giacca di pelle e uscì a cercarlo.

Scese dapprima al porticciolo, dove nelle case dei turisti erano ancora accese le luci, ma non c'era nessun Mikael in vista. Seguì il sentiero lungo la riva che usavano percorrere nelle loro passeggiate serali. La casa di Martin Vanger era immersa nel buio e pareva già disabitata. Arrivò fino ai sassi sulla punta del promontorio dove lei e Mikael si erano seduti, e poi fece ritorno allo chalet. Lui non era ancora tornato.

Lisbeth salì alla chiesa. Ancora niente Mikael. Si fermò un attimo indecisa, chiedendosi che fare. Poi tornò accanto alla sua motocicletta, prese una torcia tascabile da sotto il sellino e si avviò di nuovo lungo il bordo dell'acqua. Le occorse del tempo per percorrere la strada invasa dalle erbacce, e ancora di più per trovare il sentiero che conduceva alla casetta di Gottfried, che comparve all'improvviso dal buio dietro alcuni alberi quando quasi era arrivata. Mikael non era sulla veranda, e la porta era chiusa a chiave.

Si era già avviata di nuovo verso il villaggio quando si fermò e tornò indietro, proseguendo verso il promontorio. D'un tratto scorse la silhouette di Mikael al buio sul pontile dove Harriet Vanger aveva annegato il padre. Allora finalmente tirò il fiato.

Lui la sentì arrivare sul pontile e si girò. Lei gli si sedette accanto senza dire nulla. Alla fine lui ruppe il silenzio.

«Scusa. Avevo solo bisogno di starmene in pace un momento.»

«Lo so.»

Lei accese due sigarette e ne passò una a Mikael. Lui la guardò. Lisbeth Salander era la persona più asociale che avesse mai incontrato. Di solito ignorava ogni suo tentativo di parlare di argomenti personali e non aveva mai accettato la benché minima espressione di simpatia. Ma gli aveva salvato la vita e adesso era uscita in piena notte per andarlo a cercare fuori nel nulla. Le circondò le spalle con un braccio.

«Adesso so qual è il mio prezzo. Abbiamo abbandonato quelle povere ragazze» disse. «Metteranno a tacere tutta la storia. Tutto quello che c'è nello scantinato di Martin finirà per sparire.»

Lisbeth non rispose.

«Erika aveva ragione» continuò lui. «Avrei fatto meglio ad andarmene in Spagna a fare sesso per un mese con le spagnole per poi tornare a casa a riprendere in mano la questione con Wennerström. Ho perso dei mesi inutilmente.»

«Se tu fossi andato in Spagna, Martin Vanger starebbe ancora utilizzando la sua cantina.»

Silenzio. Rimasero seduti insieme un lungo momento, poi lui si alzò e propose di andare a casa.

Mikael si addormentò prima di Lisbeth. Lei restò sveglia ad ascoltare il suo respiro. Dopo un attimo si alzò, andò in cucina a preparare il caffè e si sedette al buio sulla cassapanca; fumò diverse sigarette mentre il suo cervello lavorava intensamente. Che Vanger e Frode avrebbero fregato Mikael l'aveva dato per scontato. Era nella loro natura. Ma quello era un problema di Mikael. Non suo. O no?

Alla fine prese una decisione. Spense la sigaretta e andò da Mikael, accese la luce del comodino e lo scosse finché si svegliò. Erano le due e mezza del mattino.

«Che c'è?»

«Ho una domanda. Tirati su.»

Mikael si mise a sedere e la guardò con aria assonnata.

«Quando sei stato incriminato, perché non ti sei difeso?»

Mikael scosse la testa e incontrò il suo sguardo. Guardò l'orologio con la coda dell'occhio.

«È una lunga storia, Lisbeth.»

«Racconta. Ho tutto il tempo.»

Lui restò a lungo in silenzio, valutando che cosa dire. Alla fine si decise per la verità.

«Non potevo difendermi. Il contenuto dell'articolo era sbagliato.»

«Quando mi sono introdotta nel tuo computer e ho letto la tua corrispondenza con Erika Berger ho trovato parecchi riferimenti all'affare Wennerström, ma voi discutevate tutto il tempo di dettagli pratici circa il processo e mai di ciò che era realmente avvenuto. Raccontami che cosa è andato storto.»

«Lisbeth, non posso rivelare la storia vera. Sono stato imbrogliato da cima a fondo. Io ed Erika siamo assolutamente d'accordo che la nostra credibilità uscirebbe ulteriormente danneggiata, se cercassimo di raccontare ciò che è accaduto davvero.»

«Ascoltami bene, *Kalle Blomkvist*, ieri pomeriggio se non sbaglio predicavi qualcosa sull'amicizia e sulla fiducia e via discorrendo. Io non ho certo intenzione di diffondere la storia in rete.»

Mikael cercò di protestare. Ricordò a Lisbeth che era notte fonda e sostenne che non aveva la forza di pensarci. Lei si ostinò e non si mosse finché lui non si arrese. Mikael andò alla toilette a sciacquarsi la faccia e preparò dell'altro caffè. Poi tornò a letto e raccontò come il suo vecchio compagno di studi Robert Lindberg avesse destato la sua curiosità a bordo di una barca a vela gialla nel porticciolo turistico di Arholma due anni prima.

«Vuoi dire che il tuo amico mentì?»

«No, niente affatto. Lui mi raccontò esattamente ciò che sapeva e io potei verificare ogni singola parola nei documenti di revisione del SIB. Andai perfino in Polonia e fotografai la baracca di lamiera dove aveva avuto sede la grande società Minos. E intervistai diverse persone che erano state alle dipendenze della società. Tutti dissero esattamente la stessa cosa.»

«Non capisco.»

Mikael sospirò. Passò un po' di tempo prima che riprendesse a parlare.

«Avevo in mano un'ottima storia. Non mi ero ancora messo a confronto con Wennerström, ma la storia era inattaccabile e se l'avessi pubblicata in quel momento l'avrei veramente fatto tremare. È probabile che non sarebbe stato accusato di truffa – l'affare era già stato approvato dai revisori – ma avrei danneggiato la sua reputazione.»

«Che cosa andò storto?»

«Da qualche parte qualcuno aveva intuito ciò su cui stavo indagando e Wennerström divenne consapevole della mia esistenza. E tutto d'un tratto cominciarono a succedere un sacco di cose strane. Tanto per cominciare ricevetti delle minacce. Telefonate anonime da telefoni a gettone che non si potevano rintracciare. Anche Erika fu minacciata. Erano le solite fesserie del tipo lascia perdere o ti inchioderemo alla porta di un fienile e così via. Lei ovviamente si irritò moltissimo.»

Prese una sigaretta dal pacchetto di Lisbeth.

«Poi accadde qualcosa di molto spiacevole. Una notte, mentre uscivo tardi dalla redazione, fui aggredito da due uomini che mi si avvicinarono e mi tirarono un paio di cazzotti, così senza motivo. Io ero del tutto impreparato e mi ritrovai per terra con un labbro gonfio. Non riuscii a identificarli, ma uno sembrava un vecchio motociclista.»

«Okay.»

«Tutte queste attenzioni ebbero ovviamente solo l'effetto che Erika s'incavolò e io mi ostinai ancora di più. Rafforzammo la sicurezza a *Millennium*. Il problema era che non c'era proporzione tra le vessazioni e il contenuto della storia. Non riuscivamo a capire il perché.»

«Ma la storia che pubblicasti era qualcosa di completamente diverso.»

«Esatto. Di colpo facemmo un balzo avanti. Trovammo una fonte, una *Gola Profonda* nella cerchia di Wennerström. Questa persona era letteralmente spaventata a morte e la potevamo incontrare solo in anonime stanze d'albergo. Ci raccontò che il denaro dell'affare Minos era stato utilizzato per commerciare armi per la guerra in Jugoslavia. Wennerström aveva fatto affari con gli ustascia. Come se non bastasse, fu in grado di fornirci copie di documenti scritti come prove.»

«Voi ci credeste?»

«Fu molto abile. Ci fornì anche informazioni sufficienti per condurci a un'ulteriore fonte che poteva confermare la storia. Ottenemmo addirittura una foto che mostrava il collaboratore più stretto di Wennerström che stringeva la mano dell'acquirente. Era del materiale formidabile e tutto sembrava a prova di bomba. Pubblicammo.»

«E invece era tutto falso.»

«Falso da cima a fondo» confermò Mikael. «I documenti erano abili contraffazioni. L'avvocato di Wennerström poté perfino dimostrare che l'immagine del tirapiedi di Wennerström e del capo degli ustascia era un montaggio, due diverse fotografie messe insieme con PhotoShop.»

«Affascinante» disse Lisbeth Salander concentrata, annuendo fra sé.

«Vero? In seguito non fu difficile capire come ci avessero manipolato. La nostra storia originaria avrebbe danneggiato Wennerström, ma così era affogata in un falso – la mina peggiore di cui abbia mai sentito parlare. Pubblicammo una storia con cui Wennerström poteva guadagnare punti su punti dimostrando la propria innocenza. Una mossa dannatamente abile.»

«E non potevate ritrattare e raccontare la verità. Non avevate la minima prova che Wennerström avesse preparato i falsi.»

«Peggio ancora. Se avessimo cercato di raccontare la verità e fossimo stati abbastanza pazzi da accusare Wennerström di esserci dietro lui, nessuno ci avrebbe creduto. Sarebbe parso un disperato tentativo di gettare la colpa su un innocente capitano d'industria. Avremmo fatto la figura degli stupidi che amano teorizzare complotti.»

«Capisco.»

«Wennerström era doppiamente protetto. Se la finzione fosse stata scoperta, avrebbe potuto sostenere che era qualcuno dei suoi nemici che lo voleva infangare. E noi di *Millennium* avremmo di nuovo perduto ogni credibilità, dal momento che avevamo preso per buono qualcosa che si era dimostrato falso.»

«Perciò tu scegliesti di non difenderti e di beccarti una pena detentiva.»

«Me lo meritavo» disse Mikael con una nota d'amarezza nella voce. «Mi ero reso colpevole di diffamazione. Ora sai. Posso dormire adesso?»

Mikael spense la luce e chiuse gli occhi. Lisbeth si coricò al suo fianco. Rimase un momento in silenzio.

«Wennerström è un gangster.»

«Lo so.»

«No, quello che voglio dire è che io *so* che è un gangster.

Lavora con tutti, dalla mafia russa ai cartelli della droga colombiani.»

«Di che stai parlando?»

«Quando consegnai il mio rapporto a Frode, lui mi diede un incarico extra. Mi chiese di cercare di scoprire ciò che accadde veramente al processo. Avevo appena cominciato quando mi chiamò Armanskij e annullò la commissione.»

«Capisco.»

«Suppongo che abbandonarono la ricerca non appena tu accettasti l'incarico di Henrik Vanger. A quel punto non era più interessante.»

«E...?»

«Be', a me non piace lasciare i lavori a metà. Avevo qualche settimana... libera la primavera scorsa. Armanskij non aveva lavori per me, perciò cominciai a scavare su Wennerström così, per divertimento.»

Mikael si mise a sedere e accese la lampada e guardò Lisbeth Salander. Incontrò i suoi grandi occhi. Sì, aveva proprio l'aria colpevole.

«Hai trovato qualcosa?»

«Ho tutto il suo hard disk sul mio computer. Se vuoi, puoi avere tutte le prove possibili e immaginabili del fatto che è un autentico gangster.»

28.
Martedì 29 luglio - venerdì 24 ottobre

Mikael Blomkvist era rimasto immerso nelle stampate di Lisbeth per tre giorni – interi scatoloni pieni di carte. Il problema era che i dettagli cambiavano di continuo. Un'opzione a Londra. Un affare valutario a Parigi tramite rappresentante. Una società di comodo a Gibilterra. Un improvviso raddoppio su un conto alla Chase Manhattan Bank di New York.

E poi gli sconcertanti punti interrogativi: una società in nome collettivo con duecentomila corone su un conto intatto registrata cinque anni prima a Santiago del Cile, una di circa trenta società simili sparse in una dozzina di paesi diversi – e non un accenno a quale attività svolgessero. Società dormienti? *In attesa di cosa?* Società di facciata per un'altra attività? Il computer non forniva risposte su che cosa Wennerström avesse nella sua testa, forse perché per lui era ovvio e quindi non lo formulava mai in un documento elettronico.

Lisbeth era convinta che la maggior parte di quel genere di domande non avrebbe mai trovato una risposta. Potevano vedere il messaggio, ma senza una chiave non sarebbero stati in grado di interpretarne il significato. L'impero di Wennerström era come una cipolla fatta di un'infinità di strati; un labirinto di società che si possedevano a vicenda. Società, conti, fondi, titoli. Constatarono che nessuno – nemmeno lo stesso Wennerström – poteva averne un controllo totale. L'impero di Wennerström viveva di vita propria.

C'era un disegno, o per lo meno un accenno di disegno. Un labirinto di società. L'impero di Wennerström era valutato fra i cento e i quattrocento miliardi di corone, dipendeva dalla persona a cui lo si chiedeva e da come lo si calcolava. Ma se le società possedevano l'una le risorse dell'altra, quale era il loro reale valore?

Quando Lisbeth gli pose questa domanda, Mikael Blomkvist la guardò con espressione afflitta.

«Qui siamo nel campo dell'esoterico» rispose, e tornò a smistare i crediti bancari.

Avevano lasciato precipitosamente l'isola di Hedeby di primo mattino, quando Lisbeth Salander aveva innescato la bomba che ora inghiottiva tutte le ore di veglia di Mikael Blomkvist. Erano andati direttamente a casa di Lisbeth e avevano passato due giorni davanti al suo computer, mentre lei gli faceva da guida attraverso l'universo di Wennerström. Lui aveva un sacco di domande. Una di queste era una pura curiosità.

«Lisbeth, come fai a controllare il suo computer?»

«È una piccola trovata del mio amico *Plague*. Wennerström ha un portatile Ibm sul quale lavora, sia a casa che in ufficio. Significa che tutte le informazioni si trovano su un unico hard disk. L'edificio dove abita è dotato di banda larga. *Plague* ha ideato una sorta di fascetta che si fissa intorno al cavo della banda larga e che io sto collaudando per lui; tutto ciò che Wennerström vede viene registrato dalla fascetta, che trasferisce l'informazione a un server da qualche parte.»

«Wennerström non ha nessun firewall?»

Lisbeth rise.

«Certo che ce l'ha. Ma il punto è che la fascetta funziona anche come una sorta di firewall. Ci vuole un attimo per introdursi in un sistema informatico in questo modo. Poniamo che Wennerström riceva una e-mail; prima di tutto arriva alla fascetta di *Plague* e può essere letta da noi prima ancora che passi il suo firewall. Ma la furbizia è che il messaggio viene trascritto e gli viene aggiunto un codice di qualche byte. Questo si ripete ogni volta che lui scarica qualcosa sul suo computer. Con le immagini va ancora meglio. Ogni volta che scarica qualche immagine porno oppure apre una nuova home page, noi aggiungiamo qualche riga di codice. Dopo un po' di tempo, qualche ora o qualche giorno, a seconda di quanto usa il computer, Wennerström si è scaricato un intero programma di circa tre megabyte dove ogni tassello si congiunge con il successivo.»

«E...?»

«Quando anche gli ultimi tasselli sono andati a posto, il programma si integra con il suo programma Internet. A lui sembra che il suo computer si sia bloccato e lo riavvia. Durante questa operazione si installa un programma completamente nuovo. Lui utilizza Microsoft Explorer. La volta dopo che lo lancia, avvia in realtà un programma del tutto diverso, che sta celato nel suo desktop e funziona come Explorer ma fa anche un sacco di altre cose. Anzitutto assume il controllo del suo firewall e fa in modo che tutto sembri funzionare. Poi comincia a scansionare il computer e invia informazioni ogni volta che lui clicca col mouse. Dopo un po', sempre a seconda di quanto naviga, abbiamo raccolto uno specchio completo del contenuto del suo hard disk su un server da qualche parte. E a quel punto entra in scena l'Ht.»

«Ht?»

«*Sorry*. *Plague* lo chiama Ht. *Hostile takeover*.»

«Aha.»

«La finezza è ciò che succede in seguito. Quando la struttura è pronta, Wennerström ha due hard disk completi, uno per suo uso personale, uno sul nostro server. La volta dopo che avvia il computer, in effetti avvia il computer-specchio. E in realtà lavora sul nostro server. Il suo computer diventa leggermente più lento, ma è una cosa che quasi non si nota. E quando io sono collegata al server, posso scaricare dal suo computer in tempo reale. Ogni volta che Wennerström tocca un tasto, io lo vedo sul mio.»

«Suppongo che anche il tuo amico sia un hacker.»

«È stato lui a organizzare l'intercettazione a Londra. È un po' asociale e non vede mai nessuno, ma in rete è una leggenda.»

«Okay» disse Mikael, sorridendo rassegnato. «Domanda numero due: perché non mi hai parlato prima di Wennerström?»

«Non me l'hai mai chiesto.»

«E se non te l'avessi mai chiesto – poniamo il caso che non ti avessi mai conosciuta – tu ti saresti tenuta per te il fatto che Wennerström era un gangster mentre *Millennium* andava in fallimento.»

«Nessuno mi aveva mai chiesto di smascherare Wennerström» rispose Lisbeth con aria da saputella.

«Ma se?»

«Te l'ho raccontato, no?» rispose lei sulla difensiva.

Mikael lasciò cadere l'argomento.

Mikael era totalmente assorbito da ciò che c'era nel computer di Wennerström. Lisbeth aveva copiato il contenuto dell'hard disk di Wennerström – circa cinque gigabyte – su una decina di cd e aveva l'impressione di essersi più o meno trasferita nell'appartamento di Mikael. Aspettava pazientemente e rispondeva alle domande che lui le poneva in continuazione.

«Non capisco come possa essere così idiota da radunare tutto il materiale circa i suoi affari sporchi su un hard disk» disse Mikael. «Se dovesse finire nelle mani della polizia...»

«La gente non è razionale. Secondo me, lui semplicemente crede che la polizia non potrebbe mai concepire di sequestrare il suo computer.»

«Al di sopra di ogni sospetto. Sono d'accordo con te che è un bastardo arrogante, ma deve pur avere dei consulenti per la sicurezza intorno a sé che gli dicono come gestire il suo computer. C'è materiale che risale addirittura al 1993.»

«Il computer è relativamente nuovo, è stato fabbricato un anno fa, ma lui sembra aver trasferito tutta la sua vecchia corrispondenza e via dicendo sull'hard disk anziché immagazzinarla su cd. Però in ogni caso usa un programma di criptatura.»

«Il che è senza valore se tu ti trovi dentro il suo computer e leggi la password ogni volta che la digita.»

Erano a Stoccolma da quattro giorni quando Christer Malm telefonò di sorpresa a Mikael sul cellulare, svegliandolo alle tre di notte.

«Henry Cortez era in un locale con un'amica stasera.»

«Ah sì?» rispose Mikael assonnato.

«Tornando a casa sono finiti al bar della stazione centrale.»

«Non è un buon posto per sedurre qualcuno.»

«Ascolta. Janne Dahlman è in ferie. Henry tutto d'un tratto l'ha scoperto a un tavolo in compagnia di un altro uomo.»

«E...?»

«Henry l'ha riconosciuto. Krister Söder.»

«Mi sembra di riconoscere il nome, ma...»

«Lavora al *Monopol*, che fa capo al Wennerstroem Group» continuò Malm.

Mikael balzò a sedere nel letto.

«Sei ancora lì?»

«Ci sono. Non significa necessariamente qualcosa. Söder è un normale giornalista e può essere un vecchio amico di Dahlman.»

«Okay, sarò paranoico. Ma tre mesi fa *Millennium* acquistò un reportage da un free-lance. La settimana prima che lo pubblicassimo, Söder fece una rivelazione quasi identica. Era la stessa storia su un produttore di cellulari che aveva oscurato un rapporto secondo cui impiegava un componente difettoso che poteva causare un corto circuito.»

«Ho capito. Ma sono cose che capitano. Hai parlato con Erika?»

«No, è ancora via e non torna prima della prossima settimana.»

«Non fare nulla. Ti richiamo più tardi» disse Mikael, chiudendo la conversazione.

«Problemi?» domandò Lisbeth Salander.

«*Millennium*» disse Mikael. «Devo dare un'occhiata. Hai voglia di accompagnarmi?»

Alle quattro del mattino la redazione era deserta. Lisbeth Salander impiegò circa tre minuti a superare la protezione della password sul computer di Janne Dahlman, e altri due a trasferire il contenuto nell'iBook di Mikael.

La maggior parte della corrispondenza tuttavia si trovava nel portatile personale di Janne Dahlman, al quale non avevano accesso. Ma attraverso il computer fisso in redazione, Lisbeth Salander fu in grado di scoprire che Dahlman – oltre all'indirizzo millennium.se – aveva un account hotmail privato su Internet. Le occorsero sei minuti a violarlo e a scaricare la corrispondenza dell'ultimo anno. Cinque minuti più tardi, Mikael aveva la prova che Janne Dahlman aveva sia fatto trapelare informazioni sulla situazione di *Millennium*, sia tenuto aggiornato il redattore del *Monopol* su quali reportage Erika Berger aveva messo in programma. Lo spionaggio durava almeno dall'autunno precedente.

Spensero i computer e fecero ritorno all'appartamento di Mikael, e dormirono qualche ora. Alle dieci del mattino, Mikael telefonò a Christer Malm.

«Ho le prove che Dahlman lavora per Wennerström.»

«Lo sapevo. Okay, sbatterò fuori quel lurido verme oggi stesso.»

«Non farlo. Non fare assolutamente nulla.»

«Nulla?»

«Christer, fidati di me. Dahlman è ancora in ferie?»

«Sì, torna al lavoro lunedì.»

«Quante persone ci sono in redazione oggi?»

«Bah, è mezza vuota.»

«Puoi convocare una riunione per le due? Non dire di che cosa si tratta. Ci vediamo.»

Furono in sei a sedersi intorno al tavolo delle riunioni di fronte a Mikael. Christer Malm appariva stanco. Henry Cortez aveva l'aria del neoinnamorato come solo i venticinquenni possono avere. Monika Nilsson sembrava impaziente di sapere. Christer Malm non aveva detto una parola sul tema della riunione, ma lei aveva fatto parte della redazione abbastanza a lungo per capire che qualcosa bolliva in pentola, ed era irritata per essere stata tenuta fuori dall'*information loop*. L'unica che aveva la sua solita aria era Ingela Oskarsson, che lavorava part-time due giorni la settimana occupandosi dell'amministrazione e degli abbonamenti, e che non sembrava mai veramente rilassata da quando era diventata mamma due anni prima. L'altra dipendente part-time era la giornalista free-lance Lotta Karim, che aveva lo stesso genere di contratto di Henry Cortez e aveva appena ripreso a lavorare dopo le ferie. Christer era riuscito anche a richiamare dalle ferie Sonny Magnusson.

Mikael iniziò rivolgendo a tutti un saluto e scusandosi per essere stato totalmente assente durante l'anno.

«Né io né Christer abbiamo fatto in tempo a parlare con Erika di ciò di cui discuteremo qui oggi, ma posso assicurarvi che in questo caso parlo anche a suo nome. Oggi si deciderà il futuro di *Millennium*.»

Fece una pausa e lasciò che le sue parole venissero assimilate. Nessuno fece domande.

«L'ultimo anno è stato pesante. Sono sorpreso che nessuno di voi si sia ricreduto e abbia cercato lavoro altrove. Devo supporre che siate o matti da legare oppure eccezionalmente leali, e che vi piaccia lavorare proprio a questo giornale. Perciò intendo mettere alcune carte in tavola e pregarvi di fare un ultimo sforzo.»

«Un ultimo sforzo?» interloquì Monika Nilsson. «Suona come se tu volessi chiudere il giornale.»

«Esatto» rispose Mikael. «Dopo le ferie, Erika ci convocherà tutti per una triste riunione redazionale per comunicare che *Millennium* chiuderà a Natale e che tutti voi sarete licenziati.»

A quel punto nella sala si diffuse una certa inquietudine. Perfino Christer Malm credette per un secondo che Mikael stesse dicendo sul serio. Poi notò il suo sorriso soddisfatto.

«Il vostro compito nel corso dell'autunno sarà di fare il doppio gioco. Succede infatti che il nostro caro segretario di redazione Janne Dahlman faccia un lavoretto extra come informatore per Hans-Erik Wennerström. Di conseguenza il nemico è costantemente informato di tutto ciò che accade qui in redazione e questo spiega un bel po' dei rovesci che abbiamo subito nell'ultimo anno. Questo riguarda anche te, Sonny, considerato che un buon numero di inserzionisti, che sembravano avere un atteggiamento positivo, tutto d'un tratto si sono tirati indietro.»

«Ci avrei giurato» sbottò Monika Nilsson.

Janne Dahlman non era mai stato particolarmente popolare in redazione e la notizia evidentemente non giungeva come uno choc per nessuno. Mikael interruppe il brusio che si era creato.

«Il motivo per cui vi ho raccontato questo è che ho assoluta fiducia in voi. Lavoro con voi da diversi anni e so che avete la testa sulle spalle. Perciò so anche che reciterete la vostra parte in ciò che accadrà quest'autunno. È di estrema importanza che Wennerström venga indotto a credere che *Millennium* è sul punto di crollare. Farglielo credere sarà compito vostro.»

«Qual è la situazione reale?» volle sapere Henry Cortez.

«È questa. So che è stato faticoso per tutti, e ancora non siamo giunti in porto. Secondo ogni buon senso, *Millennium* dovrebbe essere con un piede nella fossa. Ma vi do la mia parola che non accadrà. Oggi *Millennium* è più forte di quanto non lo fosse un anno fa. Quando questa riunione terminerà, io sparirò ancora per un paio di mesi. Verso la fine di ottobre sarò di ritorno. Allora taglieremo le ali a Hans-Erik Wennerström.»

«E come?» si chiese Cortez.

«*Sorry*. Questo non ve lo posso dire. Scriverò una nuova storia su Wennerström. Questa volta lo faremo nella maniera giusta. Poi potremo cominciare a preparare la festa di Natale qui al giornale. Mi immagino già Wennerström allo spiedo come piatto forte e critici vari come dessert.»

Tutto d'un tratto l'atmosfera era diventata allegra. Mikael si domandò come si sarebbe sentito se fosse stato seduto al tavolo della sala riunioni ad ascoltare se stesso. Dubbioso? Sì, probabilmente. Ma era chiaro che disponeva ancora di un certo capitale di fiducia fra la piccola schiera dei collaboratori di *Millennium*. Alzò di nuovo la mano.

«Perché questo piano riesca, è importante che Wennerström creda che *Millennium* sta per colare a picco. Non voglio che si inventi qualche controcampagna o che faccia sparire prove all'ultimo minuto. Perciò tanto per cominciare traceremo un piano secondo il quale lavoreremo quest'autunno. Come prima cosa è importante che nulla di ciò che abbiamo discusso oggi venga messo per iscritto o per e-mail o discusso con qualcuno al di fuori dei presenti. Non sappiamo in quale misura Dahlman frughi nei nostri computer e mi sono reso conto che è abbastanza semplice leggere la posta elettronica privata dei collaboratori. Perciò il nostro piano lo traceremo a voce. Se nelle prossime settimane avrete necessità di discuterne, dovrete rivolgervi a Christer e incontrarvi a casa sua. Con la massima discrezione.»

Mikael scrisse *niente e-mail* sulla lavagna bianca.

«Quando Erika tornerà a casa tu, Christer, la informerai su ciò che si sta facendo. Il suo lavoro sarà di fare in modo che Janne Dahlman creda che il nostro accordo con il Gruppo Vanger – che in questo momento ci sta tenendo a galla – è andato in fumo per via del fatto che Henrik Vanger è gravemente malato e Martin Vanger si è schiantato in macchina.»

Scrisse la parola *depistaggio*.

«Ma il contratto c'è sempre?» domandò Monika Nilsson.

«Credetemi» disse Mikael cupamente. «Il Gruppo Vanger si spingerà molto in là per fare in modo che *Millennium* sopravviva. Fra qualche settimana, alla fine di agosto, Erika convocherà una riunione e vi preannuncerà i licenziamenti. È importante che voi tutti capiate che è una finta e che l'unico che sparirà da qui è Janne Dahlman. Ma continuate a recitare. Cominciate a dire che state cercando un nuovo lavoro, e che avere *Millennium* nel *curriculum* è una ben misera referenza. E così via.»

«E tu credi che questo gioco salverà *Millennium*?» domandò Sonny Magnusson.

«Ne sono certo. Sonny, voglio che tu prepari un falso rapporto mensile che mostri come il mercato delle inserzioni abbia oscillato negli ultimi mesi e come gli abbonati siano diminuiti.»

«Questo suona divertente» disse Monika. «Dobbiamo tenerlo per noi o farlo arrivare anche ad altri media?»

«Tenetelo per voi. Se la storia salta fuori da qualche altra parte, sapremo chi l'ha diffusa. Se qualcuno ci fa domande fra qualche mese, almeno potremo rispondere – ma come? devi aver sentito delle voci prive di fondamento! non si è mai parlato di chiudere *Millennium*! La cosa migliore che possa succedere è che Dahlman vada in giro a informare altri mass-media. Allora la farà lui la figura dell'idiota, dopo. Se riuscite a passare a Dahlman qualche indicazione su qualche storia plausibile ma completamente idiota, va benissimo.»

Dedicarono due ore a mettere insieme uno scenario e ad assegnare a ognuno il suo ruolo.

Dopo la riunione, Mikael andò a bere il caffè con Christer Malm al Java di Horngatspuckeln.

«Christer, è molto importante che tu vada incontro a Erika già all'aeroporto e la metta al corrente. Devi convincerla a partecipare a questo gioco. Se la conosco bene, vorrà occuparsi di Dahlman immediatamente – e non deve succedere. Non voglio che a Wennerström fischino le orecchie e che abbia il tempo di far sparire qualche prova.»

«Okay.»

«E vedi di fare in modo che Erika si tenga lontana dalla posta elettronica finché non avrà installato il programma Pgp e non avrà imparato a usarlo. Tramite Dahlman, è probabile che Wennerström possa leggersi tutto quello che ci scriviamo. Voglio che tu e tutti gli altri della redazione installiate il

Pgp. Fatelo in maniera naturale. Ti darò il nome di un consulente informatico che dovrai contattare e che controllerà tutta la rete e i computer della redazione. Fagli installare il programma come se fosse un servizio del tutto normale.»

«Farò del mio meglio. Ma, Mikael, che cosa hai in mente tu?»

«Wennerström. Ho intenzione di inchiodarlo.»

«E come?»

«*Sorry*. Per ora è un mio segreto. Ti dico soltanto che sono in possesso di materiale che farà sembrare le nostre precedenti rivelazioni un intrattenimento per tutta la famiglia.»

Christer Malm assunse un'aria imbarazzata.

«Mi sono sempre fidato di te, Mikael. Questo significa che tu non ti fidi di me?»

Mikael scoppiò a ridere.

«No. Ma in questo momento sto conducendo un'attività criminosa, che mi potrebbe costare due anni di galera. Sono per così dire le forme della mia ricerca a essere un po' discutibili... Sto impiegando più o meno gli stessi metodi di Wennerström. Non voglio che tu o Erika o nessun altro della redazione siate in qualche modo coinvolti.»

«Hai sempre la capacità di rendermi inquieto.»

«Stai tranquillo. E riferisci a Erika che la storia sarà grossa. Molto grossa.»

«Erika vorrà sapere che cosa stai combinando...»

Mikael rifletté un secondo. Poi sorrise.

«Dille che la primavera scorsa, quando ha concluso l'accordo con Henrik Vanger alle mie spalle, mi ha fatto capire molto chiaramente che adesso io sono solo un comune, mortale free-lance, che non fa più parte del consiglio d'amministrazione e non ha più influenza sulla politica di *Millennium*. Il che vuol dire che non ho nemmeno più nessun obbligo di tenerla informata. Ma prometto che se farà la brava le darò il primo assaggio della storia.»

D'improvviso Christer Malm rise.

«Andrà su tutte le furie» constatò allegro.

Mikael si rendeva conto di non essere stato del tutto onesto con Christer Malm. Evitava Erika di proposito. La cosa naturale sarebbe stata prendere immediatamente contatto con lei e farla partecipe delle informazioni di cui era in possesso. Ma lui non voleva parlarle. Dozzine di volte con il cellulare in mano era stato sul punto di digitare il suo numero. Ogni volta aveva cambiato idea.

Sapeva qual era il problema. Non poteva guardarla negli occhi.

L'insabbiatura cui si era prestato a Hedestad era imperdonabile per un giornalista. Non aveva idea di come avrebbe potuto spiegarlo a Erika senza mentire, e se c'era qualcosa che aveva intenzione di non fare mai e poi mai, era mentire a Erika Berger.

E soprattutto non se la sentiva di gestire quella faccenda e al tempo stesso di occuparsi di Wennerström. Di conseguenza rimandò l'incontro, spense il cellulare e si astenne dal parlare con lei. Sapeva però che si trattava soltanto di un rinvio.

Subito dopo la riunione di redazione, Mikael si trasferì nella sua casetta di Sandhamn, dove non andava da più di un anno. Nel bagagliaio aveva due scatoloni di stampate e i cd che gli aveva fornito Lisbeth Salander. Fece rifornimento di vettovaglie, si chiuse in casa, aprì il portatile e cominciò a scrivere. Tutti i giorni faceva una breve passeggiata per comperare i giornali e fare la spesa. Il porticciolo turistico era ancora pieno di barche a vela, e giovani che avevano preso in prestito la barca di papà affollavano come al solito il Bar del Sub e si ubriacavano. Mikael non si accorgeva quasi di ciò che gli succedeva intorno. In pratica, stava seduto davanti al computer dal momento in cui apriva gli occhi a quando li chiudeva esausto la sera.

Messaggio criptato
dal caporedattore
erika.berger@millennium.se
al direttore responsabile in congedo temporaneo
mikael.blomkvist@millennium.se
Mikael. Devo sapere che cosa sta succedendo – santo cielo, torno a casa dalle ferie e trovo il caos più totale. La notizia di Janne Dahlman e questo doppio gioco che ti sei inventato. Martin Vanger è morto. Harriet Vanger è viva. Che sta succedendo su a Hedeby? Dove sei tu adesso? C'è qualche storia in ballo? Perché non rispondi al cellulare? E.
P.S. Ho capito la frecciata, che Christer mi ha riportato. Questa me la paghi. Sei arrabbiato sul serio con me?

Da mikael.blomkvist@millennium.se
A erika.berger@millennium.se
Ciao Ricky. No, per carità, non sono affatto arrabbiato. Scusami se non sono riuscito a tenerti aggiornata, ma negli ultimi mesi la mia vita è stata un otto volante. Ti racconterò tutto quando ci vedremo, ma non per e-mail. In questo momento sono a Sandhamn. C'è una storia, ma Harriet Vanger non c'entra. Per i prossimi tempi me ne starò incollato qui. Poi finirà. Fidati. Baci. M.

Da erika.berger@millennium.se
A mikael.blomkvist@millennium.se
Sandhamn? Vengo a trovarti immediatamente.

Da mikael.blomkvist@millennium.se
A erika.berger@millennium.se ,
Non ora. Aspetta un paio di settimane, almeno fino a quan-

do avrò messo un po' in ordine il testo. Inoltre aspetto un'altra persona.

Da erika.berger@millennium.se
A mikael.blomkvist@millennium.se
Allora naturalmente mi terrò alla larga. Ma devo sapere che cosa sta succedendo. Henrik Vanger è diventato di nuovo·amministratore delegato e non risponde quando chiamo. Se il contratto con Vanger è saltato, io devo saperlo. In questo momento non so proprio che cosa fare. Devo sapere se il giornale sopravviverà oppure no. Ricky
P.S. Lei chi è?

Da mikael.blomkvist@millennium.se
A erika.berger@millennium.se
Anzitutto: puoi stare assolutamente tranquilla che Henrik non si tirerà indietro. Ma ha avuto una brutta crisi cardiaca e al momento lavora molto poco e posso immaginare che il caos conseguente alla morte di Martin e al ritorno di Harriet assorba tutte le sue forze.
Secondo: Millennium *sopravviverà. Sto lavorando al più importante reportage della nostra vita e quando lo pubblicheremo manderemo a picco Wennerström per sempre.*
Terzo: in questo momento la mia vita è sottosopra, ma quanto a te e me e Millennium *niente è cambiato. Fidati di me. Baci. Mikael*
P.S. Vi presenterò non appena ci sarà l'occasione. Lei ti darà da pensare.

Quando Lisbeth Salander arrivò a Sandhamn, trovò un Mikael Blomkvist con la barba lunga e le occhiaie, che la abbracciò rapidamente e la pregò di preparare il caffè e aspettare mentre lui terminava di scrivere una cosa.

Lisbeth si guardò intorno nella casetta e constatò quasi subito che le piaceva. Sorgeva direttamente su un pontile, con l'acqua a due metri dalla porta. Misurava meno di sei metri per cinque ma aveva il soffitto così alto che in cima a una scala a chiocciola c'era spazio per un soppalco dove dormire. Lei riusciva a stare dritta – Mikael invece era costretto a piegarsi qualche centimetro. Lisbeth ispezionò il letto e constatò che era abbastanza largo per ospitarli tutti e due.

La casa aveva una grande finestra verso il mare, subito accanto alla porta d'ingresso. Lì c'era il tavolo da cucina di Mikael che fungeva anche da tavolo da lavoro. Sulla parete accanto c'era una mensola con un lettore cd e una vasta raccolta di dischi di Elvis Presley mescolati con hard rock, il che non corrispondeva alle preferenze musicali di Lisbeth.

In un angolo c'era un camino di pietra ollare chiuso da pannelli di vetro. Per il resto l'arredamento consisteva solo di un grande armadio a muro per gli abiti e la biancheria e di un ripiano con un lavello che fungeva anche da angolo per lavarsi dietro una tenda da doccia. Accanto al lavello c'era una finestrella che si apriva sul fianco della casa. Sotto la scala a chiocciola Mikael aveva costruito uno spazio separato per un wc chimico. Tutta la casa era arredata come la cabina di una barca, con un sacco di spazi ingegnosi per riporre le cose.

Nella sua indagine personale su Mikael Blomkvist, Lisbeth aveva scritto che aveva ristrutturato la casetta costruendo i mobili con le proprie mani – una notizia dedotta dai commenti di un conoscente che gli aveva mandato una e-mail dopo una visita a Sandhamn, e che era rimasto impressionato dalla sua abilità manuale. Tutto era ordinato, senza pretese e semplice, quasi spartano. Capiva perché lui amasse così tanto la casetta di Sandhamn.

Dopo due ore riuscì a distrarre Mikael a tal punto da indurlo a spegnere il computer, rasarsi e portarla a fare un giro. Il tempo era piovoso e ventoso, e ben presto finirono alla locanda. Mikael raccontò che cosa aveva scritto e Lisbeth gli diede un cd con gli aggiornamenti dal computer di Wennerström.

Poi lo trascinò a casa sul soppalco e riuscì a fargli togliere i vestiti e a distrarlo ulteriormente. A notte fonda si svegliò sentendo di essere sola nel letto e guardò giù dal soppalco e lo vide seduto al tavolo, chino sul computer. Rimase a lungo a osservarlo, la testa poggiata sulla mano. Sembrava felice, e lei si sentì all'improvviso curiosamente in pace con la vita.

Lisbeth si fermò solo cinque giorni prima di ritornare a Stoccolma per un lavoro di cui Dragan Armanskij l'aveva supplicata di occuparsi. Dedicò undici giorni lavorativi all'incarico, fece rapporto e tornò di nuovo a Sandhamn. La montagna di carta con le stampate accanto al computer di Mikael era cresciuta.

Questa volta si fermò quattro settimane. Col tempo instaurarono una routine. Si alzavano alle otto, facevano colazione e stavano insieme un'oretta. Quindi Mikael lavorava intensamente fino al tardo pomeriggio, quando facevano una passeggiata e chiacchieravano. Lisbeth trascorreva la maggior parte della giornata a letto, dove o leggeva o navigava in Internet attraverso l'adsl di Mikael. Di giorno evitava di disturbarlo. Cenavano abbastanza tardi e solo dopo cena prendeva l'iniziativa e lo trascinava sul soppalco, dove faceva in modo che le dedicasse tutta l'attenzione possibile.

A Lisbeth pareva di essere in vacanza per la prima volta nella sua vita.

Posta elettronica criptata
da erika.berger@millennium.se
a mikael.blomkvist@millennium.se
Ciao M. Adesso è ufficiale. Janne Dahlman ha dato le dimis-

sioni e comincerà a lavorare al Monopol *fra tre settimane. Ti ho accontentato e non ho detto nulla e tutti continuano la recita. E.*

P.S. In ogni caso, hanno tutti l'aria di divertirsi. Due giorni fa, Henry e Lotta hanno avuto un litigio durante il quale si sono lanciati addosso delle cose. Hanno preso in giro Dahlman in modo così plateale che non capisco come faccia a non capire che è tutta una finta.

Da mikael.blomkvist@millennium.se
A erika.berger@millennium.se
Auguragli buona fortuna e lascia che vada. Ma metti sotto chiave l'argenteria. Baci. M.

Da erika.berger@millennium.se
A mikael.blomkvist@millennium.se
Sono senza segretario di redazione due settimane prima di andare in stampa, e il mio giornalista esperto in indagini sta a Sandhamn e si rifiuta di parlare con me. Micke, mi metto in ginocchio. Puoi venire a rimpiazzarlo? Erika

Da mikael.blomkvist@millennium.se
A erika.berger@millennium.se
Resisti ancora un paio di settimane, poi saremo in porto. E comincia a far conto che il numero di dicembre sarà diverso da qualsiasi cosa che abbiamo mai fatto. Il mio testo occuperà circa 40 pagine del giornale. M.

Da erika.berger@millennium.se
A mikael.blomkvist@millennium.se
40 PAGINE!!! Ma sei sicuro di essere in te?

Da mikael.blomkvist@millennium.se
A erika.berger@millennium.se
Sarà un numero a tema. Mi servono ancora tre settimane. Per

favore fai quanto segue: 1) registrare una casa editrice deno-minata Millennium 2) procurare un numero Isbn 3) chiedere a Christer di mettere insieme un bel logo per la nostra nuo-va casa editrice e 4) cercare una buona tipografia che possa fa-re un'edizione tascabile in modo rapido ed economico. E, fra parentesi, ci servirà del capitale per stampare il nostro primo libro. Baci. Mikael

Da erika.berger@millennium.se
A mikael.blomkvist@millennium.se
Numero a tema. Casa editrice. Soldi. Yes master. Qualcos'al-tro che vuoi che faccia? Danzare nuda in Slussplan? E.
P.S. Suppongo che tu sappia quello che stai facendo. Ma che cosa devo fare io con Dahlman?

Da mikael.blomkvist@millennium.se
A erika.berger@millennium.se
Non fare nulla con Dahlman. Lascialo andare. Il Monopol non vivrà molto a lungo. Raccogli più materiale free-lance per questo numero, assumi un nuovo segretario di redazione, per la miseria. M.
P.S. Mi piacerebbe davvero vederti nuda in Slussplan.

Da erika.berger@millennium.se
A mikael.blomkvist@millennium.se
Slussplan – te lo sogni. Ma abbiamo sempre fatto le assun-zioni insieme. Ricky

Da mikael.blomkvist@millennium.se
A erika.berger@millennium.se
E ci siamo sempre trovati d'accordo su chi assumere. Lo sare-mo anche stavolta, chiunque tu scelga. Inchioderemo Wen-nerström. Questo è tutto. Lasciami solo finire in pace. M.

All'inizio di ottobre Lisbeth Salander lesse un trafiletto che aveva trovato sull'edizione in rete dell'*Hedestads-Kuriren*. Lo segnalò all'attenzione di Mikael. Isabella Vanger era deceduta dopo un breve periodo di malattia. Lasciava la figlia Harriet, da poco ritrovata.

Messaggio cifrato
da erika.berger@millennium.se
a mikael.blomkvist@millennium.se
Ciao Mikael. Harriet Vanger è venuta a trovarmi in redazione oggi. Mi ha telefonato cinque minuti prima di salire e mi ha colta del tutto impreparata. Una bella donna in abiti eleganti e con lo sguardo gelido.
Veniva per comunicarmi che sostituirà Martin Vanger come stand-by di Henrik nel consiglio d'amministrazione. Era cortese e gentile e mi ha assicurato che il Gruppo Vanger non intende fare marcia indietro nel nostro accordo ma che anzi la famiglia appoggia completamente gli impegni di Henrik nei confronti del giornale. Ha chiesto di poter fare un giro della redazione e ha voluto sapere come io vivevo questo momento. Io ho detto la verità. Che ho l'impressione di non avere un terreno solido sotto i piedi, che tu mi hai proibito di venirti a trovare a Sandhamn e che non so a cosa stai lavorando, al di là del fatto che pensi di poter inchiodare Wennerström. (Ho supposto di poterglielo raccontare. Nonostante tutto, siede nel nostro consiglio d'amministrazione.) Lei ha alzato un sopracciglio e ha sorriso e mi ha chiesto se dubitavo che ci saresti riuscito. Che cosa si risponde a una domanda del genere? Ho detto che sarei molto più tranquilla se sapessi che cosa sta succedendo. È chiaro che mi fido di te. Ma tu mi stai facendo impazzire.
Le ho chiesto se sapeva di che cosa ti stessi occupando. Ha detto di no ma ha sostenuto che le hai dato l'impressione di essere stranamente giudizioso, con un modo di pensare innovativo. (Parole sue.)

Io ho detto anche che capivo che doveva essere successo qualcosa di drammatico su a Hedestad e che stavo impazzendo di curiosità circa la storia di Harriet Vanger. In poche parole, mi sentivo un'idiota. Lei si è chiesta se veramente tu non mi avessi raccontato nulla. Ha detto che le era parso di capire che tu e io avevamo un rapporto speciale e che di sicuro mi avresti raccontato tutto quando avessi avuto un po' di tempo. Poi mi ha chiesto se poteva fidarsi di me. Che cosa dovevo rispondere? Lei siede nel consiglio d'amministrazione di Millennium e tu mi hai lasciato senza nulla con cui trattare.

Poi ha detto qualcosa di strano. Mi ha pregata di non giudicare né lei né te troppo duramente. Ha sostenuto di essere in debito di riconoscenza nei tuoi confronti, e che le piacerebbe che anche io e lei potessimo essere amiche. Poi ha promesso di raccontarmi lei la storia, se tu non fossi riuscito a farlo. Mi ha lasciata mezz'ora dopo, sconcertata. Credo che quella donna mi piaccia, ma non so se posso fidarmi di lei. Erika.

P.S. Mi manchi. Ho la sensazione che a Hedestad sia successo qualcosa di orribile. Christer dice che hai uno strano segno – di un cappio? – sul collo.

Da mikael.blomkvist@millennium.se
A erika.berger@millennium.se
Ciao Ricky. La storia di Harriet è così triste e miserabile che non te la puoi neanche immaginare. Sarebbe ottimo se fosse lei a raccontartela. Io non riesco quasi a pensarci.

In attesa di questo mi faccio garante che ti puoi fidare di Harriet Vanger. Ha detto la verità sostenendo di avere un debito di riconoscenza nei miei confronti e, credimi, non farà mai nulla per danneggiare Millennium. Diventa sua amica se ti va a genio. Lascia perdere se non ti piace. Ma merita rispetto. È una donna con un bagaglio pesante e io provo grande simpatia per lei. M.

Il giorno seguente Mikael ricevette un'ulteriore e-mail.

Da harriet.vanger@vangerindustries.com
A mikael.blomkvist@millennium.se
Salve Mikael. Sono settimane che cerco di trovare il tempo di farmi viva con te, ma sembra che le ore non bastino mai. Sei sparito così precipitosamente da Hedeby che non ho avuto modo di congedarmi da te.
Da quando sono tornata in Svezia, le mie giornate sono state piene di impressioni sconvolgenti e di duro lavoro. Le industrie Vanger si trovano nel caos e insieme a Henrik mi sono data da fare per mettere un po' d'ordine. Ieri sono stata a visitare Millennium; entrerò volentieri nel consiglio d'amministrazione come rappresentante di Henrik. Henrik mi ha raccontato diffusamente della situazione tua e del giornale.
Spero che tu accetti la mia presenza. Se non vuoi me (o qualcun altro della famiglia) nel consiglio d'amministrazione, ti capirò, ma ti assicuro che farò di tutto per sostenere il vostro giornale. Mi sento profondamente in debito con te e ti garantisco che le mie intenzioni in questo contesto saranno sempre le migliori. Ho conosciuto la tua amica Erika Berger. Non so esattamente che cosa pensi di me, e sono rimasta sorpresa che tu non le abbia raccontato ciò che è successo.
Sarei felice di diventare tua amica. Se mai te la sentirai di sopportare qualcuno della famiglia Vanger in futuro. Tanti cari saluti, Harriet.
P.S. Ho saputo da Erika che hai intenzione di attaccare Wennerström di nuovo. Dirch Frode mi ha raccontato come Henrik ti abbia imbrogliato. Che cosa posso dire? Mi dispiace. Se c'è qualcosa che posso fare, devi dirmelo.

Da mikael.blomkvist@millennium.se
A harriet.vanger@vangerindustries.com
Salve Harriet. Ho lasciato Hedeby in fretta e furia e adesso

sto lavorando a quello a cui in realtà mi sarei dovuto dedicare quest'anno. Sarai informata per tempo prima che il testo vada in stampa, ma credo di poter affermare che i problemi di quest'ultimo anno presto saranno superati.

Spero che tu ed Erika diventiate amiche e io ovviamente non ho nulla in contrario a che tu entri a far parte del consiglio d'amministrazione di Millennium. *Un giorno racconterò a Erika ciò che è successo. Ma in questo preciso momento non ne ho né la forza né il tempo e voglio prima riuscire a raggiungere un certo distacco.*

Teniamoci in contatto. Saluti. Mikael

Lisbeth non dedicava al lavoro di Mikael particolare interesse. Alzò lo sguardo dal suo libro quando lui disse qualcosa che lei da principio non capì.

«Scusa. Stavo pensando ad alta voce. Ho detto che questa è grossa.»

«Di cosa parli?»

«Wennerström ebbe una storia con una cameriera ventiduenne che mise incinta. Non hai letto la sua corrispondenza con l'avvocato?»

«Mikael, per favore, ci sono dieci anni di corrispondenza, posta elettronica, contratti, documenti di viaggio e Dio sa cos'altro su quell'hard disk. Non sono affascinata da Wennerström al punto di spararmi sei gigabyte di sciocchezze. Ne ho letto una parte, più che altro per soddisfare la mia curiosità, e ho constatato che è un bandito.»

«Okay. La mise incinta nel 1997. Quando la ragazza chiese un risarcimento, l'avvocato di lui incaricò qualcuno di convincerla ad abortire. Suppongo che le avessero offerto una somma di denaro, ma lei non era interessata. Allora l'inviato esercitò la sua capacità di persuasione tenendola sott'acqua in una vasca da bagno finché lei non acconsentì a lasciare in pace Wennerström. E tutto questo quell'idiota di Wennerström lo scrive al suo avvocato in una e-mail – criptata, d'accordo, ma in ogni caso... Non mi sembra di vedere un gran livello di furbizia in questo materiale.»

«Che ne fu della ragazza?»

«Abortì. Wennerström fu accontentato.»

Lisbeth Salander non disse nulla per dieci minuti. Di colpo i suoi occhi erano diventati neri.

«Ancora un uomo che odia le donne» mormorò alla fine. Mikael non la sentì.

Lisbeth prese in prestito i cd e trascorse le successive giornate a leggere con pignoleria la posta elettronica di Wennerström e altri documenti. Mentre Mikael proseguiva nel suo lavoro, Lisbeth se ne stava sul soppalco con il suo PowerBook sulle ginocchia e rifletteva sul rimarchevole impero di Wennerström.

Aveva formulato un certo pensiero che non riusciva ad abbandonare. Più che altro si domandava perché non le fosse venuto in mente prima.

Alla fine di ottobre Mikael stampò una pagina e poi spense il computer, già alle undici di mattina. Senza una parola si arrampicò sul soppalco e allungò a Lisbeth un bel malloppo di carte. Quindi si addormentò. Lei lo svegliò che era sera e gli espose i suoi punti di vista sul testo.

Poco dopo le due del mattino, Mikael fece un ultimo backup del suo testo.

Il giorno seguente sprangò gli scuri della casetta e chiuse la porta a chiave. La vacanza di Lisbeth era finita. Fecero ritorno a Stoccolma insieme.

Mikael aveva una domanda un po' delicata da fare a Lisbeth prima che arrivassero in città. Affrontò l'argomento mentre bevevano caffè da bicchieri di carta sul traghetto di Vaxholm.

«Ciò che dobbiamo concordare fra noi è che cosa racconterò a Erika. Rifiuterà certamente di pubblicare questa storia se non le spiegherò come sono venuto in possesso del materiale.»

Erika Berger. Da molti anni amante e caporedattore di Mikael. Lisbeth non l'aveva mai incontrata e non era nemmeno sicura di volerlo fare. Nella sua vita, era come una indefinibile interferenza.

«Che cosa sa lei di me?»

«Niente.» Mikael sospirò. «Il fatto è che è dall'estate scorsa che la evito. Non sono riuscito a raccontarle ciò che è accaduto a Hedestad perché me ne vergogno orrendamente. Lei è molto frustrata per la mia reticenza a fornire informazioni. Naturalmente sa che sono stato a Sandhamn a scrivere questo testo, ma non sa nulla del contenuto.»

«Hmm.»

«Fra un paio d'ore riceverà il manoscritto. Allora metterà in piedi un interrogatorio di terzo grado. La questione è: che cosa le devo dire?»

«Tu che cosa vorresti dire?»

«Vorrei raccontare la verità.»

Sulla fronte di Lisbeth si formò una ruga.

«Lisbeth, Erika e io litighiamo quasi sempre. Fa un po' parte del nostro gergo. Ma ci fidiamo ciecamente l'uno dell'altra. Lei è assolutamente affidabile. Tu sei una fonte. Morirebbe piuttosto che fare il tuo nome.»

«A quante altre persone sarai costretto a rivelarlo?»

«Assolutamente nessuna. È una informazione che scenderà nella tomba con me e con Erika. Ma io non le rivelerò il tuo segreto se mi dici di no. Non ho però intenzione di dirle una bugia inventandomi una fonte che non esiste.»

Lisbeth rifletté fino a quando attraccarono di fronte al Grand Hotel. *Analisi delle conseguenze.* Alla fine, controvoglia, diede a Mikael il permesso di presentarla a Erika. Lui accese il cellulare e telefonò.

Erika Berger ricevette la chiamata di Mikael nel bel mezzo di un pranzo di lavoro con Malin Eriksson, che stava valutando se assumere come segretaria di redazione. Malin aveva ventinove anni e da cinque faceva sostituzioni. Non aveva mai avuto un posto fisso e aveva cominciato a dubitare di trovarne uno. La ricerca di un collaboratore non era stata pubblicizzata; a Erika il nome di Malin Eriksson era stato suggerito da una vecchia conoscente che lavorava per un settimanale. Le aveva telefonato proprio il giorno in cui terminava una sostituzione e le aveva chiesto se fosse interessata a un impiego a *Millennium*.

«Si tratta di un impiego a tempo determinato. Tre mesi» spiegò Erika. «Ma se funziona, può diventare un impiego fisso.»

«Ho sentito delle voci secondo cui *Millennium* starebbe per chiudere.»

Erika Berger sorrise.

«Non devi credere alle voci.»

«Questo Dahlman che dovrei sostituire...» Malin Eriksson esitò. «Passa a un giornale di proprietà di Hans-Erik Wennerström...»

Erika annuì. «Non è certo un segreto che siamo in conflitto con Wennerström. A lui non piace la gente che lavora per *Millennium*.»

«Perciò, se accetto l'incarico, anch'io finirò in quella categoria.»

«È molto probabile, sì.»

«Ma Dahlman ha avuto un posto al *Monopol?*»

«Si può dire che è il modo di Wennerström di pagare diversi servizi che Dahlman gli ha reso. Sei ancora interessata?»

Malin Eriksson rifletté un momento. Poi annuì.

«Quando vuole che cominci?»

In quel preciso momento telefonò Mikael Blomkvist e interruppe il colloquio di assunzione.

Erika usò il suo mazzo personale di chiavi per aprire la porta dell'appartamento di Mikael. Era la prima volta dopo la breve visita di lui in redazione a giugno che lo vedeva faccia a faccia. Entrò in soggiorno e trovò sul divano una ragazzina anoressica, vestita di una giacca di pelle consunta e con i piedi appoggiati sul tavolino. Da principio credette che fosse una quindicenne, ma poi vide i suoi occhi. Stava ancora osservando quella strana apparizione quando entrò Mikael con caffè e dolcetti.

Mikael ed Erika si scrutarono.

«Scusa se sono stato davvero impossibile» disse Mikael.

Erika piegò la testa di lato. Qualcosa era cambiato, in lui. Appariva tirato, più magro di come se lo ricordava. I suoi occhi erano pieni di vergogna e per un breve attimo evitò il suo sguardo. Lei gli sbirciò di sottecchi il collo. C'era un segno non più così vivido ma tuttavia chiaramente distinguibile.

«Ti ho evitata. È una storia molto lunga e non sono affatto orgoglioso del ruolo che vi ho avuto. Ma ne parliamo più tardi... adesso voglio presentarti questa giovane signora. Erika, questa è Lisbeth Salander. Lisbeth, Erika Berger, caporedattore di *Millennium* e la mia migliore amica.»

Lisbeth esaminò i suoi vestiti eleganti e il suo atteggiamento sicuro e già dopo dieci secondi decise che Erika Berger probabilmente non sarebbe diventata anche la sua migliore amica.

L'incontro durò cinque ore. Erika telefonò due volte per disdire altri appuntamenti. Dedicò un'ora a leggere parte del manoscritto che Mikael le aveva consegnato. Aveva mille domande ma si rendeva conto che ci sarebbero volute settimane prima di ottenere una risposta. L'importante era il manoscritto, che alla fine mise da parte. Se anche solo una piccola percentuale delle affermazioni contenute fosse stata corretta, si era creata una situazione completamente nuova.

Erika guardò Mikael. Non aveva mai dubitato che fosse una persona onesta, ma per un secondo provò un senso di vertigine e si domandò se l'affare Wennerström non l'avesse distrutto – inducendolo a produrre un parto di fantasia. In quell'attimo, Mikael tirò fuori due scatoloni pieni di materiale stampato. Le fonti. Erika impallidì. Naturalmente chiese subito come fosse entrato in possesso di quel materiale.

Ci volle non poco a convincerla che la strana ragazza, che ancora non aveva detto una parola durante l'incontro, aveva accesso illimitato al computer di Hans-Erik Wennerström. E non solo al suo – era anche riuscita a introdursi nei computer dei suoi avvocati e dei suoi più stretti collaboratori.

La reazione spontanea di Erika fu che non potevano utilizzare il materiale dal momento che era stato ottenuto mediante intrusione illecita in sistemi informatici.

Invece naturalmente potevano. Mikael fece osservare che non avevano nessun obbligo di dimostrare come fossero venuti in possesso del materiale. Potevano benissimo avere avuto una fonte che aveva accesso al computer di Wennerström e che aveva copiato il suo hard disk su un cd.

Alla fine Erika capì quale arma avesse in pugno. Si sentiva sfinita e aveva ancora domande, ma non sapeva da che parte cominciare. Da ultimo si lasciò andare contro lo schienale del divano e allargò le braccia.

«Mikael, che cosa è successo su a Hedestad?»

Lisbeth Salander alzò di scatto lo sguardo. Mikael rimase in silenzio un lungo momento. Poi rispose con un'altra domanda.

«Come ti trovi con Harriet Vanger?»

«Bene. Credo. L'ho incontrata due volte. Io e Christer siamo andati a Hedestad per una riunione del consiglio d'amministrazione la scorsa settimana. Abbiamo bevuto vino fino a ubriacarci.»

«E come è andata la riunione?»

«Lei mantiene la sua parola.»

«Ricky, lo so che sei frustrata perché mi sono defilato e ho trovato delle scuse per evitare di raccontare. Tu e io non abbiamo mai avuto segreti e tutto d'un tratto ho un mezzo anno della mia vita che non... non ce la faccio a raccontarti.»

Erika incontrò lo sguardo di Mikael. Lo conosceva a menadito, ma ciò che lesse nei suoi occhi era qualcosa che non aveva mai visto prima. Sembrava supplichevole. La pregava di non fare domande. Lei aprì la bocca e lo guardò sgomenta. Lisbeth Salander osservava la loro silenziosa conversazione con sguardo neutrale. Non voleva intromettersi.

«È stato così terribile?»

«Anche peggio. Ho temuto questo colloquio. Ti prometto che ti racconterò tutto, ma ho dedicato diversi mesi a soffocare le mie sensazioni mentre Wennerström assorbiva il mio interesse... non sono ancora veramente pronto. Sarei felice se fosse Harriet a raccontare al posto mio.»

«Che cos'è quel segno che hai intorno al collo?»

«Lisbeth mi ha salvato la vita lassù. Se non ci fosse stata lei, adesso sarei morto.»

Gli occhi di Erika si dilatarono. Guardò la ragazza con la giacca di pelle.

«E in questo preciso momento devi fare un contratto con lei. È lei la nostra fonte.»

Erika Berger rimase a lungo seduta immobile, a riflettere. Poi fece qualcosa che colse Mikael alla sprovvista e sgomentò Lisbeth, e che sorprese perfino lei stessa. Per tutto il tempo che era stata seduta al tavolo del soggiorno nella casa di Mikael, aveva percepito lo sguardo di Lisbeth Salander. Una ragazza taciturna con vibrazioni ostili.

Erika si alzò e girò intorno al tavolo e abbracciò Lisbeth Salander. Lisbeth si contorse come un verme che sta per essere infilzato sull'amo.

29.
Sabato 1 novembre - martedì 25 novembre

Lisbeth Salander navigava attraverso l'impero cibernetico di Hans-Erik Wennerström. Era seduta davanti allo schermo del computer da circa undici ore. La vaga idea che si era materializzata in qualche angolo oscuro del suo cervello durante l'ultima settimana a Sandhamn era cresciuta fino a diventare un'occupazione maniacale. Per quattro settimane si era isolata nel suo appartamento, ignorando tutte le chiamate di Dragan Armanskij. Aveva passato dalle dodici alle quindici ore al giorno davanti al computer, e nelle ore restanti aveva riflettuto sempre sullo stesso problema.

Durante quelle settimane aveva avuto solo sporadici contatti con Mikael Blomkvist; anche lui era in pari misura ossessionato dal proprio lavoro alla redazione di *Millennium*. Si erano sentiti un paio di volte la settimana e lei l'aveva tenuto aggiornato sulla corrispondenza di Wennerström e altre sue attività.

Per la centesima volta ripassò con cura tutti i dettagli. Non aveva paura di aver trascurato qualcosa, ma non era sicura di aver capito come funzionasse davvero quell'intrico di collegamenti.

L'impero di Wennerström appariva come un organismo vivo, pulsante, informe, che mutava continuamente aspetto.

Consisteva di opzioni, obbligazioni, azioni, compartecipazioni, interessi su prestiti, interessi su redditi, pegni, conti bancari, trasferimenti e mille altri elementi. Una parte enorme delle risorse era collocata in società di comodo che si possedevano a vicenda.

Le analisi più fantasiose degli esperti di economia stimavano che il valore del Wennerstroem Group ammontasse a oltre novecento miliardi di corone. Si trattava di un bluff, o per lo meno di una cifra grossolanamente esagerata. Ma Wennerström non era certo un pezzente. Lisbeth Salander aveva calcolato un valore compreso fra novanta e cento miliardi di corone, il che non era un'inezia. Per una seria revisione di tutto il gruppo ci sarebbero voluti anni. Nel complesso, Lisbeth aveva identificato quasi tremila diversi conti e risorse bancarie in giro per il mondo. Wennerström si dedicava alla frode in maniera così grandiosa che non era più un crimine – erano affari.

Da qualche parte nell'organismo wennerströmiano c'era poi anche della sostanza. Tre voci comparivano sempre nella gerarchia. Le stabili risorse svedesi erano irreprensibili e autentiche, esposte alla verifica e alle pubbliche revisioni. L'attività americana era solida e una banca di New York costituiva la base di tutti i capitali mobili. E la parte interessante stava nelle attività delle società di comodo in posti come Gibilterra, Cipro, Macao. Wennerström era come un emporio del commercio illegale di armi, del riciclaggio di denaro per società sospette in Colombia e di affari decisamente poco ortodossi in Russia.

Un conto anonimo alle Isole Cayman era davvero speciale; era controllato personalmente da Wennerström, ma era estraneo a tutti gli affari. Qualche decimo di millesimo di ogni affare che Wennerström faceva affluiva goccia a goccia di continuo alle Cayman attraverso le società di comodo.

Lisbeth lavorava in uno stato quasi ipnotico. Conto – *clic*

– posta elettronica – *clic* – bilancio – *clic*. Notò gli ultimi trasferimenti. Seguì le tracce di una piccola transazione dal Giappone a Singapore e poi alle Cayman via Lussemburgo. Capì come funzionava. Lei era come una parte degli impulsi nel ciberspazio. Piccoli cambiamenti. L'ultima e-mail. Un unico scarno messaggio di interesse periferico era stato inviato alle dieci di sera. Il programma di criptazione Pgp, *rattle, rattle*, uno scherzo per chi si trovava già dentro il suo computer e poteva leggere il messaggio in chiaro.

Berger ha smesso di lamentarsi per le inserzioni. Si è arresa oppure ha qualcosa d'altro per le mani? La tua fonte alla redazione aveva assicurato che sono in caduta libera, ma sembra che abbiano appena fatto una nuova assunzione. Informati su cosa sta succedendo. Blomkvist ha scritto come un matto a Sandhamn nelle ultime settimane, ma nessuno sa che cosa. Negli ultimi giorni è stato visto in redazione. Puoi procurarti un'anteprima del prossimo numero? Hew

Niente di drammatico. Lasciamo che si lambicchi il cervello. *Ormai sei finito, vecchio mio.*

Alle cinque e mezza del mattino si scollegò e spense il computer, e cercò un nuovo pacchetto di sigarette. Aveva bevuto quattro o cinque lattine di Coca-Cola durante la notte e ne prese una sesta prima di sedersi sul divano. Aveva indosso solo gli slip e una consunta T-shirt pubblicitaria a disegni mimetici del Soldier of Fortune Magazine, con il testo *Kill them all and let God sort them out*. Scoprì di avere freddo, e allungò la mano per prendere un plaid nel quale si avvolse.

Si sentiva su di giri, come se avesse ingerito qualche sostanza strana e illegale. Puntò lo sguardo su un lampione fuori della finestra e rimase seduta immobile mentre il cervello lavorava intensamente. Mamma – *clic* – sorella – *clic* –

Mimmi – *clic* – Holger Palmgren. Evil Fingers. E Arman-skij. Il lavoro. Harriet Vanger. *Clic.* Martin Vanger. *Clic.* La mazza da golf. *Clic.* L'avvocato Nils Bjurman. *Clic.* Ogni singolo maledetto dettaglio che non poteva dimenticare nemmeno se ci provava.

Si chiese se Bjurman si sarebbe mai più spogliato di fronte a una donna, e come avrebbe spiegato in tal caso i tatuaggi sulla sua pancia. E come avrebbe fatto a evitare di togliersi i vestiti la prossima volta che fosse andato dal medico.

E Mikael Blomkvist. *Clic.*

Lo giudicava una brava persona, forse con un complesso del Tipo in Gamba un po' troppo marcato. E purtroppo insopportabilmente ingenuo su certe elementari questioni morali. Era una natura indulgente, che cercava spiegazioni e scusanti psicologiche per il comportamento umano, e che non avrebbe mai capito che i predatori del mondo comprendevano un solo linguaggio. Quando pensava a lui, provava quasi uno scomodo istinto di protezione.

Non ricordava quando si fosse addormentata, ma il mattino dopo si svegliò alle nove con il torcicollo e la testa appoggiata alla parete dietro il divano. Raggiunse barcollando la camera da letto e si riaddormentò.

Era senza dubbio il reportage più importante della loro vita. Per la prima volta da un anno e mezzo, Erika Berger era felice come può esserlo solo un redattore che abbia in mano uno scoop grandioso. Insieme a Mikael stava dando l'ultima limatura al testo quando Lisbeth Salander chiamò Mikael sul cellulare.

«Ho dimenticato di dirti che Wennerström comincia a essere preoccupato per tutto il tuo scrivere degli ultimi tempi e ha chiesto un'anteprima del vostro prossimo numero.»

«Come fai a... lascia perdere. Qualche informazione su come pensa di comportarsi?»

«Nix. Solo una supposizione logica.»

Mikael pensò per qualche secondo. «La tipografia!» esclamò.

Erika alzò un sopracciglio.

«Se la redazione è a prova stagna, non ci sono molte altre possibilità. A meno che qualcuno dei suoi scagnozzi non abbia intenzione di farvi una visita notturna.»

Mikael si rivolse a Erika: «Prenota una nuova tipografia per questo numero. Subito. E chiama Dragan Armanskij – voglio una sorveglianza notturna qui per tutta la prossima settimana.» Poi di nuovo a Lisbeth, affettuosamente: «Grazie, Sally.»

«Quanto vale?»

«Di cosa stai parlando?»

«Quanto vale l'informazione?»

«Che cosa vuoi?»

«Questo preferirei discuterlo davanti a un caffè. Adesso.»

Si incontrarono al Kaffebar in Hornsgatan. Lisbeth aveva un'aria così seria quando Mikael si sedette sullo sgabello accanto a lei, da fargli provare una punta d'inquietudine. Come al suo solito, lei andò dritta al punto.

«Ho bisogno di un prestito.»

Mikael si produsse in uno dei suoi sorrisi più idioti e cercò il portafogli.

«Certamente. Quanto ti serve?»

«Centoventimila corone.»

«Oops.» Mikael rimise via il portafogli. «Non ho così tanti soldi con me.»

«Non sto scherzando. Mi occorre un prestito di centoventimila corone per – diciamo – sei settimane. Ho la possibilità di fare un investimento ma non ho nessuno a cui rivolgermi. In questo momento tu hai circa centoquarantamila corone sul tuo conto. Te le restituirò.»

Mikael non commentò il fatto che Lisbeth Salander avesse violato il segreto bancario e fosse andata a guardare quanto lui avesse sul conto. Utilizzava Internetbank, era evidente.

«Non hai bisogno di chiedere un prestito a me» rispose lui. «Non abbiamo ancora discusso la tua parte, ma dovrebbe coprire abbondantemente la cifra di cui hai bisogno.»

«Parte?»

«Sally, io ho da incassare un compenso pazzesco da Henrik Vanger, quando chiuderemo i conti a fine anno. Io sarei morto e *Millennium* sarebbe colato a picco senza di te. Ho intenzione di dividere con te quel compenso. Fifty-fifty.»

Lisbeth Salander lo scrutò con sguardo indagatore. Sulla sua fronte era comparsa una ruga. Mikael aveva cominciato ad abituarsi alle sue pause silenziose. Alla fine scosse la testa.

«Non li voglio i tuoi soldi.»

«Ma...»

«Non voglio una sola corona da te.» D'un tratto fece il suo sorriso storto. «Tranne che se arrivano come regalo per il mio compleanno.»

«Mi rendo conto in questo momento che non so nemmeno quando compi gli anni.»

«Sei un giornalista. Scoprilo.»

«Detto sinceramente, Lisbeth, io dico sul serio a proposito di dividere quel denaro.»

«Anch'io dico sul serio. Non voglio i tuoi soldi. Voglio solo prendere in prestito centoventimila corone e quella somma mi occorre domani.»

Mikael Blomkvist tacque. *Non mi chiede neppure a quanto ammonterebbe la sua parte.* «Sally, vengo volentieri in banca con te oggi e ti presto la somma che chiedi. Ma a fine anno riprenderemo il discorso della tua parte.» Alzò la mano. «Quand'è che compi gli anni, fra parentesi?»

«Il giorno di santa Valpurga» rispose lei. «Adatto, non è vero? Così posso andarmene in giro a cavallo di una scopa.»

Atterrò a Zurigo alle sette e mezza di sera e prese un taxi per l'Hotel Matterhorn. Aveva prenotato a nome Irene Nesser e si identificò con un passaporto norvegese intestato a quel nome. Irene Nesser aveva capelli biondi che le arrivavano sulle spalle. Aveva acquistato la parrucca a Stoccolma e usato diecimila corone del prestito di Mikael Blomkvist per procurarsi due passaporti attraverso uno dei dubbi contatti della rete internazionale di *Plague*.

Andò immediatamente nella sua camera, chiuse a chiave la porta e si spogliò. Si stese sul letto e guardò il soffitto della stanza che costava milleseicento corone per notte. Si sentiva vuota. Aveva già dilapidato metà della somma presa in prestito da Mikael Blomkvist e, benché vi avesse aggiunto fino all'ultima corona dei propri risparmi, disponeva di un budget molto ristretto. Smise di pensare e si addormentò quasi subito.

Si svegliò poco dopo le cinque del mattino. Per prima cosa fece la doccia e dedicò un lungo momento a mascherare il tatuaggio che aveva sul collo con uno spesso strato di fondotinta color carne. Il suo secondo punto all'ordine del giorno era l'appuntamento per le sei e mezza al salone di bellezza nell'atrio di un albergo ancora più caro. Lì acquistò un'altra parrucca bionda, stavolta un caschetto di media lunghezza, dopo di che passò alla manicure, facendosi applicare unghie finte laccate di rosso sopra i suoi mozziconi mangiucchiati, ciglia finte, altro fondotinta, fard e infine rossetto e altri intrugli. Costo: circa ottomila corone.

Pagò con una carta di credito intestata a Monica Sholes e presentò un passaporto inglese a conferma della sua identità.

La sosta successiva fu Camille's House of Fashion, centocinquanta metri più giù lungo la strada. Dopo un'ora uscì indossando stivali neri, calze nere, gonna color sabbia con camicetta in tinta, giacca in vita e basco. Tutta merce costosa e di marca. Aveva lasciato scegliere a una commessa. Si era anche comperata un'esclusiva valigetta di pelle e una piccola valigia Samsonite. La ciliegina sulla torta furono un discreto paio di orecchini e un girocollo d'oro. Sulla carta di credito erano state addebitate altre quarantaquattromila corone.

Per la prima volta in vita sua, Lisbeth Salander indossava inoltre un aggeggio che – quando si guardò allo specchio – la fece rimanere senza fiato. Le tette erano false come l'identità di Monica Sholes. Erano in lattice ed erano state acquistate in un negozio di Copenaghen frequentato dai travestiti.

Era pronta alla guerra.

Poco dopo le nove percorse due isolati fino al famoso Hotel Zimmertal, dove aveva prenotato una stanza a nome di Monica Sholes. Diede una mancia corrispondente a cento corone a un ragazzo che le portò in camera la valigia appena acquistata, e che conteneva la sua travel bag. La suite era piccola e costava solo ventiduemila corone al giorno. L'aveva prenotata per una notte. Quando fu sola si guardò intorno. Dalla finestra aveva una vista magnifica sul lago, cosa che non le interessava affatto. Trascorse invece quasi cinque minuti a guardarsi allo specchio con occhi sgranati. Vedeva una persona completamente estranea. La pettoruta Monica Sholes in caschetto biondo aveva più makeup di quanto Lisbeth Salander ne usasse in un mese. Pareva... diversa.

Alle nove e mezza fece finalmente colazione con due caffè e una brioche alla marmellata al bar dell'albergo. Costo centoventi corone. *Ma questi sono matti?*

Poco prima delle dieci, Monica Sholes depose la tazza del caffè, aprì il cellulare e compose il numero di un collegamento modem alle Hawaii. Dopo tre squilli partì un tono di collegamento. Il modem aveva abboccato. Monica Sholes rispose digitando un codice di sei cifre sul suo cellulare e inviò un sms che conteneva l'istruzione di avviare un programma che Lisbeth Salander aveva predisposto appositamente a questo scopo.

A Honolulu il programma si risvegliò su una home page anonima in un server che formalmente si trovava all'università. Il programma era semplice. Aveva solo la funzione di inviare istruzioni per l'avvio di un altro programma in un altro server, che in questo caso era un normalissimo sito commerciale che offriva servizi Internet in Olanda. Questo programma aveva a sua volta il compito di trovare l'hard disk che apparteneva a Hans-Erik Wennerström, e di prendere il comando del programma che esibiva il contenuto dei suoi quasi tremila conti bancari sparsi in giro per il mondo.

Soltanto uno era interessante. Lisbeth Salander aveva notato che Wennerström controllava quel conto un paio di volte la settimana. Se avviava il suo computer ed entrava proprio in quel file, tutto sarebbe sembrato normale. Il programma mostrava piccole variazioni che ci si poteva aspettare, considerando quanto il conto avesse fluttuato durante i sei mesi precedenti. Se Wennerström nelle prossime quarantott'ore fosse entrato e avesse dato ordine che una certa cifra fosse pagata o trasferita dal conto, il programma avrebbe premurosamente riportato che così era successo. Ma in realtà la variazione sarebbe avvenuta solo sull'hard disk specchio in Olanda.

Monica Sholes chiuse il cellulare nell'attimo in cui sentì quattro brevi segnali che confermavano che il programma si era avviato.

Lasciò lo Zimmertal e raggiunse la Bank Hauser General, dall'altra parte della strada, dove aveva fissato un appuntamento con un certo direttore Wagner, per le dieci. Si presentò tre minuti in anticipo e utilizzò l'attesa per posare davanti alla telecamera di sorveglianza che fissò la sua immagine mentre passava nella zona degli uffici riservati alle discrete consultazioni private.

«Mi occorre aiuto per alcune transazioni» disse Monica Sholes in impeccabile inglese oxfordiano. Quando aprì la valigetta, le cadde a terra una penna pubblicitaria che mostrava che soggiornava all'Hotel Zimmertal, e che il direttore cortesemente le raccolse. Lei scoccò un sorriso malizioso e scrisse il numero di conto sul blocco che c'era sulla scrivania di fronte a lei.

Il direttore le gettò un'occhiata e la catalogò come la figlia viziata di qualche chissà chi.

«Sono dei conti presso la Bank of Kroenenfeld alle Isole Cayman. Trasferimento automatico contro codici di clearing in sequenza.»

«*Fräulein* Sholes, naturalmente lei avrà sottomano tutti i codici» disse.

«*Aber natürlich*» rispose lei con un accento così marcato che era chiaro che aveva soltanto un po' di tedesco scolastico nel suo bagaglio culturale.

Cominciò a recitare serie di numeri a sedici cifre senza mai ricorrere a un appunto. Il direttore si rese conto che sarebbe stata una mattinata faticosa, ma con una commissione del quattro per cento sui trasferimenti era disposto anche a saltare il pranzo.

Ci volle più tempo di quanto avesse previsto. Solo subito dopo mezzogiorno, un po' oltre l'orario programmato, Monica Sholes lasciò la Bank Hauser General e tornò a piedi all'Hotel Zimmertal. Passò alla reception e poi salì nella sua camera. Si levò i vestiti che aveva comprato. Tenne il busto di lattice ma sostituì il caschetto con i capelli lunghi di Irene Nesser. Indossò una mise che le era più congeniale: stivali col tacco alto, pantaloni neri, una maglietta semplice e un elegante giacchino nero comperato da Malungsboden a Stoccolma. Si esaminò allo specchio. Non aveva affatto un'aria sciatta, ma non sembrava più una ricca ereditiera. Prima che Irene Nesser lasciasse la stanza, scelse un certo numero di obbligazioni e le mise in una cartelletta.

All'una e cinque, con qualche minuto di ritardo, entrò alla Bank Dorffmann, che era situata a circa settanta metri dalla Bank Hauser General. Irene Nesser aveva fissato in anticipo un appuntamento con un certo direttore Hasselmann. Si scusò per il ritardo. Parlava un tedesco impeccabile con un leggero accento norvegese.

«Nessun problema, *Fräulein*» rispose il direttore. «In che cosa posso esserle utile?»

«Vorrei aprire un conto. Ho un certo numero di obbligazioni che desidero convertire.»

Irene Nesser gli mise di fronte la cartelletta sulla scrivania. Il direttore diede una scorsa al contenuto, dapprima velocemente e poi con più calma. Sollevò un sopracciglio e sorrise cortese.

Irene Nesser aprì cinque conti cifrati che poteva gestire tramite Internet, e che facevano capo a un'anonima società di facciata a Gibilterra, che un agente locale aveva costituito per suo conto in cambio di cinquantamila delle corone prese in prestito da Mikael Blomkvist. Convertì cinquanta obbligazioni in denaro che mise sui conti. Ogni obbligazione aveva un valore pari a un milione di corone.

La sua commissione presso la Bank Dorffmann si protrasse un po' a lungo, e così slittò ancora una volta in avanti nello schema programmato. Non aveva nessuna possibilità di riuscire a fare la sua ultima commissione prima che le banche chiudessero. Irene Nesser tornò quindi all'Hotel Matterhorn, dove passò un'ora a farsi vedere in giro. Però aveva mal di testa e così uscì di scena. Comprò delle compresse alla reception e prenotò il servizio di sveglia per le otto del mattino dopo; quindi si ritirò nella sua stanza.

Erano quasi le cinque e tutte le banche in Europa avevano chiuso i battenti. Le banche nel continente americano, invece, erano aperte. Avviò il suo PowerBook e si collegò alla rete tramite il cellulare. Dedicò un'ora a vuotare i conti che aveva aperto alla Bank Dorffmann durante il primo pomeriggio.

Il denaro fu suddiviso in piccole porzioni e utilizzato per pagare fatture di un gran numero di società fittizie sparse per il mondo. Quando ebbe finito, il denaro era curiosamente tornato alla Bank of Kroenenfeld alle Isole Cayman, ma ora su un conto completamente diverso da quelli da cui era uscito qualche ora prima.

Irene Nesser ritenne che questa prima porzione adesso fosse al sicuro e praticamente impossibile da rintracciare. Fece un unico pagamento dal conto; circa un milione di corone fu trasferito su un conto che era collegato a una carta di credito che aveva nel portafogli. Il conto era intestato a una società anonima denominata Wasp Enterprises, registrata a Gibilterra.

Qualche minuto più tardi, una ragazza dal caschetto biondo lasciò l'Hotel Matterhorn attraverso una porta di servizio del bar dell'albergo. Monica Sholes raggiunse a piedi l'Hotel Zimmertal, fece un cortese cenno di saluto alla receptionist e prese l'ascensore per raggiungere la sua camera.

Quindi si prese tutto il tempo necessario per calarsi nell'uniforme da battaglia di Monica Sholes, rinfrescando il makeup e stendendo uno strato extra di fondotinta sopra il tatuaggio, prima di scendere al ristorante dell'albergo dove consumò una cena assolutamente sublime a base di pesce. Ordinò una bottiglia di vino d'annata di cui non aveva mai sentito parlare ma che costava milleduecento corone, ne bevve all'incirca un bicchiere e avanzò con noncuranza il resto prima di trasferirsi al bar dell'albergo. Lasciò circa cinquecento corone di mancia, cosa che indusse il personale a notarla.

Passò tre ore a farsi corteggiare da un giovane italiano ubriaco dal nobile cognome che non si curò di imparare a memoria. Bevvero insieme due bottiglie di champagne, delle quali lei consumò circa una coppa.

Verso le undici il suo alticcio cavaliere si chinò in avanti e le palpò spudoratamente il seno. Lei gli riportò soddisfatta la mano sul tavolo. Lui non sembrava aver notato di aver strizzato del morbido lattice. A volte erano chiassosi e suscitavano una certa irritazione fra gli altri ospiti. Quando Monica Sholes poco prima di mezzanotte notò che una guardia cominciava a tenerli d'occhio con aria severa, aiutò il suo amico italiano a raggiungere la propria stanza.

Mentre lui andava in bagno, gli versò un ultimo calice di vino rosso. Aprì una bustina ripiegata e aromatizzò il vino con una compressa polverizzata di Rohypnol. Lui si afflosciò in un misero mucchio sul letto meno di un minuto dopo che avevano brindato. Gli allentò il nodo della cravatta, gli sfilò le scarpe e gli mise sopra una coperta. In bagno lavò e asciugò i bicchieri prima di lasciare la stanza.

Il mattino seguente Monica Sholes fece colazione in camera sua alle sei, distribuì mance generose e se ne andò dallo Zimmertal prima delle sette. Prima di lasciare la stanza dedicò cinque minuti a togliere le impronte digitali da maniglie, guardaroba, sedile del water e altri oggetti che aveva toccato.

Irene Nesser partì dall'Hotel Matterhorn alle otto e mezza, subito dopo la sveglia. Prese un taxi e collocò i suoi bagagli in una cassetta di deposito della stazione ferroviaria. Quindi trascorse le ore successive a visitare nove banche private dove sistemò parte delle obbligazioni delle Cayman. Alle tre del pomeriggio aveva convertito circa il dieci per cento delle obbligazioni in denaro che versò su una trentina di conti cifrati. Il resto delle obbligazioni lo raccolse in un mazzo e lo lasciò a riposare in una cassetta di sicurezza.

Irene Nesser avrebbe dovuto fare qualche altro viaggio a Zurigo, ma non c'era nessuna urgenza.

Alle quattro e mezza del pomeriggio Irene Nesser prese un taxi per l'aeroporto, dove si infilò nella toilette delle signore e tagliò a pezzettini il passaporto e la carta di credito di Monica Sholes, buttando i frammenti nel gabinetto. Poi gettò le forbici in un cestino della carta straccia. Dopo l'11 settembre non era il caso di attirare l'attenzione con oggetti appuntiti nel proprio bagaglio.

Irene Nesser prese il volo Gd 890 per Oslo; una volta lì raggiunse in autobus la stazione centrale e nella toilette delle signore fece una cernita dei propri indumenti. Mise tutte le cose che appartenevano a Monica Sholes – caschetto biondo e abiti griffati – in tre sacchetti di plastica che gettò in diversi cassonetti e cestini dei rifiuti intorno alla stazione. La Samsonite vuota la infilò in un armadietto di deposito aperto. Il girocollo e gli orecchini erano pezzi di design che potevano essere rintracciati; scomparvero giù da uno scarico.

Dopo una certa esitazione, Irene Nesser decise di tenere il busto di lattice.

Fatto ciò si accorse di avere poco tempo e ingollò una cena in forma di hamburger al McDonald's mentre trasferiva il contenuto della sua esclusiva valigetta nella borsa da viaggio. Quando se ne andò, lasciò la valigetta vuota sotto il tavolo. Comperò un caffè macchiato *to go* in un chiosco e corse a prendere il treno notturno per Stoccolma. Arrivò giusto in tempo mentre stavano chiudendo le porte. Aveva prenotato uno scompartimento singolo nel vagone letto.

Dopo avere chiuso a chiave la porta, percepì che per la prima volta in due giorni l'adrenalina stava scendendo al livello normale. Aprì il finestrino e sfidò il divieto di fumare accendendosi una sigaretta, e rimase in piedi a sorseggiare il caffè mentre il treno usciva da Oslo.

Con la mente ripassò la sua lista per essere sicura di non aver trascurato nessun dettaglio. Dopo un momento corrugò le sopracciglia e ispezionò le tasche della giacca. Tirò fuori la penna con la pubblicità dell'Hotel Zimmertal e la fissò, riflettendo per qualche minuto prima di lasciarla cadere attraverso la fessura del finestrino.

Dopo un quarto d'ora si infilò nel letto e si addormentò quasi all'istante.

Epilogo: rapporto conclusivo
Giovedì 27 novembre - martedì 30 dicembre

Il numero a tema di *Millennium* su Hans-Erik Wenner-ström comprendeva ben quarantasei pagine del giornale ed esplose come una bomba a orologeria l'ultima settimana di novembre. Il testo principale portava la firma di Mikael Blomkvist ed Erika Berger. Nelle prime ore i mezzi d'informazione non sapevano come trattare lo scoop; l'anno prima un testo simile era costato a Mikael Blomkvist una condanna per diffamazione e un apparente licenziamento dalla rivista *Millennium*. La sua credibilità era considerata perciò piuttosto bassa. Adesso lo stesso giornale ritornava con una storia a firma dello stesso giornalista che azzardava affermazioni assai più pesanti rispetto al testo per cui era stato condannato. Il contenuto dell'articolo era a tratti talmente assurdo da sfidare il buon senso. La Svezia dell'informazione aspettava diffidente.

Ma quella sera *la famosa* di Tv4 si lanciò in un riassunto di undici minuti dei punti salienti delle accuse di Blomkvist. Erika Berger aveva pranzato con lei qualche giorno prima e le aveva dato un anticipo in esclusiva.

Il profilo brutale di Tv4 surclassò le notizie nazionali, che trovarono spazio solo nell'edizione delle nove. Allora anche la TT uscì con un primo comunicato dal cauto titolo *Giornalista condannato accusa finanziere di pesanti reati*. Il testo

653

riprendeva il servizio televisivo, ma il solo fatto che la TT riprendesse l'argomento scatenò una febbrile attività al quotidiano conservatore del mattino e nelle redazioni di una dozzina di quotidiani locali per fare in tempo a reimpostare la prima pagina prima che le rotative si mettessero in moto. Fino a quel momento, i giornali avevano più o meno deciso di ignorare le affermazioni di *Millennium*.

Il quotidiano liberale del mattino aveva commentato lo scoop di *Millennium* con un articolo di fondo, firmato dal caporedattore in persona, preparato già durante il pomeriggio. Il caporedattore si era quindi recato a una cena cui era stato invitato. Quando le notizie di Tv4 avevano cominciato a passare e la segretaria di redazione aveva preso febbrilmente a chiamarlo per dirgli che «ci poteva essere qualcosa» nelle affermazioni di Blomkvist, lui aveva tagliato corto con una frase che in seguito sarebbe passata alla storia: «Sciocchezze – i nostri reporter economici l'avrebbero scoperto da un pezzo.» Di conseguenza l'articolo di fondo del caporedattore liberale fu l'unica voce giornalistica del paese a smontare senza riserve le affermazioni di *Millennium*. L'articolo conteneva termini come *persecuzione personale*, *giornalismo spazzatura* ed esigeva *misure contro le affermazioni incriminabili ai danni di onesti cittadini*. Tuttavia fu l'unico intervento del caporedattore nel successivo dibattito.

Durante la notte, la redazione di *Millennium* fu affollata dal personale al completo. Secondo il programma, solo Erika Berger e la neoassunta segretaria di redazione Malin Eriksson si sarebbero dovute fermare per ricevere eventuali chiamate. Alle dieci di sera però tutti i redattori erano ancora lì, e si erano aggiunti anche non meno di quattro precedenti collaboratori e una mezza dozzina di free-lance stabili. A mezzanotte Christer Malm stappò una bottiglia di spumante. Fu quando un conoscente inviò un'anteprima di un giornale che dedicava sedici pagine all'affare Wennerström sotto il titolo *La mafia finanziaria*. Quando i quotidiani uscirono il giorno dopo, iniziò una battuta d'informazione come se n'erano viste di rado.

La segretaria di redazione Malin Eriksson ne dedusse che a *Millennium* si sarebbe certamente trovata bene.

Durante la settimana che seguì, la Svezia della Borsa tremò quando la Finanza cominciò a indagare sulla vicenda, furono coinvolti i pubblici ministeri e scoppiò la frenesia di vendere stimolata dal panico. Due giorni dopo le rivelazioni, l'affare Wennerström si trasformò in una questione politica, sulla quale il ministro dell'Economia fu costretto a esprimersi.

La battuta di caccia non significò che i media digerissero le affermazioni di *Millennium* senza domande critiche. Ma a differenza del primo affare Wennerström, questa volta *Millennium* era in grado di esibire prove convincenti: la posta elettronica personale di Wennerström e copie del contenuto del suo computer, che conteneva i bilanci di risorse bancarie occulte alle Isole Cayman e in due dozzine di altri paesi, contratti segreti e altre sciocchezze che un gangster più prudente non avrebbe messo mai e poi mai su un hard disk. Fu ben presto chiaro che se le affermazioni di *Millennium* avessero tenuto fino alla corte suprema – e sul fatto che la faccenda prima o poi vi sarebbe arrivata erano tutti concordi – quella sarebbe stata senza paragoni la più grossa bolla scoppiata nel mondo della finanza svedese dopo il crash Kreuger del 1932. L'affare Wennerström fece impallidire al confronto tutti i garbugli della Gotabanken e gli imbrogli della Trustor. Si trattava di una truffa su così vasta scala che nessuno osava nemmeno speculare su quante singole infrazioni alla legge fossero state commesse.

Per la prima volta nella storia del giornalismo economico

svedese si utilizzavano parole come frode sistematica, mafia, potere criminale. Wennerström e la sua cerchia di giovani agenti di Borsa, soci e avvocati vestiti Armani, venivano ritratti come una qualsiasi banda di rapinatori o trafficanti di droga.

Durante i primi giorni di bufera mediatica, Mikael Blomkvist rimase invisibile. Non rispondeva alle e-mail e non era raggiungibile telefonicamente. Tutti i contatti redazionali erano tenuti da Erika Berger, che faceva le fusa come un gatto quando era intervistata da mezzi d'informazione a diffusione nazionale e da importanti testate locali, e in seguito anche da un numero crescente di media stranieri. Ogni volta che le veniva chiesto come *Millennium* fosse entrato in possesso di tutta quella documentazione interna e strettamente privata, lei rispondeva con un sorriso criptico, che presto si trasformava in una cortina di fumo: «Naturalmente non possiamo svelare la nostra fonte.»

Quando le venivano poste domande sul perché le rivelazioni dell'anno precedente su Wennerström si fossero rivelate un tale fiasco, diventava ancora più criptica. Non mentiva mai, ma forse non diceva sempre tutta la verità. *Off the record*, quando non aveva un microfono sotto il naso, si lasciava sfuggire delle battute enigmatiche e pungenti, che messe insieme potevano condurre a conclusioni affrettate. Nacquero così voci che presto assunsero proporzioni leggendarie secondo le quali Mikael Blomkvist non aveva presentato alcuna difesa in tribunale e si era lasciato volontariamente condannare al carcere e a pesanti ammende perché la sua documentazione avrebbe altrimenti portato a un'inevitabile identificazione della sua fonte. Mikael fu paragonato a certi giornalisti americani, che vanno in galera piuttosto che rivelare una fonte, e descritto come un eroe in termini talmente lusinghieri da metterlo in imbarazzo. Ma non era il caso di smentire il malinteso.

Su una cosa erano tutti concordi: la persona che aveva passato la documentazione doveva essere qualcuno della cerchia dei fedelissimi di Wennerström. Da questa constatazione prese le mosse un interminabile dibattito laterale su chi fosse la *Gola Profonda* – collaboratori con possibili motivi di malcontento, avvocati o perfino la figlia cocainomane di Wennerström e altri membri della famiglia furono dipinti come possibili candidati. Né Mikael Blomkvist né Erika Berger dissero nulla. Evitarono sempre di commentare l'argomento.

Erika sorrise soddisfatta e seppe che avevano vinto quando uno dei quotidiani della sera, il terzo giorno della battuta di caccia, uscì con il titolo *La rivincita di Millennium*. L'articolo era un ritratto suadente del giornale e dei suoi collaboratori, ed era inoltre illustrato con una foto particolarmente ben riuscita di Erika Berger, che veniva definita la regina del giornalismo d'indagine. Cose del genere facevano aumentare le quotazioni, e si cominciava a parlare di Gran premio del giornalismo.

Cinque giorni dopo che *Millennium* aveva sparato la prima cannonata, fu distribuito alle librerie il volume di Mikael Blomkvist *Il banchiere della mafia*. Il libro era stato scritto in settembre e ottobre durante le febbrili giornate a Sandhamn, e stampato in tutta fretta e in gran segreto. Era il primo volume pubblicato da una casa editrice nuova di zecca con il logo Millennium. Era misteriosamente dedicato *a Sally, che mi ha mostrato i vantaggi del golf*.

Era un mattone di seicentoquindici pagine in formato tascabile. La tiratura limitata di duemila copie sarebbe stata un affare in perdita, ma la prima edizione andò esaurita nel giro di un paio di giorni, ed Erika Berger ne ordinò a tamburo battente altre diecimila.

I recensori constatarono che Mikael Blomkvist questa volta non aveva avuto intenzione di risparmiarsi, quando si era trattato di pubblicare dettagliati riferimenti alle fonti. In questa osservazione erano assolutamente nel giusto. Due terzi del libro consistevano di allegati che erano dirette trascrizioni di documentazioni provenienti dal computer di Wennerström. Contemporaneamente all'uscita del libro, *Millennium* riportò testi dal computer di Wennerström come fonti in file formato pdf sulla sua home page. Chiunque avesse il minimo interesse, poteva esaminare da sé il materiale.

La curiosa assenza di Mikael Blomkvist era una parte della strategia che lui ed Erika avevano messo a punto. Ogni singolo giornale del paese lo cercava. Solo quando il libro fu lanciato, Mikael comparve in un'esclusiva intervista televisiva condotta dalla *famosa* di Tv4, che ciò facendo surclassò ancora una volta la tv di stato. Tuttavia non si trattò di un arrangiamento amichevole, e le domande furono tutt'altro che tenere.

Riguardando il nastro, Mikael fu particolarmente soddisfatto di uno scambio di battute. L'intervista era stata fatta in diretta proprio nel momento in cui la Borsa di Stoccolma era in caduta libera e i giovani rampanti della finanza minacciavano di gettarsi da varie finestre. Gli era stato chiesto quale responsabilità avesse *Millennium* per il fatto che l'economia svedese era sull'orlo del tracollo.

«Affermare che l'economia della Svezia sia sull'orlo del tracollo è un nonsenso» aveva replicato fulmineo Mikael.

La famosa di Tv4 aveva assunto un'aria perplessa. La risposta non aveva seguito la direzione che si era aspettata, e d'un tratto era stata costretta a improvvisare. Mikael ricevette una domanda che voleva sentire: «In questo momento stiamo assistendo al più imponente crollo singolo della storia della Borsa svedese, e lei parla di nonsenso?»

«Occorre distinguere fra due cose, l'economia svedese e il mercato borsistico svedese. L'economia svedese è la somma di tutte le merci e i servizi che si producono ogni giorno in questo paese. Sono i telefoni della Ericsson, le automobili della Volvo, i polli della Scan e i trasporti da Kiruna a Skövde. Questa è l'economia svedese, che è esattamente forte o debole oggi quanto lo era una settimana fa.»

Fece una pausa a effetto per bere un goccio d'acqua.

«La Borsa è qualcosa di totalmente diverso. Lì non c'è nessuna economia e nessuna produzione di beni e servizi. Lì ci sono solo fantasie dove di ora in ora si decide che adesso questa o quella società vale tot miliardi in più o in meno. Questo non ha proprio niente a che fare con la realtà o con l'economia del paese.»

«Perciò secondo lei non ha nessuna importanza se la Borsa cade come un sasso?»

«No, nessuna importanza» rispose Mikael con una voce così stanca e rassegnata da farlo sembrare un oracolo. La battuta era destinata a venire citata diverse volte durante l'anno successivo. Poi continuò: «Significa soltanto che un sacco di grandi speculatori ora stanno per trasferire le azioni che gestiscono da aziende svedesi ad aziende tedesche. Si tratta di alti papaveri della finanza che qualche reporter un po' coraggioso dovrebbe identificare e denunciare come traditori della patria. Sono loro che sistematicamente e forse anche consapevolmente danneggiano l'economia svedese per soddisfare gli interessi dei loro clienti.»

Poi *la famosa* di Tv4 commise l'errore di porre esattamente la domanda che Mikael voleva sentire più di ogni altra: «Perciò secondo lei i media non hanno nessuna responsabilità?»

«Tutt'altro, i media hanno un'enorme responsabilità. Per almeno vent'anni troppi reporter economici hanno trascurato di mettere sotto esame Hans-Erik Wennerström. Al contrario hanno contribuito a creare il suo prestigio attraverso scriteriati ritratti che lo dipingevano come un idolo.

Se avessero fatto il loro lavoro, oggi non ci troveremmo in questa situazione.»

L'apparizione in tv comportò una svolta. In seguito, Erika Berger si convinse che fu solo nell'attimo in cui Mikael Blomkvist era in tv e difendeva tranquillo le sue asserzioni che la Svezia dell'informazione, nonostante *Millennium* fosse in cima ai titoli ormai da una settimana, si rese conto che la storia teneva davvero e che le straordinarie affermazioni del giornale erano effettivamente vere. Il suo atteggiamento aveva dato alla storia una rotta.

Dopo l'intervista, l'affare Wennerström scivolò impercettibilmente dai tavoli delle redazioni economiche a quelli dei reporter giudiziari. Questo segnò un nuovo orientamento nelle redazioni dei giornali. In precedenza i reporter giudiziari avevano scritto raramente o mai di reati economici, a parte quando si trattava di mafia russa o contrabbandieri di sigarette jugoslavi. Ai reporter giudiziari non si chiedeva di analizzare intricati avvenimenti di Borsa. Ma un giornale della sera prese Mikael Blomkvist alla lettera e riempì due numeri con ritratti di alcuni degli intermediari più importanti della Borsa, che erano giusto in procinto di acquistare titoli tedeschi. Il giornale titolava *Stanno vendendo il loro paese*. A tutti loro fu offerto di commentare le affermazioni. E tutti declinarono l'invito. Ma il commercio delle azioni quel giorno diminuì sensibilmente e alcuni che volevano presentarsi come patrioti progressisti cominciarono ad andare controcorrente. Mikael Blomkvist rise a crepapelle.

La pressione divenne così forte che seriosi personaggi in abito scuro corrugarono la fronte preoccupati e ruppero la regola più importante dell'esclusiva compagnia che costituiva la cerchia più interna della Svezia finanziaria – si espressero su un collega. Tutto d'un tratto, dirigenti della Volvo in pensione, capitani d'industria e direttori di banca comparivano in tv per rispondere a domande per limitare i danni. Tutti si rendevano conto della gravità della situazione; si trattava di prendere rapidamente le distanze dal Wennerstroem Group e liberarsi di eventuali pacchetti azionari dello stesso. Wennerström – constatavano tutti quasi a una sola voce – non era poi neanche un vero industriale, e non era mai stato realmente accettato nel club. Qualcuno ricordò che in fondo non era altro che un semplice figlio di proletari del Norrland, a cui il successo era andato alla testa. Qualcuno descrisse il suo agire come *una tragedia personale*. Altri scoprirono di avere avuto per molti anni dei dubbi su Wennerström – era uno che si vantava troppo e che aveva altre maniere.

Nelle settimane che seguirono, più si esaminava la documentazione di *Millennium* e si costruiva un quadro completo, più l'impero di losche società del finanziere veniva collegato al cuore della mafia internazionale, che comprendeva di tutto, dal traffico illegale di armi, al riciclaggio di denaro per il commercio sudamericano di stupefacenti, alla prostituzione a New York e perfino, indirettamente, alla prostituzione infantile in Messico. Una società facente capo a Wennerström e registrata a Cipro suscitò enorme scalpore quando si scoprì che aveva cercato di acquistare uranio rigenerato dal mercato nero ucraino. Ovunque, qualcuna delle società di facciata della inesauribile riserva di Wennerström sembrava comparire in loschi contesti.

Erika Berger constatò che il libro su Wennerström era la cosa migliore che Mikael avesse mai scritto. Il contenuto era stilisticamente poco omogeneo e il linguaggio qua e là perfino povero – non c'era stato tempo per nessun abbellimento – ma Mikael rendeva pan per focaccia e il libro intero era animato da un furore che non poteva sfuggire a nessun lettore.

Per un puro caso Mikael Blomkvist si imbatté nel suo antagonista, l'ex reporter economico William Borg. Si scontrarono sulla porta del Kvarnen, dove Mikael, Erika Berger e Christer Malm si erano presi la sera di Santa Lucia libera per festeggiare insieme con gli altri collaboratori e, a spese del giornale, bere fino a ubriacarsi. Borg era in compagnia di una ragazza sbronza marcia, dell'età di Lisbeth Salander.

Mikael si fermò di botto. William Borg aveva sempre risvegliato i suoi lati peggiori, e fu costretto a dominarsi per non dire o fare qualcosa di sconveniente. Lui e Borg rimasero in silenzio e si misurarono l'un l'altro con lo sguardo.

Il disprezzo di Mikael per Borg era fisicamente palpabile. Erika aveva interrotto quella dimostrazione di machismo tornando indietro e prendendo Mikael sottobraccio per trascinarlo al bar.

Mikael decise che, alla prima occasione, avrebbe chiesto a Lisbeth Salander di fare una delle sue sottili indagini personali su Borg. Solo *pro forma*, naturalmente.

Per tutta la durata della tempesta mediatica, il protagonista del dramma, il finanziere Hans-Erik Wennerström, si era mantenuto praticamente invisibile. Il giorno in cui l'articolo di *Millennium* era uscito, aveva commentato il testo nel corso di una conferenza stampa già in programma su tutt'altro argomento. Wennerström dichiarò che le accuse erano prive di fondamento e che la documentazione cui facevano riferimento era falsa. Ricordò anche che lo stesso reporter era stato condannato un anno prima per diffamazione.

Da quel momento in poi, furono solo gli avvocati di Wennerström a rispondere alle domande dei mass-media. Due giorni dopo che il libro di Mikael era stato distribuito, cominciarono a circolare voci insistenti secondo cui Wennerström aveva lasciato la Svezia. I giornali della sera usarono la parola fuga nei titoli. Quando la Finanza nel corso della seconda settimana cercò di prendere ufficialmente contatto con Wennerström, si constatò che questi non si trovava nel paese. A metà dicembre la polizia confermò che Wennerström era ricercato e il giorno prima di Capodanno fu diramato un avviso di ricerca internazionale. Il giorno stesso uno dei suoi più stretti consiglieri fu bloccato ad Arlanda mentre cercava di salire su un volo per Londra.

Diverse settimane più tardi un turista svedese riferì di aver visto Hans-Erik Wennerström salire a bordo di un'automobile a Bridgetown, la capitale di Barbados nelle Indie Occidentali. A riprova della sua affermazione, il turista allegava una fotografia che da una certa distanza mostrava un uomo bianco in occhiali scuri, camicia bianca sbottonata e pantaloni chiari. L'uomo non poteva essere identificato con sicurezza, ma i giornali della sera inviarono dei reporter che cercarono infruttuosamente di rintracciare Wennerström fra le isole caraibiche. Fu il primo di una lunga serie di avvistamenti del miliardario in fuga.

Dopo sei mesi la caccia si interruppe. Hans-Erik Wennerström fu trovato privo di vita in un appartamento a Marbella, Spagna, dove aveva preso dimora sotto il nome di Victor Fleming. Era stato ucciso con tre colpi di pistola alla testa sparati da distanza ravvicinata. La polizia spagnola lavorò in base alla teoria che il finanziere avesse sorpreso un ladro.

La morte di Wennerström non giunse come una sorpresa per Lisbeth Salander. La ragazza aveva ottimi motivi per sospettare che la sua fine avesse a che fare con il fatto che non aveva più accesso al denaro depositato presso una certa banca delle Isole Cayman che gli sarebbe dovuto servire a pagare certi debiti colombiani.

Se qualcuno si fosse preso il disturbo di chiedere aiuto a Lisbeth Salander per rintracciare Wennerström, lei avrebbe potuto dire quasi ogni giorno dove si trovava esattamente. Aveva seguito via Internet la sua fuga disperata attraverso una dozzina di paesi e visto crescere il panico nella sua posta elettronica non appena collegava in rete il suo portatile. Ma nemmeno Mikael Blomkvist avrebbe pensato che l'ex miliardario in fuga fosse così idiota da portarsi appresso lo stesso computer che era stato saccheggiato così a fondo.

Dopo sei mesi Lisbeth Salander si era stancata di seguire Wennerström. La questione che rimaneva da risolvere era fin dove si dovesse estendere il suo coinvolgimento. Wennerström era senza dubbio un farabutto di grandi proporzioni, ma non era suo nemico personale e lei non aveva nessun interesse proprio a intervenire contro di lui. Avrebbe potuto fornire indicazioni a Mikael Blomkvist, ma lui probabilmente avrebbe solo pubblicato un articolo. Avrebbe potuto fornire indicazioni alla polizia, ma la possibilità che Wennerström potesse essere avvertito e facesse in tempo a scomparire di nuovo era relativamente concreta. Inoltre per principio lei non parlava con la polizia.

Ma c'erano altri debiti che non erano ancora stati pagati. Pensava alla cameriera ventiduenne incinta che era stata tenuta con la testa sott'acqua nella vasca da bagno.

Quattro giorni prima che Wennerström fosse trovato morto, aveva preso una decisione. Aveva acceso il cellulare e aveva telefonato a un avvocato a Miami, Florida, che sembrava essere una delle persone da cui Wennerström cercava maggiormente di nascondersi. Aveva parlato con una segretaria e le aveva chiesto di riferire un messaggio criptico. Il nome di Wennerström e un indirizzo di Marbella. Nient'altro.

Spense la tv a metà della drammatica cronaca del telegiornale sul decesso di Wennerström. Accese la macchina del caffè e si preparò un tramezzino al pâté di fegato con cetrioli.

Erika Berger e Christer Malm si dedicavano alle annuali incombenze natalizie mentre Mikael stava seduto nella poltrona di Erika a bere *glögg* e a guardare. Tutti i collaboratori e un buon numero dei free-lance fissi avrebbero ricevuto un regalo – questa volta una borsa a tracolla con il logo Millennium. Dopo aver impacchettato i regali si sedettero a scrivere e affrancare circa duecento biglietti d'auguri a tipografie, fotografi e colleghi della stampa.

Mikael cercò fino all'ultimo di resistere alla tentazione, ma alla fine non poté trattenersi. Prese un ultimo biglietto natalizio e vi scrisse: *Buon Natale e buon anno nuovo. Grazie per l'eccezionale apporto durante l'anno trascorso.*

Firmò con il proprio nome e indirizzò il biglietto a Janne Dahlman, presso la redazione del *Monopol*.

Quando Mikael tornò a casa quella sera, trovò un avviso di recapito di un pacchetto. Andò a ritirare il regalo di Natale il mattino seguente, e lo scartò quando fu arrivato in redazione. Il pacchetto conteneva un repellente contro le zanzare e un quartino di acquavite Reimersholm. Mikael aprì il biglietto e lesse il testo: *Se non avrai altro da fare, io sarò all'ancora ad Arholma la vigilia della festa di mezza estate.* La firma era quella dell'ex compagno di scuola Robert Lindberg.

Tradizionalmente, *Millennium* chiudeva la redazione per la settimana prima di Natale e per le festività di Capodanno. Ma questa volta c'era stata un po' di esitazione al riguardo; la pressione sulla piccola redazione era stata colossale e ancora telefonavano quotidianamente giornalisti da tutti gli angoli del globo. Fu l'antivigilia di Natale che a Mikael Blomkvist capitò di leggere quasi per caso un articolo sul *Financial Times* che faceva il punto sull'attività della commissione bancaria internazionale incaricata in tutta fretta di fare luce sull'impero di Wennerström. L'articolo riportava che la commissione stava lavorando secondo l'ipotesi che Wennerström con ogni probabilità avesse ricevuto all'ultimo momento qualche avvertimento sulle imminenti rivelazioni.

I suoi conti presso la Bank of Kroenenfeld alle Isole Cayman, che contenevano duecentosessanta milioni di dollari americani – circa due miliardi e mezzo di corone svedesi – erano stati infatti svuotati subito prima dell'uscita di *Millennium*.

Il denaro era stato distribuito su una serie di conti a cui soltanto Wennerström poteva accedere. Non aveva avuto nemmeno bisogno di presentarsi in banca, era sufficiente indicare una serie di codici di clearing per poter trasferire il denaro a qualsiasi altra banca in giro per il mondo. Il denaro era stato spostato in Svizzera, dove una collaboratrice aveva convertito la somma in obbligazioni private. Tutti i codici di clearing usati erano perfettamente in regola.

L'Europol aveva emanato un avviso di ricerca internazionale per questa sconosciuta che aveva utilizzato un passaporto inglese rubato a nome di Monica Sholes, e che a quanto pareva aveva fatto la bella vita in uno degli alberghi più costosi di Zurigo. Un'immagine – relativamente nitida per provenire da una telecamera di sorveglianza – ritraeva una donna di bassa statura con un caschetto di capelli biondi, bocca larga, petto sporgente, esclusivi capi d'abbigliamento di marca e monili d'oro.

Mikael Blomkvist osservò l'immagine, prima con una rapida occhiata e quindi con un'espressione sempre più sospettosa. Dopo qualche secondo frugò nel cassetto della scrivania alla ricerca di una lente d'ingrandimento e cercò di distinguere i dettagli dei lineamenti nel retino del giornale.

Alla fine depose il giornale e rimase seduto a bocca aperta per diversi minuti. Quindi cominciò a ridere in modo così isterico che Christer Malm cacciò dentro la testa domandando che cosa stesse succedendo. Mikael sventolò la mano per fargli capire che non era niente.

La mattina della Vigilia, Mikael si recò ad Årsta a trovare la sua ex moglie e la figlia Pernilla, per lo scambio dei regali. Pernilla ricevette un computer che aveva molto desiderato e che Mikael e Monica avevano acquistato insieme. Mikael ricevette una cravatta da Monica e un poliziesco di Åke Edwardson dalla figlia. A differenza del Natale precedente, erano euforiche per il polverone mediatico che era sorto intorno a *Millennium*.

Pranzarono insieme. Mikael guardava Pernilla con la coda dell'occhio. Non incontrava la figlia dalla sua visita inaspettata a Hedestad. D'un tratto si rese conto di non avere mai discusso con sua madre della sua passione per una setta di Skellefteå che studiava la Bibbia. E non poteva nemmeno raccontare che erano state le conoscenze bibliche di Pernilla che alla fine l'avevano messo sulla giusta traccia per quanto riguardava la scomparsa di Harriet Vanger. Non aveva più parlato con la figlia da allora e provava una punta di rimorso.

Non era un bravo papà.

Dopo pranzo si congedò dalla figlia con un bacio e raggiunse Lisbeth Salander a Slussen per proseguire con lei verso Sandhamn. Non si erano quasi più visti dopo che era scoppiata la bomba di *Millennium*. Arrivarono nel tardo pomeriggio della vigilia e si fermarono per le feste.

Mikael era come sempre una compagnia piacevole, ma Lisbeth ebbe la sgradevole sensazione che lui la scrutasse con uno sguardo molto strano quando gli rimborsò il prestito con un assegno di centoventimila corone. Però non le disse nulla.

Fecero una passeggiata fino a Trovill e ritorno – cosa che a Lisbeth sembrò una perdita di tempo –, cenarono alla locanda e poi si ritirarono nella casetta di Mikael dove accesero il fuoco nel camino di pietra ollare, misero su un disco di Elvis e si dedicarono a piacevoli e tranquille attività erotiche. Quando Lisbeth di tanto in tanto risaliva in superficie, cercava di afferrare quali fossero i propri sentimenti.

Non aveva problemi con Mikael come amante. A letto si divertivano. Fisicamente avevano un'ottima intesa. E lui non cercava mai di addomesticarla.

Il suo problema era che non riusciva a interpretare i propri sentimenti per Mikael. Era da molto prima della pubertà che non abbassava la guardia e non lasciava avvicinare a sé un'altra persona, come invece aveva fatto con Mikael Blomkvist. Lui aveva, a dirla francamente, la scomoda capacità di intrufolarsi attraverso i suoi meccanismi di difesa e di fregarla inducendola di volta in volta a parlare di faccende personali e sentimenti privati. Anche se lei aveva sufficiente buon senso da ignorare la maggior parte delle sue domande, finiva tuttavia sempre per raccontare di sé come nemmeno sotto minaccia di morte avrebbe potuto immaginare di fare con un'altra persona. Questo la spaventava, e la faceva sentire nuda e in balia della sua discrezione.

Al tempo stesso – guardando la sua figura addormentata e ascoltando il suo lieve russare – sentiva che mai prima in vita sua si era fidata così senza riserve di un altro essere umano. Era assolutamente certa che Mikael Blomkvist non si sarebbe mai servito di ciò che sapeva di lei per danneggiarla. Non era nella sua natura.

L'unica cosa che non discutevano mai era la loro relazione. Lei non osava, e Mikael non affrontava mai l'argomento.

La mattina di Santo Stefano Lisbeth giunse a una conclusione che la terrorizzò. Come fosse potuto succedere non lo sapeva, e nemmeno sapeva come avrebbe gestito la cosa. Ma per la prima volta nei suoi venticinque anni di vita era innamorata.

Che lui avesse quasi il doppio dei suoi anni non le importava. E nemmeno che al momento fosse una delle persone più discusse della Svezia, tanto da essere finito anche sulla copertina di *Newsweek* – era solo una telenovela. Ma Mikael Blomkvist non era una fantasia erotica oppure un sogno a occhi aperti. Quella storia doveva finire perché non poteva funzionare. Che cosa poteva farsene lui di lei? Probabilmente era solo un passatempo in attesa di qualcuno la cui vita non fosse una dannata schifezza.

Di colpo capì che l'amore è quell'attimo in cui il cuore vorrebbe scoppiare.

Quando Mikael si svegliò, nella tarda mattinata, lei aveva preparato il caffè e apparecchiato la tavola per la colazione. Lui la raggiunse e si accorse subito che qualcosa nel suo atteggiamento era cambiato – era un po' più riservata. Quando le domandò se c'era qualcosa che non andava, lei lo guardò con indifferenza, come se non capisse.

Il giorno dopo Santo Stefano Mikael Blomkvist prese il treno diretto a Hedestad. Indossava indumenti caldi e aveva ai piedi robuste calzature invernali quando Dirch Frode lo andò a prendere alla stazione e si congratulò discretamente con lui per i successi mediatici. Era la prima volta che ritornava a Hedestad ed era passato quasi esattamente un anno dalla prima volta che vi era sbarcato. I due uomini si strinsero la mano e conversarono affabilmente, ma fra loro c'erano anche parecchie cose non dette, e Mikael si sentiva a disagio.

Tutto era già pronto, e la transazione d'affari nello studio di Dirch Frode portò via solo qualche minuto. Frode si era offerto di versare il denaro su un comodo conto all'estero, ma Mikael aveva insistito perché venisse pagato come un normale onorario alla sua società.

«Non mi posso permettere nessun'altra forma di compenso» aveva risposto concisamente quando Frode aveva chiesto perché.

La visita non fu solo di natura economica. Mikael aveva ancora indumenti, libri e alcuni effetti personali nello chalet, che erano rimasti lì quando lui e Lisbeth avevano lasciato Hedeby in tutta fretta.

Henrik Vanger era ancora provato dopo il suo attacco di cuore, ma era tornato a casa dall'ospedale. Era costantemente sorvegliato da un'infermiera privata, che gli impediva di fare lunghe passeggiate, salire le scale e discutere di cose che potessero farlo inquietare. Proprio in quei giorni si era anche preso una leggera infreddatura e di conseguenza gli era stato subito ordinato di mettersi a letto.

«In più è anche cara» si lamentò Henrik Vanger.

Mikael Blomkvist non si mostrò troppo solidale, ritenendo che il vecchio se lo potesse permettere, con tutte le tasse che doveva aver evaso nella sua lunga vita. Henrik Vanger lo guardò rabbuiato prima di attaccare a ridere.

«Al diavolo, tu sei valso ogni singolo centesimo. Io lo sapevo.»

«A voler essere sinceri, non avrei mai creduto di riuscire a risolvere il mistero.»

«Non ho intenzione di ringraziarti» disse Henrik Vanger.

«Non me lo sono mai aspettato» rispose Mikael.

«Sei stato pagato profumatamente.»

«Non mi lamento.»

«Hai fatto un lavoro per me e l'onorario deve bastare come ringraziamento.»

«Sono qui solo per dire che considero concluso l'incarico.»

Henrik Vanger curvò le labbra. «Tu non hai finito il lavoro» disse.

«Lo so.»

«Non hai scritto la cronaca sulla famiglia Vanger come avevamo concordato.»

«Lo so. E nemmeno ho intenzione di farlo.»

Rimasero seduti in silenzio un momento, a riflettere sulla violazione del contratto. Quindi Mikael continuò: «Non posso scrivere la storia. Non posso raccontare della famiglia Vanger ed escludere di proposito l'evento più centrale degli ultimi decenni – la vicenda di Harriet e di suo padre e di suo fratello e degli omicidi. Come potrei mai scrivere un capitolo sull'epoca di Martin come amministratore delegato e fingere di non sapere cosa nasconde la sua cantina? Ma non posso nemmeno scrivere la storia senza distruggere ancora una volta la vita di Harriet.»

«Comprendo il dilemma e ti sono grato per la scelta che hai fatto.»

«Dunque abbandono la storia.»

Henrik Vanger annuì.

«Congratulazioni. Sei riuscito a corrompermi. Distruggerò tutti gli appunti e tutte le registrazioni delle conversazioni con te.»

«In effetti non sono convinto che tu sia stato corrotto» disse Henrik Vanger.

«Ma è così che mi sento. E allora probabilmente è vero.»

«Tu dovevi scegliere fra il tuo lavoro come giornalista e il tuo lavoro come essere umano. Sono piuttosto sicuro che non sarei riuscito a comprare il tuo silenzio e che avresti scelto il tuo ruolo di giornalista mettendoci tutti in piazza, se Harriet fosse stata complice o se mi avessi giudicato un farabutto.»

Mikael non disse niente. Henrik lo guardò.

«Abbiamo raccontato tutta la storia a Cecilia. Io e Dirch Frode presto non ci saremo più e Harriet avrà bisogno di appoggio da parte di qualcuno della famiglia. Fra non molto Cecilia assumerà un ruolo attivo nel consiglio d'amministrazione. Saranno lei e Harriet a guidare il gruppo d'ora in avanti.»

«Come l'ha presa?»

«Naturalmente è rimasta scioccata. È andata all'estero per un lungo periodo. Per un po' ho temuto che non sarebbe tornata.»

«Invece l'ha fatto.»

«Martin era una delle poche persone della famiglia con cui Cecilia era sempre andata d'accordo. È stato difficile per lei scoprire la verità su di lui. Adesso Cecilia sa anche che cosa hai fatto tu per la famiglia.»

Mikael alzò le spalle.

«Grazie, Mikael» disse Henrik Vanger.

Mikael alzò di nuovo le spalle.

«Inoltre non avrei la forza di scrivere la storia» disse. «La famiglia Vanger mi sta sul gozzo.»

Rifletterono un attimo su questa considerazione prima che Mikael cambiasse argomento.

«Come ci si sente a essere di nuovo amministratore delegato dopo venticinque anni?»

«È una soluzione molto provvisoria, ma... vorrei essere più giovane. Adesso lavoro solo tre ore al giorno. Tutte le riunioni si tengono in questa stanza e Dirch Frode è rientrato come mio mastino se qualcuno cerca di mettere i bastoni fra le ruote.»

«I giovani dovranno stare in guardia. Mi ci è voluto un bel pezzo a capire che Frode non era solo un docile consigliere economico ma anche una persona che ti risolve i problemi.»

«Esatto. Ma tutte le decisioni vengono prese di comune accordo con Harriet ed è lei che fa il lavoro pesante in ufficio.»

«Come le vanno le cose?» domandò Mikael.

«Ha ereditato sia le quote del fratello che della madre. Insieme controlliamo circa il trentatré per cento del gruppo.»

«È sufficiente?»

«Non so. Birger rema contro e cerca di farle lo sgambetto. Alexander si è reso conto di colpo che ha una possibilità di diventare importante e si è alleato con Birger. Mio fratello Harald ha il cancro e non vivrà ancora per molto. Possiede l'unica quota azionaria rilevante, il sette per cento, che andrà ai figli. Cecilia e Anita si alleeranno con Harriet.»

«In questo modo controllerete oltre il quaranta per cento.»

«È un caso di cartello mai esistito in precedenza, all'interno della famiglia. Un numero sufficiente di azionisti con l'uno o il due per cento voteranno con noi. Harriet mi succederà come amministratore delegato in febbraio.»

«Non sarà facile, per lei.»

«No, ma è un passo necessario. Dobbiamo riuscire a far entrare nuovi partner e sangue nuovo. Abbiamo anche la possibilità di collaborare con le sue stesse aziende in Australia. Esistono delle prospettive.»

«Dov'è Harriet oggi?»

«Sei sfortunato. È a Londra. Ma avrebbe molto piacere di incontrarti.»

«La incontrerò in occasione del consiglio d'amministrazione a gennaio, se ti sostituisce.»

«Lo so.»

«Dille che non discuterò mai ciò che accadde negli anni sessanta con nessuno, tranne che con Erika Berger.»

«So anche questo e anche Harriet lo sa. Tu sei una persona con una morale.»

«Ma dille anche che tutto ciò che farà da questo momento in avanti potrà finire sul giornale, se non fa attenzione. Il Gruppo Vanger non sarà esente da sorveglianza.»

«La metterò in guardia.»

Mikael lasciò Henrik Vanger quando il vecchio cominciò a dar segno di appisolarsi. Mise ciò che gli apparteneva in due valigie. Quando per l'ultima volta chiuse la porta dello chalet degli ospiti esitò un momento, ma poi andò da Cecilia e bussò. Non era in casa. Allora strappò un foglio dalla sua agenda tascabile e scrisse qualche parola. *Perdonami. Ti auguro ogni bene.* Lasciò il foglietto insieme al suo biglietto da visita nella cassetta delle lettere. La villa di Martin Vanger era chiusa. Un candelabro elettrico brillava dietro la finestra della cucina.

Mikael ritornò a Stoccolma con il treno della sera.

Nei giorni precedenti Capodanno Lisbeth Salander staccò i contatti con il mondo esterno. Non rispondeva al telefono e non accendeva il computer. Dedicò due giorni a lavare indumenti, pulire e mettere ordine nell'appartamento. Cartoni della pizza vecchi di un anno e giornali furono legati in pacchi e gettati. Complessivamente portò fuori sei sacchi neri della spazzatura e una ventina di sacchetti di carta pieni di giornali. Sembrava che avesse deciso di cominciare una nuova vita. Pensava di acquistare un nuovo appartamento – quando avesse trovato qualcosa di adatto – ma fino ad allora la sua vecchia casa sarebbe stata più lustra di quanto lo fosse mai stata a sua memoria.

Finito tutto, si sedette come paralizzata e rifletté. Mai in vita sua aveva provato una nostalgia così grande. Voleva che Mikael Blomkvist suonasse alla sua porta e... e cosa? La sollevasse da terra, stringendola fra le braccia? Per poi trascinarla in camera da letto e strapparle di dosso tutti i vestiti? No, in realtà desiderava solo la sua compagnia. Voleva sentirgli dire che lei gli piaceva per quello che era. Che era qualcosa di speciale nel suo mondo e nella sua vita. Voleva che le regalasse un gesto d'amore, non soltanto di amicizia e cameratismo. *Sto per uscire di senno* pensò.

Dubitava di sé. Mikael Blomkvist viveva in un mondo abitato da gente con un lavoro rispettabile e una vita ordinata.

I suoi conoscenti facevano cose, comparivano alla tv e creavano rubriche. *Io a che cosa ti servirei?* Il grande terrore di Lisbeth Salander, così grande e nero da assumere proporzioni fobiche, era che la gente ridesse dei suoi sentimenti. E di colpo tutta la sua autostima tanto faticosamente costruita sembrava essere crollata a pezzi.

Allora si decise. Le occorsero diverse ore per mobilitare il coraggio necessario, ma era costretta a incontrarlo e a dirgli che cosa provava.

Qualsiasi altra soluzione sarebbe stata insostenibile.

Aveva bisogno di un pretesto per bussare alla sua porta. Non gli aveva fatto nessun regalo di Natale ma sapeva che cosa comprare. Da un rigattiere aveva visto una serie di cartelli pubblicitari in latta degli anni cinquanta con le figure in rilievo. Uno raffigurava Elvis Presley con la chitarra appoggiata contro l'anca e un fumetto con scritto *Heartbreak Hotel*. Non aveva il minimo senso dell'arredo ma perfino lei si rendeva conto che quell'oggetto poteva stare benissimo nella casetta di Sandhamn. Costava settecentottanta corone e per principio negoziò il prezzo fino ad abbassarlo a settecento. Lo fece impacchettare, se lo mise sotto il braccio e si avviò verso la casa di Mikael in Bellmansgatan.

In Hornsgatan gettò per caso un'occhiata verso il Kaffebar e ne vide uscire d'improvviso Mikael in compagnia di Erika Berger. Lui disse qualcosa ed Erika rise e gli mise un braccio intorno alla vita e lo baciò sulla guancia. Scomparvero lungo Brännkyrkagatan in direzione di Bellmansgatan. Il loro linguaggio del corpo non lasciava spazio a errori d'interpretazione – era evidente che cosa avevano in mente.

Il dolore fu così immediato e lancinante che Lisbeth si fermò nel bel mezzo di un passo, incapace di muoversi. Una parte di lei voleva correre per raggiungerli. E poi brandire il cartello di latta e usarne il bordo affilato per spaccare in due la testa di Erika Berger. Ma non fece nulla mentre i pensieri le passavano rapidi per la testa. *Analisi delle conse-guenze*. Alla fine si calmò.

Salander, sei proprio un'idiota penosa disse ad alta voce a se stessa.

Girò i tacchi e si avviò nuovamente verso il suo apparta-mento fresco di pulizie. Quando passò da Zinkensdamm co-minciava a nevicare. Elvis lo lasciò cadere dentro un casso-netto dei rifiuti.

Stampato da
Grafica Veneta S.p.A., Trebaseleghe (PD)
per conto di Marsilio Editori® in Venezia

«Farfalle Marsilio»
Periodico mensile n. 130/2007
Direttore responsabile: Cesare De Michelis
Registrazione n. 1334 del 29.05.1999
Tribunale di Venezia
Registro degli operatori di comunicazione-ROC n. 6388

EDIZIONE   ANNO

17 16 15 14 13 12 11 10   2008 2009 2010 2011

Leif GW Persson
Anatomia di un'indagine
traduzione di Giorgio Puleo
pp. 560

«*Una ricostruzione perfetta e appassionante di un classico caso di omicidio, descritta con grande realismo e sarcasmo. Persson si conferma un maestro dell'intrattenimento. Uno dei migliori gialli della stagione!*» ALLAS

Nel mezzo di un'estate svedese insolitamente torrida l'attenzione di tutta la nazione converge sulla tranquilla località di Växjö, dove una giovane aspirante poliziotta viene brutalmente assassinata.
Delle indagini si occupa Bäckström, ispettore megalomane e mediocre, che dà il via a un estenuante controllo del dna dell'intera popolazione maschile del posto.

Un ritratto assolutamente credibile del moderno lavoro della polizia, reso dal più noto criminologo di Svezia, capace di trasformare un ordinario caso di omicidio in un'amara commedia di costume.

Considerato uno dei maestri del giallo scandinavo, LEIF GW PERSSON (1945) è un noto professore di criminologia che insegna alla Scuola nazionale di polizia ed è stato consulente del ministero di Giustizia e dei Servizi segreti svedesi. Di Persson, Marsilio ha pubblicato *Tra la nostalgia dell'estate e il gelo dell'inverno* e *Un altro tempo un'altra vita*, entrambi premiati dall'Accademia svedese del poliziesco.

Anatomia di un'indagine

farfalle Marsilio i gialli

Åsa Larsson
Il sangue versato
traduzione di Katia De Marco
pp. 400

Un nuovo caso per l'avvocato Rebecka Martinsson

In una terra incantevole ai limiti del mondo, non lontano dal circolo polare artico, si compie un delitto feroce. Un amore sconfinato sfocia in pazzia, la forza arcaica dei sentimenti degenera in violenza.

Notte di solstizio a Jukkasjärvi, piccola località nei pressi di Kiruna, luogo solitario e primitivo, dove per mesi non compare mai il sole.
Nella chiesa viene ritrovato il corpo del pastore Mildred Nilsson, donna che con le sue posizioni inflessibili aveva diviso le anime del paese, attirando odio e venerazione.
Rebecka Martinsson, tornata a casa per tutt'altre ragioni, indaga con l'ispettrice di polizia Anna-Maria Mella, rientrata in anticipo dalla sua quarta maternità.

Premio dell'Accademia svedese del poliziesco come miglior giallo

«I libri di Åsa Larsson sono dei piccoli miracoli» Tobias Gohlis, DIE ZEIT

ÅSA LARSSON è nata a Kiruna nel 1966. Avvocato fiscalista, è autrice della fortunata serie di gialli che ha per protagonista l'avvocato Rebecka Martinsson, di cui Marsilio ha già pubblicato il primo episodio, *Tempesta solare*, vincitore nel 2003 del premio dell'Accademia svedese del poliziesco come miglior giallo d'esordio.

Åsa Larsson

Il sangue versato

farfalle Marsilio i gialli

Kjell Ola Dahl
Un piccolo anello d'oro
traduzione di Giovanna Paterniti
pp. 368

«Ecco la nuova coppia della narrativa poliziesca scandinava: l'ispettore Gunnarstranda e il suo assistente Frølich, con una serie di gialli di grande realismo e grande suspense» THE BOOKSELLER

Il corpo senza vita di Katrine Bratterud, giovane e bella dipendente di un'agenzia di viaggi, viene ritrovato in un fossato vicino a una spiaggia di Oslo. La sera precedente la ragazza aveva partecipato a un party, organizzato dalla responsabile della comunità di recupero per tossicodipendenti di cui lei stessa aveva fatto parte.
Gunnarstranda e Frølich indagano il passato della vittima, un passato di droga e sesso, di violenza e menzogne. E scoprono che anche Katrine stava svolgendo un'indagine per proprio conto.
Un caso intricato, ricco di colpi di scena, una storia intensa dal finale sorprendente.

«Il nuovo re del poliziesco. Kjell Ola Dahl sa combinare superbamente suspense e humour. È il caso letterario dell'anno, il prossimo Henning Mankell» MAX

Vincitore del Riverton Prize
Nominato al Brage Literary Prize, al Glass Key, al Martin Back Award

KJELL OLA DAHL (1958), psicologo, ex insegnante, vive in una fattoria ad Askim, nei pressi di Oslo. Dal suo debutto nel 1993 è sempre stato considerato in Norvegia uno dei migliori autori di polizieschi. Ha scritto diversi romanzi e ha conosciuto il successo internazionale con la serie di Gunnarstranda e Frølich.

Kjell Ola Dahl

Un piccolo anello d'oro

farfalle Marsilio **i gialli**